2016
Manual para **proclamadores** de la **palabra**™

Raúl Duarte Castillo

LTP
RECURSOS
CATÓLICOS
EN ESPAÑOL

Nihil Obstat
Reverendo Daniel A. Smilanic, JCD
Vicario de Servicios Canónicos
Arquidiócesis de Chicago
20 de marzo de 2015

Imprimatur
Reverendo Ronald A. Hicks
Vicario General
Arquidiócesis de Chicago
20 de marzo de 2015

El *Nihil Obstat* e *Imprimatur* son declaraciones oficiales de que un libro es libre de errores doctrinales y morales. No existe ninguna implicación en estas declaraciones de que quienes han concedido el *Nihil Obstat* e *Imprimatur* estén de acuerdo con el contenido, opiniones o declaraciones expresas. Tampoco ellos asumen alguna responsabilidad legal asociada con la publicación.

Las lecturas bíblicas han sido aprobadas por el Department of Communications de la USCCB.

MANUAL PARA PROCLAMADORES DE LA PALABRA™ 2016 © 2015
Arquidiócesis de Chicago
Liturgy Training Publications
3949 South Racine Avenue
Chicago, IL 60609
1-800-933-1800
fax: 1-800-933-7094
e-mail: orders@ltp.org

Visítanos en internet:
www.LTP.org.

Editor: Ricardo López
Corrector: Víctor R. Pérez
Revisor: Christian Rocha
Tipografía: Luis Leal
Portada: Barbara Simcoe
Diseño: Anna Manhart

Impreso en los Estados Unidos de América.

ISBN 978-1-61671-212-9

MP16

ÍNDICE

Tiempo Ordinario

El compromiso editorial de LTP se extiende también al cuidado responsable del medio ambiente.

Manual para proclamadores de la palabra™ 2016 fue impreso con tinta a base de soya y en papel certificado por la SFI® (Iniciativa por una silvicultura sustentable). Certified Fiber Sourcing Standard CERT – 0048284 y Chain-of-Custody Standard SAI-SFICOC-013349 confirman que el productor del papel ha seguido un proceso responsable en la obtención de la fibra.

La pulpa de madera empleada en este papel proviene de materiales reciclados y de fuentes 100% responsables. Para minimizar el uso de combustible fósil, en la producción de este papel se emplearon biocombustibles renovables.

INTRODUCCIÓN

Cada domingo, nos reunimos a celebrar en la liturgia la salvación que Dios le ofrece a la humanidad entera. El Señor Jesús convoca a todos y cada uno de los bautizados, hambrientos y sedientos a incorporarse a su misterio de muerte y resurrección. Este misterio inspira y alimenta toda la vida eclesial, pero de un modo eminente, se ofrece en el banquete del pan y vino eucarísticos y en la mesa sonora de la palabra penetrante de Dios que conversa con su pueblo.

Los bautizados de todas las generaciones han acudido a ese banquete doble que Cristo dispone en la liturgia dominical, para su esposa, la Iglesia. Ella busca siempre configurarse más y más al misterio pascual del Cordero Inmaculado. Debido a esto, la sabiduría centenaria de la fe celebrada reconoce esta reunión como la "fuente y cumbre de la vida y misión de la Iglesia", pues en ella, la identidad misma de los bautizados se nutre y regenera.

En el bautismo, el creyente queda consagrado por Jesucristo mismo, Palabra definitiva y encarnada de Dios para nosotros. Antes de recibir el agua bautismal, se nos hizo la señal de la cruz en los oídos como signo de su apertura a la palabra de Dios; igualmente, se nos signó en los labios para que pudiéramos anunciar y proclamar esa palabra. Ya bautizados, se nos ungió con el fragante Crisma de la santidad en la frente, en el pecho y en las manos, como signo de nuestra íntima unión a Cristo profeta, rey y sacerdote. En esta condicion de consagrados comenzamos a participar de la vida de la Iglesia, nación santa, comunidad de elegidos, pueblo de Dios.

Dios conversa con su pueblo en cada asamblea litúrgica para participarle de su santidad y caminar en alianza con él. La palabra es un ingrediente esencial de la vitalidad pascual del pueblo de Dios.

En la celebración litúrgica son proclamadas, además del evangelio, una lectura del Antiguo o Primer Testamento y otra del Nuevo o Segundo Testamento. El Antiguo Testamento atesora en sus páginas las tradiciones más queridas de la fe del pueblo de Dios. Esas tradiciones fueron forjadas y transmitidas primero de forma oral y luego escrita, a lo largo de muchas generaciones. Los fieles podían percibir en ellas la salvación de Dios, realizada con palabras y con obras "intrínsecamente ligadas", de modo que aquella fe arraigada en los acontecimientos fundantes había de marcar la historia del pueblo y su destino: la salvación en Cristo Jesús.

Las Sagradas Escrituras

Los distintos escritos que habrían de conformar el Antiguo Testamento, fueron agrupados en tres secciones, que hoy identificamos como la Ley, los Profetas y los Escritos (cf. Lc 24:27). Cada una de ellas aporta una luz distintiva al misterio pascual cristiano.

La *Ley* o *Pentateuco* tiene un carácter fundante para la fe del pueblo de Dios. Allí se nos entregan en forma de bellas catequesis relatos de la creación, de los patriarcas y sus familias, de la formación del pueblo hebreo, de su liberación de Egipto, de la alianza con Dios con sus estatutos y normativas, e igualmente de su peregrinar por el desierto hasta pasar el Jordán y entrar en la tierra de la promesa.

Los *Profetas* es también una amplia sección de la Biblia muy apreciada entre los fieles de Israel. Allí encontramos relatos sobre los primeros pasos de las tribus que conforme se van asentando en la tierra, adoptan modos diversos de organizarse y gobernarse; pero también escuchamos sobre la monarquía, el cisma y la ruina de los reinos, sobre el exilio e incluso sobre la esperanza de la restauración. A esta parte se le conoce como Profetas primeros. Pero en la parte de los Profetas segundos, encontramos la voz y la vida de diferentes profetas, los mensajeros del Dios vivo, anunciando y denunciando, llamando a la conversión, a instaurar la justicia, a la fidelidad a la alianza, y a la esperanza en la salvación, cuando la corrupción social se vuelve intolerable. Ellos son promotores de la vida de la comunidad en los momentos más dispares de su caminar.

En la parte de la Biblia conocida como los *Escritos*, se deja oír la experiencia de los sabios en registros literarios como proverbios, consejos, novelas, historietas, elogios, oraciones, etc. En este amplio repertorio se encuentran cuestiones sobre la educación de jóvenes y niños, el trato entre esposos, el orden familiar, la economía, asuntos de comercio, la adquisición de la sabiduría, el sentido de la vida, del dolor y la muerte, entre otras muchas. También en esta parte es notorio el esfuerzo constante por actualizar la revelación de Dios, para que no perdiera relevancia en el cambiante día a día, sobre todo cuando la impetuosa oleada de la cultura dominante desdibujaba la identidad propia, anclada en las tradiciones de los padres, y cuando nuevos desarrollos técnicos y académicos parecían amenazar la fe en el Dios único y verdadero.

Entre los libros de los sabios, los rollos de los *Salmos* ocupaban un sitio especial. Ellos alentaban la fe del pueblo en forma de canciones, himnos, lamentos y poemas. Con ellos acompañaban sus pasos los peregrinos hasta el templo, y elevaban su espíritu en las liturgias sacras. Con ellos desahogaban las mujeres su apretado corazón ante el Todopoderoso; sus palabras brindaban consuelo a los apesadumbrados y hacían florecer agradecimiento de los labios piadosos; con sus ritmos acompasaban sementera y siega, la recogida de leña y el movimiento de la artesa, el arrullo del infante y el desfilar de ovejas por las colinas . . . La fe orante y orada del pueblo se convierte en salmo y alabanza en el culto, o le afirma su vocación delante de los pueblos.

Ese caudal de fe en el Dios creador y redentor es también venero de la salvación en Jesucristo, contenida en los libros del Nuevo Testamento donde se refleja la vitalidad de las primeras generaciones cristianas y sus testimonios.

El Segundo Testamento está encabezado también por cinco libros: cuatro evangelios más Hechos de los Apóstoles. Estos cinco libros entregan la revelación de Jesús, su muerte y resurrección, y cómo esa revelación fue originando múltiples comunidades de discípulos que hacían realidad el gran proyecto que llamamos Reino de Dios en medio de la humanidad. A los cuatro *evangelios* canónicos se une el libro de los Hechos de los Apóstoles, conocido como "Evangelio del Espíritu", porque en sus líneas se despliega el dinamismo creciente y expansivo del Evangelio por medio del testimonio de las cosas cumplidas por Dios en favor de sus fieles (ver Hch 2:22-41; cf. Lc 1:1-4).

En la variada sección de las *Cartas apostólicas*, llamadas también epístolas en alguna ocasión, nos salen al encuentro el gozo y el dolor de las primeras comunidades cristianas, que eran guiadas con un variado liderazgo apostólico, y se afianzaban en la fe gracias a los ministerios y el trabajo incesante y cuidadoso del Espíritu. Judíos y gentiles, varones y mujeres, esclavos y libres, unidos por su fe en Cristo Jesús (cf. Gálatas 3:18), fueron implementando respuestas a los retos que surgían al encuentro del Evangelio con culturas diferentes. En tiempos y lugares distintos, cada escrito guarda su acento y su aportación para vivir el amor conforme a la esperanza y la fe en el Resucitado.

Cierra el Nuevo Testamento un libro repleto de consuelo y de esperanza: el *Apocalipsis*. Con imágenes vívidas y coloridas, sus descripciones nos conducen a una dimensión diferente para contemplar el mundo y sus acontecimientos con los ojos de Dios. Con tonos litúrgicos, es el libro de la victoria del Mesías y sus fieles. En él, el dolor de los cristianos, ahora atribulados y perseguidos por los enemigos de Dios, es transformado en júbilo, gracias a la victoria del Cordero que guía a los fieles convocados en una multitud sin número hasta la fuente de la vida, a morar en la Ciudad celeste. Es el libro de la victoria definitiva.

Los grupos y comunidades de fe abrazaron las Escrituras como parte ingrediente de su identidad más profunda. Con profunda reverencia las escuchaban, las estudiaban y las asimilaban hasta convertirlas en norma de su vida. Los fieles del Dios único recibían luz de las generaciones pasadas para formular criterios de vida y caminar con certezas bajo circunstancias nuevas. Y eso mismo hacemos los que confesamos al Señor Jesús.

La Palabra en la liturgia

El Concilio Vaticano II hace hincapié en que todas las acciones de la Iglesia estén empapadas de la Sagrada Escritura, pero de un modo especial las acciones litúrgicas. En la celebración eucarística, por ejemplo, no sólo los salmos, las lecturas y su explicación tienen por corazón la Escritura, sino que también las oraciones, las preces y los cánticos litúrgicos deben latir con su aliento y su inspiración, pues los gestos y los signos reciben de las Escrituras su sentido más profundo (ver *SC 24*). Pensemos por ejemplo en la procesión de entrada que nos revive la condición del cristiano extranjero y peregrino a la Casa del Padre (ver 1 Pe 1:1-6), o en la súplica de perdón (ver Salmo 51:1; Mc 10:47s), o en el saludo de la paz (ver 1 Cor 16:20), o en la despedida de la misa

Éste es mi mandamiento: que se amen los unos a los otros como yo les he amado.

Proclamemos la grandeza del Señor y alabemos todos juntos su poder.

que, en realidad, se trata del envío a testimoniar la Palabra por todo el mundo (ver Mt 28:20). En fin, que la liturgia entera viene a ser una "continua, plena y eficaz exposición de la Palabra de Dios, Jesucristo (ver *Verbum Domini* 52).

Ahondando en esta presencia o "exposición" de las Escrituras en toda acción litúrgica, caemos en la cuenta de que la Palabra no sólo guarda una dimensión auricular, de escucha, sino también una de visualidad, que cabe mejor señalar como de contemplación participativa, manifiesta en los gestos, sí, pero ante todo profundamente "performativa" o ejecutiva porque realiza lo que ellos manifiestan y significan. Pensemos, por ejemplo, en el golpe del pecho durante el acto penitencial. Es una señal de compunción por los pecados de raigambre bíblica (ver Lc 18:13) que solicita a Dios su misericordia. Es una acción personal, sí, pero también del entero pueblo de Dios reunido para la celebración y que hace 'visible' la palabra de Dios, en cuanto la ejecuta ritualmente. Vale lo mismo señalar del Aleluya que entonamos de pie, prestos y anhelantes, por la salvación de nuestro Dios que está por ser proclamada en el Evangelio; de este modo, la asamblea entera se une a la liturgia celeste (ver Ap 19:1, 3, 4). Otro tanto cabe de los dones que presentamos —el pan y el vino acompañados de nuestro donativo— pedimos que sean convertidos en Vida y Salvación, e igualmente en Sustento y Socorro para los más vulnerables y necesitados de la comunidad (ver Hch 4:32–35; Mt 25:40). Bajo esta perspectiva consideremos la aclamación al tres veces Santo (ver Ap 4:8), el rito de la paz (ver Rom 16:16), y la presentación del Cordero (ver Jn 1:29). En fin, es esa virtud o fuerza de la Palabra la que va modelando los corazones de los fieles para unirlos más a Jesucristo y a los hermanos, es decir, el entero Cuerpo místico de Cristo.

A esta elocuente exposición de la Palabra en la liturgia corresponde nuestra asimilación al misterio pascual celebrado. Se trata de transformarnos a imagen de Jesucristo, mediante una "participación plena, consciente y activa" en la liturgia (ver *SC* 14).

Un elemento integral de la participación será el silencio meditativo. Este silencio está lejos de ser "una ausencia de sonidos", pues primeramente busca ser una actitud hospitalaria a la Palabra que Dios dirige a cada persona en su Iglesia. En la proclamación Dios habla al corazón de cada quien, y a uno corresponde abrir el corazón para recibirla, discernirla y obedecerla. Es la actitud de Samuel, que al sentirse interpelado respondió con entera disposición: "¡Habla que tu siervo escucha!" (1 Sam 3:10); es la actitud de los profetas y de la misma Virgen María (ver Lc 1:38) para recibir al Verbo de la Vida. Por eso nos sentamos al momento de la proclamación de las lecturas, en actitud receptiva y meditativa. Este silencio cabe propiciarlo tras la proclamación de cada lectura, y hemos de convertirlo en un "silencio sonoro" con el Salmo responsorial, pues nuestra respuesta a la palabra que Dios, es porque la hemos escuchado; le respondemos con sus palabras, palabras de la Escritura que van haciéndose camino hasta nuestro corazón, allí anidan y de allí salen.

Un espacio eminente en la mesa de la Palabra lo tiene el evangelio. En él, la Palabra encarnada es el Cristo proclamado. Esta particular presencia de Jesucristo es resaltada con el canto del Aleluya y con la prestancia de la asamblea que se pone de pie, con una solemne postura testimonial y dispuesta al seguimiento de su Señor.

El evangelio del año C

El orden dominical de lecturas se ha organizado en un ciclo de tres años. A cada evangelio de los tres sinópticos se le ha adjudicado un año, en tanto que el Evangelio según san Juan se utiliza en fechas u ocasiones muy especiales del tiempo de Navidad y particularmente durante el tiempo pascual. A Mateo lo escuchamos durante el año A, en el B a Marcos y a san Lucas en el C. Este año litúrgico, 2016, nos guiará san Lucas en el seguimiento del Señor.

San Lucas es un escritor, testigo y catequista. Su obra es la más amplia del Nuevo Testamento y se nos ha conservado acomodada en dos libros separados por el Evangelio de san Juan. El libro de los Hechos de los Apóstoles tiene por foco la vida y expansión de la fe cristiana desde sus orígenes en Jerusalén; el otro es la historia de Jesús, la narración evangélica que nos conducirá este año litúrgico.

La narración sobre Jesús de Nazaret pone de manifiesto la coherencia interna de los acontecimientos ocurridos en su persona con las Escrituras contenidas en la Ley y los Profetas. Esa coherencia es la que le da solidez y autenticidad a su escrito para convertirlo en un evangelio (ver Lc 1:1–4). Las Buenas Noticias deben estar bien sustentadas, y san Lucas escribe para que se beneficien los fieles necesitados con la salvación de Dios. Aunque algunos estudiosos reconocen a Lucas como historiador, él no indagó para verificar sólo pormenores de lo ocurrido, pues su papel no lo entiende como el de un reportero o cronista, sino para dar fe de Cristo Jesús, de su vida, pasión, muerte y resurrección, así como de sus enseñanzas (ver Hch 1:1). Uno no cree en Jesús, el Hijo de Dios y Mesías de Israel, cerciorándose de que así ocurrieron los acontecimientos tal y como son presentados en un escrito; uno cree por la verdad que se percibe en ellos al escuchar lo que Dios hizo en favor de sus fieles, en la persona de Jesús. Decimos que es el Espíritu el que mueve a la fe. Uno cree por el testimonio de otro creyente, por su intensidad de vida, por su entusiasmo de fe, esperanza y caridad. Uno se vuelve discípulo, discípula, con otros discípulos y discípulas de Cristo resucitado. San Lucas es un testigo alegre y entusiasta de las causas del Evangelio.

San Lucas cuenta la historia de Jesús con palabras de las Escrituras. Dedica su obra a Teófilo (ver Lc 1:1 y Hch 1), quizá su mecenas, pero con ese nombre quiza también alude a toda persona de buena voluntad que busca a Dios, pues "Teo-filo" significa "amigo o amante de Dios". Lo que Jesús hizo y enseñó es el "cumplimiento mesiánico" de las promesas de salvación que Dios hizo a su pueblo, desde los tiempos patriarcales. Se trata de un cumplimiento abrahámico, por decirlo así, pues se extiende a "todas las naciones de la tierra" (ver Gen 12:3), y está vigente hasta el presente: el hoy de la salud. Sucede, sin embargo, que cuando Lucas escribe su obra, quizá entre los años 85 y 90, la primera generación de cristianos ya había muerto. Su narración va dirigida primero a los cristianos de la segunda y tercera generaciones que sentían como que la historia de Jesús no era para ellos, pues ni vivían en Palestina y ni judíos eran. Aquel fervor de los comienzos había pasado y la fe en el Cristo se estaba volviendo algo lejano y hasta intrascendente para las nuevas generaciones. Había que avivar la llama de la fe.

Al escribir en griego, san Lucas busca hacer accesible su obra a todas las personas del mundo de entonces, y no sólo a los judíos. El griego era la lengua común y universal del imperio romano y allende sus fronteras. Lucas no quiere que los creyentes se estanquen en el pasado; hace accesible el pasado a los fieles de hoy. Al conjugar la fe reciente de Jesús con las Escrituras centenarias de Israel consigue afianzar una tradición que dice cosas nuevas continuamente. De hecho, el Evangelio de Jesús de Nazaret significa buenas noticias para la humanidad entera, y por eso debe llegar "hasta los últimos confines de la tierra" (ver Hch 1:8).

Gracias a la predicación del Evangelio, las gentes se reúnen y organizan para hacer la experiencia de la salvación de Dios. Los lectores se encuentran en un momento decisivo, de dar testimonio, no de claudicar. El apremio viene más por la tibieza e indolencia de muchos creyentes que por las amenazas o persecuciones de las autoridades paganas. Para sostener la fe, para afianzarla, es que san Lucas escribe su obra. Los lectores deberán sentirse confortados con un especial vigor, una fuerza que les viene de lo alto: el Espíritu Santo que el propio Jesús envió a sus discípulos.

En este evangelio, el Espíritu Santo es indisociable del quehacer de Jesús (cf. Lc 3:16). No sólo por la sombra protectora en su concepción (Lc 1:35), sino de un modo muy especial en su bautismo, el Espíritu es la unción que el Padre derrama sobre el Mesías. Gracias a esta unción él llevará a cabo la liberación de todos los que sufren, los oprimidos y marginados del pueblo de Dios, tal y como lo proclama en la sinagoga de su pueblo natal (Lc 4:16–30). Ese programa, sin embargo, no será bien recibido por las clases en el poder, pues, como se verá a lo largo de la narración, causará intranquilidad y tocará intereses que terminarán con la vida del Mensajero de la paz.

Otro rasgo notable de este evangelio es su atención a las mujeres. Si en los relatos del nacimiento de Jesús, descuellan María e Isabel, por su papel maternal y profético (Lc 1–2), otras mujeres también lo hacen como receptoras y promotoras de la salvación. Valga mencionar a la viuda de Naín (7:11s), a Marta y María (10:38s) y a la encorvada (13:10s),

Dichosos los pobres de espíritu, porque de ellos es el Reino de los cielos.

Sincera es la palabra del Señor y todas sus acciones son leales.

e igualmente aquellas mujeres que se vuelven modelos de discipulado en las enseñanzas de Jesús (ver 11:31; 13:20; 15:8; 18:1ss;). Notoria es la exclusiva tradición lucana del listado de discípulas galileas (8:1–3), que serán los testigos de la muerte y resurrección de Jesús (23:49; 24:1–11). Pero más que descollar a las mujeres individualmente, en la narración lucana se percibe una intención de equilibrar las figuras femeninas con las masculinas por sus roles, tanto negativos como positivos ante los valores del Evangelio. En un mundo en el que, dependiendo de su posición social, las mujeres eran consideradas inferiores a los varones, la narrativa lucana representa un punto de vista socialmente revolucionario. Para ellas, las comunidades cristianas representaban un espacio singular, donde experimentaban la igualdad del discipulado y podían ejercer funciones de liderazgo que otros espacios les vedaban.

En el evangelio narrado por Lucas sobresale la solicitud de Jesús por los pobres y necesitados (ver Lc 1:46–55). De hecho, este es el nervio que hace irrumpir la experiencia de la salvación mesiánica entre los humanos (ver 7:22s). Cuidar de los menesterosos no es un aditamento de la vida cristiana, sino su sello más distintivo. La fe en Dios y en su Mesías no es un asunto cultual, ni un mero adhesivo de esa especie de fraternidad cristiana, sino su imperativo ético, es decir, el motor que debe transformar las carencias de los hermanos y hermanas. San Lucas no provee un programa socioeconómico que resuelva la pobreza. Su propuesta es muy básica: comparte tus bienes con los pobres. Con esto, rompe con esa creencia de que la pobreza es consecuencia de los pecados o de la pereza. Jesús los coloca en el corazón del Evangelio, y otro tanto deberán hacer sus discípulos (6:24; Hch 4:32–35).

Manual para proclamadores de la palabra™

El *Manual para proclamadores de la palabra™ 2016* está diseñado para ayudar en la formación bíblica, técnica y espiritual de quienes proclaman la palabra en la asamblea dominical (ver *Verbum Domini*, 58). Con la inclusión del Salmo responsorial buscamos que el lector se impregne mejor del espíritu que anima la celebración y colabore con él.

Es indispensable que lectores y proclamadores valoren su ministerio, y busquen maneras de comprender el sentido de los textos proclamados. A esto ayudan los comentarios a las lecturas colocados al pie de página. Pero hay que acudir a las informaciones que dan las biblias, tanto en las introducciones como en los textos específicos.

Para lo técnico conviene aprovechar las notas puestas en los márgenes de este manual. Es importante ensayar la correcta pronunciación, vocalización y la puntuación marcada en los textos, conservando siempre el ritmo, la intensidad e incluso la expresión no verbal, que les acompaña. Nunca hemos de perder de vista que el centro de atención lo debe tener la palabra proclamada, no el proclamador. Pero a la lectura la complementa una acústica adecuada. Hay que cerciorarse de que los escuchas perciben con claridad y distinción lo proclamado. Pongamos en esto todos nuestros medios y empeño.

Finalmente, es indispensable cuidar la formación espiritual de lectores y proclamadores. Son ellos los primeros receptores de la palabra, quienes la acogen con el corazón y la hacen resonar con su vida, hasta ser transformados por la misma Palabra encarnada. El ministerio de leer a la asamblea eclesial es una vocación que se ejercita en la liturgia. Vale hacer el ejercicio de descubrir en las lecturas los nexos que guardan con el misterio pascual del Señor Jesús. Los motivos pueden ser múltiples y variados, pero importa explorar ese nexo a lo largo de la celebración, seguirlo y prenderse de él como un gancho para una fructuosa participación en la liturgia.

Recordemos finalmente que la mesa de la Palabra y la mesa de la Eucaristía conforman un solo banquete, y que la Iglesia ha venerado siempre a la Sagrada Escritura igual que al Cuerpo del Señor, y la ha considerado siempre, unida a la Tradición, norma suprema de su fe (ver *Dei Verbum* 21).

I DOMINGO DE ADVIENTO

Es tiempo de espera gozosa. Tu voz debe sonar acorde y segura en esta esperanza.

Pronuncia con firmeza y énfasis las palabras de justicia.

I LECTURA   Jeremías 33:14–16

Lectura del libro del profeta Jeremías

"Se **acercan** los días, dice el Señor,
   en que **cumpliré** la promesa que hice a la casa de Israel
   y a la casa de Judá.

En aquellos días y en aquella hora,
   yo haré **nacer** del tronco de David un vástago **santo**,
   que **ejercerá** la justicia y el derecho en la tierra.
Entonces Judá estará a salvo, Jerusalén estará **segura**
   y la llamarán 'el Señor es **nuestra justicia**'."

Para meditar

SALMO RESPONSORIAL   Salmo 25:4bc–5ab, 8–9, 10 y 14

R. A ti, Señor, levanto mi alma.

Señor, enséñame tus caminos,
instrúyeme en tus sendas:
haz que camine con lealtad;
enséñame, porque tú eres mi Dios y
   Salvador. R.

El Señor es bueno y es recto,
   y enseña el camino a los pecadores;
   hace caminar a los humildes con rectitud,
   enseña su camino a los humildes. R.

Las sendas del Señor son misericordia
   y lealtad
para los que guardan su alianza y sus
   mandatos.
El Señor se confía con sus fieles,
y les da a conocer su alianza. R.

I LECTURA El libro actual de Jeremías alberga en su seno algunos oráculos de varios profetas, que nacieron uno o dos siglos después de la muerte del profeta. Estos oráculos quieren interpretar la realidad que les toca vivir y para esto se inspiran en palabras del profeta de Anatot, Jeremías. En el oráculo leído hoy, un profeta anónimo retomó la profecía de Natán a David y le dio una actualización para conformarlo a su tiempo, que probablemente eran los años finales del siglo VI o principios del s. V a. C.

Las palabras de "haré brotar para David un Germen justo" son entendidas en este Adviento de manera mesiánica y aplicadas a Cristo. La profecía de Jer 33:12–14 no se refiere a un rey ideal del futuro, sino distributivamente a una hilera de davidas, que garantizarán la continuidad de la dinastía y del reinado. Cuando se dio este oráculo y ya no había en el trono de David un ocupante, quería el Señor con su palabra profética asegurar la continuación davídica. Este oráculo en los años subsiguientes se reinterpretó de manera diferente. Se aplicaba a la situación por la que pasaban los distintos intérpretes.

Lo mismo hicieron los autores del Nuevo Testamento (NT), y hacemos los cristianos hoy. La Iglesia mira la próxima venida del Señor en su nacimiento y al final de los tiempos. En su próxima venida el Señor hará que el "verdadero" germen de David traiga el derecho y la justicia, que tanto necesitamos.

II LECTURA   1 Tesalonicenses 3:12—4:2

Lectura de la primera carta del apóstol san Pablo a los Tesalonicenses

Hermanos:
Que el Señor los llene y los haga **rebosar** de un amor **mutuo**
    y hacia todos los demás,
    como el que **yo** les tengo a ustedes,
    para que él conserve sus corazones **irreprochables**
      en la santidad ante Dios, nuestro **Padre**,
    hasta **el día** en que venga nuestro Señor **Jesús**, en compañía
      de **todos** sus santos.

Por lo demás, hermanos,
    les rogamos y los **exhortamos** en el nombre del Señor Jesús
    a que **vivan** como conviene,
    para **agradar** a Dios, según aprendieron **de nosotros**,
    a fin de que **sigan** ustedes progresando.
Ya conocen, en efecto,
    las **instrucciones** que les hemos dado de **parte** del Señor Jesús.

EVANGELIO   Lucas 21:25–28, 34–36

Lectura del santo Evangelio según san Lucas

En aquel tiempo, Jesús dijo a sus discípulos:
    "Habrá señales **prodigiosas** en el sol, en la luna y en **las estrellas**.
En la tierra, las naciones se **llenarán** de angustia
    y de miedo por el **estruendo** de las olas del mar;
    la gente se **morirá** de terror y de **angustiosa** espera
    por las cosas **que vendrán** sobre el mundo,
    pues hasta las estrellas se **bambolearán**.

Procura hacer vivos estos deseos de Pablo con tu lenguaje visual y corporal.

Baja la velocidad de tu lectura en este párrafo.

El evangelio es una advertencia, no una descripción para aterrorizar a los oyentes.

II LECTURA Pablo termina esta primera parte de su carta a la comunidad de Tesalónica con una oración extensa y sentida. Pide Pablo para esa comunidad sobreabundancia en la caridad. Que su amor al prójimo sea abundante y rebosante. La caridad no admite medida. Debe ir siempre hacia lo más. La mediocridad, el más o menos, es ajeno a esta virtud teologal. La caridad está abierta a todos y consolida la fe. El que ama seriamente al prójimo, expresa ostensiblemente este amor. Así es como el cristiano saldrá airoso ante la prueba, cuando venga el Señor.

Ser irreprensible ante el Señor no proviene de la práctica de la Ley. La santidad nace del amor abnegado. Los macedonios de Tesalónica mostrarán en el futuro un amor lleno de desprendimiento en la colecta promovida por Pablo a favor de los pobres de Jerusalén. El desinterés mostrado por esta comunidad, es una forma de entender el ser de Cristo. Pablo en su oración pide a Dios que los tesalonicenses sean fortalecidos para que lleguen a la santidad.

La santidad consiste, sobre todo, en desbordarse en la caridad efectiva al llegar la última decisión y prueba final.

Con resonancias litúrgicas termina la oración paulina, dejando un tono escatológico. Ve Pablo el final ya cercano. Alude a ese día en que nos presentaremos ante "Dios nuestro Padre", cuando llegue "nuestro Señor con todos sus santos". En estos momentos aparecerá el Señor en su gloria. Ésta se convertirá en juicio para los que no estén preparados para recibirlo en santidad y caridad.

Acompaña con tu cabeza levantada la lectura de este párrafo.

Entonces **verán venir** al Hijo del hombre en una nube,
con **gran** poder y majestad.

Cuando estas cosas comiencen a suceder,
pongan atención y **levanten** la cabeza,
porque **se acerca** la hora de su liberación.
Estén **alerta**, para que los vicios, con el libertinaje,
la embriaguez y las preocupaciones de **esta vida**
no **entorpezcan** su mente y aquel día los sorprenda
desprevenidos;
porque caerá **de repente** como una trampa
sobre **todos** los habitantes de la tierra.

Velen, pues, y hagan oración continuamente,
para que puedan escapar de todo lo que ha de suceder
y comparecer **seguros** ante el Hijo del hombre".

Las últimas líneas resumen lo esencial. Son como un remache que debe grabarse en los oídos de todos: hay que orar siempre.

EVANGELIO La venida del Hijo del hombre tiene raíces en la visión del libro de Daniel. Es un personaje que viene sobre una nube a rescatar a los fieles de Dios. Él es la respuesta de Dios a la opresión sufrida por su pueblo.

Por otro lado, esa venida es un acontecimiento tremendo. El terror y la angustia llevan a la muerte a "los habitantes de la tierra", es decir, a aquellos que no saben lo que está sucediendo. En cambio, para los creyentes, esos cataclismos son los síntomas de la salvación cercana. Es el momento de levantar la cabeza con gozo y esperanza.

El Señor quiere que los creyentes adopten una actitud de vigilancia permanente, sobriedad a toda prueba y oración continua. Sus discípulos deben hacer suyos esos aspectos tan importantes de la ética escatológica del Reino. La venida judicial del Hijo del hombre es un motivo que debe acicatear la fidelidad.

Con este evangelio, la Iglesia nos invita a escrutar las señales de los tiempos. Nuestro tiempo es especialmente sensible al quebranto de los derechos humanos, a las injusticias y atropellos contra los más vulnerables y a los abusos de poder. Examinemos las señales y levantemos la esperanza liberadora porque el Hijo del hombre ya viene a reunirnos en la gran comunidad de todos los hijos de Dios.

II DOMINGO DE ADVIENTO

Dios visita a su pueblo y todos están invitados a festejar su llegada. Haz partícipe a la audiencia de este gusto.

Hay dos momentos en este párrafo. Modifica el tono cuando hables del pasado porque es lo que basa lo que ahora está sucediendo.

Marca las palabras finales de esta lectura del gozo profundo que Dios quiere transmitirle a su pueblo porque se acerca su salvación.

I LECTURA Baruc 5:1–9

Lectura del libro del profeta Baruc

Jerusalén, **despójate** de tus vestidos de luto y aflicción,
  y vístete para siempre con el **esplendor** de la gloria
    que Dios te da;
  envuélvete en el manto de la justicia de Dios
  y **adorna** tu cabeza con la diadema de **la gloria** del Eterno,
  porque Dios **mostrará** tu grandeza
  a cuantos **viven** bajo el cielo.
Dios te dará un nombre **para siempre**:
  "Paz en la justicia y **gloria** en la piedad".

Ponte de pie, Jerusalén, sube a la altura,
  levanta los ojos y **contempla** a tus hijos,
  reunidos de oriente y de occidente,
  a **la voz** del espíritu,
  gozosos porque Dios se **acordó** de ellos.
Salieron **a pie**, llevados por los enemigos;
  pero Dios te los devuelve **llenos** de gloria,
  como **príncipes** reales.

Dios ha ordenado que se abajen
  todas las montañas y **todas** las colinas,
  que se **rellenen** todos los valles hasta **aplanar** la tierra,
  para que Israel camine **seguro** bajo la **gloria** de Dios.
Los bosques y los árboles **fragantes**
  le darán **sombra** por orden de Dios.

I LECTURA El texto de la liturgia viene de una unidad más amplia que anuncia el regreso de los que están lejanos de Jerusalén. Se invita a la comunidad a recibir la justicia de Dios como un regalo. El don es la salvación, la paz para todos.

La paz para el hebreo es más que un estado de no beligerancia; se trata de la integridad, que se da en una comunidad, cuando cada persona cumple su función. Así la comunidad integra bien sus partes, hace que todas funcionen bien y en ese sentido, diremos que está sana, íntegra. Cuando se da lo contrario, hablamos de la desintegración comunitaria o personal.

La acción divina consiste en "que Dios ha ordenado rebajarse a todo monte elevado y a las dunas permanentes y rellenarse a los barrancos, hasta nivelar la tierra, para que Israel camine seguro bajo la gloria de Dios" (5:7). Esto indica que la salvación es la unión del don divino con una disposición humana ("Preparen el camino del Señor").

Dios encuentra a su pueblo para celebrar con alegría: "Vístete ya siempre con las galas de la gloria de Dios" (5:1).

Con el Señor llegan la misericordia y la justicia, dos virtudes muy necesarias el día de hoy.

II LECTURA La lectura mantiene viva la tensión hacia la parusía. ¿Cómo debe la comunidad andar los caminos preparados por el Señor? La carta ofrece algo muy cristiano: por el amor, Dios lleva a término lo que ha empezado (1:9).

La invitación no es moralizante. Estamos ante una comunidad capaz de cooperar en la difusión del Evangelio (v. 5) y con capacidad de entender que el amor ha sido dado gratuitamente por Dios.

El amor del que se habla es especial, no es el amor que le tiene un esposo a su esposa o un novio a su novia; ni el amor

Porque el Señor **guiará** a Israel en medio de **la alegría**
    y a la **luz** de su gloria,
        escoltándolo con **su misericordia y su justicia.**

Para meditar

SALMO RESPONSORIAL   Salmo 126:1–2ab, 2cd–3, 4–5, 6
R. El Señor ha estado grande con nosotros, y estamos alegres.

Cuando el Señor cambió la suerte de Sión,
nos parecía soñar:
    la boca se nos llenaba de risas,
    la lengua de cantares. R.

Hasta los gentiles decían:
    "El Señor ha estado grande con ellos".
El Señor ha estado grande con nosotros,
    y estamos alegres. R.

Que el Señor cambie nuestra suerte,
    como los torrentes de Negueb.
Los que sembraban con lágrimas
    cosechan entre cantares. R.
Al ir, iba llorando,
    llevando la semilla;
    al volver, vuelve cantando,
    trayendo sus gavillas. R.

II LECTURA   Filipenses 1:4–6, 8–11

Lectura de la carta del apóstol san Pablo a los Filipenses

Hermanos:
Cada vez que me acuerdo de **ustedes**,
    le doy **gracias** a mi Dios
    y **siempre** que pido por ustedes, lo hago con **gran alegría**,
    porque han **colaborado** conmigo en la **causa** del Evangelio,
        desde el primer día **hasta ahora.**
Estoy **convencido** de que aquel que comenzó en ustedes esta
        obra,
    la irá perfeccionando **siempre** hasta el día **de la venida**
        de Cristo Jesús.

Dios es testigo de cuánto los amo a todos ustedes
    con el amor **entrañable** con que los ama Cristo Jesús.
Y **esta** es mi oración por ustedes:
    Que su amor siga creciendo **más y más**
    y se traduzca en un **mayor** conocimiento
        y sensibilidad **espiritual.**

En esta lectura se mira el corazón del Apóstol, que le habla no tanto a la comunidad de hace veinte siglos, sino a los presentes en esta celebración.

Señala bien el contenido de la oración que Pablo hace. Marca las pausas de la puntuación.

---

filantrópico, tan extendido entre alguna gente rica. Se trata del amor que es un darse, un entregarse a la persona amada, sin esperar cosa a cambio. Esto requiere inteligencia y discernimiento. Aparte de ser un don divino, hay que saber otorgar este amor. No se trata de un entregarse mecánicamente, sino con reflexión y con el esfuerzo que supone el saber darse.

Así, el amor que Dios nos injerta como virtud teologal, se va encarnando y adaptando a cada grupo humano y a cada tiempo. Sólo así, dejando que este amor se encarne y se injerte en grupos humanos concretos,

el Señor se manifiesta, y el cristiano se podrá presentar ante él "irreprensible e íntegro".

El texto visualiza el Día del Señor, su venida final. Pablo la creía cerca, como muchos de los cristianos de entonces. Esta venida se aplica ya a la venida del Señor en la fiesta de Navidad, preludio y signo de la venida definitiva al final de los tiempos.

EVANGELIO   Juan Bautista pertenece al núcleo más sólido y primero de la tradición y del *kerygma* o evangelio cristiano. Tras los capítulos dedicados

al nacimiento de Juan y de Jesús, san Lucas arranca su relato como hacen algunos escritos proféticos de la Biblia que de entrada dan los nombres de las autoridades para fechar el ministerio o alguna profecía. Tal es el caso de libros como los de Sofonías, Ageo, Zacarías, Amós o del propio Jeremías, a los que alcanza alguna palabra particular de Dios. Con esto, san Lucas da a entender que Juan es también un verdadero profeta, como los de antes, anclado en la historia. A esto vienen también los nombres anotados en esta parte y que pertenecen a gente de renombre y autoridad, civil o religiosa,

Así podrán escoger siempre **lo mejor**
y llegarán limpios e **irreprochables**
al día de la venida de Cristo,
llenos de los frutos de la justicia,
que nos viene de **Cristo Jesús**,
para **gloria** y alabanza de Dios.

EVANGELIO   Lucas 3:1–6

Lectura del santo Evangelio según san Lucas

En el año **décimo quinto** del reinado del César Tiberio,
siendo **Poncio Pilato** procurador de Judea;
Herodes, tetrarca de Galilea;
su hermano **Filipo**, tetrarca de las regiones
de Iturea y Traconítide;
y **Lisanias**, tetrarca de Abilene;
bajo el pontificado de los sumos sacerdotes **Anás y Caifás**,
vino la **palabra de Dios** en el desierto sobre **Juan**,
hijo de Zacarías.

Entonces comenzó a recorrer toda la comarca del Jordán,
predicando un bautismo **de penitencia**
para el **perdón** de los pecados,
como está **escrito** en el libro de las predicciones
del profeta **Isaías**:

*Ha resonado una **voz** en el desierto:*
Preparen *el camino del Señor,*
*hagan **rectos** sus senderos.*
*Todo valle será **rellenado**,*
*toda montaña y colina, **rebajada**;*
*lo tortuoso se hará **derecho**,*
*los caminos ásperos serán **allanados***
*y **todos** los hombres verán la salvación de Dios.*

Este párrafo está lleno de nombres de gente y lugares otrora conocidos; pronúncialos con toda claridad y distinción. Pero la frase principal viene al final; dale su énfasis.

Esta partecita es como de transición, como para colocar lo que sigue.

Di las líneas de Isaías con toda firmeza porque señalan cómo Dios va cumpliendo sus promesas a todos los hombres. La última línea debe quedar bien marcada.

---

comenzando por Tiberio y terminando con los pontífices de Jerusalén. El lector puede notar que Dios dirige su palabra no a esos centros de autoridad, sino a un hombre del desierto, al hijo de Zacarías; con este nombre se evoca al profeta que llamaba al pueblo a "volverse a Dios" (Zac 1:3). Juan lleva su espíritu.

Cuando Juan recibe la palabra de Dios no se queda igual; la palabra lo transforma en profeta; se lanza a predicar. Su predicación conduce a un rito purificatorio, penitencial, como expresión del perdón de los pecados que sólo Dios puede otorgar. No es

fácil precisar en qué consiste ese bautismo penitencial. Los penitentes quizá debieran someterse a ayunos, oraciones, limosnas e incluso a algunas mortificaciones y abluciones, movidos por la prédica del profeta. Lo que Juan realiza expresa un compromiso más individual o personal que las prácticas expiatorias ejecutadas en el templo mediante sacrificios y oraciones de los sacerdotes. Es muy probable que los que escuchan la prédica profética sean peregrinos galileos y de más al norte, que avanzan por el lado oriental del Jordán y que lo cruzarán para subir a Jerusalén.

Lo que Juan ejecuta viene explicado con las palabras de Isaías. También las gentes de Qumrán asumieron esas palabras proféticas como fundacionales, igual que el movimiento de Juan. El profeta anuncia la pronta llegada de Dios que visita a su pueblo; viene camino del desierto, transformándolo en una calzada hasta su templo; su llegada significa la rectoría de la justicia y el derecho para todos los pueblos. La salvación de Dios viene por el desierto para alcanzar a todas las personas; también las que detentan el poder.

LA INMACULADA CONCEPCIÓN DE LA VIRGEN MARÍA

I LECTURA   Génesis 3:9–15, 20

Lectura del libro del Génesis

Este relato siempre llama la atención de la asamblea. Identifica el diálogo y conduce a la asamblea por las preguntas y respuestas con todo tino.

Refleja la brevedad de las respuestas en la velocidad de tu lectura.

Después de que el hombre y la mujer
   comieron del fruto del árbol **prohibido**,
   el Señor Dios **llamó** al hombre y le preguntó:
   "¿Dónde estás?"
Éste le respondió:
   "**Oí** tus pasos en el jardín; y **tuve miedo**,
   porque estoy **desnudo**, y me **escondí**".
Entonces le dijo Dios:
   "¿Y **quién** te ha dicho que estabas **desnudo**?
   ¿**Has comido** acaso del árbol del que te **prohibí** comer?"
Respondió Adán:
   "**La mujer** que **me diste** por compañera
   me **ofreció** del fruto del árbol **y comí**".
El Señor Dios dijo a **la mujer**: "¿**Por qué** has hecho esto?"
Repuso la mujer: "La serpiente **me engañó** y comí".

Entonces dijo el Señor Dios a la serpiente:
   "Porque has hecho **esto**,
serás **maldita** entre **todos** los animales
   y entre **todas** las bestias salvajes.
Te **arrastrarás** sobre tu vientre y **comerás polvo**
   todos los días de tu vida.

I LECTURA | El texto pertenece a la sección de la Biblia donde se habla de los orígenes de la humanidad. Es decir, donde la Biblia enseña quién es el ser humano, para qué fue creado, cuál es su destino. Lo hace de una manera sencilla, con relatos bellos y catequéticos.

Después de haber hablado de que Adán y Eva, es decir, todo ser humano es pecador, habla de su destino; un destino bueno. Es decir, el mal no tiene la última palabra. El Dios creador va a poner remedio al pecado por medio del fruto de la mujer, ese hijo que los judíos en un momento de su historia van a señalar como el enviado, el ungido, el Mesías. Los cristianos van a afirmar que aquí se insinúa ya lo que hará Jesús: liberar del pecado, dar la posibilidad de vencer al mal.

La mujer, Eva, fue causante de la entrada del mal. Un descendiente de ella, será el causante de vencer a ese mal. Esta mujer va a aparecer en la historia de la revelación en la figura de Israel como madre o como esposa. O también bajo la figura de la ciudad de Jerusalén, de Sion.

Así, de una interpretación colectiva se ha pasado a una interpretación personal mesiánica. El Mesías vencerá a la serpiente y a su estirpe. Tal victoria, con todo, se tendrá a través de la experiencia del sufrimiento ("Te morderá tu calcañal"). De alguna forma la muerte de Jesús en la cruz mostrará este sufrimiento.

Este texto, desde los inicios cristianos, ha sido aplicado a Jesús y a su madre. María ha sido interpretada y visualizada como la nueva Eva. Dios ha predispuesto que, en atención a Jesús, este engendramiento de María se hiciera dejando lo que el pecado original provoca en los hombres: miedo, lejanía, reacción de desconfianza y, sobre

Las últimas palabras de este párrafo son semilla de la redención humana. Imprímeles fuerza y sonoridad.

Pondré **enemistad** entre ti y la mujer,
   entre tu descendencia y **la suya**;
   y su descendencia **te aplastará** la cabeza,
   mientras tú **tratarás** de morder su talón".

La oración final es como un colofón que explica que todos los humanos participan de la suerte de Eva. Incluye a la asamblea con tu mirada.

El hombre le puso a su mujer el nombre de "Eva",
   porque ella fue la madre de **todos** los vivientes.

                                Para meditar

SALMO RESPONSORIAL   Salmo 98:1, 2–3ab, 3c–4

R. **Canten al Señor un cántico nuevo, porque ha hecho maravillas.**

Canten al Señor un cántico nuevo,
   porque ha hecho maravillas:
   su diestra le ha dado la victoria,
   su santo brazo. R.
El Señor da a conocer su victoria,
   revela a las naciones su justicia:

se acordó de su misericordia y su fidelidad
   en favor de la casa de Israel. R.

Los confines de la tierra han contemplado
   la victoria de nuestro Dios.
Aclama al Señor, tierra entera;
   griten, vitoreen, toquen. R.

II LECTURA   Efesios 1:3–6, 11–12

Lectura de la carta del apóstol san Pablo a los Efesios

Tu voz debe sonar apenas un poco más elevada que lo usual, porque se trata de un himno en forma de bendición, pero no permitas estridencia alguna.

Bendito sea Dios,
   Padre de nuestro Señor **Jesucristo**,
   que nos ha bendecido **en él**
   con **toda** clase de bienes espirituales y celestiales.

El designio de Dios para nosotros es glorioso. Anúncialo con convicción y entusiasmo.

Él nos **eligió** en Cristo, **antes** de crear el mundo,
   para que fuéramos **santos**
   e **irreprochables** a sus ojos, por **el amor**,
   y **determinó**, porque **así** lo quiso,
   que, por medio de Jesucristo, **fuéramos** sus hijos,
   para que **alabemos y glorifiquemos** la gracia
   con que nos **ha favorecido** por medio de su Hijo amado.

---

todo, egocentrismo. María ha sido preservada de todo esto. Por esto la gracia dada a María ("La llena de gracia") pasa a través de Jesús, ya previsto todo esto en el designio salvífico divino. Dios ha dirigido todo. La maternidad ha sido para María una vocación que ella ha aceptado consciente y libremente. De esta forma el Verbo pudo encarnarse y convertirse en nuestro hermano. De aquí la grandeza de María y la explicación de la devoción y el amor de todo cristiano hacia ella. La celebración de la Inmaculada Concepción es una afirmación y proclamación

de que el bien vencerá al mal, de que éste no tiene la última palabra.

II LECTURA En la primera parte de la carta, Pablo da gracias a Dios por los beneficios recibidos por los corintios de parte de Dios. El texto habla de la elección amorosa de Dios antes de la creación del mundo. Los creyentes cristianos, dice Pablo a los efesios, fueron elegidos por Dios para ser santos, hijos de Dios y, por lo tanto, destinados a la salvación.

Dios muestra en los filipenses su fuerza salvífica porque han creído en el Mesías.

Así podemos entender el misterio de la Virgen María. Ella se encuentra en este camino de salvación, pues fue elegida para que con su aceptación de ser madre del Mesías, iniciara un plan: "el que obra eficazmente de acuerdo a su voluntad" (v.11). Así como en nuestra alegría contemplamos la obra maravillosa de Dios en María, admiramos también su santidad personal, su adhesión sencilla y plena a la voluntad de Dios.

Sólo Dios puede atravesar los siglos sin contarlos y posee la capacidad de planear y hacer del futuro un presente. Por eso Él desde todos los tiempos tuvo un plan de

Siéntete incluido en las palabras de Pablo para que también la asamblea se sepa invitada a ser heredera del Reino.

Con Cristo somos herederos también nosotros.
Para **esto** estábamos destinados,
   por **decisión** del que lo hace todo **según** su voluntad:
   para que **fuéramos** una alabanza **continua** de su gloria,
   nosotros, los que ya antes **esperábamos** en Cristo.

EVANGELIO   Lucas 1:26–38

Lectura del santo Evangelio según san Lucas

El relato de la Anunciación es muy conocido y estimado por los fieles cristianos. El diálogo entre el ángel y María es trascendental para la salvación humana. No te precipites para que la audiencia pueda redescubrir motivos nuevos.

En aquel tiempo,
   el **ángel** Gabriel fue enviado por Dios
   a una ciudad de Galilea, llamada **Nazaret**,
   a una **virgen** desposada con un varón de la estirpe de David,
   llamado **José**. La virgen se llamaba **María.**

Entró el ángel a donde ella estaba y le dijo:
   "**Alégrate, llena** de gracia, el Señor **está** contigo".
Al oír **estas** palabras,
   ella se preocupó **mucho**
   y se preguntaba **qué querría decir** semejante saludo.

Señala los parágrafos con silencios más prolongados.

El ángel le dijo:
   "**No temas**, María, porque **has hallado** gracia ante Dios.
   Vas **a concebir** y a dar a luz **un hijo**
   y le pondrás por nombre **Jesús.**
Él será **grande** y será llamado **Hijo** del Altísimo;
   el Señor Dios le dará el trono de David, **su padre,**
   y él **reinará** sobre la casa de Jacob **por los siglos**
   y su reinado **no tendrá fin**".

---

salvación para el hombre, donde un perno importante era María. Fue María un perno esencial de su plan de salvación. María, por lo tanto, fue preservada de todo pecado. Éste no tuvo presencia en ella ni en su gestación, menos en su vida. Así como un canal puro, limpio, deja pasar limpia el agua pura, así María dejó pasar sin pecado a Jesús, que se hizo hombre y nuestro semejante en todo menos en el pecado. Se logró así rehacer una relación buena entre Dios y los hombres. De esta forma, como una consecuencia, se derivó la reconciliación del hombre consigo

mismo, de los hombres entre sí y del hombre con el ambiente en que está inserto.

   La comunidad debe estar atenta a las consecuencias que se derivan para ella de la revelación del misterio de la Inmaculada Concepción. Es una invitación a dejar pasar el amor de Dios por nosotros sin pecado. En nuestro mundo donde el pecado reina, los cristianos tenemos la vocación de hacer ver un mundo donde la gracia y el amor cristiano estén presentes, e invitar a todo hombre a imitar ese tipo de vida.

EVANGELIO La liturgia escoge el relato de la Anunciación para celebrar la Inmaculada Concepción de María. El relato de Lucas, a tono con los anuncios de nacimiento como los conocemos en el Antiguo Testamento (AT), desarrolla un diálogo entre el mensajero celeste y la futura madre del Hijo del Altísimo.

   En este cuadro, el ángel no se presenta como lo hizo a Zacarías: "Yo soy Gabriel, el que está delante de Dios, y he sido enviado para hablarte y anunciarte esta buena nueva" (Lc 1:19). Al entrar ahora, el ángel saluda: "Alégrate, llena de gracia, el Señor está

La respuesta del ángel debe transmitir confianza y seguridad.

María le dijo entonces al ángel:

"¿**Cómo** podrá ser esto, puesto que yo **permanezco virgen?**"

El ángel le contestó:

"El Espíritu Santo **descenderá** sobre ti
y el **poder** del Altísimo te cubrirá con su sombra.

Por eso, **el Santo**, que va a nacer **de ti**,
será llamado **Hijo de Dios.**

Ahí tienes a tu parienta **Isabel**,
que a pesar **de su vejez**, **ha concebido** un hijo
y ya va en el **sexto** mes la que llamaban **estéril**,
porque no hay **nada imposible** para Dios".

María contestó:

"**Yo soy** la esclava del Señor;
cúmplase en mí lo que me has dicho".

Y el ángel **se retiró** de su presencia.

Dales un poco más de espacio a las palabras de María retrasando un poco su respuesta.

contigo". Los tres elementos del saludo a la desposada indican cómo las promesas de Dios se están cumpliendo. Aunque el "alégrate" es formulismo usual de saludo, sabemos que Lucas considera natural que la salvación de Dios comporte alegría y regocijo. Así la prepara. Se trata de una disposición necesaria para una empresa que le exigirá a la Virgen más de lo acostumbrado.

El segundo término del saludo de Gabriel indica una condición del todo novedosa porque viene en lugar del nombre propio de María, amén de lo que este nombre signifique: "amarga", "rebelde",

"señora" o "grande". La palabra griega *kejaritomene* tendríamos que traducirla como "llenada de benevolencia"; la gracia, de la que hablamos en la Salve que rezamos, es la benevolencia de Dios hacia ella; Dios se complace en ella. Y esto será expresado en el tercer elemento.

El saludo angélico termina entregando la causa o motivo tanto de la invitación a María para que se regocije como de su estatus ante Dios: "El Señor está contigo". Se trata de una fórmula con la que Dios asegura a sus profetas o enviados al confiarles una encomienda difícil de cumplir. Las palabras

buscan recrear la conciencia de que es el Señor el que opera y lleva adelante su empresa, aunque solicita su colaboración.

Al celebrar a la Inmaculada Concepción, reconocemos las maravillas que Dios ha realizado en ella para salvación nuestra. Ella es motivo para alegrarnos, llenarnos de la benevolencia de Dios y afirmarnos en el propósito de acoger al Mesías de Dios, convencidos de que Dios sigue cumpliendo sus promesas de salvación para todas las gentes.

NUESTRA SEÑORA DE GUADALUPE

I LECTURA   Zacarías 2:14–17

Lectura del libro del profeta Zacarías

Llénate del gozo profético para que tu voz alegre a la asamblea

"Canta de gozo y regocíjate, Jerusalén,
pues vengo a vivir **en medio de ti**, dice el Señor.
Muchas naciones se unirán al Señor en aquel día;
ellas también serán **mi pueblo**
y yo habitaré **en medio** de ti
y sabrás que el Señor de los ejércitos
me ha enviado **a ti**.

Alarga las frases de la elección en las tres líneas finales.

El Señor tomará nuevamente a Judá
como su **propiedad personal** en la tierra santa
y Jerusalén volverá a ser la ciudad elegida".

Haz silencio antes de esta aclamación. Luego invita a la contemplación.

¡Que todos guarden silencio ante el Señor,
pues **él se levanta** ya de su santa morada!

O bien:

I LECTURA   Apocalipsis 11:19; 12:1–6, 10ab

Lectura del libro del Apocalipsis del apóstol san Juan

Se **abrió** el templo de Dios en el cielo
y **dentro** de él se vio el **arca de la alianza**.

I LECTURA Zacarías es un profeta de fínales del siglo VI a.C. El mensaje de Dios le vino sobre todo en ocho visiones que tuvo en una sola noche. Los oráculos que leemos en la liturgia de hoy son posteriores a esas visiones nocturnas, pero están muy ligados a algunas de ellas.

El primer oráculo es contra los que despojaron al pueblo mandándolo al destierro: Dios despojará a los despojadores. Hará de los castigados sus instrumentos para castigar a los invasores de Judá, pues al tocar a su pueblo a él mismo han tocado. No dice cómo, pero vendrá el castigo.

El segundo oráculo trata de la conversión de los pueblos al Dios de Israel; su perspectiva es escatológica. Un sueño de todos los pueblos y culturas. ¿Cómo llegar a la unidad sin tanta guerra y destrucción? Cuando todos reconozcan y alaben al Señor. Los pueblos se convertirán en su tierra, no necesitarán ir a la tierra del Señor. Lo más importante: Dios habitará de nuevo con su pueblo. Jerusalén y la tierra recuperarán todos los privilegios dados y prometidos por el Señor.

Estos oráculos se aplican a la fiesta de Guadalupe. En el Tepeyac, la Virgen habló no de muchos pueblos, sino de uno. Al pedir un templo para que la visitaran dejaba de lado las particularidades religiosas, políticas y económicas de las distintas etnias y pueblos que habitaban en esa parte de América. La Virgen vestida de sol, sí, pero con su tez morena y perfil mestizo nos indica por dónde debe ir todo el Evangelio: integrando todo lo bueno de todas las culturas. Con estas cualidades y maneras de ser de los distintos pueblos, se puede encontrar al Dios viviente y universal.

La descripción del dragón es poderosa. Haz una pausa antes de la noticia del alumbramiento, para que la tensión crezca.

Apareció entonces **en el cielo** una figura **prodigiosa**:
    una mujer **envuelta** por el sol,
    con la luna **bajo sus pies**
    y con una corona de **doce** estrellas en la cabeza.
Estaba **encinta** y a punto de **dar a luz**
    y **gemía** con los dolores del parto.

Pero apareció también en el cielo otra figura:
    un **enorme** dragón, color de fuego,
    con **siete** cabezas y **diez** cuernos,
    y una corona en **cada una** de sus siete cabezas.
Con su cola
    barrió la tercera parte de las estrellas del cielo
    y las **arrojó** sobre la tierra.
Después se detuvo **delante** de la mujer que iba a dar a luz,
    para **devorar** a su hijo, en cuanto éste **naciera**.
La mujer dio a luz un **hijo varón**,
    destinado a gobernar **todas** las naciones
    con cetro **de hierro**;
    y su hijo fue llevado **hasta Dios** y hasta su trono.
Y la mujer **huyó** al desierto, a un lugar **preparado** por Dios.

Anuncia con orgullo y serenidad la victoria del Mesías.

Entonces oí en el cielo una voz poderosa, que decía:
    "**Ha sonado** la hora de la victoria de nuestro Dios,
    de su dominio y de su reinado, y **del poder** de su Mesías".

Para meditar

SALMO RESPONSORIAL   Del salmo 66
R. Que te alaben, Señor, todos los pueblos.

Ten piedad de nosotros y bendícenos;
vuelve, Señor, tus ojos a nosotros.
Que conozca la tierra tu bondad
y los pueblos tu obra salvadora. R.

Las naciones con júbilo te canten,
porque juzgas al mundo con justicia;
con equidad tú juzgas a los pueblos
y riges en la tierra a las naciones. R.

Que te alaben, Señor, todos los pueblos,
que los pueblos te aclamen todos juntos.
Que nos bendiga Dios
y que le rinda honor el mundo entero. R.

I LECTURA Al sonido de la séptima trompeta, se instaura el Reino de Dios y del Mesías sobre el mundo, y se proclama el juicio en el cielo. El cielo abierto señala una etapa nueva de la revelación. Dios se manifiesta ahora como el Dios de la alianza con los hombres. El capítulo doce cuenta, bajo la imagen de un mito, la inauguración del Reino del Mesías.

En el cielo hay tres apariciones: el arca de la alianza, una mujer y el gran dragón. Son como signos. Los dos primeros son presagios. El nombre genérico de la mujer y su alumbramiento lleva a la suerte de Eva, en Gen 3:16. Ahora, esta mujer será la vencedora de la serpiente. La mujer representa al pueblo de Dios de los últimos tiempos. Las doce estrellas representan el zodiaco, dándole a la mujer el garbo de una diosa antigua. Su identificación con María proviene de la piedad mariana, desarrollada pronto en el cristianismo, en los siglos IV y V d.C.

El dragón es símbolo del mal, del adversario de los fieles de Dios. Es una criatura que desafía a Dios sin enfrentarlo. Luego quiere devorar el fruto de la mujer, al niño, el Mesías. El Mesías es llevado al cielo. La mujer que huye al desierto y es alimentada allí, alude al pueblo de Dios que, en un nuevo éxodo, es protegido por Dios durante su estadía en el desierto. Pero también los cristianos ya saben que el dragón ha sido vencido y que no le deben temer, no obstante que todavía deban sufrir su violencia.

Este gran cuadro está plasmado en la imagen de la Virgen de Guadalupe. Este lienzo del Tepeyac es el gran evangelio que nos dejó la madre del Señor. La imagen va al corazón de la Buena Noticia: un pueblo nuevo va a nacer y, como el primer grupo de cristianos, va a repetir la experiencia de persecución y sufrimiento por ser fiel a Jesús.

Este evangelio celebra la maternidad. A María de Guadalupe la reconocemos todos, como madre nuestra y símbolo de vida y esperanza. Este es el tono fundamental.

Dale expresión festiva a tu voz en la bendición primera, que de alguna manera recuerde que la pronunciamos cada día en el rezo del santo rosario.

Enfatiza el lenguaje de la alegría en todo el texto del evangelio; de modo especial a las palabras del magníficat puedes acompañarlas con una expresión corporal adecuada, como extendiendo tus manos y elevándolas en un movimiento armonioso.

EVANGELIO   Lucas 1:39–47

Lectura del santo Evangelio según san Lucas

En aquellos días, María se **encaminó presurosa** a un pueblo de las montañas de Judea, y entrando en la casa de Zacarías, saludó a Isabel. En cuanto ésta oyó **el saludo de** María, la creatura **saltó en su** seno.

Entonces Isabel **quedó llena** del Espíritu Santo, y levantando la voz, exclamó: "¡**Bendita tú** entre las mujeres y **bendito el fruto** de tu vientre! ¿Quién soy yo, para que la madre de mi Señor venga a verme? Apenas llegó **tu saludo** a mis oídos, el niño saltó **de gozo** en mi seno. **Dichosa** tú, que has creído, porque **se cumplirá** cuanto te fue anunciado de parte del Señor".

Entonces dijo María: "Mi alma **glorifica** al Señor *y mi espíritu se llena* **de júbilo** *en Dios, mi salvador*".

O bien: Lucas 1:26–38

Pero Dios garantiza la ayuda a su pueblo. El nuevo pueblo que va a nacer en las tierras que después tomarán el nombre de México, sufrirá los daños del dragón, pero no serán sustanciales, porque éste ya fue vencido.

EVANGELIO   María visita a Isabel motivada por las palabras que recibió del ángel, como señal de que Dios estaba llevando a cabo sus promesas de salvación con el nacimiento del Mesías y de su precursor, Juan. El encuentro de ambas mujeres está lleno de vida y de esperanza. Ellas participan ya de la alegría del cumplimiento, gracias a lo que el Espíritu Santo realiza en ellas.

Las palabras inspiradas de Isabel son verdaderos gritos que declaran a María y a su hijo benditos por Dios. Isabel nada sabía del embarazo de María, de modo que este súbito reconocimiento sólo puede venir del Espíritu Santo. El mismo Espíritu le hace reconocer la grandeza del Infante. Sin embargo, es la fe de María la que Isabel alaba; su fe la llevó a verificar las palabras del ángel; no se quedó en Nazaret. María, por su parte, corresponde con el Magníficat que canta cómo Dios exalta a los marginados y abajados. Ella misma es el mejor ejemplo de lo que Dios realiza.

Esta fecha celebra la visita de Guadalupe a los pobladores del Anáhuac, y en ellos a todos nosotros. Ella viene a participarnos el Evangelio, la alegría de la salvación y la esperanza de vida verdadera. Ella nos invita a verificar nuestra fe con las señales que Dios nos proporciona por muchos y variados caminos; vayamos al encuentro de la verdad con fe firme y decidida, sabiendo que el Señor nos cumplirá lo que ha dicho.

III DOMINGO DE ADVIENTO

Es importante que tu semblante todo, tus ojos y tus labios especialmente, estén llenos de alegría.

Es la fórmula de absolución; debes imprimirle gozo por la liberación.

Tú eres el mensajero que lleva esta palabra de Dios, y la asamblea es Jerusalén. Dirígete a ella, háblale con confianza y firmeza, cuando dices "él *te ama*".

I LECTURA   Sofonías 3:14–18

Lectura del libro del profeta Sofonías

Canta, hija de Sión,
   da gritos de júbilo, Israel,
   gózate y regocíjate **de todo corazón**, Jerusalén.

El Señor ha levantado su sentencia contra ti,
   ha expulsado **a todos** tus enemigos.
El Señor será el rey de Israel **en medio de ti**
      y ya no temerás **ningún** mal.

Aquel día dirán a Jerusalén:
   "**No temas**, Sión,
   que **no desfallezcan** tus manos.
El Señor, tu Dios, tu **poderoso** salvador,
   está **en medio** de ti.
Él se goza y se complace **en ti**;
   él te ama y se **llenará** de júbilo por tu causa,
   como en los **días** de fiesta".

I LECTURA El tema de este tercer domingo de Adviento es "¡Alégrense!". No hay conversión sin alegría y no hay juicio sin salvación.

Sofonías habla a Jerusalén poéticamente como "hija de Sión". Se simboliza al pueblo con la figura femenina. Como profeta, Sofonías tiene la alegría de ser un vigía que anuncia un juicio de parte de Dios y, por otro lado, la salvación del Señor. El Señor al final traerá la salvación, que provocará alegría a su pueblo. El hombre que se siente amenazado, no espera fácilmente que en el futuro alguien le anuncie: tu problema se

solucionó. Alégrate, ya pasó todo. Para el pueblo de Israel al que el profeta Sofonías anunciaba estas palabras hacia el 630 a.C., cuando Asiria amenazaba invadirlo, este mensaje le parecería increíble.

La presencia de Dios entre nosotros es también hoy la causa de nuestra alegría. Ante los peligros nuestros y dificultades, Dios está a nuestro lado, listo para ayudarnos. "No desfallezcan tus manos" (2:16). El Señor Jesús nos devolverá la seguridad. Jesús es nuestro centro. Lo encontramos en cada eucaristía y aquí nos reconfortamos y recibimos

esa paz, tranquilidad que Él nos promete en su llegada en la próxima fiesta.

II LECTURA La comunidad cristiana de Filipos era una comunidad sencilla y pobre, muy querida por Pablo. Pablo escribe esta carta en prisión, con la duda sobre su propia suerte: absolución o condena.

La comunidad tenía la creencia de que Jesús vendría pronto, en todo caso, durante su vida; esperaba al Señor con cierta angustia. Ante esa situación de tensa preocupación, Pablo insta a la alegría.

Para meditar

SALMO RESPONSORIAL   Is 12:2–3, 4bcd, 5–6

R. Griten jubilosos, porque Dios de Israel ha sido grande con ustedes.

El Señor es mi Dios y salvador,
  con él estoy seguro y nada temo.
El Señor es mi protección y mi fuerza
  y ha sido mi salvación. R.
Den gracias al Señor,
  invoquen su nombre,
  cuenten a los pueblos sus hazañas,
  proclamen que su nombre es sublime. R.

Alaben al Señor por sus proezas,
  anúncienlas a toda la tierra.
Griten jubilosos, habitantes de Sión,
  porque Dios de Israel
  ha sido grande con ustedes. R.

II LECTURA   Filipenses 4:4–7

Lectura de la carta del apóstol san Pablo a los Filipenses

Hermanos míos:
Alégrense **siempre** en el Señor; se lo repito: ¡**alégrense**!
Que la benevolencia de ustedes sea conocida **por todos.**
El Señor está **cerca.** No se inquieten **por nada;**
  más bien presenten en **toda ocasión** sus peticiones a Dios
  en la oración y la súplica, **llenos** de gratitud.
Y que la **paz** de Dios, que sobrepasa **toda** inteligencia,
  custodie sus corazones y sus pensamientos en **Cristo** Jesús.

La convicción profunda es que la fe produce alegría. Atempera tu actitud con la alegría proclamada. Muestra un rostro alegre pero sereno, radiante desde adentro, sin sombra de pesadumbre.

Una frase clave de esta parte es *la paz de Dios*, pronúnciala con toda claridad, para que les llegue a los escuchas mediante tu voz.

La alegría a la que invita Pablo no resulta de una supuesta salida suya de la cárcel de Éfeso. El fundamento está sólo en Dios: "El Señor está cerca". Si él está cerca, no tiene ningún sentido preocuparse o estar triste. El fiel cristiano sabe que el Señor está cerca.

"Alegrarse" indica la postura del creyente en las pruebas. Con la próxima llegada del Señor, tienen los cristianos la seguridad de que van a pertenecer a ese mundo nuevo del Mesías. Esta vida nueva ya se caracteriza en unas actitudes concretas:

sencillez, indulgencia, clemencia y bondad, cualidades distintivas de Cristo.

Estamos en situaciones semejantes a las que tenían los filipenses. La preocupación y el temor se han apoderado de gran parte del pueblo. Siente el pueblo que su economía, su situación social y familiar no tiene un futuro halagüeño. Sin embargo, la alegría dada por el Señor que vino, que viene en la fiesta de Navidad y que vendrá después definitivamente por nosotros, es el gran don de que el futuro es nuestro.

EVANGELIO Lo que nos ha tocado leer hoy tiene dos partes bien marcadas; las preguntas de las personas que quieren saber qué hacer, y las orientaciones sobre el Mesías que está a punto de ser revelado. La liturgia nos ha ahorrado las duras palabras del inminente juicio de Dios, dejándonos sólo con las enseñanzas éticas.

Juan Bautista aclara qué es "dar frutos dignos de conversión". Para el común de laspersonas, "dar frutos" consiste en compartir los propios bienes con los que nada tienen. Esto es puntual. Pero Juan predica también a los elementos de la administración

Las tres preguntas de ¿Qué tenemos que hacer? guían la lectura, y abarcan a todos los escuchas. Puedes hacer notar esto dirigiéndote a la izquierda, al centro y a la derecha cuando llegue el momento de pronunciar cada una de ellas.

El párrafo debe leerse con firmeza y honestidad.

Que tus palabras resuenen llenas de esperanza cuando pronuncies *con Espíritu Santo y con fuego*. Hay que alimentar esta expectativa durante el Adviento.

EVANGELIO   Lucas 3:10–18

Lectura del santo Evangelio según san Lucas

En aquel tiempo, la gente le **preguntaba** a Juan el Bautista:
    "**¿Qué** debemos hacer?"
Él contestó:
  "Quien tenga **dos túnicas**,
    que dé una al que no tiene **ninguna**,
    y quien tenga comida, que haga **lo mismo**".

También acudían a él los publicanos para que los bautizara,
        y le preguntaban:
  "**Maestro**, ¿qué tenemos que hacer **nosotros**?"
Él les decía:
  "**No cobren más** de lo establecido".
Unos soldados le preguntaron:
  "Y **nosotros**, ¿qué tenemos que hacer?"
Él les dijo:
  "**No extorsionen** a nadie, ni denuncien a nadie **falsamente**,
    sino **conténtense** con su salario".

Como el pueblo estaba en expectación
        y todos pensaban que quizá Juan era el Mesías,
    Juan los **sacó** de dudas, diciéndoles:
  "**Es cierto** que yo bautizo con agua,
    pero ya viene otro **más poderoso** que yo,
    a quien **no merezco** desatarle las correas de sus sandalias.
Él los bautizará con el Espíritu Santo **y con fuego**.
Él tiene el bieldo en la mano para **separar** el trigo de la paja;
    guardará el trigo en su granero **y quemará** la paja
        en un fuego **que no se extingue**".

Con éstas y otras muchas exhortaciones
        anunciaba al pueblo la buena nueva.

---

romana en la Palestina del tiempo de Jesús: los cobradores de impuestos, proclives al lucro y a los abusos, y los soldados que chantajeaban a la población, bajo amenaza de cualquier acusación. Juan denuncia la corrupción administrativa y le pone coto. Juan no les exige que abandonen sus puestos de trabajo, sino que no abusen del poder que esas posiciones les dan. Así tenemos que la preparación para "poder ver la salvación de Dios" es diferenciada, cada persona tiene a su alcance medios para hacer realidad la justicia del Reino. De base, sin embargo, está la profunda solidaridad que fluye del corazón

arrepentido y orientado por el evangelio. Comida, vestido y dinero son las claves para salvarse del juicio de Dios venidero.

La segunda parte pone los ojos en el corazón del pueblo. Juan tiene el don profético de saber lo que pasa en el pensamiento humano, y le da respuesta. Juan no es el Mesías, sino que se subordina a él y da la marca para poder reconocerlo: es el más fuerte. Su fuerza se nota en el bautismo con el Espíritu Santo y con fuego. Esta imagen remite, sin duda, a Pentecostés, pero es innegable su sabor escatológico, acentuado con la figura agrícola del que separa la paja

del trigo. El Espíritu Santo es el que hace entender que Dios ha estado operando en Jesús de Nazaret, juez de las personas, y ante el cual cada una define su futuro. El fuego tiene sentido purificatorio o purgativo, y hace referencia a que no le será fácil a la persona reconocer al Mesías y recibir su Espíritu. Como siempre, la justicia pavimenta el camino de la santidad.

IV DOMINGO DE ADVIENTO

I LECTURA Miqueas 5:1–4

Lectura del libro del profeta Miqueas

Esto dice el Señor:
   "**De ti**, Belén Efrata,
      pequeña entre las aldeas de Judá,
      de ti saldrá **el jefe de Israel**,
   cuyos orígenes se remontan a tiempos **pasados**,
      a los días **más antiguos.**

Por eso, el Señor abandonará a Israel,
      mientras no dé a luz la que ha de dar a luz.
Entonces el resto de sus hermanos
   se unirá a los hijos de Israel.
Él se levantará para **pastorear** a su pueblo
   con la fuerza **y la majestad** del Señor, su Dios.
Ellos habitarán **tranquilos**,
      porque la grandeza del que ha de nacer **llenará** la tierra
      y **él mismo** será la paz".

Acompaña con tu voz y tu actitud el crecimiento que se nota en la lectura; de la pequeñez y poquedad de la aldea, a la figura que encabeza a Israel, y a la grandeza que alcanza a toda la tierra. Regula el volumen de tu voz conforme a ese crecimiento.

Marca bien las palabras "del que ha de nacer llenará la tierra y paz". Que estas palabras se queden en tu corazón también.

I LECTURA Miqueas fue un campesino pobre de Judá, contemporáneo del gran profeta Isaías. Igual que Isaías, él vio el grave problema que tenía el pequeño estado de Judá ante las amenazas de los grandes imperios y de la gente rica de su propio pueblo. De aquí la protesta de Miqueas.

Viene una era nueva. El profeta anuncia el cambio de desgracia en gracia. De la estirpe de David, de Belén, saldrá un sucesor que sí fundará un nuevo reino, o sea, un nuevo tipo de sociedad, donde no habrá las carencias y temores por los que pasaba la sociedad del tiempo de Miqueas. El pastor es el rey que gobierna a su pueblo; lo debe proteger y alimentar. En esto está la esperanza y la solución a los añejos problemas del pueblo de Dios, cuando se organizó como un reino.

No se promete una vuelta a lo antiguo, sino la creacion de algo nuevo: una nueva sociedad y un espíritu nuevo en el rey que alimentará y defenderá a su pueblo, e incluso, le dará seguridad.

Ahora están sufriendo, como una mujer embarazada, que sufre y llora por su dolor. Pero la mujer sabe que pronto su dolor se va a convertir en la alegría indescriptible de estar abrazando a su hijo. Igualmente, la historia de Israel comenzará de nuevo con ese pastor anunciado. Su origen será humilde, pues saldrá de Belén, un pueblito irrelevante que se asoma al desierto, conocido por ser la tierra de David; nunca tuvo algo de qué presumir. Pero será la potencia del Señor lo que lo haga grande, gracias a que el nuevo rey se someterá completamente al Señor (5:1c, 3) y esta fidelidad es la garantía de paz y seguridad.

II LECTURA La epístola a los Hebreos proviene de un grupo de

Para meditar

SALMO RESPONSORIAL   Salmo 80:2ac y3b, 15–16, 18–19

R. Oh Dios, restáuranos, que brille tu rostro y nos salve.

Pastor de Israel, escucha,
   tú que te sientas sobre querubines,
      resplandece.
Despierta tu poder y ven a salvarnos. R.

Dios de los ejércitos, vuélvete:
   mira desde el cielo, fíjate,
   ven a visitar tu viña,
   la cepa que tu diestra plantó
   y que tú hiciste vigorosa. R.

Que tu mano proteja a tu escogido,
   al hombre que tú fortaleciste.
No nos alejaremos de ti:
   danos vida, para que invoquemos
      tu nombre. R.

II LECTURA   Hebreos 10:5–10

Lectura de la carta a los Hebreos

Hermanos:
Al **entrar** al mundo, Cristo dijo, conforme al salmo:
   *No quisiste **víctimas** ni ofrendas;*
      *en cambio, me has dado un **cuerpo**.*
*No te agradan los **holocaustos** ni los sacrificios por el pecado;*
   *entonces dije—porque **a mí** se refiere la Escritura—:*
   *"Aquí estoy, Dios mío; **vengo** para hacer tu voluntad".*

Comienza por decir: *"No quisiste **víctimas** ni ofrendas,*
   *no te agradaron los **holocaustos***
      *ni los **sacrificios** por el pecado",*
   *—siendo así que **eso** es lo que pedía la ley—;*
   y luego añade:
   *"Aquí **estoy**, Dios mío; vengo para hacer tu voluntad".*

En la proclamación se puede resaltar la dimensión sacrificial de la Eucaristía. De modo que puedes hacer contacto visual con el altar o con algún Crucifijo que esté a modo y a la vista de todos.

La frase "Aquí estoy Dios mío, vengo para hacer tu voluntad", memorízala y pronúnciala con absoluta convicción, con la mirada levantada sobre la asamblea.
En el último párrafo haz contacto visual con el altar.

cristianos, en el que habría algunos sacerdotes o levitas, que reflexionaron sobre la vida de Cristo bajo la luz del quehacer sacrificial que ellos ejercían en el templo.

El perdón de los pecados de Israel estaba unido a los sacrificios en el templo. Allí se presentaban las ofrendas al Señor. Evidentemente que la ofrenda en sí no daba el perdón, sino la intención interna y el arrepentimiento del pecador que se humillaba y pedía perdón. Su ofrenda significaba su arrepentimiento.

Por el contrario, el ofrecimiento que Cristo ha hecho de su cuerpo elimina el pecado de los hombres y los santifica. Detrás se percibe el sacrificio de expiación, que tenía una gran importancia en el mundo judío, pues se trata de la purificación anual de Israel ante Dios. A los sacrificios y a la ofrenda veterotestamentaria contrapone Jesús su cuerpo, preparado por su Padre; así, el sacrificio y las ofrendas quedan sustituidos por la obediencia que Jesús cumple en su cuerpo, al hacerse hombre. Es clara la alusión a la Encarnación, acontecimiento que la Iglesia celebra en la Navidad. El nacimiento del Señor no puede separarse del Calvario. Hay una unión íntima. Ya sobre la casa de Belén alumbra la resurrección. Los calendarios antiguos de Roma, retoman la rúbrica del 25 de diciembre: "Nacimiento del Señor en la carne: Pascua".

EVANGELIO El evangelio embona con los relatos previos de las anunciaciones a Zacarías y a María. La visita de María a su pariente Isabel tiene por objeto constatar la señal que el ángel Gabriel le dio como garantía de que sus palabras eran verdaderas. Esto mismo queda confirmado con las palabras de la bendición de Isabel. A algunas personas

Con esto, Cristo suprime los antiguos sacrificios,
    para establecer el nuevo.
Y en virtud de **esta voluntad**,
    todos quedamos **santificados** por la ofrenda
      del cuerpo de Jesucristo, hecha una vez **por todas.**

EVANGELIO   Lucas 1:39–45

Lectura del santo Evangelio según san Lucas

En aquellos días,
    María se encaminó **presurosa** a un pueblo
      de las montañas de Judea,
y entrando en la casa de Zacarías, saludó a **Isabel.**
En cuanto ésta **oyó** el saludo de María, la criatura **saltó** en su seno.

Entonces Isabel quedó llena del Espíritu Santo,
    y levantando la voz, **exclamó:**
      "**¡Bendita** tú entre las mujeres **y bendito** el fruto de tu vientre!
¿**Quién** soy yo, para que la madre **de mi Señor** venga a verme?
    Apenas llegó tu saludo a mis oídos,
      el niño **saltó** de gozo en mi seno.
Dichosa tú, que has creído,
    porque **se cumplirá** cuanto te fue anunciado
      de parte del Señor".

El encuentro de las dos mamás es la señal más cierta de que Dios está llevando a cabo su obra de salvación; de que las promesas no son un engaño, sino la realidad. Ese tono de certeza imprímelo a tu presencia y a tu voz.

A las palabras "el niño saltó de gozo en mi seno", acompáñalas con una elevación rápida en la voz, simulando el salto. Apoya con toda seguridad las palabras "se cumplirá cuanto te fue anunciado". Esa seguridad es la de la fe que le transmites también a tu auditorio.

esto les pudiera causar cierto conflicto con las afirmaciones usuales sobre la fe de María; simplemente tengamos en cuenta que en las Escrituras, las señales dadas por Dios apoyan la verdad de que él está operando en lo que sucede.

Isabel bendice tanto a María como al "fruto de tu vientre". Isabel proclama a María "la más bendita de todas las mujeres". Su singular relevancia se debe al fruto que lleva ya en sí. ¿Cómo lo supo Isabel, si hará un par de semanas apenas que María recibió la visita de Gabriel? Isabel es capaz de pronunciar palabras proféticas porque ha quedado llena del Espíritu Santo, lo mismo que su bebé, con el saludo de María.

No obstante ser mayor Juan que Jesús, desde ahora, san Lucas lo supedita a Jesús; lo mismo sucede con Isabel, mayor que María. Jesús es el Señor, y en esas palabras se debe entender la presencia de Dios, y quien le otorga a María su honorabilidad. Lo mismo se constata con el salto de Juan. Las palabras de María, cubierta por la "sombra del poder del Altísimo", comunican el Espíritu a Isabel y a su bebé. Ella ha creído al ángel, y prueba de ello es su presencia allí, ante Isabel.

Las palabras de Isabel refieren a la jovencita que tiene frente a sí, pero la proyectan al futuro y esas palabras fincan la bienaventuranza de María: Dios cumplirá cuanto anunció. Ese futuro mira a la grandeza de Jesús, a aquellas palabras que le prometieron el trono de David y ser llamado Hijo de Dios. María es la mujer que ha acogido la palabra de Dios, y, por eso, modelo de creyente para cada generación. Pero también es mujer que con su palabra transmite el Espíritu de Dios que santifica e inspira la bendición.

NATIVIDAD DEL SEÑOR, MISA VESPERTINA DE LA VIGILIA

I LECTURA   Isaías 62:1–5

Lectura del libro del profeta Isaías

Isaías anuncia gozo y alegría por la justicia de Dios entre su pueblo. Este es el tono general para hoy.

Por amor a Sión no me callaré
  y por **amor** a Jerusalén no me daré **reposo**,
  hasta que **surja** en ella esplendoroso el justo
  y **brille** su salvación como una antorcha.

La salvación de Dios es para todos los pueblos. Identifica las notas de universalismo en la lectura y enfatízalas.

Entonces las naciones verán tu justicia,
  y tu gloria **todos** los reyes.
Te llamarán con un nombre **nuevo**,
  pronunciado por **la boca** del Señor.
Serás corona de gloria en la **mano** del Señor
  y **diadema** real en la palma de su mano.

Marca bien los contrastes entre lo viejo y la novedad de la alianza de Dios con su pueblo.

  Ya no te llamarán "Abandonada",
  ni a tu tierra, "**Desolada**";
  a ti te llamarán "**Mi complacencia**"
  y a tu tierra, "**Desposada**",
  porque el Señor se ha complacido **en ti**
  y se **ha desposado** con tu tierra.

Prosigue la imagen nupcial. Deja la última frase como vibrando en el aire.

Como un joven se desposa con una doncella,
  se desposará **contigo** tu hacedor;
  como el esposo **se alegra** con la esposa,
  así **se alegrará** tu Dios contigo.

I LECTURA El texto de hoy pertenece al que se ha venido llamando Tercer Isaías, un profeta que habló a los que habían vuelto del destierro y que se sentían defraudados por Dios, ya que esa gloria que se les había anunciado, no la veían.

El texto se dirige en primer lugar a la comunidad, no al individuo. La comunidad de Israel, es el objeto del amor de Dios y de su alegría. El Señor Dios quiere edificarla y convertirla en el lugar de su presencia salvífica. Aquí, esta comunidad es descrita como ciudad, como el lugar preciso donde vive y se desarrolla la gente. La comunidad es un lugar delimitado de la vida, del nacimiento y de la presencia de todas las personas.

En el fondo, se habla de Dios y de su acción. Dios y él solo, es el que construye Jerusalén. A Jerusalén, la comunidad, le corresponde dejarse querer por Dios. Dios le da su justicia, su salvación y su poder. Así es como el Señor reconstruye a su pueblo, lo alegra y le trae felicidad.

Al mismo tiempo, Dios encomienda a su pueblo que comparta sus dones con los demás pueblos. El nuevo Israel viene a ser como un hermano mayor que guía a los pueblos hermanos a conocer y adherirse a los planes de Dios. Se forma una gran familia, universal.

Así entendió el Señor Jesús su misión. Ya desde su nacimiento, el coro angélico juntó la gloria en el cielo con la paz en la tierra, para formar una sociedad hermanable en nuestro mundo. Esto es lo que trae el nacimiento del Señor y lo que anunciamos en la Navidad.

II LECTURA Pablo predica a la comunidad judía de Antioquía en Pisidia. Su discurso marca un cambio de rumbo fundamental en la historia de la

Para meditar

SALMO RESPONSORIAL   Salmo 89:4–5, 16–17, 27 y 29

R. Cantaré eternamente las misericordias del Señor.

Sellé una alianza con mi elegido,
    jurando a David, mi siervo:
"Te fundaré un linaje perpetuo,
    edificaré tu trono para todas las edades". R.

Dichoso el pueblo que sabe aclamarte:
    caminará, oh Señor, a la luz de tu rostro;
    tu nombre es su gozo cada día. R.

El me invocará: "Tú eres mi padre,
    mi Dios, mi Roca salvadora".
Le mantendré eternamente mi favor,
    y mi alianza con él será estable. R.

II LECTURA   Hechos 13:16–17, 22–25

Lectura del libro de los Hechos de los Apóstoles

Pablo muestra que Dios ha cumplido todas sus promesas en Jesús. El auditorio es beneficiario de esas promesas.

Al llegar Pablo a Antioquía de Pisidia,
    se puso **de pie** en la sinagoga
    y haciendo una señal **para que se callaran**, dijo:

"Israelitas y cuantos temen a Dios, escuchen:
    el Dios del pueblo de Israel **eligió** a nuestros padres
    y **engrandeció** al pueblo,
    cuando éste vivía como **forastero** en Egipto.
Después los sacó de ahí con todo poder.
Les dio por rey a David, de quien hizo **esta alabanza**:

Marca las palabras en itálicas, para que se note que son de las Escrituras.

He hallado a **David**, *hijo de Jesé,*
    hombre *según mi corazón,*
    quien realizará **todos** *mis designios.*

Del linaje de David, conforme a la promesa,
    Dios hizo nacer para Israel **un salvador:** Jesús.
Juan **preparó** su venida,
    predicando **a todo el pueblo** de Israel
    un bautismo **de penitencia**,
    y hacia **el final** de su vida,

El último párrafo apunta al misterio que celebramos hoy. Baja la velocidad conforme concluyes el párrafo.

---

iglesia primitiva. De ahora en adelante, la predicación de la Buena Noticia se hará también a los paganos.

San Pablo habla de pie, como un orador griego. Se dirige a los descendientes de Abrahán. Como judío, Pablo se siente particularmente unido a su gente. Esto tiene su significado. La historia de Israel es la prehistoria de la Iglesia. Pero en la sinagoga hay también no judíos o 'temerosos de Dios', paganos que simpatizan con el judaísmo.

Pablo presenta la historia de salvación en sus datos fundamentales. Se detiene en

David, para engarzar con él lo acontecido con Jesús.

Jesús es el objeto de las promesas de toda la historia anterior. Introduce al Bautista, quien dio testimonio acerca de Jesús. El Señor es al que se refieren la acción y testimonio de Juan. El centro de su testimonio es Jesús como salvador. Tanto la historia antigua (AT), como la nueva (la historia de Jesús) llevan a la salvación, a Jesús, que es y oferta la salvación a todos.

Decir salvación, es lo que hoy decimos vivir bien, comprendernos entre los que vivimos cerca y lejos en Dios. Siente uno que

esto es algo casi imposible de realizar, un sueño que se esfuma cada día ante la terrible realidad de la violencia diaria, del pecado, de la muerte. Sin embargo, la Iglesia continúa repitiendo que todo esto se debe a que nos hemos ido tras otros salvadores. Hemos andado bajo otros pastores y hemos terminado por seguir las voces del dinero, de los bienes, la seguridad, el goce desenfrenado y el espectáculo. Esas cosas se nos convirtieron en nuestras guías en la vida, y hemos terminado por cosificarnos, encerrados en nuestros intereses egoistas.

Juan decía:
'Yo **no soy** el que ustedes piensan.
Después de mí
viene uno a quien **no merezco** desatarle las sandalias' ".

EVANGELIO   Mateo 1:1–25

Lectura del santo Evangelio según san Mateo

Genealogía de Jesucristo,
  hijo de David, hijo de Abraham:
Abraham **engendró** a Isaac, Isaac a Jacob,
  Jacob a Judá y **a sus hermanos**;
  Judá **engendró** de Tamar a Fares y a Zará;
  Fares a Esrom, Esrom a Aram, Aram a Aminadab,
  Aminadab a Naasón, Naasón a Salmón,
  Salmón engendró **de Rajab** a Booz;
  Booz engendró de Rut a Obed,
  Obed a Jesé, y Jesé **al rey David**.

David engendró de la mujer de Urías a Salomón,
  Salomón a Roboam, Roboam a Abiá, Abiá a Asaf,
  Asaf a Josafat, Josafat a Joram, Joram a Ozías,
  Ozías a Joatam, Joatam a Acaz, Acaz a Ezequías,
  Ezequías a Manasés, Manasés a Amón, Amón a Josías,
  Josías engendró a Jeconías y a sus hermanos,
  durante **el destierro** en Babilonia.

Después del destierro en Babilonia,
  Jeconías **engendró** a Salatiel, Salatiel a Zorobabel,
  Zorobabel a Abiud, Abiud a Eliaquim,
  Eliaquim a Azor, Azor a Sadoc, Sadoc a Aquim,
  Aquim a Eliud, Eliud a Eleazar, Eleazar a Matán,
  Matán a Jacob, y Jacob engendró **a José**,
  el esposo de María, de la cual nació **Jesús**, llamado Cristo.

Los personajes de la lista son héroes de la salvación. Enfatiza la palabra "engendró", y los nombres de las mujeres; ellas tienen un peso especial.

El destierro de Babilonia es muy importante en la historia del pueblo. Prolonga un poco más la pausa antes de pasar al siguiente párrafo.

Si no abrimos completamente nuestras puertas y nos lanzamos al mundo, siguiendo el camino de Jesús, no alcanzaremos lo que a tientas vamos buscando: la felicidad. O, como el evangelio proclama: la salvación. Estamos en la vigilia de la fiesta en que Jesús nace. Abrámosle nuestras puertas.

EVANGELIO Nos disponemos a celebrar la Navidad. Por eso, este evangelio saca a relucir los ancestros de Jesús, el Cristo, para contar después cómo ese Cristo vino al mundo. La lectura tiene dos partes distintas pero complementarias.

La primera parte recorre el hilo descendente desde Abrahán, y la segunda cuenta que el nacimiento de Jesús está a tono con las promesas de Dios más antiguas.

Al hacer el recuento de la familia de Cristo Jesús, Mateo menciona nombres bien conocidos de todos, pues quiere mostrar la pertenencia al pueblo elegido con todo derecho; para eso servían las listas de genealogías familiares, lo mismo que los certificados de nacimiento actuales. Mateo muestra que Jesús es legítimo descendiente de David y de Abrahán, dos figuras mayores del Israel de la Biblia. David es el prototipo

de rey, cuyo descendiente será el Ungido o Mesías, y Abrahán el padre del pueblo elegido y bendición para todas las gentes.

El ciclo triple de las catorce generaciones le sirve para mostrar que la historia del pueblo elegido está en el punto de arranque de una nueva era, en la que la bendición de Abrahán y el reino de David alcanzan a todas las personas. Los números muestran que a Jesús le corresponde ser el anunciado y tan esperado Ungido.

En las generaciones aparecen nombres de mujeres no israelitas que no sólo rompen con la pureza étnica, de sangre, sino que

El recuento de las generaciones es la conclusión de la genealogía. Dale ese tono conclusivo.

De modo que el total de generaciones
    desde Abraham hasta David, es de **catorce;**
    desde David **hasta la deportación** a Babilonia, es **de catorce,**
    y de la deportación a Babilonia **hasta Cristo,** es de **catorce.**

Comienza un episodio nuevo. La primera oración dice de qué se trata.

Cristo vino al mundo de la siguiente manera:
Estando María, su madre, **desposada** con José,
    y **antes** de que vivieran juntos,
    sucedió que ella, **por obra** del Espíritu Santo,
    estaba **esperando** un hijo.
José, su esposo, que era hombre **justo,**
    no queriendo ponerla **en evidencia,**
    pensó dejarla **en secreto.**

Mientras pensaba en estas cosas,
    un ángel del Señor le dijo **en sueños:**
    "José, **hijo** de David,
    no dudes en recibir en tu casa a María, tu esposa,
    porque ella ha concebido **por obra** del Espíritu Santo.

Las palabras de "salvará a su pueblo de sus pecados" son clave para entender quién es Jesús y la misión de su venida.

Dará a luz un hijo
    y **tú** le pondrás el nombre de **Jesús,**
    porque él **salvará** a su pueblo de sus pecados".

Todo esto sucedió
    para que **se cumpliera** lo que había **dicho** el Señor
    por boca del profeta **Isaías:**
*He aquí que la **virgen** concebirá y dará a luz un hijo,*
    *a quien pondrán el nombre de **Emmanuel,***
    *que quiere decir **Dios-con-nosotros.***

Marca las palabras de las Escrituras para que la asamblea note que lo prometido se está cumpliendo.

Cuando José despertó de aquel sueño,
    hizo lo que **le había mandado** el ángel del Señor
    y **recibió** a su esposa.
Y sin que él **hubiera tenido** relaciones con ella,
    María dio a luz un hijo
    y él le puso por nombre **Jesús.**

Versión corta: Mateo 1:18–25

gracias a su arrojo y firmeza lograron prolongar la simiente israelita, y mantener vivas las promesas de Dios hechas tanto a Abrahán como a David. Los nombres de Tamar, Rajab, Rut y de la mujer de Urías, antes del destierro, así como el de María, después de él, dejan ver ciertas anomalías o que, como decimos cotidianamente, "Dios escribe derecho en renglones torcidos".

El segundo cuadro, con el que arranca propiamente la narración, enseña la forma en la que Jesús fue introducido en la familia davídica. Una forma por demás extraña, a decir verdad. Los lectores del evangelio son cristianos de la segunda o tercera generación; sus conceptos son griegos pero sus raíces y tradiciones son judías. Ellos saben que el Mesías fue "concebido por obra del Espíritu Santo", y que, en sintonía con ese Espíritu, igual que Isaías aseguraba el socorro de Dios a su pueblo, ese socorro ahora lo ofrece en la concepción y nacimiento de Jesús. Ese socorro divino llega gracias a la obediencia de José por recibir a María y ponerle el nombre de Jesús, acogiéndolo en su familia, como suyo.

El nombre da la identidad y misión de Jesús: "Salvará a su pueblo de sus pecados", había dicho el ángel. Tarea de Jesús será expiar o redimir, lo que equivale a santificar y ser grato a Dios. El pecado es lo que aleja a los fieles del Dios santo, lo que rompe esa comunión que el altar y los sacrificios restablecían un día tras otro en Jerusalén. La gran novedad es que el perdón de los pecados será otorgado de una manera diferente, gracias a que Dios socorre a su pueblo regalándole hoy este Niño, fruto de aquella palabra empeñada a Abrahán y a David.

NATIVIDAD DEL SEÑOR, MISA DE LA NOCHE

El libro del Emmanuel anuncia la presencia de Dios que viene a salvar a su pueblo. Hay que llenar el corazón de alegría para anunciarlo a todos.

I LECTURA   Isaías 9:1–3, 5–6

Lectura del libro del profeta Isaías

El pueblo que caminaba **en tinieblas**
   vio **una gran luz;**
   sobre los que vivían en tierra **de sombras**,
   una luz **resplandeció.**

Engrandeciste a tu pueblo
   e hiciste grande su alegría.
Se gozan **en tu presencia** como gozan al **cosechar**,
   como se **alegran** al repartirse el botín.
Porque tú **quebrantaste** su pesado yugo,
   la barra que **oprimía** sus hombros y el cetro de su tirano,
   como en el día de Madián.

Porque un niño nos ha nacido, un hijo se nos ha dado;
   lleva sobre sus hombros el signo **del imperio** y su nombre será:
   "Consejero **admirable**", "Dios **poderoso**",
   "Padre **sempiterno**", "**Príncipe** de la paz";
   para **extender** el principado con una paz **sin límites**
   sobre el **trono** de David y sobre **su reino**;
   para establecerlo y **consolidarlo**
   con la justicia y el derecho, desde ahora y **para siempre**.
El **celo** del Señor lo **realizará**.

El nacimiento del niño funda la esperanza para el futuro.

Las cualidades del niño son semillas de paz y certeza para el pueblo. Pronuncia sus nombres con firmeza y serenidad.

I LECTURA La primera lectura viene del libro del Emanuel (Is 8:23–9:6). El tema de la luz es central. La luz domina las tinieblas. El pueblo atónito está esperando que la luz disipe las tinieblas de la noche, de esa noche que para el autor representan las largas columnas de deportados que partían al exilio. El oráculo anuncia la derrota de los opresores y el fin de sus conquistas (9:3–4). Se alude a la victoria sobre los madianitas porque en los llanos de Jezrael, Israel obtuvo una victoria admirable que le aseguró instalarse en Galilea.

El profeta funda la promesa de restauración definitivamente en el amor privilegiado del Señor por su pueblo. Por eso anuncia para el futuro el nacimiento de un niño que gobernará en un reino ideal. Tal vez Isaías piense en un rey ideal, lejano, pero que prevé como actual y seguro.

El futuro rey no es mero restaurador de la unidad del reino davídico; esto es consecuencia de la cualidad espiritual de su gobierno. Este príncipe sintetiza en su persona las virtudes de los grandes reyes que habían dado prosperidad a la nación, considerados como auténticos mensajeros y servidores del Señor; ellos habían gobernado con los principios del derecho y de la justicia. Con todo, esta evocación idílica de este reino glorioso no se apoya en las posibilidades humanas, sino "en el amor celoso del Señor todopoderoso" (v. 6).

II LECTURA En esta carta aparecen fórmulas litúrgicas relacionadas con el regreso del Señor. Éstas eran muy populares en las comunidades cristianas primitivas, donde la llegada escatológica del Señor era muy viva. Están pues muy

Para meditar

SALMO RESPONSORIAL   Salmo 96:1–2a, 2b–3, 11–12, 13

R. Hoy nos ha nacido el Salvador: que es Cristo el Señor.

Canten al Señor un cántico nuevo,
   canten al Señor, toda la tierra;
   canten al Señor, bendigan su nombre. R.

Proclamen día tras día su victoria.
Cuenten a los pueblos su gloria,
   sus maravillas a todas las naciones. R.

Alégrese el cielo, goce la tierra,
retumbe el mar y cuanto lo llena;
   vitoreen los campos y cuanto hay en ellos,
   aclamen los árboles del bosque. R.

Delante del Señor, que ya llega,
   ya llega a regir la tierra:
   regirá el orbe con justicia
   y los pueblos con fidelidad. R.

II LECTURA   Tito 2:11–14

Lectura de la carta del apóstol san Pablo a Tito

Querido hermano:
La **gracia** de Dios
   se ha manifestado para **salvar** a todos los hombres
   y nos ha enseñado
   a **renunciar** a la irreligiosidad y a los deseos mundanos,
   para que vivamos, **ya desde ahora**,
   de una manera **sobria**, justa y **fiel a Dios**,
   en espera de la **gloriosa venida** del gran Dios y Salvador,
   Cristo Jesús, **nuestra esperanza**.
Él se entregó **por nosotros**
   para **redimirno**s de todo pecado
   y **purificarnos**, a fin de convertirnos en **pueblo suyo**,
   fervorosamente entregado a practicar **el bien**.

A esta acción de gracias de Pablo todos debemos unirnos. Localiza los "nosotros" del texto e inclúyete con todos al pronunciarlos.

Ya resuena la segunda venida; hay que mirarla con ojos de esperanza porque Dios cumple sus promesas.

La última línea nos coloca ante el quehacer cristiano de todos los días. Dila como una invitación amable e irresistible.

cerca del contexto litúrgico nuestro, en que celebramos la venida del Señor.

En la parte anterior de la carta (2:1–10), Pablo acaba de hablar de los deberes de los diversos miembros de la comunidad. Enseguida indica el fundamento en que se apoya la parénesis: la manifestación de la gracia de Dios. La moral cristiana no se funda en una ley, sino en la gracia manifestada en el Señor Jesús. Esta gracia es Cristo en el misterio de su muerte y resurrección. Es este Cristo el que se ofrece en la predicación apostólica.

Esta gracia se manifestó. Fue una epifanía, una manifestación gloriosa. Pero aquí esta manifestación tuvo lugar en la humildad de un establo, después en el dolor de la pasión y, finalmente, en la gloria de la resurrección. La tradición cristiana se ha habituado a proyectar sobre la primera venida del Señor, su nacimiento, la gloria que tuvo en la resurrección y cuyo regreso esperaba.

Pablo lanza a Tito y a su comunidad a vivir de frente a la esperanza. Los fieles tenían enfrente diariamente la llegada cercana y próxima, que los motivaba a vivir de acuerdo a la gracia del Señor. Da la impresión de que nuestras generaciones han perdido esa visión esperanzadora de la llegada del Señor, que dará un feliz final a nuestra vida, pero que también nos dará el empuje para ser fieles a la llamada del Señor y a manifestar esa vida cristiana como una esperanza que anime a los que nos rodean y les ponga preguntas acerca de nuestro comportamiento.

Al final invita el apóstol a que cada cristiano se entregue al Señor. Tiene en la mente que "Él mismo se ha entregado por nosotros" (v. 14). La entrega del Señor está esperando la nuestra.

EVANGELIO   Lucas 2:1–14

Lectura del santo Evangelio según san Lucas

El relato guarda un tono "neutral" en la primera parte, pero cambia conforme cuenta los hechos del nacimiento, a uno de admiración y alabanza. Distingue esto en tu proclamación.

Por aquellos días, **se promulgó** un edicto de César Augusto,
     que **ordenaba** un censo **de todo** el imperio.
Este **primer** censo se hizo cuando Quirino era gobernador de
     Siria.
Todos iban a empadronarse, cada uno en su propia ciudad;
     así es que también José,
     perteneciente a la casa y familia de David,
     se **dirigió** desde la ciudad de Nazaret, en Galilea,
     a la ciudad de David, llamada Belén, para **empadronarse**,
     juntamente con María, su esposa, que **estaba encinta**.

Mientras estaban ahí, le llegó a María el tiempo de dar a luz
     y tuvo a su hijo **primogénito**;
     lo envolvió en pañales y lo recostó **en un pesebre**,
     porque **no hubo lugar** para ellos en la posada.

La aparición del ángel introduce lo portentoso y admirable en el relato. Busca transmitir un santo temor en el tono de tu voz y en tu actitud.

En aquella región había unos pastores
     que pasaban la noche en el campo,
     vigilando **por turno** sus rebaños.
Un **ángel** del Señor se les apareció
     y **la gloria** de Dios los **envolvió** con su luz
     y se llenaron **de temor**.
El ángel les dijo:
     "**No teman**. Les traigo una **buena** noticia,
     que **causará** gran alegría a **todo** el pueblo:
     hoy les ha nacido, en la ciudad de David,
     un **Salvador**, que es el Mesías, **el Señor**.
Esto les servirá de señal:
     encontrarán **al niño** envuelto en pañales
     y **recostado** en un pesebre".

EVANGELIO San Lucas marca el nacimiento del Señor Jesús con el censo mandado por el gobernador de Siria, a la que pertenecía Judea. En esa coyuntura, José y María se trasladan hasta Belén. El empadronamiento no era para votar, sino para el cobro de impuestos. Jesús se mira sometido, desde antes de nacer, a la suerte de su pueblo.

La figura del rey David se proyecta en Jesús. Lucas remarca que Jesús nació en la misma ciudad de David, y que unos pastores, como lo era el propio David, son los primeros en recibir el evangelio del cielo; evangelio destinado causar gran alegría a todo el pueblo.

Además, Jesús es el heredero davídico, Salvador y Señor desde ya. Estas expresiones eran bien conocidas, porque al nacimiento del César se le conocía como "evangelio", es decir, una magnífica noticia que daba estabilidad a todo el imperio. El César era reconocido por rescatar a las gentes del desorden social y del caos en el que sumían a los pueblos los tiranos y bandidos, los piratas y conquistadores. El César romano era símbolo de la paz tan indispensable para vivir. Por imperar era Señor, es decir, alguien a quien se debe obediencia y fidelidad. Sin embargo, entre los judíos tales formas sólo le competen a Dios; sólo él salva y es el único Señor.

La alabanza que cierra la lectura de hoy, coloca en su dimensión justa al Mesías de David. Ya su nacimiento une cielo y tierra

Al llegar a esta parte, haz como una invitación a que la asamblea se una a la alabanza celeste. Es la unión del cielo con la tierra.

De pronto se le unió al ángel
una multitud del ejército celestial,
que **alababa** a Dios, diciendo:
"¡**Gloria** a Dios en el cielo,
y en la tierra **paz** a los hombres **de buena voluntad**!"

para gloria de Dios y bienestar de los hombres. El bienestar del pueblo de Dios es la mayor gloria de Dios. Y esas promesas se transforman en paz entre todos los de corazón bien dispuesto. La paz de los hombres glorifica a Dios; y este nacimiento muestra la fidelidad y gloria de Dios a los hombres.

NATIVIDAD DEL SEÑOR, MISA DE LA AURORA

I LECTURA   Isaías 62:11–12

Lectura del libro del profeta Isaías

La lectura es breve y jubilosa. Toma la figura del profeta y anuncia con entusiasmo la redención del pueblo.

Escuchen lo que el Señor hace oír
  hasta el **último** rincón de la tierra:

"Digan a la hija de Sión:
  Mira que **ya llega** tu salvador.
El **premio** de su victoria lo acompaña
  y **su recompensa** lo precede.
Tus hijos serán llamados '**Pueblo santo**',
  '**Redimidos** del Señor', y **a ti** te llamarán
'Ciudad **deseada**, Ciudad **no abandonada**' ".

Con solemnidad inusual pronuncia los nombres de los hijos de Sión.

SALMO RESPONSORIAL   Salmo 97:1 y 6, 11–12

Para meditar

R. **Hoy brillará una luz sobre nosotros, porque nos ha nacido el Señor.**

El Señor reina, la tierra goza,
  se alegran las islas innumerables.
Los cielos pregonan su justicia,
  y todos los pueblos contemplan su gloria. R.

Amanece la luz para el justo,
  y la alegría para los rectos de corazón.
Alégrense, justos, con el Señor,
  celebren su santo nombre. R.

I LECTURA El texto refleja los últimos días de la cautividad en Babilonia. Si el templo parece haber sido reconstruido, la ciudad no. Estos versos anuncian la salvación de Jerusalén y cómo la ciudad se llena de alegría. La visión toma pie de una procesión litúrgica que alude al regreso de los exiliados y prefigura el éxodo escatológico del nuevo pueblo de Dios, volviendo a Sión. El profeta va a proferir una palabra de Dios a la "Hija de Sión", pero va tomando un significado más amplio, hasta alcanzar a un pueblo nuevo cuyo nacimiento se describe en Is 66:7–8.

Dios va a recrear a su pueblo. De aquí que vaya a poner nuevos nombres a esos exiliados que vuelven. Serán llamados *Pueblo Santo*. Este nombre expresa la realidad más profunda de Israel. Por ser el pueblo del Señor, está llamado a participar de la misma santidad de Dios. Israel quiso ser como los demás pueblos y la experiencia le mostró su error garrafal. Él debe ser diferente, semejante a Dios por la santidad. Esta santidad no la adquirió por sus méritos, sino se la debe totalmente al Señor. Lo que se nota en el segundo título: "redimidos del Señor".

El autor se llena de alegría viendo un breve cortejo de repatriados que regresa a Sión. Ve en este sencillo acto un don profundo de Dios y se llena de esperanza, porque alcanza a ver cómo será la salvación de Dios.

II LECTURA El texto empieza mencionando la epifanía del amor de Dios, que evoca la salvación traída por Cristo nuestro salvador. Pablo adapta un pequeño himno bautismal de acción de gracias. Este himno forma el centro de una parénesis sobre las buenas obras.

II LECTURA   Tito 3:4–7

Lectura de la carta del apóstol san Pablo a Tito

Para proclamar las bendiciones de la redención, date un momento para abrazarlas, antes de hacer la proclamación a la asamblea.

Hermano:
Al **manifestarse** la bondad de Dios, nuestro salvador,
    y su amor **a los hombres**, él **nos salvó**,
    no porque nosotros hubiéramos hecho algo **digno de
      merecerlo**,
    sino por **su misericordia**.
Lo hizo mediante **el bautismo**, que nos **regenera** y nos renueva,
    por **la acción** del Espíritu Santo,
    a quien Dios derramó **abundantemente** sobre nosotros,
    por Cristo, nuestro **salvador**.

Aumenta un tanto la potencia de tu voz en la parte final, después del "Así".

Así, **justificados** por su gracia,
    nos convertiremos en **herederos**,
    cuando se realice **la esperanza** de la vida eterna.

EVANGELIO   Lucas 2:15–20

Lectura del santo Evangelio según san Lucas

Es un relato llano en su veracidad. No intentes hacerlo rebuscado.

Cuando los ángeles los dejaron para **volver** al cielo,
    los pastores se dijeron unos a otros:
      "**Vayamos** hasta Belén,
    para ver **eso** que el Señor nos ha **anunciado**".

Haz una pausa después de lo que miran los pastores. Luego retoma la proclamación con nuevo aire: "Después . . .".

Se fueron, pues, a toda prisa y encontraron a María,
    a José **y al niño**, recostado en el pesebre.
Después de verlo, **contaron** lo que se les había dicho
      de aquel niño,
    y cuantos los oían quedaban **maravillados**.

En Jesús se manifestó la bondad de Dios. Este término se lo aplicó Jesús (cf. Mt 11:30). El amor al hombre, o filantropía, era tema bastante frecuente en los textos de entonces. A emperadores y reyes les gustaba que les dieran este título de filántropos. San Lucas se burla de esta vanidad de los poderosos (cf. Lc 22:25). Por su cuenta, al reflexionar sobre el amor divino que nos salva, Pablo recalca lo que forma la base central de su evangelio: no nos salvó en virtud de nuestras obras, sino de su misericordia.

El hombre entra en la salvación de Jesucristo por el baño de la regeneración y de la renovación. Se está aludiendo al bautismo cristiano. El baño de regeneración solía aludir entre los de Creta al vocabulario de las religiones de misterios, con los que se iniciaban en estas religiones. El término "regeneración" era usado entre las religiones populares de Creta, e igualmente en el mundo judío. Se entendía que un hombre dejaba "la vejez" del paganismo para entrar en la esfera de la Ley; se regeneraba. Otro tanto vale del término "renovación". Toda esa riqueza simbólica de lo nuevo se adopta en el bautismo cristiano.

EVANGELIO | El evangelio de esta celebración está armado con dos cuadros un tanto desiguales: el mayor, sobre los pastores, abraza al menor, sobre María. El cuadro mayor viene a completar la unidad literaria del anuncio del nacimiento del Mesías dado por un ángel a los pastores, en los versos previos. Los pastores van a Belén a verificar el evangelio recibido del Señor. El evangelio es real, tan real como María, José y el niño visitados por los pastores.

La frase última es sustancial: todo ocurre como había sido dicho. Dale fuerza a la última línea.

María, por su parte,
    guardaba todas estas cosas y las **meditaba** en su corazón.
Los pastores se volvieron a sus campos,
    alabando y **glorificando** a Dios
    por **todo** cuanto habían visto y oído,
    según lo que se les había **anunciado**.

En estos personajes se deja ver quiénes son los beneficiarios de las promesas cumplidas de Dios. Los pastores son gente simple y vigilante, y bien dispuesta a constatar la verdad de lo que escuchan. Ellos son los primeros en experimentar la gran alegría que el Mesías de Israel traerá al pueblo. Esa alegría comienza por reconocer que el Mesías no es un extraño, sino uno de los suyos, como el pesebre les hace ver.

Los pastores, a su vez, se vuelven ángeles del evangelio cuando cuentan "lo que se les había dicho de aquel niño". Así se crea una atmósfera de asombro que envuelve a los oyentes, a María y a José, y a los pastores. El Evangelio tiene poder para asombrar. Y esto es lo que san Lucas describe en el cuadro menor mariano.

El pasaje del evangelio de hoy contiene un bello paralelo: los ángeles vuelven al cielo y a sus campos los pastores. Aunque separados en el espacio, la reacción es idéntica en unos y otros: alabar y dar gloria a Dios por lo que está cumpliendo. Las creaturas de Dios, ángeles y hombres, cumplen su vocación creatural con el corazón y los labios. Esto es lo que realizamos en la liturgia de manera más organizada y comunitaria.

Este día, aprovechemos la ocasión para alabar y glorificar a Dios por sus maravillas entre nosotros.

NATIVIDAD DEL SEÑOR, MISA DEL DÍA

Llénate con la alegría del Evangelio desde la primera frase. Tú eres el mensajero profético para el pueblo de Dios.

I LECTURA   Isaías 52:7–10

Lectura del libro del profeta Isaías

¡**Qué hermoso** es ver correr sobre los montes
   al mensajero que **anuncia** la paz,
   al mensajero que trae **la buena nueva**,
   que **pregona** la salvación,
   que dice a Sión: "Tu Dios **es rey**"!

Escucha: Tus centinelas alzan la voz
   y todos a una gritan alborozados,
   porque ven **con sus propios ojos** al Señor,
   que retorna a Sión.

Prorrumpan en gritos de alegría, ruinas de Jerusalén,
   porque el Señor **rescata** a su pueblo, **consuela** a Jerusalén.
Descubre el Señor su santo brazo
   a la vista **de todas** las naciones.
Verá la tierra **entera**
   la salvación que viene de **nuestro** Dios.

Procura reproducir el barullo jubiloso que causa la buena noticia de la llegada del Señor.

Di las frases finales con lentitud y confianza.

I LECTURA   El tema central de esa parte del libro es la restauración de Jerusalén. Se anuncia una gran alegría. Un mensajero lleva nuevas noticias. Esas nuevas aluden a lo que sucederá en el futuro con Jesús. La buena noticia es "El Señor reina". Llama la atención la naturaleza y amplitud de ese reino, que un cristiano inmediatamente acerca a la primera proclamación de Jesús: "El tiempo se ha cumplido y el reino de Dios está cerca; arrepiéntase y crean en la Buena Nueva" (Mc 1:15).

El último verso es la cima: "Verán los confines de la tierra la victoria de nuestro Dios" (v. 10). El Dios viviente obra con tal fuerza que recuerda su actuar en el Éxodo. La acción del Señor trae un consuelo que va creciendo hasta prorrumpir y estallar en alegría. Esta alegría inundará todo el mundo: primero son los mensajeros, luego los vigías y, finalmente, el pueblo que ve venir a Dios y, así, todo el mundo contemplará la salvación. Esta salvación que al principio está restringida al pueblo de Israel se ensancha al mundo entero.

La alegría es dominante. Hay que distinguir la alegría de una realización inmediata y la que tensa por una realización en el futuro. Así ha ido obrando Dios a través de la historia con su pueblo. Le promete y le cumple en un acontecimiento puntual. Pero al mismo tiempo esa intervención queda abierta, hay un "todavía más". Dios liberará al pueblo ciertamente del yugo babilónico, pero, sobre todo, liberará a todo hombre del yugo del pecado.

El texto se abre a una interpretación cristiana. No es violentar el texto sino, como un desagüe, dejar que llegue lentamente hasta su objetivo. La revelación final del Señor llega a su cima en la Encarnación. La alegría por la venida del Señor en la fiesta

Para meditar

SALMO RESPONSORIAL   Salmo 98:1, 2–3ab, 3cd–4, 5–6

R. Los confines de la tierra han contemplado la victoria de nuestro Dios.

Canten al Señor un cántico nuevo,
   porque ha hecho maravillas:
   su diestra le ha dado la victoria,
su santo brazo. R.

El ha Señor da a conocer su victoria,
   revela a las naciones su justicia:
   se acordó de su misericordia y su fidelidad
en favor de la casa de Israel. R.

Los confines de la tierra han contemplado
   la victoria de nuestro Dios.
Aclama al Señor, tierra entera;
   griten, vitoreen, toquen. R.

Tañen la cítara para el Señor,
   suenen los instrumentos:
   con clarines y al son de trompetas,
aclamen al Rey y Señor. R.

II LECTURA   Hebreos 1:1–6

Lectura de la carta a los Hebreos

En **distintas** ocasiones y **de muchas** maneras
   habló Dios en el pasado a nuestros padres,
   por **boca de los profetas**.
Ahora, **en estos** tiempos,
   nos ha hablado **por medio de su Hijo**,
   a quien constituyó **heredero** de todas las cosas
   y por medio del cual **hizo** el universo.

El Hijo es el resplandor de la gloria de Dios,
   la imagen **fiel** de su ser
   y el sostén **de todas las cosas** con su palabra **poderosa**.
Él mismo, después de efectuar la **purificación** de los pecados,
   se sentó **a la diestra** de la majestad de Dios, en **las alturas**,
   tanto **más encumbrado** sobre los ángeles,
   cuanto **más excelso** es el nombre que, **como herencia**,
   le corresponde.

Las frases iniciales son un tanto complejas, pero si sigues las líneas y su puntuación, y captas el sentido, podrás transmitirlas con fidelidad. No te precipites, es mejor bajar la velocidad.

Identifica las imágenes que refieren a Jesús. Dales un énfasis, para que se graben en la mente de todos.

navideña, nos impregna y nos une con esa alegría del pueblo que veía próxima su salida del exilio hacia su tierra, la tierra de Dios.

El reinado de Dios, la sociedad fundada en una visión cristiana, ha sido inaugurado por Cristo, pero será perfectamente establecida esta sociedad en la parusía, al final de los tiempos. Mientras tanto vamos caminando bajo las dos vías: bajo la realidad de la Presencia divina y la esperanza de la Llegada.

II LECTURA Esta noche es muy necesario recogernos un poco y con tranquilidad reflexionar sobre el misterio de la Encarnación del Señor. Hay que comprender este misterio tremendo. Fundamentalmente nos dice que Jesús es el mensajero, el revelador perfecto de Dios. Dios nos habló nada menos que por su Hijo.

Hablar es revelarse, es decir, es un acto por el cual lo importante no es lo que uno dice, sino el hecho de que uno, consciente y voluntariamente, se da al otro u otros en la palabra. Ese yo íntimo que sólo yo poseo, lo tomo en la mano y se lo doy a

otro. Es una muestra de amor y libertad. Al mismo tiempo, es una invitación a entrar en relación con aquel a quien se habla.

Si Dios nos habla, es que él quiere entrar en relación, en comunión, con nosotros: la revelación entabla la comunión. Dios al comunicarse con nosotros, nos hace conscientes de sus dones. Siempre lo hace respetando nuestra libertad. El Señor en esta revelación nos otorga un conocimiento parcial de él y de nosotros. Aceptamos estas revelaciones de Dios con humildad y agradecimiento y, en un segundo momento, las difundimos a los demás.

Reproduce las líneas de las Escrituras con pleno sentido de lo que anuncias. La última de ellas es fundamental.

Porque ¿a cuál de los **ángeles** le dijo Dios:
   Tú eres mi **Hijo**; *yo te he engendrado hoy*?
   ¿O de **qué** ángel dijo Dios: *Yo seré para él* **un padre**
   y él será para mí **un hijo**?
Además, en **otro** pasaje,
   cuando introduce en el mundo a **su primogénito**, dice:
   Adórenlo *todos los ángeles de Dios.*

EVANGELIO   Juan 1:1–18

Lectura del santo Evangelio según san Juan

El texto es muy poético y profundo, con dos secciones narrativas sobre el Bautista. Sé consciente de esto para que la asamblea no se desconecte de la escucha y pueda distinguir lo que le compete a Jesús.

En el principio **ya existía** aquel que es la Palabra,
   y aquel que es **la Palabra** estaba con Dios y **era Dios**.
Ya en el principio él estaba **con Dios**.
Todas las cosas vinieron a la existencia **por él**
   y sin él **nada** empezó de cuanto existe.
Él era **la vida**, y la vida era **la luz** de los hombres.
La luz **brilla** en las tinieblas
   y las tinieblas **no la recibieron**.

Es una de las dos secciones narrativas. Aumenta la velocidad de tu voz, para que la asamblea reconozca el cambio de sujeto.

Hubo un hombre enviado por Dios, que se llamaba Juan.
Este vino como **testigo**, para dar **testimonio** de la luz,
   para que todos creyeran **por medio de él**.
Él no era la luz, sino **testigo** de la luz.

Retoma el hilo poético y solemne. Haz remarcable la función de "la Palabra".

Aquel que es la Palabra era la luz verdadera,
   que ilumina **a todo hombre** que viene a este mundo.
En el mundo **estaba**;
   el mundo había sido hecho **por él**
   y, sin embargo, el mundo **no lo conoció**.

La humanidad lucha en el tiempo por medio de las generaciones para no desaparecer. La revelación de Dios se adaptó a este suceder del tiempo y a las maneras como han vivido los distintos grupos humanos. Poco a poco la revelación se fue ampliando y madurando. En estos momentos fue cuando envió Dios a su Hijo. Al enviar a su Hijo la revelación llegó a su cumplimiento (Gal 4:4). Así, la humanidad ha entrado a los últimos tiempos. Dios ha dado a su pueblo todo lo que éste necesitaba para caminar junto a él. Ya no habrá ninguna intervención mayor de Dios. Consecuentemente la época que va

del pecado de Adán hasta Jesús, aparece como el tiempo en que se preparaba la llegada de Jesús.

Dios como buen educador ha llevado poco a poco a la humanidad a la madurez. El pueblo de Dios ha tenido dos mil años para asimilar progresivamente las verdades reveladas en la experiencia espiritual de los profetas. Después de un largo tiempo, el pueblo fue apto para recibir la Palabra hecha carne. Ahora vamos a celebrar en el misterio de Navidad, el acontecimiento de su encarnación. Los cristianos nos uniremos a Jesús por la fe. Lo contemplaremos para

identificarnos con él y revelarlo en nuestra maduración, esperando llegar a unirnos con él en la gloria eterna.

| EVANGELIO | Este día la Iglesia se alegra por el regalo más grande recibido por la humanidad: el nacimiento del Mesías, el Hijo de Dios. Y san Juan, el evangelista, en su Prólogo del evangelio nos señala el recorrido que ese Don de Dios, su Palabra, hizo entre nosotros. Empieza en Dios y termina en Dios. Un itinerario que los creyentes están llamados a recorrer para poder aprovechar los dones que su Palabra

Vino a los suyos y los suyos **no lo recibieron**;
   pero **a todos** los que lo recibieron
   les **concedió** poder llegar a ser **hijos** de Dios,
   a los que **creen** en su nombre,
   los cuales **no nacieron** de la sangre,
   ni del deseo de la carne, ni por voluntad **del hombre**,
   sino que nacieron **de Dios**.

Y aquel que es la Palabra se hizo hombre
   y **habitó** entre nosotros.
Hemos visto **su gloria**,
   gloria que le corresponde como a **Unigénito** del Padre,
   lleno de gracia y **de verdad**.

Juan el Bautista dio testimonio de él, clamando:
   "**A éste** me refería cuando dije:
   'El que viene **después** de mí, tiene **precedencia** sobre mí,
   porque **ya existía** antes que yo' ".

De su plenitud hemos recibido todos gracia sobre gracia.
Porque **la ley** fue dada por medio de Moisés,
   mientras que la gracia y la verdad vinieron **por Jesucristo**.
A Dios **nadie** lo ha visto **jamás**.
   El Hijo **unigénito**, que está en el seno del Padre,
   es quien lo **ha revelado**.

Versión corta: Juan 1:1–5, 9–14

Conviene pausarse un tanto al momento de la confesión de la Encarnación: "Y aquel que es la Palabra. . . . habitó entre nosotros". Hoy celebramos esto.

Siéntete incluido entre los beneficiarios de la plenitud revelada por Cristo. Es un timbre de orgullo, pero también un compromiso de vida cristiana.

nos trajo de parte de Dios. Pero lo que nos redime no es que la Palabra divina esté con Dios, sino lo que ha realizado y realiza en favor de los hombres durante su recorrido.

Lo primero a contemplar es la actividad creadora de la Palabra; ella es vida y luz. San Juan nos evoca la primera página de las Escrituras, cuando el escritor del Génesis nos pinta a Dios creando la luz y llenando el mundo de vida con su Palabra poderosa. Esa Palabra se traduce en luz que da vida a los hombres. En el Génesis, Dios sopló en las narices del hombre para infundirle vida, y gracias a ese aliento de vida, el hombre

pudo entrar en comunión con Dios, conversar con él al caer la tarde, porque Dios se le dio en el aliento, y lo hizo capaz de dialogar, de entrar en comunión dialogante con él. En el evangelio, nos deja su Palabra vital en el oído con el mismo propósito: entrar en comunión con él, pero de una manera nueva, porque su Palabra es Jesucristo.

La Palabra hecha Hombre, dice san Juan, es la plenitud de gracia y verdad de Dios. La gracia es ese amor entrañable que Dios tiene por la humanidad; sus entrañas, su compasión, y su misericordia es lo que nos llena de vida, nos regenera ante sus

ojos. La verdad, por su parte, es la fidelidad de Dios en Jesucristo, el Amén, Palabra definitiva de Dios.

El día de hoy, Navidad, nos alegramos con los dones de Dios que nos otorga en Jesucristo, su Unigénito. Él nos da a conocer a Dios creador y recreador con fidelidad total porque es su Palabra. Nos corresponde recibirlo, para que esa Palabra nos recree a su imagen y semejanza, para vivir como hijos nacidos de Dios, que es lo que somos.

SAGRADA FAMILIA

El relato es bello y simple. Dale un aire natural a tu lectura.

I LECTURA   1 Samuel 1:20–22, 24–28

Lectura del primer libro de Samuel

En aquellos días,
Ana **concibió**, dio a luz un hijo
   y le puso por nombre **Samuel**, diciendo:
"Al **Señor** se lo pedí".
Después de **un año**, Elcaná, su marido,
   subió con toda la **familia**
   para hacer el sacrificio anual para **honrar** al Señor
   y para cumplir la **promesa** que habían hecho,
   pero **Ana** se quedó en su casa.

Un tiempo después, Ana **llevó** a Samuel,
   que todavía era muy pequeño,
   a la **casa** del Señor, en Siló,
   y llevó también un **novillo** de tres años,
   un **costal** de harina y un **odre** de vino.

Una vez sacrificado el novillo,
Ana **presentó** el niño a Elí y le dijo:
"**Escúchame**, señor:
   te juro **por mi vida** que yo soy aquella mujer
   que estuvo **junto a ti**, en este lugar, **orando** al Señor.
Éste es el niño que yo le pedía al Señor
   y que **él** me ha **concedido**.

No le des tono suplicante al párrafo. Baja la velocidad al momento del ofrecimiento y separa la frase final.

I LECTURA   Estamos ante un texto idílico, muy bien llevado por el narrador. Pertenece al inicio del ciclo de Samuel. Samuel es el gran profeta y Juez de Israel, que va a ser uno de los grandes personajes del AT, a la altura de Abrahán y Moisés.

Sus inicios son modestos y humanos. Su madre sufría de esterilidad. Su contrincante, dado que su marido cuenta con dos esposas, goza de todos los beneficios, porque es fecunda. Ana, así se llama la que será madre de Samuel, siente como una punzada su dolorosa situación de no poder dar un hijo a su esposo, cada vez que van al santuario regional de Siló, pues recibe del sacrificio ofrecido sólo una porción. En cambio la otra esposa, recibía de su esposo varias porciones, correspondientes al número de sus hijos.

Dios le concede a Ana concebir. Dios está al inicio de toda vida. Es lo que dice con toda claridad la madre de Samuel. El niño ha nacido porque ha sido "pedido a Dios". Ana ofrece su niño a Dios. Entre el nacimiento y la entrega al santuario, Ana vive con su niño en una relación íntima y profunda que ni las exigencias culturales pueden romper.

En la segunda parte del relato, Samuel es llevado al santuario, es ofrecido a Dios. Las palabras de Ana marcan el profundo respeto al proyecto de Dios sobre el niño: "Este niño es el que yo pedía; el Señor me ha concedido mi petición. Por eso yo se lo cedo al Señor de por vida" (vv. 27–28). El don divino de ser madre lleva a reconocer que el causante de la maternidad es Dios. Cada vez que Ana llame a su hijo Samuel, vendrá a su mente la dependencia radical del Señor. Dios no cede a los padres el dominio sobre el hijo de estos, sólo la administración. El hijo siempre será de Dios y Dios conducirá

Por eso, ahora **yo** se lo **ofrezco** al Señor,
    para que le quede **consagrado** de por vida".
Y adoraron al Señor.

Lectura alternativa: Sirácide 3:3–7, 14–17

SALMO RESPONSORIAL   Salmo 84:2–3, 5–6, 9–10

R. Señor, dichosos los que viven en tu casa.

¡Qué deseables son tus moradas,
Señor de los ejércitos!
Mi alma se consume y anhela
    los atrios del Señor,
    mi corazón y mi carne
retozan por el Dios vivo. R.

Dichosos los que viven en tu casa,
    alabándote siempre.
Dichosos los que encuentran en ti su fuerza
    al preparar su peregrinación. R.

Señor de los ejércitos, escucha mi súplica;
    atiéndeme, Dios de Jacob.
Fíjate, oh Dios, en nuestro Escudo,
    mira el rostro de tu Ungido. R.

Para meditar

II LECTURA   1 Juan 3:1–2, 21–24

Lectura de la primera carta del apóstol san Juan

Queridos hijos:
Miren **cuánto** amor nos ha tenido el Padre,
    pues no sólo **nos llamamos** hijos de Dios,
    sino que **lo somos**.
Si el mundo no **nos reconoce**,
    es porque tampoco lo ha reconocido **a él**.

Hermanos míos,
    ahora somos **hijos de Dios**,
    pero aún no se ha **manifestado**
    cómo **seremos** al fin.
Y ya sabemos que, **cuando** él se manifieste,
    vamos a ser **semejantes** a él,
    porque lo **veremos** tal cual es.

Haz vibrar a los miembros de la asamblea con el cálido e irresistible amor de Dios. Todos somos sus hijos. Esta es la base para superar todas las dificultades.

Dale certeza a tu voz para que brillen estas líneas llenas de esperanza cristiana.

---

a este hijo por caminos que el padre terreno ignorará por completo.

La vida le pertenece a Dios. Lo fundamental de una familia es dar la vida y, después de darla, hay que formarla. El respeto total a la vida, en su origen, en su desarrollo y en su destino último, debe ser el fundamento en que descansa toda familia y, por lo mismo, la sociedad. Si se toca la vida o no se cuida educándola, la sociedad poco a poco se acercará a la descomposición, a su debilitamiento y aun hasta su muerte. La Iglesia, al celebrar hoy a la Sagrada Familia, quiere recordarnos lo anterior.

II LECTURA La comunidad de Juan se sentía original dentro de las primeras comunidades cristianas. Lo propio de ella era una especie de intimismo en la comprensión de lo que era Jesús para la comunidad. La comunidad de Juan era una comunidad hermanable. Ha entendido que la caridad es el centro y vínculo que aglutina la comunidad. Va esto muy de acuerdo con el tema de la liturgia de hoy, que festeja a la familia.

Juan aborda el tema de la filiación en varias ocasiones. La razón de ser de la venida de Jesús, es darnos la capacidad de convertirnos en hijos de Dios, de formar la familia de Dios. Dios nos ha amado. Sin embargo, la comunidad experimenta el odio del mundo. ¿A quién se refiere con esa palabra mundo?

El mundo son las realidades humanas que luchan contra todo lo que representa Dios. En concreto, el mundo lucha contra los que creen en Jesús como el Hijo de Dios. En su evangelio, el autor llama al Diablo "el príncipe de este mundo".

Ser hijo de Dios, miembro de la comunidad, exige un imperativo moral: observar sus mandamientos y hacer lo que le agrada

Si nuestra conciencia no nos **remuerde**,
    entonces, hermanos míos,
    nuestra **confianza** en Dios es total.
Puesto que cumplimos los **mandamientos** de Dios
    y hacemos lo que le **agrada**,
    ciertamente obtendremos de él
    todo lo que le pidamos.

Ahora bien, **éste** es su mandamiento:
    que **creamos** en la persona de Jesucristo, su Hijo,
    y nos **amemos** los unos a los otros,
    conforme al **precepto** que nos dio.
Quien **cumple** sus mandamientos
    permanece en Dios y Dios en él.
En esto **conocemos**,
    por el **Espíritu** que él nos ha dado,
    que **él** permanece **en nosotros**.

Lectura alternativa: Colosenses 3:12–21

EVANGELIO   Lucas 2:41–52

Lectura del santo Evangelio según san Lucas

Los padres de Jesús
    solían ir **cada año** a Jerusalén para las festividades
        de la Pascua.
Cuando el niño cumplió **doce** años,
    fueron a la fiesta, **según** la costumbre.
Pasados aquellos días, se volvieron,
    pero el niño Jesús **se quedó** en Jerusalén,
    sin que sus padres lo supieran.
Creyendo que iba en la caravana, hicieron **un día** de camino;
    entonces lo buscaron, y al **no encontrarlo**,
    regresaron a Jerusalén **en su busca**.

Pronuncia con mucha serenidad estas líneas. Páusate y hacia el final de la lectura dale a tu expresión un tono de victoria.

Esta lectura alberga variados sentimientos y actitudes; procura identificar los momentos para darle el sabor propio a cada pasaje.

---

a Dios. Los mandamientos son fundamentalmente dos: creer que Jesús es el Mesías y amar a los demás de acuerdo a su precepto. Al cumplir los dos mandamientos, el Espíritu vendrá a habitar en cada miembro de la comunidad y podrá invocar a Dios como Padre.

Es cierto que cada tiempo y cada cultura tiene una manera especial de vivir en familia. Hay variaciones, pero al mismo tiempo para el cristiano hay un punto central que debe encontrarse en cada familia: los componentes son hermanos por ser hijos de Dios. A esta base, todas las demás circunstancias se deben acomodar y aglutinar. En este sentido podemos hablar de la familia de Nazaret como un modelo para los cristianos de todos los tiempos.

EVANGELIO   San Lucas nos pinta a la familia de Jesús como una típica familia judía, piadosa, apegada a las tradiciones y cumplidora de la Ley de Dios. En ella se mandaba peregrinar a Jerusalén para celebrar la Pascua. Para tal fecha, acudían al templo judíos de todo el mundo; llegaban, pues, los más reconocidos maestros de la Ley desde los cuatro puntos cardinales. En las amplias galerías de columnas, los sabios rabinos se acomodaban para explicar los mandamientos del Señor a los peregrinos y responder a sus consultas. Jesús aprovecha la ocasión, deseoso de aprender sobre la Ley. Pero hay una fina diferencia que anota san Lucas; cuando sus padres lo encuentran al tercer día, son los sabios los que rodean Jesús.

La peregrinación pascual de ese año, le brindó a la Sagrada Familia, la oportunidad de cumplir con el mandato y el rito del compromiso al que todo varón israelita debía

Aquí hay un eco pascual. Dale un tono de sorpresa a las líneas del encuentro.

Al tercer día lo encontraron en el templo,
      sentado en medio de los doctores,
   escuchándolos y haciéndoles **preguntas**.
Todos los que lo oían **se admiraban** de su inteligencia
    y de **sus respuestas**.
Al verlo, sus padres se quedaron **atónitos** y su madre le dijo:
   "Hijo mío, ¿**por qué** te has portado así con nosotros?
Tu padre y yo te hemos estado buscando, llenos de angustia".
Él les respondió: "¿Por qué me andaban buscando?
   ¿No sabían que **debo ocuparme** en las cosas **de mi Padre**?"
Ellos **no entendieron** la respuesta que les dio.
Entonces **volvió** con ellos a Nazaret
   y siguió sujeto **a su autoridad**.
Su madre **conservaba** en su corazón **todas** aquellas cosas.

La respuesta de Jesús debe sonar natural, ni como reproche ni condescendiente.

Jesús iba creciendo en saber, en estatura
   y en **el favor** de Dios y de los hombres.

Pronuncia la última oración como separándola del resto, para que apuntale la plena humanidad de Jesús. Este crecimiento es también el de la vida espiritual del creyente.

someterse al llegar a los doce años. Entonces se convertía en sujeto de derechos y obligaciones ante la Ley: un israelita a carta cabal. Jesús lo ha entendido bien, y por eso se queda en los atrios del templo ocupado "en las cosas de su Padre". El niño Jesús ha considerado que su entrega al Reino, "las cosas de su Padre", ha de ser total, inmediata e irrestricta. Sus padres veían las cosas de otra manera, y Jesús se somete a la autoridad de ellos, no obstante haber mostrado su adultez o competencia en asuntos de la Ley de Dios.

El crecimiento de Jesús no sólo nos dice que la Encarnación es algo tan real como su misma familia, sino que también va desarrollándose en armonía completa. El Mesías de Dios habría de ser tan sabio que pudiera explicar toda la Ley y conducir al pueblo en su cumplimiento. Pero también él había de ser una persona agraciada, es decir, alguien que se gana la benevolencia de los demás. Dios le muestra su complacencia porque se dedica a "las cosas de su Padre" estando sujeto a la autoridad paterna y materna. Igualmente Jesús se granjea la buena voluntad de sus conciudadanos; es

alguien irreprochable por su modo de ser. Este talante del Mesías de Dios le viene de su familia; por eso la Iglesia nos pone este evangelio hoy, para que vayamos entendiendo que los preceptos de Dios son el camino para nuestro crecimiento armónico e integral delante de Dios y de los hombres.

SANTA MARÍA, MADRE DE DIOS

I LECTURA   Números 6:22–27

Lectura del libro de los Números

Emplea esta lectura como una bendición de Dios. La asamblea debe sentirse privilegiada en la presencia del Señor.

En aquel tiempo, **el Señor** habló a Moisés y le dijo:
   "Di a Aarón y a **sus hijos**:
   'De **esta manera** bendecirán a los israelitas:
El Señor **te bendiga** y te proteja,
   haga **resplandecer** su rostro **sobre** ti y te conceda su favor.
Que el Señor te mire **con benevolencia**
   y te conceda **la paz**'.

Cierra con firmeza y serenidad la lectura. Aprópiate de esta certeza y transmítela a la entera asamblea: Dios nos bendice cuando lo invocamos.

Para meditar

Así invocarán mi nombre sobre los israelitas
   y yo los bendeciré".

SALMO RESPONSORIAL   Salmo 67:2–3, 5, 6 y 8

R. El Señor tenga piedad y nos bendiga.

El Señor tenga piedad y nos bendiga,
   ilumine su rostro sobre nosotros;
   conozca la tierra tus caminos,
   todos los pueblos tu salvación. R.

Que canten de alegría las naciones,
   porque riges el mundo con justicia,
   riges los pueblos con rectitud,
   y gobiernas las naciones de la tierra. R.

Oh Dios, que te alaben los pueblos,
   que todos los pueblos te alaben.
Que Dios nos bendiga; que le teman
   hasta los confines del orbe. R.

I LECTURA La bendición aparece en todas las culturas y en todos los tiempos. En la Biblia se manifiesta Dios desde el principio bendiciendo. La bendición del libro de los Números es como un modelo para inspirar todas las bendiciones sobre el pueblo de Dios. Además de los sacerdotes (cf. Dt 10:8; 21:5), al pueblo también lo bendecían los reyes; David (2 Sam 6:18) y Salomón, por ejemplo (1 Re 8:14, 45).

El texto de la bendición de hoy está compuesto de tres versos. Cada verso tiene dos verbos. Los verbos son muy significativos. Por lo mismo, la fórmula de bendición es muy fácil de memorizar: tres, luego cinco y después siete palabras. La tradición rabínica afirma que era pronunciada todos los días después del sacrificio de la tarde.

La bendición fue recibida en el desierto. El desierto es el lugar por excelencia del encuentro con Dios y el lugar en que los hijos de Israel se convirtieron en pueblo: el lugar en que se dejó al hombre antiguo para ir tras el nombre nuevo, el de la promesa. En el desierto el pueblo se encontró sólo con Dios. La bendición es la respuesta de Dios a su pueblo.

La bendición viene de Dios. Aarón y todo sacerdote no son más que intermediarios. Cuando damos la bendición (sacerdotes o laicos), no olvidemos que estamos ofreciendo de parte de Dios la vida en plenitud. La bendición me interpela, me hace solidario de una familia. La bendición me pone en relación con Dios y con mis hermanos y hermanas. Es algo que debo participar y, al participarlo, no debo olvidar que es también una invitación a darme a los demás.

II LECTURA   Gálatas 4:4–7

Lectura de la carta del apóstol san Pablo a los Gálatas

Hermanos:
Al llegar **la plenitud** de los tiempos,
    envió Dios **a su Hijo**, nacido de una mujer, nacido **bajo la ley**,
    para **rescatar** a los que estábamos bajo la ley,
    a fin de hacernos **hijos suyos**.

Puesto que ya son ustedes hijos,
Dios **envió** a sus corazones el Espíritu **de su Hijo**,
    que clama "**¡Abbá!**", es decir, **¡Padre!**
Así que **ya no eres siervo**, sino hijo;
    y siendo **hijo**, eres también **heredero** por voluntad de Dios.

EVANGELIO   Lucas 2:16–21

Lectura del santo Evangelio según san Lucas

En aquel tiempo,
    los pastores fueron **a toda prisa** hacia Belén
    y encontraron a María, a José y al niño,
        recostado en el pesebre.
Después de verlo,
    contaron lo que se les había dicho **de aquel niño**
    y cuantos los oían, quedaban **maravillados**.
María, por su parte, **guardaba** todas estas cosas
    y las meditaba **en su corazón**.

Los pastores se volvieron a sus campos,
    alabando y **glorificando a Dios**
    por todo cuanto habían **visto y oído**,
    según lo que se les había **anunciado**.

Concéntrate en la Madre del Hijo de Dios. Enfatiza que el Hijo de Dios ha nacido de una mujer.

Haz que la asamblea se sienta en intimidad por la adopción divina.

La palabra "heredero" lanza la atención al futuro. Pronúnciala mirando al auditorio.

La familiaridad con esta viñeta de la temporada nos puede hacer perder el tono maravilloso que san Lucas quiere infundirle. Recupera el asombro y la admiración ante este cuadro.

Las líneas sobre los pastores deben contagiar la alegría navideña.

II LECTURA Esta lectura está articulada en dos venidas: la del Hijo y la del Espíritu Santo. Nos corresponde recibir y hospedar. San Pablo determina o califica el tiempo inaugurado por Jesús como de "plenitud". Es el tiempo donde se suceden hechos decisivos y fundamentales para la humanidad. De ese tipo de tiempo, proporcionado por Dios, es el tiempo del envío del Hijo. Pablo deja sin calificar a la madre, la mujer. Esta mujer fue elegida por el Padre celestial para que recibiera la Palabra. Fue escogida como el punto de enlace entre la divinidad y la humanidad.

María es designada por el Padre celestial para injertar a Jesús en el tejido humano. De aquí que los obispos, reunidos en Éfeso, proclamaran a María, madre de Dios y con esto hayan empezado a clarificar el misterio de la Encarnación en una fórmula de fe.

Jesús tomó la humanidad plena. Nació como todo hombre, sin abandonar sus prerrogativas divinas. "Nacido bajo la Ley", vino a liberar de la Ley a los que estaban atrapados por ésta y les dio la dignidad de hijos de Dios. Jesús va a proporcionar también la venida del Espíritu en el corazón de los fieles. La habitación del Espíritu en el cristiano, es la prueba de la filiación divina, que capacita a los cristianos a llamar a Dios "Papá". El creyente sabe que no es esclavo, sino hijo. Como hijo, tiene acceso completo al Padre.

Refuerza las palabras que califican que todo se cumple conforme a lo establecido.

Cumplidos los ocho días, circuncidaron al niño
y le pusieron el nombre **de Jesús**,
aquel **mismo** que había dicho el ángel,
antes de que el niño fuera **concebido**.

EVANGELIO En apenas dos líneas, san Lucas nos muestra a María por dentro. Lo que ella ve y oye se lo guarda y medita, quizá, porque le involucra directamente, pero no nos da el motivo. El suyo es otro modo de apropiarse el misterio de la salvación aconteciendo ante sus ojos y de evangelizar: sin palabras, pero con una energía total y totalizante. Esa estampa está muy bien acuñada en la piedad cristiana. De José ni media palabra.

La circuncisión integraba al recién nacido en la comunidad del pueblo de Dios. Esto es lo que ocurre con Jesús. Pero san Lucas acentúa que lo que está ocurriendo corresponde a lo que el ángel había anunciado. Podemos aprender que Dios tiene un designio de salvación y que lo va cumpliendo con ángeles, pastores, el padre y la madre de Jesús; necesita que sus creaturas colaboren en la salvación.

Al comenzar el año, démonos la oportunidad de ver y escuchar la salvación de Dios cumpliéndose en el día a día de lo maravilloso y natural. Una niña que nace, un día de trabajo arduo, el abrazo de la esposa, las risas de los hijos son bendición de Dios. Volvámonos testigos de esta bendición para que otros alaben a Dios, pero también démonos la oportunidad de guardar y meditar en el corazón los misterios de la vida que Dios nos da; sin palabras.

EPIFANÍA DEL SEÑOR

I LECTURA   Isaías 60:1–6

Lectura del libro del profeta Isaías

Haz esta lectura como alguien que quiere despertar y acelerar a una persona adormilada. Jerusalén había perdido la esperanza y la alegría de vivir. El profeta la reconforta.

Levántate y resplandece, Jerusalén,
   porque **ha llegado** tu luz
   y la gloria del Señor **alborea** sobre ti.
Mira: **las tinieblas** cubren la tierra
   y espesa niebla **envuelve** a los pueblos;
   pero sobre ti **resplandece** el Señor
   y en ti **se manifiesta** su gloria.
Caminarán los pueblos **a tu luz**
   y los reyes, **al resplandor** de tu aurora.

El movimiento que narra el texto debe ser acompañado con la viveza de tu voz y tu lenguaje facial. Tú miras cómo vienen alegres hijos e hijas desde lejos.

Levanta los ojos y **mira** alrededor:
   todos se reúnen y vienen **a ti**;
   tus hijos llegan **de lejos**, a tus hijas las traen **en brazos.**
Entonces verás esto **radiante** de alegría;
   tu corazón se **alegrará**, y se **ensanchará**,
   cuando se **vuelquen** sobre ti los tesoros del mar
   y te traigan **las riquezas** de los pueblos.

Los nombres exóticos deben resonar así, desconocidos. Esto colabora al universalismo de la salvación que Dios trae.

Te **inundará** una multitud de camellos y dromedarios,
   procedentes de Madián y de Efá.
Vendrán **todos** los de Sabá
   trayendo **incienso y oro**
   y **proclamando** las alabanzas del Señor.

I LECTURA Entre el siglo cuarto y quinto de nuestra era se introdujo en la Iglesia de Occidente celebrar dos fiestas para conmemorar la Encarnación del Señor: la del Nacimiento, el 25 de diciembre, y la de Epifanía. La Iglesia de Oriente se quedó con su única fiesta para conmemorar el mismo misterio, el 6 de enero.

Los capítulos 60-62 de Isaías forman un librito que va tejiendo su unidad con el tema de la nueva Jerusalén. La lectura de la liturgia de hoy toma unos versos del capítulo 60, donde se ve la ciudad bajo una doble dimensión: la histórica y la escatológica. Si las naciones fluyen hacia Jerusalén, no es para reconocer en ella una metrópolis a la que debieran someterse políticamente, sino porque en ella se manifiesta la gloria de Dios.

Habla el profeta de las tinieblas en las que se encuentran inmersos todos los pueblos de la tierra. En esas tinieblas, como una visión impensable, se levanta la Ciudad Santa, que se va a beneficiar de la luz y la salvación, para convertirse ante el mundo en el signo de referencia de la presencia divina. Ella es la primera en beneficiarse de esa presencia. Jerusalén experimentará la gloria divina, tal como había residido ésta durante la primera alianza sobre el Sinaí. Con esto se está significando la irrupción del Eterno en el tiempo, la inauguración del mundo nuevo donde Jerusalén no tendrá más necesidad de sol y de luna, puesto que el Señor será su luz. Esta gloria se manifestará al principio de forma velada en la humanidad de Jesús. Por sus milagros, empezará a ser más clara y, finalmente, en la resurrección aparecerá con todo su esplendor. Al final, la Jerusalén nueva descenderá del cielo con la gloria de Dios en ella (Ap 21:10).

La Epifanía celebra esa triple manifestación de Cristo: en su vida terrestre, en su

Para meditar

SALMO RESPONSORIAL　Salmo 72:1–2, 7–8, 10–11, 12–13

R. Se postrarán ante ti, Señor, todos los pueblos de la tierra.

Dios mío, confía tu juicio al rey,
　tu justicia al hijo de reyes,
　para que rija a tu pueblo con justicia,
　a tus humildes con rectitud. R.

Que en sus días florezca la justicia
　y la paz hasta que falte la luna;
　que domine de mar a mar,
　del Gran Río al confín de la tierra. R.

Que los reyes de Tarsis y de las islas
　le paguen tributo.
Que los reyes de Saba y de Arabia
　le ofrezcan sus dones;
　que se postren ante él todos los reyes,
　y que todos los pueblos le sirvan. R.

El librará al pobre que clamaba,
　al afligido que no tenía protector;
　él se apiadará del pobre y del indigente,
　y salvará la vida de los pobres. R.

II LECTURA　Efesios 3:2–3, 5–6

Lectura de la carta del apóstol san Pablo a los Efesios

Hermanos:
Han oído hablar de la **distribución** de la gracia de Dios,
　que se me ha confiado **en favor** de ustedes.
Por revelación se me dio a conocer **este misterio**,
　que no había sido **manifestado** a los hombres
　　en **otros** tiempos,
　pero que ha sido revelado **ahora** por el Espíritu a sus santos
　　apóstoles y profetas:
　es decir, que por el Evangelio,
　también los paganos son **coherederos** de la **misma** herencia,
　miembros del **mismo** cuerpo
　y **partícipes** de la misma promesa en Jesucristo.

Separa la frase inicial del resto. La lectura es compleja, y debes apoyarte en la puntuación para no perder al auditorio.

Remarca la colaboración humana en la revelación del misterio de Cristo a todos los hombres. También nosotros participamos en él.

Iglesia y en su parusía. Partícipes de esta gloria son todas las gentes. Para el cristiano esa Jerusalén de lo alto es nuestra madre, es la Iglesia de Jesucristo, evocada en el texto como la epifanía de Dios y como reunión de la humanidad reconciliada. La Iglesia sigue tendida hacia la plenitud final que no sucederá sino con la llegada definitiva del Señor.

II LECTURA La Epifanía trata de un misterio que se vive ahora y en nuestro mundo. Se trata del descubrimiento del diseño de Dios sobre la humanidad y el mundo. Ese designio se ha ido revelando paulatinamente hasta alcanzar su cúspide deslumbrante en Cristo Jesús.

Si este misterio se cumplió en Cristo, la cabeza, es necesario que se cumpla también en su cuerpo, que es la Iglesia. Cristo demolió todos los particularismos, para inaugurar la auténtica fraternidad de los hijos de Dios, en su Cuerpo. Pablo es apóstol de ese misterio, y se entiende escogido por Dios para manifestar que todos los hombres por igual están llamados a la fe en Jesús, el Mesías. Ya no hay diferencia entre judíos y paganos. La salvación de Cristo abraza a ju-

díos y paganos en un solo cuerpo. Aparece la plenitud de Cristo que libera de todo particularismo.

Los paganos son admitidos en la misma herencia. La verdadera herencia no es la tierra, sino la comunión con Dios (cf. Jer 10:16). Cristo es el único heredero de todas las cosas, y cada creyente participa, por el Espíritu del Señor, en su herencia, bajo el único título de ser hijos del mismo Padre, siempre y en todo lugar.

EVANGELIO El relato de la visita de los Magos a Jerusalén rebosa

EVANGELIO   Mateo 2:1–12

Lectura del santo Evangelio según san Mateo

Jesús nació en **Belén de Judá**, en tiempos del rey Herodes.
Unos **magos** de Oriente llegaron entonces a Jerusalén
     y preguntaron:
"**¿Dónde está** el rey de los judíos que acaba **de nacer**?
     Porque vimos **surgir** su estrella y hemos venido **a adorarlo**".

Al enterarse de esto, el rey Herodes se **sobresaltó** y **toda**
     Jerusalén con él.
Convocó entonces a los **sumos sacerdotes**
     y a los escribas del pueblo
     y les preguntó **dónde** tenía que nacer el Mesías.
Ellos le contestaron:
     "En **Belén de Judá**, porque así lo ha escrito el profeta:
     Y tú, Belén, tierra de Judá,
     no eres en manera alguna
     la menor entre las ciudades ilustres de Judá,
     pues de ti saldrá un jefe,
     que será el pastor de mi pueblo, Israel".

Entonces Herodes llamó **en secreto** a los magos,
     para que le **precisaran** el tiempo en que se les había **aparecido**
     la estrella y los mandó a Belén, diciéndoles:
     "**Vayan** a averiguar cuidadosamente **qué hay** de ese niño,
     y cuando lo encuentren, **avísenme** para que yo también vaya
     a adorarlo".

Después de oír al rey, los magos se pusieron en camino,
     y **de pronto** la estrella que habían visto surgir,
     comenzó **a guiarlos**,
     hasta que se detuvo **encima** de donde estaba el niño.
Al ver de nuevo la estrella, **se llenaron** de inmensa alegría.

Es un relato con tonos diversos. Hay que darle coloraturas a la voz conforme pregunte y cambie de personajes el texto.

Dale sentido de prestancia y urgencia a las líneas dedicadas a la convocación de Herodes.

La profecía debe tener voz propia. Pronúnciala como quien hace de lo insignificante lo más importante en la manifestación de Dios al mundo.

La recomendación de Herodes es ladina, pero debe sonar sincera. Sólo líneas después será desmentida.

---

candidez y belleza, pero tiene la fuerza de la piedrita desprendida desde la montaña que, rodando cuesta abajo, hace añicos al más grande de los colosos. A Herodes se le conoce como "el Grande", por la prosperidad con la que revistió al país, pero al costo del bienestar de sus súbditos, agobiados de impuestos y de resentimientos contra la casa gobernante. Esta historia subraya el mesianismo de Jesús, como contrapuesto al de Herodes, a la sazón, el rey de los judíos.

Por la historia sabemos que Herodes fue un rey despótico y cruel, enfermo de poder, que mató a cuantos se opusieron a su autoridad, y a los que desearon ocupar su trono, incluidos sus propios hijos. Con la llegada de los Magos a Jerusalén, san Mateo delata que el poder herodiano es espurio, advenedizo; Herodes conquistó su reino con la espada y el terror; él no es judío sino idumeo, y la población lo tiene por usurpador del trono davídico. Mateo subraya que el que detente el trono judío debe ser un bet-

lemita, alguien de línea davídica, un auténtico pastor para el pueblo de Dios.

Cuenta la historia que cuando Herodes tomó Jerusalén, hizo ejecutar a todos los miembros del Sanedrín, excepto a uno; los ejecutados eran personas nobles y sabias, conocedoras de las leyes y que mantenían vivas las tradiciones del pueblo. Pero Herodes confiscó sus bienes y comenzó a gobernar a su arbitrio. San Mateo relata que ese mismo rey, ahora tiene necesidad del consejo y sabiduría de los sumos sacerdotes y

Dale un tono reverencial a esta parte. La adoración de lo magos debe estar acompañada de la de toda la asamblea, y la tuya propia.

Entraron en la casa y **vieron al niño** con María, su madre,
    y postrándose, **lo adoraron.**
Después, **abriendo sus cofres**, le ofrecieron regalos:
    oro, **incienso** y mirra.
Advertidos durante el sueño de que **no volvieran** a Herodes,
    regresaron a su tierra **por otro camino.**

escribas del pueblo. El evangelista deja al descubierto que el rey no se apega a lo estipulado en la ley del Señor, pues la desconoce, lo mismo que las profecías, que son las fuentes de la vida y esperanza del pueblo de Dios.

Una tercera fuerza palpitante en el relato es la del discernimiento. Los Magos son interrogados en secreto y reciben instrucciones precisas y piadosas del propio rey de los judíos. Luego de encontrar al niño con su madre, gracias a la estrella, y de haberle presentado sus dones como a un soberano, no siguen la instrucción del soberano de Jerusalén, sino una advertencia recibida en sueños. Desacatan a la autoridad malévola, porque fueron capaces de discernir que aquel niño betlemita era el que la profecía auguraba. Hicieron caso a la voz de los profetas.

La epifanía o manifestación del Mesías de Dios al mundo se realiza también hoy cuando acudimos a la fuente del derecho y la justicia y no a la violencia, cuando escuchamos las palabras de las Escrituras y cuando razonamos los signos que Dios nos presenta. Los Magos fueron fieles a este modo de caminar y nunca renunciaron al discernimiento. Sus caminos no son los de Herodes.

BAUTISMO DEL SEÑOR

I LECTURA   Isaías 40:1–5, 9–11

Lectura del libro del profeta Isaías

Dios presenta a su representante ante todo el pueblo. Ese tono oficial debe acompañar tu lectura.

"**Consuelen**, consuelen a mi pueblo,
   dice nuestro Dios.
Hablen al **corazón** de Jerusalén
   y díganle **a gritos** que ya **terminó** el tiempo de su servidumbre
   y que ya ha **satisfecho** por sus iniquidades,
   porque ya ha **recibido** de manos del Señor
castigo **doble** por todos sus pecados".

Enfatiza las frases negativas pero sobre todo las positivas de este párrafo. Es más importante lo que sí hará que lo que no hará.

Una voz **clama**:
"**Preparen** el camino del Señor en el desierto,
   construyan en el páramo
   una **calzada** para nuestro Dios.
Que **todo** valle se eleve,
   que **todo** monte y colina se rebajen;
   que lo torcido se **enderece** y lo **escabroso** se allane.
Entonces se revelará la **gloria** del Señor
   y **todos** los hombres la verán".
Así ha **hablado** la boca del Señor.

Aquí cambia el tono, porque ahora el Señor le habla a su siervo, ya no al pueblo. Nota esto en tu lectura.

Sube a lo **alto** del monte,
   mensajero de **buenas nuevas** para Sión;
   alza con **fuerza** la voz,
   tú que anuncias **noticias alegres** a Jerusalén.
Alza la voz y no temas;
   anuncia a los ciudadanos de Judá:
"**Aquí** está su Dios.

I LECTURA El profeta conocido como Segundo Isaías empieza su mensaje con las palabras de la lectura de hoy, palabras de consolación.

Los anteriores profetas habían anunciado con tiempo y repetidas veces el juicio de Dios sobre el pueblo, que rehusaba convertirse a Dios. Había venido el castigo. La gente importante del reino del norte había sido llevada a Asiria, y la del reino del sur a regiones cercanas a Babilonia. Ahora el profeta anuncia el perdón. Si al pueblo le pareció una exageración la culpa, ahora el Señor anuncia un consuelo exagerado, enorme.

El profeta escuchó una segunda voz, que le ofrece el encargo, en qué consistía éste y su finalidad. Queda en esto algo de misterio. Pero el que envía tiene el poder para hacer todo lo encomendado. Este camino que se preparará en el desierto, es para que venga el Señor a su tierra. Como los deportados no tienen ni los medios ni la fuerza para hacer esto, se entiende que les está hablando de una preparación interna: en el desierto y estepa de sus corazones deben hacer todo derecho y quitar todo lo que obstaculice esta llegada del Señor. El Señor volverá a Jerusalén y hará descubrir

que todo hombre y esfuerzo humano es carne, es decir, debilidad.

El mensajero recibe ahora instrucciones de cómo dará su mensaje: debe subir a un alto monte para que todos lo vean y debe hablar fuerte para que todos lo oigan. Con varias imágenes expresa el autor que el Señor hará volver al pueblo deportado a su tierra. En esto se muestra la fuerza de Dios, su amor y misericordia.

II LECTURA Esta lectura está formada por dos sentencias muy semejantes y abigarradas. Busca describir

Aquí llega el Señor, lleno de poder,
   el que con su **brazo** lo domina todo.
El premio de su **victoria** lo acompaña
   y sus **trofeos** lo anteceden.
Como **pastor** apacentará su rebaño;
   llevará en sus brazos a los corderitos recién nacidos
   y **atenderá** solícito a sus madres".

Para meditar

SALMO RESPONSORIAL   Salmo 104:1–2a, 2b–4, 24–25, 27–28, 29–30

R. Bendice, alma mía, al Señor: ¡Dios mío, que grande eres!

Bendice, alma mía, al Señor:
¡Dios mío, qué grande eres!
Te vistes de belleza y majestad,
la luz te envuelve como un manto. R

Extiendes los cielos como una tienda,
construyes tu morada sobre las aguas;
las nubes te sirven de carroza,
avanzas en las alas del viento;
los vientos de sirven de mensajeros;
el fuego llameante, de ministro. R.

Cuántas son tus obras, Señor,
   y todas las hiciste con sabiduría;
   la tierra está llena de tus criaturas.
Ahí está el mar: ancho y dilatado,
   en él bullen, sin número,
   animales pequeños y grandes. R.

Todos ellos aguardan
a que les eches comida a su tiempo:
se la echas, y la atrapan;
abres tu mano, y se sacian de bienes. R.

   Escondes tu rostro, y se espantan;
les retiras el aliento, y expiran
   y vuelven a ser polvo;
   envías tu aliento, y los creas,
y repueblas la faz de la tierra. R.

II LECTURA   Tito 2:11–14; 3:4–7

Lectura de la carta del apóstol san Pablo a Tito

Querido hermano:
La gracia de Dios se ha **manifestado**
   para salvar a **todos** los hombres
   y nos ha enseñado a **renunciar**
   a la vida **sin religión** y a los deseos **mundanos**,
   para que **vivamos**, ya desde ahora,
   de una manera **sobria**, **justa** y **fiel** a Dios,
   en **espera** de la gloriosa venida
   del gran **Dios y salvador**, Cristo Jesús, nuestra esperanza.

Es la apertura de la salvación a todo el mundo pagano. Dios vence las resistencias de Pedro y ese tono debes infundirle a tus palabras.

el nuevo ser del cristiano, gracias al bautismo, en medio de una sociedad pagana que tiene aspectos positivos que no hay que despreciar, pero que es necesario depurar y enriquecer con el Evangelio.

Primero viene el símil de una peregrinación donde los creyentes están invitados a progresar. El motivo que guía es el de llevar una vida de virtud. Las cualidades que se inculcan son las que el mundo social de entonces aprobaba (templanza, justicia y piedad). Se rechazan aquellas conductas (impiedad y deseos mundanos) que desafinan con el Evangelio. Por otro lado, los

cristianos deberán estar atentos a la futura revelación de la gloria del Señor. Aquí entra lo propiamente cristiano. El objetivo de la intervención de Dios en el mundo mediante la autoentrega de Cristo, fue librar al pueblo del mal y construir una comunidad, caracterizada por sus buenas obras. La gracia de Dios tiene un efecto educativo transformador en el pueblo, que lo hace salir de su maldad hacia una bondad positiva, por lo que deben estar atentos a los mandatos concretos propiamente cristianos, que los llevarán a la gloria con el Señor.

Luego viene un contraste entre la pasada situación de pecado de los lectores y la nueva era de salvación que sigue, con la revelación de la bondad de Dios. Esta bondad es así como suena: bondad, y no se debe a méritos humanos de ninguna especie. La bondad o amor divino que tanto aparece en el AT, ahora se ha visto más clara y manifiesta en Jesús, quien nos ha limpiado del pecado. La limpieza es vital como un nuevo principio de transformación y renovación traída por el Espíritu Santo; tiene siempre un efecto moral. El Espíritu Santo es la fuente de esta limpieza que transforma,

Este es un resumen sobre Jesús. Cada línea cuenta. Marca bien el puente entre el Bautista y Jesús, pues será importante este día.

Él se **entregó** por nosotros para **redimirnos** de todo pecado
y **purificarnos**, a fin de convertirnos en **pueblo suyo**,
fervorosamente entregado a practicar el **bien**.

Al manifestarse la **bondad** de Dios, nuestro Salvador,
y su amor a los hombres, **él nos salvó**,
no porque nosotros hubiéramos hecho algo **digno** de
merecerlo,
sino por su **misericordia**.
Lo hizo mediante el **bautismo**, que nos regenera y nos renueva,
por la **acción** del Espíritu Santo,
a quien Dios **derramó** abundantemente sobre nosotros,
por Cristo, nuestro Salvador.
Así, **justificados** por su gracia,
nos convertiremos en **herederos**,
cuando se realice la **esperanza** de la vida eterna.

EVANGELIO   Lucas 3:15–16, 21–22

Lectura del santo Evangelio según san Lucas

El evangelio aclara quién es quién. Al principio hay dudas que debes transparentar en tu voz.

En aquel tiempo,
como **el pueblo** estaba en expectación
y **todos pensaban** que quizá Juan el Bautista era **el Mesías,
Juan** los sacó de dudas, **diciéndoles:**
"Es cierto que **yo** bautizo **con agua,**
pero ya viene **otro más poderoso** que yo,
a quien **no merezco** desatarle
las correas de **sus sandalias.**

Las palabras finales de Juan son determinantes. Procura crear expectativa con lo que hará el Mesías.

Él **los bautizará** con el **Espíritu Santo** y con **fuego".**

Sucedió que **entre la gente** que se bautizaba,
también **Jesús** fue **bautizado.**
Mientras éste oraba, **se abrió el cielo** y el **Espíritu Santo
bajó sobre él** en forma sensible, como de una paloma,
y del **cielo** llegó **una voz** que decía:
"**Tú eres mi Hijo**, el predilecto; en ti me **complazco".**

---

regenera y renueva. El autor tiene como trasfondo el bautismo, que es el medio por el cual el Espíritu Santo trae la regeneración sobrenatural. Nunca se puede perder el aspecto escatológico del bautismo que ha conservado el rito bautismal.

EVANGELIO Dos partes bastante claras tiene el evangelio de hoy. La primera enfoca a Juan, quien despeja las especulaciones que habían levantado su quehacer y figura. Responde que él no es el Mesías. El esperado por el pueblo será "uno más fuerte que yo". Viendo a Juan y

teniéndolo como enviado por Dios, ¿quién será el más fuerte? No caben muchas opciones. Sin embargo, el propio Juan anuncia que el Mesías "bautizará con Espíritu Santo y fuego". A renglón seguido, aparece Jesús, en lo que es ya la segunda parte de la lectura.

Lo primero que sorprende es que Jesús sea bautizado con todo el pueblo. Este mesías es miembro de ese pueblo "preparado" para la gran visita de Dios, en la efusión de Espíritu Santo y fuego, como plastificará Pentecostés (Hch 2), en ese acontecimiento de los tiempos últimos. La llegada del Mesías pondrá al pueblo en una condición

nueva de ardorosa santidad. San Lucas plastifica esto con la visión que Jesús tiene mientras ora, tras su bautismo. En ella Dios reacciona con la apertura de los cielos, el don casi corpóreo del Espíritu y la voz que da el sentido de la visión. Dios le habla a Jesús en los términos de entronización del rey de Israel, el hijo amado de Dios. Jesús es el Mesías de Dios. En él se complace porque Jesús cumple con toda fidelidad su voluntad, pues estará guiado por el Santo Espíritu.

II DOMINGO ORDINARIO

Iniciamos el Tiempo Ordinario con impulso profético por la salvación de Dios. Identifica y acentúa las palabras sobre la luminosidad de la salvación.

La presentación de Jerusalén es esplendorosa. Dale brillo también a tu voz.

Los desposorios de la alianza traen arrebato de alegría y felicidad. Haz notar esto con tu voz y con tu acento.

Este párrafo prolonga el enamoramiento entre Dios y su pueblo. La última línea pronúnciala mirando a la asamblea.

I LECTURA   Isaías 62:1–5

Lectura del libro del profeta Isaías

Por amor a Sión **no me callaré**
 y por amor **a Jerusalén** no me daré reposo,
 hasta que **surja** en ella esplendoroso el justo
 y **brille** su salvación como una **antorcha**.

Entonces las naciones **verán** tu justicia,
 y tu gloria **todos** los reyes.
Te llamarán con un nombre **nuevo**,
 pronunciado por la **boca** del Señor.
Serás **corona** de gloria en la **mano** del Señor
 y **diadema** real en la palma de su mano.

Ya no te llamarán "**Abandonada**",
 ni a tu tierra, "**Desolada**";
 a ti te llamarán "Mi complacencia"
 y a tu tierra, "**Desposada**",
 porque el Señor se ha complacido **en ti**
 y se ha **desposado** con tu tierra.

Como un joven se desposa con una doncella,
 se desposará **contigo** tu hacedor;
 como el esposo se **alegra** con la esposa,
 así se alegrará tu Dios contigo.

I LECTURA El texto habla en primer lugar de la comunidad, no del individuo. La comunidad de Israel es el objeto del amor de Dios y su alegría. Dios quiere edificarla y convertirla en lugar de su presencia salvífica. El individuo encontrará la salvación, la alegría, siendo miembro de la comunidad del pueblo de Dios. Esta comunidad se describe como una ciudad, como el lugar preciso donde vive y crece la comunidad, que nosotros identificamos con la Iglesia, la Jerusalén de lo alto, nuestra madre, la novia de Dios, pues las profecías

del AT tienen en Jesús y su Iglesia su correspondencia vital y su cumplimiento.

En el fondo, se habla de Dios y de su acción. Dios, y él solo, es el sujeto que obra en Sión-Jerusalén. Él construye Jerusalén, le da su justicia, su salvación y su poder. Esta es la fuente de la alegría y la felicidad del pueblo, pero al mismo tiempo le encomienda que las manifieste a los demás pueblos.

Así lo entendió el Señor Jesús, al fundar a los Doce, núcleo en el que se continuaba la comunidad antigua para la alianza nueva. Nosotros, por el bautismo, estamos llamados a ser esa epifanía de los dones de

Dios: la justicia, la salvación, el poder (servicio). Así lo ha entendido la Iglesia aunque le falta mucho para llegar a cumplir la encomienda. Sabe la Iglesia que, para llegar al objetivo encomendado, necesita de la acción divina. El Señor por medio de su Espíritu nos está llevando a este ideal.

II LECTURA Pablo dedica tres capítulos de esta carta a los dones espirituales (12–14), con lo que se nota que eran muy estimados en esta comunidad. Echa el Apóstol por delante el sujeto de estos dones: un solo Señor, Espíritu, Dios.

Para meditar

SALMO RESPONSORIAL   Salmo 96:1–2a, 2b–3, 7–8a, 9–10a y c

R. Cuenten las maravillas del Señor a todas las naciones.

Canten al Señor un cántico nuevo,
canten al Señor, toda la tierra;
canten al Señor, bendigan su nombre. R.

Proclamen día tras día su victoria,
cuenten a los pueblos su gloria,
sus maravillas a todas las naciones. R.

Familias de los pueblos, aclamen al Señor,
aclamen la gloria y el poder del Señor,
aclamen la gloria del nombre del Señor. R.

Póstrense ante el Señor en el atrio sagrado,
    tiemble en su presencia la tierra toda.
Digan a los pueblos: "El Señor es rey,
    él gobierna a los pueblos rectamente". R.

II LECTURA   1 Corintios 12:4–11

Lectura de la primera carta del apóstol san Pablo a los Corintios

Hermanos:
Hay **diferentes** dones, pero el Espíritu es **el mismo**.
Hay **diferentes** servicios, pero **el Señor** es el mismo.
Hay **diferentes** actividades, pero Dios,
    que hace **todo** en todos, **es el mismo**.

En **cada uno** se manifiesta el Espíritu para el **bien común**.
Uno recibe el don de la **sabiduría**;
    otro, el **don** de la ciencia.
A uno se le concede el don **de la fe**;
    a otro, la gracia de **hacer curaciones**,
    y a otro más, **poderes milagrosos**.
Uno recibe el don **de profecía**,
    y otro, el de **discernir** los espíritus.
A uno se le concede el don **de lenguas**,
    y a otro, el de **interpretarlas**.
Pero es uno **solo** y el **mismo** Espíritu el que hace **todo eso**,
    distribuyendo **a cada uno** sus dones, según su voluntad.

La lectura guarda cierto ritmo contrastante que hay que respetarle: "Hay diferentes . . . pero". La unidad, sin embargo, es el núcleo principal.

Puedes acentuar la diversidad de los diversos dones y carismas mirando a distintos sitios de la asamblea. Luego subraya las frases sobre la unidad.

Dice, enseguida, el objetivo de los dones: para edificación de la comunidad; luego los enumera, sin ser exhaustivo. Es curioso que el don de lenguas, que era el que más les llamaba la atención, venga al final (8–10). Finalmente (v. 11) subraya que el sujeto de los dones es el mismo.

En las comunidades, compuestas por mayoría de paganos convertidos al cristianismo, les daba mucho por los dones espectaculares, y algunos cristianos – no se puede saber si muchos– veían en estas manifestaciones la prueba de una especial aprobación divina, como una confirmación de estar en una especie de camino de perfección. Detrás se escondía también la soberbia del ser más que los demás.

Pablo da varios principios para emplear estos dones. El criterio para el éxtasis debe ser la confesión de Cristo; la diferencia de dones no debe emplearse para favorecer la división en la comunidad, dado que el que da los dones es el mismo; tercero, la comunidad es como un cuerpo, cada quien tiene su función. Los dones deben estar al servicio de la comunidad. Finalmente, todos los dones tienen sentido si se emplean para la utilidad de todos.

Como en Corinto, hay muchos dones en las comunidades cristianas y a menudo se emplean mal. Hoy como ayer, hay que edificar la Iglesia y su edificación debe ser la medida para emplear nuestros dones. Tal vez falte entre nosotros algo que en Corinto se daba mucho: el entusiasmo. Hay una vivencia cristiana que se queda en reglas y en ritos. Hace falta ese entusiasmo que sea un

EVANGELIO   Juan 2:1–11

Lectura del santo Evangelio según san Juan

En aquel tiempo, hubo una boda en **Caná** de Galilea,
    a la cual **asistió** la madre de Jesús.
Éste y sus discípulos **también** fueron invitados.
Como llegara a faltar **el vino**, **María** le dijo a Jesús:
    "Ya no tienen vino".
Jesús le contestó:
    "**Mujer**, ¿qué podemos hacer tú y yo?
    Todavía no llega mi hora".
Pero ella dijo a los que servían:
    "**Hagan** lo que él les diga".

Había allí seis tinajas de piedra,
    de unos **cien** litros cada una,
    que servían para las **purificaciones** de los judíos.
Jesús dijo a los que servían:
    "**Llenen** de agua esas tinajas".
Y las llenaron **hasta el borde**.
Entonces les dijo:
    "**Saquen** ahora un poco y llévenselo al mayordomo".

Así lo hicieron,
    y en cuanto el encargado de la fiesta **probó** el agua convertida
        en vino,
    sin saber su procedencia,
    porque **sólo** los sirvientes la sabían,
    llamó al novio y le dijo:
"**Todo** el mundo sirve **primero** el vino mejor,
    y cuando los invitados ya han bebido **bastante**,
    se sirve el **corriente**.
Tú, en cambio, has guardado el vino **mejor** hasta ahora".

La lectura no debe ser dramática, pero identifica los momentos donde se introduce una inesperada novedad. Ayúdate de las pausas entre párrafo y párrafo.

La expresión del encargado de la fiesta es el punto culmen del relato. Pronúncialo de manera que se note.

desdoblamiento de la fe en el Cristo resucitado, que murió por todos. Por lo mismo, no se nos debe perder ese entusiasmo y alegría de participar ya en la resurrección y la finalidad de nuestro obrar, el bien común, debe guiar toda actividad individual o grupal de los miembros de nuestras comunidades cristianas.

EVANGELIO El episodio del evangelio de hoy nos da la bienvenida en el Tiempo Ordinario, pero los Padres de la Iglesia lo leían como parte de las celebraciones de la Natividad y Epifanía, porque tiene mucha afinidad con ese ciclo. De hecho, el milagro de Caná es la primera de las señales con las que Jesús se acredita como el Mesías enviado por Dios.

Jesús se da a conocer por lo que habla con su madre. Al comienzo, como que él se desentiende de la necesidad que ella le presenta, porque "no ha llegado mi hora". Pero

enseguida, su madre lo deja a cargo: "Hagan lo que él les diga". Aquella "hora" parece marcada por su madre; ella estará al pie de su cruz también.

"La hora" es la clave para referirse al tiempo de la salvación o de la revelación. La hora de Jesús culmina en su glorificación que equivale a su elevación en cruz. Es un momento de gloria, no de humillación, pues en ese evento se hace ostensible la unidad amorosa de Jesús con su Padre celestial.

Esta es la conclusión del relato. Tu proclamación de este evangelio tiene que suscitar una reacción semejante en el auditorio.

Esto que Jesús hizo en Caná de Galilea
    fue la **primera** de sus señales milagrosas.
Así mostró **su gloria** y sus discípulos **creyeron** en él.

Al transformar el agua en vino en las bodas de Caná, Jesús revela su unidad con Dios y la participa a todos en un vino exquisito, que alegra y da plenitud a la vida. Dios nos invita a la comunión alegre con él; comunión que nos debe ir transformando en vino excelente para los demás.

III DOMINGO ORDINARIO

I LECTURA Nehemías 8:2–4, 5–6, 8–10

Lectura del libro de Nehemías

Es un nuevo comienzo para el pueblo porque se reúne a escuchar la palabra de Dios. Procura que al relatar este episodio tu voz vaya creciendo en entusiasmo.

En aquellos días, **Esdras**, el sacerdote,
    trajo el libro **de la ley** ante la asamblea,
    formada por los hombres, las mujeres
    y **todos** los que tenían uso de razón.

Era el día **primero** del mes séptimo,
    y Esdras leyó **desde** el amanecer **hasta** el mediodía,
    en la plaza que está frente a la puerta del Agua,
    en **presencia** de los hombres, las mujeres
    y **todos** los que tenían uso de razón.
Todo el pueblo estaba **atento** a la lectura del libro de la ley.

Prolonga un poco la pausa antes de iniciar el párrafo, y luego a cada acción que el escriba va realizando para desarrollar la liturgia de la palabra.

Esdras estaba **de pie** sobre un estrado de madera,
    levantado para esta ocasión.
Esdras abrió el libro **a la vista** del pueblo,
    pues estaba en un sitio **más alto** que todos,
    y cuando lo abrió, el pueblo **entero** se puso de pie.
Esdras **bendijo** entonces al Señor, el **gran** Dios,
    y **todo** el pueblo, levantando las manos,
    respondió: "¡**Amén**!", e inclinándose,
    se postraron **rostro** en tierra.

Tu entusiasmo debe ser notorio en esta parte. Tu proclamación debe invitar a la asamblea a unirse a Esdras.

Los levitas leían el libro de la ley de Dios **con claridad**
    y **explicaban** el sentido,
    de suerte que el pueblo **comprendía** la lectura.

I LECTURA Dios se ha manifestado en muchos y diferentes tiempos al pueblo. Esa comunicación de Dios con su pueblo no siempre fue captada por la "dureza del corazón" del hombre, como dice la misma Biblia. Hoy se nos presenta un texto del tiempo de Nehemías, es decir, del siglo IV o III a.C., cuando el pueblo de Dios se sentía abandonado y desilusionado por todas las promesas que, según él, Dios le había venido haciendo pero sin cumplírselas.

El autor de Nehemías 8 interpreta las antiguas palabras divinas para hacer ver a su pueblo lo que en esos momentos era importante. No debe guiarse por lo que el medio ambiente le exigía o le quería imponer como necesario o indispensable. Esdras le hace ver al pueblo que las palabras antiguas, conservadas con cariño y fidelidad por sus antepasados, deben ser repensadas en la nueva realidad. Esas palabras ahora claramente escritas en el libro que se llama la Ley, deben ser escuchadas, recibidas y puestas en práctica. Son la respuesta de Dios ante las nuevas dificultades.

El pasado del que viene el pueblo de Dios, resumido, meditado y adaptado a las circunstancias, no es algo sin valor y perdido para siempre. La Ley leída por el escriba es el fundamento permanente, cuya fuerza se abre a nuevas posibilidades en el futuro. La palabra de Dios abarca pasado, presente y futuro. Como palabra de Dios posee lo característico de Dios: fuerza y validez para siempre. La palabra divina se abre como abanico y con el pasar del tiempo va adquiriendo sentidos más profundos y variados, capaces de hablar en todos los tiempos.

El objetivo del intérprete, sacerdote o laico, es abrir la palabra de Dios a las nuevas circunstancias por las que va pasando la vida, como hizo Jesús (Lc 4:21). Hoy en día

Entonces **Nehemías**, el gobernador,
    Esdras, el sacerdote y escriba,
    y los levitas que **instruían** a la gente,
    dijeron a **todo** el pueblo:
"Éste es un día **consagrado** al Señor, nuestro Dios.
No estén ustedes tristes **ni lloren**
    (porque **todos** lloraban **al escuchar** las palabras de la ley).
    Vayan a comer **espléndidamente**,
    tomen bebidas **dulces** y manden algo a los que **nada** tienen,
    pues **hoy** es un día **consagrado** al Señor, nuestro Dios.
No estén tristes,
    porque **celebrar** al Señor es **nuestra** fuerza".

La repetida invitación a no estar tristes debe sonar con toda naturalidad. Hay que celebrar porque la palabra nos llena de gusto.

Para meditar

SALMO RESPONSORIAL   Salmo 19:8, 9, 10, 15

R. Tus palabras, Señor, son espíritu y vida.

La ley del Señor es perfecta
  y es descanso del alma;
    el precepto del Señor es fiel
e instruye al ignorante. R.

Los mandatos del Señor son rectos
y alegran el corazón;
la norma del Señor es límpida
y da luz a los ojos. R.

La voluntad del Señor es pura
y eternamente estable;
los mandamientos del Señor son verdaderos
y eternamente justos. R.

Que te agraden las palabras de mi boca,
y llegue a tu presencia el meditar de mi
    corazón,
Señor, roca mía, redentor mío. R.

II LECTURA   1 Corintios 12:12–30

Lectura de la primera carta del apóstol san Pablo a los Corintios

Hermanos:
    Así como el cuerpo **es uno** y tiene **muchos** miembros
    y **todos** ellos, a pesar de ser **muchos**,
    forman un **solo** cuerpo,
    así **también** es Cristo.

La lectura es tan rica como bella y amplia. Identifica sus partes y los acentos que hay que hacer en cada una de ellas. Comienza por fundar la unidad igualitaria de todos los bautizados en Cristo.

---

se emplean muchos métodos y técnicas para interpretar. Pero siempre se necesitará, además, que el texto explicado y aclarado por los métodos interpretativos, se ponga delante de mí, me interpele y que me haga entender que lo dicho antes se está refiriendo a mí y a mi futuro.

Buscar a Dios nos llevará a encontrarlo en su palabra, donde él se nos manifestará y nosotros nos descubriremos ante él.

II LECTURA La imagen del cuerpo humano fue muy empleada en la antigüedad como ejemplo para afirmar

algo relacionado con un interés común. Era la figura favorita de la filosofía estoica. Pablo dice desde el principio que la comunidad de la que habla, es el cuerpo de Cristo. Va a hablar de la unidad entre los creyentes. No se ve en primer lugar su organización, sino el principio que une al todo: el espíritu. Luego pasa a hablar de la diferencia de los miembros. Pablo tiene en la mira a grupos "pneumáticos" que se preocupaban de sus intereses, dejando de lado los de los demás. Cada miembro debe estar en función de los demás. Un miembro de la comunidad no puede funcionar de forma egoísta. De

hecho, esto corresponde a la naturaleza de un cuerpo, que tiene muchas funciones y éstas no las puede ejercer cada miembro. La unidad y cooperación de todos los miembros es lo que hace trabajar a un cuerpo. Con el v. 21 empieza el diálogo ficticio entre los miembros. Como en un cuerpo, porque a esto se asimila la comunidad, es imposible que un miembro descalifique a otro. Cada miembro funciona para el todo. Los más débiles tienen su función propia y no se pueden dejar de lado.

Dios así formó a su comunidad. Consta ésta de diferentes miembros y ninguno

El lenguaje paulino es muy pintoresco y así hay que hacerlo que resuene.

Porque **todos** nosotros, seamos judíos **o no** judíos,
    esclavos **o libres**,
    hemos sido **bautizados** en un **mismo** Espíritu,
    para formar un **solo** cuerpo,
    y a **todos** se nos ha dado a beber del **mismo** Espíritu.

En esta sección se subraya la diversidad de funciones en la unidad corporal. Haz notar la solidaridad con un tono de voz como que apremia allí donde hay más necesidad.

El cuerpo **no** se compone de un **solo** miembro, sino **de muchos**.
Si el **pie** dijera:
    "**No soy** mano, entonces **no formo** parte del cuerpo",
    ¿**dejaría** por eso de **ser parte** del cuerpo?
Y si el oído **dijera**:
    "Puesto que no soy ojo, **no soy** del cuerpo",
    ¿dejaría **por eso** de ser parte del cuerpo?
Si **todo** el cuerpo fuera ojo, ¿**con qué** oiríamos?
Y si **todo** el cuerpo fuera oído, ¿**con qué** oleríamos?
Ahora bien,
Dios **ha puesto** los miembros del cuerpo
    cada uno en su lugar, **según lo quiso**.
Si todos fueran un **solo** miembro, ¿**dónde** estaría el cuerpo?

Estas dos líneas señálalas con brío, a la vez que miras a la asamblea.

Cierto que los miembros **son muchos**,
    pero el cuerpo **es uno solo**.
El ojo **no puede** decirle a la mano: "**No** te necesito";
    ni la cabeza, a los pies: "Ustedes **no me hacen falta**".
Por el **contrario**,
    los miembros que parecen **más débiles** son los **más necesarios**.
Y a los **más íntimos** los tratamos con **mayor** decoro,
    porque los demás **no lo necesitan**.
Así formó Dios el cuerpo,
    dando **más honor** a los miembros que **carecían** de él,
    para que no haya **división** en el cuerpo
    y para que **cada miembro** se preocupe **de los demás**.
Cuando un miembro **sufre**, **todos** sufren con él;
    y cuando recibe **honores**, **todos** se alegran con él.

---

desprecia al otro, sabe que en la conjunción de cada uno de ellos con el todo, se benefician todos. Al dirigirse a la comunidad, Pablo les está repitiendo lo que les había enseñado. Los distintos carismas están en función de la finalidad. Pone Pablo en el v. 28 una tríade de funciones o puestos: apóstol, profeta, maestro. Éstos no son valiosos en sí, sino en su función. Termina el trozo con preguntas retóricas. La diferencia en el don no significa diferencia en el honor o valor. Cada diferencia tiene su valor intransferible.

En la Iglesia siempre han existido grupos de personas que tienen sus diferencias. Ni las prácticas ni el pensamiento teológico cultural puede ser el mismo en cada comunidad. Las diferencias son legítimas. El apóstol sólo pide que todo esto exista en función del bien de la comunidad. Por ejemplo, cierta gente tiene devociones que otra no acepta o no le agradan, por ejemplo, la misa en latín, el rezo del rosario, las peregrinaciones, el empleo de cuetes, etc. Teniendo en cuenta lo enseñado por Pablo, no hay que emplear

el principio del *mayoriteo*, sino el del respeto por los más débiles y, sobre todo, la libertad auténtica, la dada por Cristo, que sólo es tal en función del bien común.

EVANGELIO El leccionario nos agrupa tres momentos distantes en el evangelio: el prólogo (Lc 1:1–4), una panorámica de lo que Jesús hace movido por el Espíritu (4:14–15) y la primera parte del episodio programático en la sinagoga de Nazaret (4:16–21).

Este parágrafo es la sección final: la aplicación eclesial. A los diversos ministerios corresponde un orden que no es jerárquico sino funcional en la diversidad. Las preguntas márcalas como si Pablo las dirigiera a la asamblea.

Pues bien, ustedes **son** el cuerpo de Cristo
    y **cada uno** es un miembro de él.
En la Iglesia,
    Dios ha puesto en **primer** lugar a los **apóstoles**;
    en **segundo** lugar, a **los profetas**;
    en **tercer** lugar, a los **maestros**;
    luego, a los que hacen **milagros**,
    a los que tienen el don **de curar** a los enfermos,
    a los que **ayudan**, a los que **administran**,
    a los que tienen el don de lenguas y el **de interpretarlas**.
¿**Acaso** son **todos** apóstoles? ¿Son **todos** profetas?
¿Son todos maestros? ¿Hacen todos milagros?
¿Tienen **todos** el don de curar?
¿Tienen **todos** el don de lenguas y todos **las interpretan**?

Versión corta: 1 Corintios 12:12–14, 27

EVANGELIO   Lucas 1:1–4; 4:14–21

Lectura del santo Evangelio según san Lucas

Muchos han tratado de escribir la historia
    de las cosas **que pasaron** entre nosotros, tal y como
    nos las trasmitieron los que las vieron **desde el principio**
    y que ayudaron en la predicación.
Yo **también**, ilustre Teófilo,
    después de haberme informado **minuciosamente** de todo,
    desde sus principios, pensé escribírtelo **por orden**,
    para que **veas** la verdad de lo que se te **ha enseñado**.

El evangelio del Señor Jesús ha nacido del testimonio de fe de personas que han visto y oído lo que Jesús hizo y dijo. Eso mismo hacemos al proclamarlo: lo transmitimos a otras gentes. No es un relato neutral, sino uno de vida. Con esa conciencia hay que proclamarlo.

San Lucas, escritor de la tercera generación cristiana, escribe sobre los acontecimientos "cumplidos entre nosotros". Cumplimiento significa que él va a mostrar cómo Dios obra en favor de sus fieles. Lo que pasó en torno a Jesús de Nazaret no es casualidad, ni algo deshilvanado, sino que tiene un hilo que le da consistencia y lógica; son hechos cumplidos, pero que alcanzan a cada generación, gracias a su resonancia o catequesis.

Lucas dedica su trabajo a un tal Teófilo; tal vez sea su mecenas, o el jefe de la casa donde se reunirían los cristianos, o hasta algún funcionario distinguido. No lo sabemos. Teófilo en griego quiere decir amigo o amante de Dios, y con esto, el escrito alcanza a todo lector. Este evangelio no busca suscitar la fe en el Cristo, sino consolidarla; cada episodio será una auténtica catequesis.

San Lucas muestra a Jesús, empujado por el Espíritu, enseñando en las sinagogas de Galilea y recibiendo el beneplácito de todos. Y eso mismo cabe esperar que suceda aquí, en Nazaret, su tierra natal.

La lectura sinagogal de las Escrituras busca que la revelación sea relevante aquí y ahora, que ilumine una situación actual de la comunidad de fieles. La asamblea se reúne no sólo para compartir unos ritos y satisfacer algún precepto, sino, mediante esto, renovar su propia experiencia de ser pueblo de Dios, a pesar de las adversidades; sus miembros pueden descubrir la fuerza salvífica de Dios en medio de ellos. Al leer las

Esta sección inicia con un panorama general. Dale más colorido al momento de entrar Jesús en la sinagoga, para que la asamblea fije la atención en él. La asamblea debe asistir a la Liturgia de la Palabra que Jesús va a dirigir. Dale peso a los gestos de la entrega y devolución del rollo del profeta.

(Después de que Jesús fue **tentado** por el demonio
    en el desierto),
    impulsado por el Espíritu, **volvió** a Galilea.
Iba enseñando en las sinagogas;
    todos lo alababan y su fama se **extendió** por toda la región.
Fue también **a Nazaret**, donde se había criado.
Entró en la sinagoga, como era **su costumbre** hacerlo los sábados,
    y se levantó para hacer la lectura.
Se le dio el volumen del profeta **Isaías**,
    lo desenrolló y **encontró** el pasaje en que estaba escrito:
El espíritu del Señor está sobre mí,
    porque me ha ungido para llevar a los pobres la buena nueva,
    para anunciar la liberación a los cautivos
    y la curación a los ciegos, para dar libertad a los oprimidos
    y proclamar el año de gracia del Señor.

Marca bien los gestos del ritual sinagogal. Haz una breve pausa antes del pronunciamiento lapidario de Jesús.

Dale el peso específico a las líneas finales del evangelio de hoy.

Enrolló el volumen, lo devolvió al encargado y se sentó.
Los ojos de **todos** los asistentes a la sinagoga estaban **fijos** en él.
Entonces comenzó a hablar, diciendo:
    "**Hoy mismo** se **ha cumplido** este pasaje de la Escritura
    que **acaban** de oír".

Escrituras despiertan ese testimonio inmemorial del compromiso y la fidelidad de Dios con su pueblo, de una generación a otra, a lo largo de la historia. En este caso, las Escrituras dan la dimensión de la presencia del Mesías o Ungido en medio de su pueblo.

Lucas empalma líneas de Isaías 61:1–2s con otras de 58:6 para aclarar lo que Jesús hace, gracias al Espíritu de Dios, que lo ha transformado en su enviado o embajador. El descenso del Espíritu Santo sobre Jesús al momento de su bautismo, no fue pasajero, sino permanente. De ese Espíritu brota todo lo que Jesús hace, lo que tiene que ver con la palabra, con la libertad y con la salud del pueblo. La salvación de Dios abarca toda la realidad humana. No hay que fragmentarla.

El cumplimiento de las antiguas profecías es para beneficiar directamente a los pobres, a los cautivos, a los ciegos y a los oprimidos. Ellos pertenecen al corazón del Evangelio, porque Jesús viene a restaurarlos, hoy. Sin ellos el Evangelio fuera otro.

Jesús abre a su pueblo sobajado un tiempo sin asfixia ni yugo: un año de jubileo. Entonces, los presos caminarán libres por las calles, sin coyunda ni persecución; podrán volver a su hogar, con la gente que aman y que les quiere. La liberación es perdón, remisión y retorno a la vida; los ojos cegados, oscurecidos en las mazmorras y en los pozos que servían como calabozos, volverán a ver. Dios visita a su pueblo en la persona de su Mesías. Para el prisionero, no hay evangelio mejor que decirle: "¡Estás perdonado, eres libre!". A eso viene Jesús a Nazaret, movido por el Espíritu, para cumplir la salvación anunciada.

IV DOMINGO ORDINARIO

Dios llama a todo bautizado a profetizar. Somos pueblo profético en Cristo Jesús. Haz tuyas las palabras y los sentimientos de Jeremías.

Las palabras vigorosas de Dios hacen del profeta un gigante invencible ante los adversarios. Esa confianza y fortaleza comunícalas con humildad y firmeza.

I LECTURA   Jeremías 1:4–5, 17–19

Lectura del libro del profeta Jeremías

En tiempo de **Josías**, el Señor me dirigió **estas** palabras:
   "Desde **antes** de formarte en el seno materno, te **conozco**;
   desde **antes** de que nacieras,
   te **consagré** como profeta para las naciones.
Cíñete y prepárate;
   ponte en pie y diles lo que **yo** te mando.
No temas, no titubees **delante** de ellos,
   para que yo **no te quebrante**.

Mira: **hoy** te hago ciudad **fortificada**,
   columna **de hierro** y muralla **de bronce**,
   frente **a toda** esta tierra,
   así se trate de los **reyes** de Judá,
   como de sus **jefes**, de sus **sacerdotes**
   o de la gente **del campo**.
Te harán la guerra, pero **no podrán** contigo,
   porque yo estoy **a tu lado** para salvarte".

I LECTURA Como ningún otro profeta, Jeremías experimentó la fuerza irresistible de la palabra del Señor. Palabra que entró hasta lo más profundo de su ser. Él nos cuenta los efectos y consecuencias de esa recepción. En primer lugar, el sujeto al que Dios comunica su palabra es consciente y libre para recibirla o rechazarla. Sabe, de una manera general, que recibiéndola, va a experimentar la pesadez, fuerza y dureza de esa palabra, pero, al mismo tiempo, va a sentir el gozo y dulzura que trae (Jer 15:16).

La palabra de Dios traerá a Jeremías muchos problemas y burlas, dice que "la palabra del Señor se me volvió insulto y burla constante . . . la sentía dentro como fuego" (20:8–9). Siente el profeta la palabra como un "martillo que tritura la piedra" (23:29).

Caminar con la palabra de Dios metida hasta lo más íntimo del ser, es ser impulsado continuamente hacia conflictos y problemas insoportables a primera vista. La palabra le traerá a Jeremías la animadversión de aquellos que se oponían a que ella entrara en su corazón. Esta oposición se convertirá en amenaza real para el profeta.

Pero, como Dios le había dicho cuando lo llamó a profetizar, "no podrán contigo, porque yo estoy a tu lado para salvarte" (1:19).

La palabra dio fuerza y seguridad al profeta Jeremías de que Dios estaba siempre a su lado. También el Resucitado estará con el que recibe la palabra de Dios y la practica (Mt 7:24–25).

II LECTURA La dificultad de integrar las cualidades y dones de cada uno en una comunidad, llevó a Pablo a cerrar atinadamente con un himno. Se discute su origen, pero todo indica que es

Para meditar

SALMO RESPONSORIAL   Salmo 71:1–2, 3–4a, 5–6ab, 15ab y 17

R. Mi boca anunciará tu salvación, Señor.

A ti, Señor, me acojo:
    no quede yo derrotado para siempre;
    tú que eres justo, líbrame y ponme a salvo,
    inclina a mí tu oído, y sálvame. R.

    Se tú mi roca de refugio,
    el alcázar donde me salve,
    porque mi peña y mi alcázar eres tú.
Dios mío, líbrame de la mano perversa. R.

Porque tú, Dios mío, fuiste mi esperanza
    y mi confianza, Señor, desde mi juventud.
En el vientre materno ya me apoyaba en ti,
    en el seno tú me sostenías. R.

Mi boca contará tu auxilio,
    y todo el día tu salvación.
Dios mío, me instruiste desde mi juventud,
    y hasta hoy relato tus maravillas. R.

II LECTURA   1 Corintios 12:31—13:13

Lectura de la primera carta del apóstol san Pablo a los Corintios

Hermanos:
Aspiren a los dones de Dios **más** excelentes.
Voy a mostrarles el camino **mejor** de todos.
Aunque yo hablara las lenguas de los hombres y **de los ángeles**,
    si no tengo **amor**, no soy más que **una campana** que resuena
    o unos platillos que **aturden**.
Aunque yo tuviera el don de **profecía**
    y **penetrara** todos los misterios,
    aunque yo **poseyera** en grado sublime el don de ciencia
    y mi **fe** fuera tan grande como para **cambiar** de sitio
        las montañas,
    si no tengo **amor**, nada **soy**.
Aunque yo repartiera en **limosna** todos mi bienes
    y aunque me dejara quemar **vivo**,
    si no **tengo amor** de nada me sirve.

Bella y profunda esta lectura. Esconde el riesgo de pronunciarla sin sazón. Hay que descubrir sus partes y apropiársela antes de anunciarla.

---

una composición bien lograda y nada se opone a su autoría paulina.

Después de la introducción, el Apóstol pone, en forma negativa, tres dones, introduciendo sus frases con "aunque" y comparándolos con la ausencia del amor-caridad. La lengua angélica era uno de los dones más apreciados por los así llamados "espirituales" en Corinto. La manera de hablar o expresarse de éstos, puede parecerse a una campana. Sólo suena. El segundo don es la profecía y conocimientos, que ante el amor-caridad no son nada. El tercer don se refiere a la ascesis y heroísmo que, sin el

amor-caridad, no tienen valor. El amor-caridad es lo determinante para validar una experiencia religiosa y ética.

En la parte central del himno (13:4–7) viene una descripción hermosísima del amor-caridad. Proviene de una tradición judía parenética y encuentra paralelos en otros himnos de la Biblia. Describe el amor con una serie de verbos de acción. Todas estas cualidades están lejos de ser sentimentales. El amor supone dos o más personas. Sin esto no hay amor. Pablo siempre tiene en la mente a esa persona: es Jesús de

Nazaret. De aquí dimana el amor de un cristiano a otra persona.

La descripción del amor-caridad, en la práctica, es una hermosa traducción del Sermón de la Montaña, sólo que aquí como un apretado himno. La clave de todo está en la dirección de esas cualidades. Ninguna de ellas tiene al yo por objeto. No se habla de amarme o amar mis cosas, sino de amar a otra persona, expandirme en ella, dejando lo mejor de mí. Todas esas cualidades, puestas por Pablo, para muchos son imposibles de llevar a cabo: paciente, servicial, entregado, transparente, abierto, limpio, desinteresado,

Este himno está lleno de lirismo. Evita el tono remilgoso o romanticón. El amor cristiano es un esfuerzo continuo por vivir la excelencia en todas direcciones. Dale renovado vigor a tu proclamación.

Las frases son breves. Ve pronunciándolas con ritmo, como el del agua de una llovizna que gotea de las tejas sin llegar a hacer hilo. Del ritmo le viene la fuerza.

Esta parte va de la primera persona del singular a la del plural. Pablo se sabe hermanado por las virtudes teologales con todos los cristianos, pero crece con ellos. Igual tu ministerio, es para el crecimiento en fraternidad.

El amor es **comprensivo**, el amor es **servicial**
    y **no** tiene envidia;
    el amor no es **presumido** ni se envanece;
    no es grosero ni egoísta;
    no se irrita **ni guarda** rencor;
    no se alegra con la injusticia,
    sino que **goza** con la verdad.
El amor disculpa **sin límites**,
    confía sin límites,
    espera sin límites,
    soporta sin límites.

El amor dura **por siempre**;
    en cambio, el don de profecía **se acabará**;
    el don de lenguas **desaparecerá**
    y el don de ciencia **dejará de existir**,
    porque nuestros dones de ciencia y de profecía
      son **imperfectos**.
Pero cuando **llegue** la consumación,
    todo lo imperfecto **desaparecerá**.

Cuando yo era **niño**, hablaba **como niño**,
    sentía como niño y **pensaba** como niño;
    pero cuando **llegué** a ser hombre,
    hice **a un lado** las cosas de niño.
Ahora vemos como en un espejo y **oscuramente**,
    pero después será **cara a cara**.
Ahora sólo conozco de una manera **imperfecta**,
    pero entonces **conoceré** a Dios como **él** me conoce **a mí**.
Ahora tenemos estas **tres** virtudes:
    la fe, la esperanza y el amor;
    pero el amor es **la mayor** de las tres.

Versión corta: 1 Corintios 13:4–13

---

paciente, amante de la justicia y la verdad y entregado totalmente al otro. Si pensáramos en cualidades estéticas, para poseerlas uno, sí serían imposibles; pero si tenemos delante al otro y, sobre todo, la figura y la fuerza del Señor, todo esto se vuelve posible.

Nos ha pasado algo muy dañino. Nuestra sociedad ha mercantilizado al amor y lo ha denigrado, pegándolo al placer. Un amor así no sobrevive. Por esto Pablo buscó una palabra griega que quitara todos esos aspectos de placer hedonista, de aprovechamiento de la otra persona, para dejar una

palabra que exigiera donación de parte del que ama. Desde luego que un amor así descrito, no lo tiene el hombre por ser hombre, pero Pablo habla a un cristiano que se sabe hijo de Dios y que tiene la muestra en el amor desinteresado del Señor Jesús y en la fuerza del Espíritu Santo.

EVANGELIO Hoy nos toca la segunda parte del episodio en la sinagoga de Nazaret. En la sinagoga de su propio pueblo natal, Jesús se presenta como el embajador del año de gracia del

Señor, ungido por el Espíritu para liberar y redimir a los más necesitados.

La liturgia sinagogal comenzaba con el rezo de alguna oración y de las bendiciones, se proclamaba luego una lectura de la Ley y se proseguía con otra de los Profetas. Luego venía la explicación, una especie de homilía que podía hacer cualquiera de los presentes que fuera un tanto versado en las Escrituras, aludiendo a las profecías y a los comentarios de los sabios. Finalmente se daba gracias y la asamblea se disolvía.

EVANGELIO   Lucas 4:21–30

Lectura del santo Evangelio según san Lucas

En aquel tiempo,
   después de que Jesús leyó en la sinagoga
   un pasaje del libro de **Isaías**, dijo:
   "**Hoy mismo** se **ha cumplido** este pasaje de la Escritura
   que ustedes **acaban** de oír".
Todos le daban su aprobación y **admiraban** la sabiduría
   de las palabras que **salían** de sus labios,
   y se preguntaban: "¿No es **éste** el hijo de José?"

Jesús les dijo: "**Seguramente** me dirán aquel refrán:
   'Médico, **cúrate** a ti mismo'
   y haz **aquí**, en tu **propia** tierra, todos esos prodigios
   que hemos oído que has hecho **en Cafarnaúm**".
Y añadió: "Yo les **aseguro** que **nadie** es profeta **en su tierra**.
Había **ciertamente** en Israel **muchas** viudas
   en los tiempos de Elías, cuando **faltó** la lluvia
      durante tres años y medio,
   y hubo un hambre **terrible** en todo el país;
   sin embargo, a **ninguna** de ellas fue enviado Elías,
   sino a una viuda que vivía en **Sarepta**, ciudad de Sidón.
Había **muchos** leprosos en Israel, en tiempos del profeta **Eliseo**;
   sin embargo, **ninguno** de ellos fue curado sino **Naamán**,
   que era **de Siria**".

Al oír **esto**,
   todos los que estaban en la sinagoga se llenaron **de ira**,
   y levantándose, lo **sacaron** de la ciudad
   y lo llevaron hasta un **barranco** del monte,
   sobre el que estaba construida la ciudad, para **despeñarlo**.
Pero él, pasando por en medio de ellos, se **alejó** de allí.

La lectura tiene tres partes bien marcadas que hay que señalar. Tienes que identificar cuáles son los elementos clave en cada una de ellas, para que los acentúes también en la predicación.

Dale a esta parte un ritmo menos acelerado. La homilía de Jesús va levantando ámpula porque denuncia que los oyentes de la palabra quieren un espectáculo de milagros, pero sin dejar de creerse superiores a los demás.

Esta parte debe ser leída con más velocidad que las anteriores. Son puras acciones. A la línea final dale un tono de tristeza y desolación.

Jesús explica y actualiza las Escrituras con "palabras de gracia" para la gente de su pueblo. Dios da su palabra con buen corazón, pero no se queda en bellas intenciones sino que la valida aquí y ahora con la presencia de Jesús. La gente está complacida de tener en su propia sinagoga al Ungido del Espíritu y saberse beneficiaria del año jubilar proclamado. Los reunidos quieren contemplar los milagros anunciados por Isaías, pero no dejarse transformar por sus palabras "llenas de sabiduría". Se sienten privilegiados y quieren hacer valer que son el pueblo elegido. Este es el complejo de Nazaret. Jesús lo denuncia con un par de ejemplos que dejan ver que Dios es Dios de todos y agracia y salva a los extranjeros, y esto desde el tiempo de Elías y de Eliseo.

Vale señalar que tanto la viuda de Sarepta como el general curado de lepra son de Siria, un país donde, conforme a la tradición de la Iglesia, san Lucas habría escrito su evangelio. De esta manera, el escritor le transmite a su audiencia que ellos, los sirios, son los beneficiarios directos del jubileo de la gracia de Dios.

Recibir la Palabra de Dios se tiene que notar. Primero, liberándonos del "complejo de Nazaret"; hay que dejar de sentirnos los únicos beneficiarios de la gracia de Dios y hay que dejar de excluir a otros. Démonos cuenta de que excluir a otros significa autoexcluirnos. El Evangelio es inclusivo, abierto, universal, porque es pura gracia de Dios.

V DOMINGO ORDINARIO

La visión es magnífica. Dale ese tono de asombro ante el misterio inexpresable que el profeta pone en su descripción del palacio de Dios que se extiende hasta la tierra. No hay que exagerar ni dramatizar, sino mostrar un reverente respeto y santa distancia.

I LECTURA   Isaías 6:1–2, 3–8

Lectura del libro del profeta Isaías

El año de la muerte del rey Ozías,
    vi al Señor, sentado sobre un trono muy alto y **magnífico**.
La orla de su manto **llenaba** el templo.
Había **dos** serafines junto a él, con **seis** alas cada uno,
    que se gritaban el uno al otro:

    "**Santo, santo, santo** es el Señor, Dios de los ejércitos;
    su gloria llena **toda** la tierra".

Haz resonar las voces seráficas como si allí estuvieran gritando, en un lado y otro del recinto; vuelve tu mirada a varios lados del lugar, para transmitir esa sensación.

La reacción del profeta está llena de santo temor. Muéstrala con tu tono de voz, sin quejumbre, pero como arrepentido de estar allí, por encontrarse en una situación fatal.

Temblaban las puertas al clamor de su voz
    y el templo **se llenaba** de humo.
Entonces exclamé: "

¡**Ay de mí**!, estoy perdido,
    porque soy un hombre de labios **impuros**,
    que **habito** en medio de un pueblo de labios impuros,
    porque he visto **con mis ojos** al **Rey y Señor** de los ejércitos".

Después **voló** hacia mí uno de los serafines.
Llevaba en la mano **una brasa**,
    que había tomado del altar con unas tenazas.
Con la brasa **me tocó** la boca, diciéndome:

La explicación del serafín es lo que le devuelve el aliento al profeta. Las palabras finales que buscan un mensajero, déjalas un momento en el aire para que la asamblea se sepa interpelada.

    "Mira: Esto ha tocado **tus labios**.
Tu iniquidad **ha sido quitada**
    y tus pecados **están perdonados**".

I LECTURA | Tal vez Isaías sea el profeta más influyente en la Biblia entera y en nuestra liturgia. Hoy escuchamos su llamada a profetizar, ajustada a los moldes literarios, pero también con sello propio. Con su llamada a ser profeta, Isaías legitima su mensaje condenatorio, en cuanto éste le fue encomendado por Dios. Se sabe obligado sólo por la voluntad y palabra del Señor, y por nada más.

Literariamente, esta unidad literaria (1:1–11) tiene dos partes: visión y reacción de Isaías (1a–7) y audición y reacción de Isaías (8–11).

Isaías fue hecho profeta el año de la muerte del rey Ozías. La muerte de un rey cerraba una época y abría una nueva. Es importante la anotación, pues la muerte de este rey (740 a.C.) coincide con el acceso de Teglatfalasar III al trono de Asiria, un rey que hará desaparecer el reino de Israel y será amenaza mortal para Judá.

Isaías tuvo una experiencia externa: una visión en el templo de Jerusalén. Vio el trono del Señor, al que servían unos serafines. El templo se llenó de humo que venía del altar, que estaba a la mitad del santuario. La oscuridad era señal de que el Señor estaba presente en el santuario. Hay una correspondencia entre el templo de Jerusalén y el templo celestial, como la hay entre Sión y el cielo. La religión de Israel tomó y depuró elementos religiosos cananeos. Aquí aparece el Señor como juez.

La liturgia celeste con la alabanza del trisagio, alaba la santidad divina, cualidad exclusiva de Dios. La santidad distingue propiamente lo humano de lo divino. Así como lo más interno de Dios es la santidad, lo externo es su gloria.

La confrontación de Isaías con el Santo provoca que el profeta se sienta culpable,

Escuché entonces la voz del Señor que decía:
"¿A quién **enviaré**? ¿**Quién** irá **de parte mía**?"
Yo le respondí: "**Aquí** estoy, Señor, **envíame**".

Para meditar

SALMO RESPONSORIAL   Salmo 138:1–2a, 2bc–3, 4–5, 7c–8
R. Delante de los ángeles tañeré para ti, Señor.

Te doy gracias, Señor, de todo corazón;
porque cuando te hablaba, me escuchaste.
Delante de los ángeles tañeré para ti,
me postraré hacia tu santuario. R.

Daré gracias a tu nombre:
por tu misericordia y tu lealtad,
porque tu promesa supera tu fama.
Cuando te hablaba, me escuchaste.
Acreciste el valor en mi alma. R.

Que te den gracias, Señor, los reyes
de la tierra,
al escuchar el oráculo de tu boca;
canten los caminos del Señor,
porque la gloria del Señor es grande. R.

Extiendes tu brazo y tu derecha me salva.
El Señor, completará sus favores conmigo:
Señor, tu misericordia es eterna,
no abandones la obra de tus manos. R.

II LECTURA   1 Corintios 15:1–11

Lectura de la primera carta del apóstol san Pablo a los Corintios

Hermanos:
Les **recuerdo** el Evangelio que yo les prediqué
y que ustedes **aceptaron** y en el cual están **firmes**.
Este Evangelio **los salvará**,
si lo cumplen **tal y como** yo lo prediqué.
De otro modo, habrán creído **en vano**.

Les transmití, **ante todo**, lo **que yo mismo** recibí:
que Cristo murió **por nuestros pecados**,
como dicen **las Escrituras**;
que fue sepultado y que **resucitó** al tercer día,
según estaba **escrito**;
que se le apareció **a Pedro** y luego a los Doce;
después se apareció a más **de quinientos** hermanos reunidos,
la mayoría de los cuales **vive aún** y otros ya murieron.

La lectura contiene un resumen precioso del credo cristiano de los orígenes. Hay que atesorarlo y calentarlo antes de anunciarlo en la asamblea dominical.

Esta sección toca los hechos del misterio pascual de Jesucristo, el *kerygma*. No te precipites. Pronúnciala con el cariño con el que una madre les entregaría su tesoro a sus hijos.

---

pecador. Al encontrarse con Dios, él expresa la lejanía infinita ante el Señor y, por su humanidad, el peligro de ser pecador. Como va a ser encargado de llevar la palabra de Dios, tendrá que ser purificado. Un serafín purifica simbólicamente los labios de Isaías y lo transforma todo, pues será la boca de Dios.

Viene la segunda parte: la aceptación de la encomienda. Esto queda puesto como una disposición de Isaías; se ofrece y Dios lo envía. Luego vendrá especificada la misión, a partir del verso 9.

El bautizado, como todo profeta, de alguna forma es consciente de la distancia enorme que hay entre él y Dios y está dispuesto a ser el instrumento, imperfecto sí, para llevar el menaje de Dios a los hombres.

II LECTURA Este texto conserva una tradición antiquísima sobre la resurrección del Señor. Pablo menciona las apariciones del Señor resucitado a diversos personajes y grupos, a las que suma la que él mismo tuvo en el camino a Damasco. Tenemos como un pequeño credo, que apunta el tema de su carta: la construcción de la comunidad. Pablo anima a los corintios a estar firmes en este credo fundamental.

Pablo recibió la fe fundamental por tradición. Él repite los puntos de esta tradición. Primero, un hecho: la muerte del Señor. Que esta muerte fue redentora, lo sella con las Escrituras. Otro punto, la sepultura; y luego el fundamental: la resurrección. Acompaña esta afirmación con el sello de las Escrituras. Sigue una hilera de testimonios, colocando el suyo al final. Lo entiende como una gracia. Al final hay una afirmación fuerte: esto es el centro de lo que todos los testigos privilegiados creen y predican.

Como antes, ahora se pasa o se quiere pasar de lado, la resurrección. Nuestro

Aquí Pablo habla en primera persona. Su testimonio es crucial para su ministerio de predicador. Muestra el agradecimiento profundo de Pablo por la gracia recibida. Tú participas de esa gracia en el apostolado, junto con la asamblea misionera.

Más tarde se le apareció **a Santiago**
    y luego **a todos** los apóstoles.

Finalmente, se me apareció **también a mí**,
    que soy como un aborto.
Porque **yo perseguí** a la Iglesia de Dios
    y por eso soy el **último** de los apóstoles
    e **indigno** de llamarme apóstol.
Sin embargo, por la gracia de Dios, **soy** lo que soy,
    y su gracia no ha sido **estéril** en mí;
    al contrario, he trabajado **más** que todos ellos,
    aunque no he sido **yo**,
    sino la **gracia** de Dios, que está **conmigo**.
De **cualquier** manera, sea yo, sean ellos,
    esto es lo que nosotros **predicamos**
    y **esto mismo** lo que ustedes **han creído**.

Versión corta: 1 Corintios 15:3–8, 11

EVANGELIO   Lucas 5:1–11

Lectura del santo Evangelio según san Lucas

Acomódate espiritualmente en el lugar pintado por el evangelio. Visualiza la descripción y alarga la línea que traza a Jesús enseñando.

En aquel tiempo,
    Jesús estaba a orillas del lago de Genesaret
    y la gente **se agolpaba** en torno suyo
    para **oír** la palabra de Dios.
Jesús vio **dos barcas** que estaban junto a la orilla.
Los pescadores habían desembarcado
    y estaban **lavando** las redes.
Subió Jesús a una de las barcas, la de **Simón**,
    le pidió que la alejara un poco de tierra,
    y sentado en la barca, **enseñaba** a la multitud.

mundo se interesa por el "ahora". La duración del tiempo, el antes y después, le tienen sin cuidado. De aquí que ante la muerte se encuentre el hombre moderno sin respuestas y anonadado. La pregunta siempre le brinca encima: ¿cuál es el sentido de vivir? Hay que ir tras lo duradero, lo que hace valer la vida nueva, lo que nos hace testigos de esa vida.

EVANGELIO En la lectura tenemos dos cuadros. En el primero,

Jesús desde la barca enseña a la muchedumbre que está a la orilla del lago (5:1–3); en el segundo, aguas adentro, oímos la pesca milagrosa y sus consecuencias (5:4–11).

Por primera vez en el evangelio, Jesús enseña a la muchedumbre fuera de una sinagoga. San Lucas compone una especie de teatro natural, junto al lago. La gente se halla en tierra, pero a un nivel por encima de la barca. Jesús sobre las aguas, sentado en la barca de Pedro. Los pescadores que han

terminado su faena nocturna, limpian sus redes antes de volver a casa.

En la estampa de la pesca milagrosa, Jesús se nos muestra como un auténtico jefe o señor. Lucas usa *epistates* donde los otros escriben *didaskalos* (maestro); *epistates* significa 'superior', alguien situado socialmente por encima. Simón se dirige a Jesús como "Señor" y le obedece, incluso contra su propia experiencia en las artes de pesca, pues Simón Pedro le ha dejado un resquicio a la palabra. Y por allí entra Dios.

Busca renovar la viveza de la lectura al pronunciar el diálogo de Jesús con Pedro.

Cuando acabó de hablar, dijo a Simón:
"**Lleva** la barca mar adentro y **echen** sus redes para pescar".
Simón **replicó**:
"**Maestro**, hemos trabajado **toda** la noche
y no hemos pescado **nada**; pero, **confiado** en tu palabra,
echaré las redes".
Así lo hizo y cogieron **tal cantidad** de pescados,
que las redes **se rompían**.
Entonces **hicieron señas** a sus compañeros,
que estaban en la **otra** barca,
para que vinieran a ayudarlos.
Vinieron ellos y **llenaron** tanto las dos **barcas**,
que casi se **hundían**.

Es un momento maravilloso. Deja que lo inesperado irrumpa en tu voz.

Al ver esto,
Simón Pedro se **arrojó a** los pies **de Jesús** y le dijo:
"¡**Apártate** de mí, Señor, porque soy un **pecador**!"
Porque tanto él como sus **compañeros**
estaban llenos de **asombro** al ver la **pesca**
que habían **conseguido**.
Lo **mismo** les pasaba a **Santiago** y a **Juan**,
hijos de **Zebedeo**, que eran **compañeros** de Simón.

El cuadro es dramático: la santidad de Jesús lo hace inalcanzable para nosotros, pecadores. Su llamado a trabajar para su reino es lo que nos redime. Deben sonar a resolución alegre las últimas líneas.

Entonces Jesús **le dijo** a Simón:
"No temas; desde ahora serás **pescador de hombres**".
Luego **llevaron** las barcas a tierra,
y **dejándolo** todo, lo **siguieron**.

Jesús se revela a Simón y a sus compañeros en su palabra. Para las personas del mundo de Jesús y de Pedro, la palabra de una persona vale mucho, pues en ella se expresa su propia identidad, lo que es. Jesús le solicita a Simón y a sus compañeros algo extra, y ellos ponen su esperanza en esa brizna de luz, en el resquicio de esperanza por donde irrumpe lo inesperado. Entonces sucede la teofanía; la palabra del Señor hace evidente el trabajo de Dios por los menesterosos. Entienden que esa palabra tiene peso porque Dios, ¿quién más?, la avala. Y ante la presencia del Dios santo, el hombre se mira pecador e indigno, como antes Isaías. Es una teofanía que ocurre en lo cotidiano, en el quehacer de cada día.

La revelación de Dios en Jesús, sin embargo, no es para empequeñecer y apabullar sino para infundir seguridad y confianza. Por eso, llega otra transformación. El arrodillado Simón, asombrado, está en condiciones de hacerse pescador por la misma palabra de Jesús y hacerlo su Señor.

Esa palabra le transforma su experiencia cotidiana, de pecador en pescador; ambas condiciones ya la las tenía, pero la palabra del Señor les dará una nueva dimensión.

MIÉRCOLES DE CENIZA

Con la voz del profeta, invita a la congregación a volverse a Dios. Exhorta sin falsa piedad, pero sin autoritarismos.

Este párrafo cifra su esperanza en la compasión de Dios que mira las muestras de conversión. Dale un tono de esperanza a estas palabras.

Al ayuno general sigue el de grupos particulares. Haz la súplica de los sacerdotes con auténtica devoción.

I LECTURA   Joel 2:12–18

Lectura del libro del profeta Joel

Esto dice el Señor:
   "**Todavía** es tiempo.
   Vuélvanse a mí de todo corazón,
   con ayunos, con **lágrimas** y llanto;
   enluten su corazón **y no** sus vestidos.

Vuélvanse al Señor Dios nuestro,
   porque es compasivo y **misericordioso,**
   lento a la cólera, rico en clemencia,
   y **se conmueve** ante la desgracia.

Quizá se arrepienta, **se compadezca** de nosotros
   y nos deje **una bendición,**
   que haga posibles las ofrendas y libaciones
   al Señor, nuestro Dios.

Toquen la trompeta en Sión, **promulguen** un ayuno,
   convoquen la asamblea, reúnan al pueblo,
   santifiquen la reunión, junten a los ancianos,
   convoquen a los niños, aun a los niños de pecho.
Que el recién casado **deje su alcoba**
   y su tálamo la recién casada.

I LECTURA La Cuaresma es un tiempo propicio para reflexionar sobre nuestra condición de bautizados y nuestra filiación divina.

El profeta Joel vivió probablemente en el siglo V a.C. Algunos profetas anunciaban al pueblo un futuro mejor, aunque éste no llegaba. Joel, por su lado, anuncia esperanza ante el terrible desastre que azotaba el país: la langosta. Él invita a una conversión interna, a una liturgia penitencial, a un día de penitencia y ayuno. Todos deben participar: niños, viejos, recién casados, sacerdotes.

La conversión debe ser colectiva. Dios responderá poniendo fin al flagelo.

Siempre hay un peligro cultual: el formalismo ritual, al que estamos tan acostumbrados, como cuando tomamos simplemente la ceniza. Por eso, advierte el profeta: "Rasguen los corazones y no los vestidos". Hay que tomar acciones concretas, como símbolo del cambio interno que traerá los externos y las soluciones que se necesitan.

El arrepentimiento es algo del "corazón". En el mundo hebreo el corazón es la sede del conocimiento, de la voluntad, de la intención del hombre. Es el lugar donde decidimos sobre el bien o el mal. Entre nosotros, el lugar del sentimiento en hebreo se expresa por "vísceras". Por esto la cuestión del arrepentimiento, del cambio de corazón, se refiere a algo interno, donde el sentimiento no entra para nada o no debe entrar.

II LECTURA Pablo tiene dificultades con un grupo de corintios, que se ha dejado seducir por la enseñanza de unos judeocristianos que ponían en duda lo que Pablo predicaba. No sabemos si lo hacían con buena intención o mala; lo cierto es que estaban equivocados, no habían

Entre el vestíbulo y el altar **lloren** los sacerdotes,
    ministros del Señor, diciendo:
      '**Perdona**, Señor, **perdona** a tu pueblo.
No entregues tu heredad **a la burla** de las naciones.
Que no digan los paganos: ¿**Dónde está** el Dios de Israel?' "
Y el Señor **se llenó** de celo por su tierra
    y **tuvo piedad** de su pueblo.

El Señor perdonó a su pueblo. Las dos líneas finales debes separarlas un tanto de lo anterior, porque es el resultado obtenido con la penitencia.

Para meditar

SALMO RESPONSORIAL Salmo 51:3–4, 5–6a, 12–13, 14, 17

R. Misericordia, Señor, hemos pecado.

Por tu inmensa compasión y misericordia,
Señor, apiádate de mí y olvida mis ofensas.
Lávame bien de todos mis delitos
y purifícame de mis pecados. R.

Puesto que reconozco mis culpas,
tengo siempre presentes mis pecados.
Contra ti solo pequé, Señor,
haciendo lo que a tus ojos era malo. R.

Crea en mí, Señor, un corazón puro,
un espíritu nuevo para cumplir tus
    mandamientos.
No me arrojes, Señor, lejos de ti,
ni retires de mí tu santo espíritu. R.

Devuélveme tu salvación, que regocija,
y mantén en mí un alma generosa.
Señor, abre mis labios
y cantará mi boca tu alabanza. R.

II LECTURA   2 Corintios 5:20—6:2

Lectura de la segunda carta del apóstol san Pablo a los Corintios

Hermanos:
    Somos **embajadores** de Cristo,
    y por nuestro medio, es **Dios mismo** el que los exhorta
      a ustedes.
En **nombre** de Cristo les pedimos que se **reconcilien** con Dios.
Al que **nunca** cometió pecado,
    Dios lo hizo "**pecado**" por nosotros,
    para que, **unidos a él,** recibamos la salvación de Dios
    y nos volvamos **justos** y santos.

La lectura es una meditación profunda que invita a la reconciliación. Es Pablo quien suplica a los cristianos que actúen conforme a su identidad de santos y justos.

---

entendido correctamente la Buena Noticia. Esta gente ponía en entredicho ante la comunidad la autoridad apostólica de Pablo. Para el apóstol era importantísimo ser aceptado como depositario de la Buena Noticia auténtica, de otra manera, no tenía razón de ser su dedicación al Evangelio. Por esto, en el centro de esta misma carta (2:14–7:4), Pablo defiende su oficio apostólico, recibido del Señor Jesús.

Pablo se entiende como "ministro de la reconciliación" (2 Cor 5:18); él está al servicio de Otro, con quien los hombres se deben unir, no con Pablo. Claro, Dios dejó su mensaje en manos frágiles, pero detrás está él. No es el hombre quien va a ejecutar ritos o acciones para reconciliarse con Dios, sino que simplemente va a dejar que Dios sea el que lo reconcilie.

La reconciliación es un acto creativo que forja de nuevo a una creatura frágil y víctima del pecado. No queda sino abrirse a Dios y no andar buscando en nosotros lo que no poseemos. Ahora, dice la Iglesia en Cuaresma, es el tiempo oportuno. La comunidad eclesial se propone como símbolo de la obra reconciliadora de Dios. Es instrumento para que Dios obre en el pecador, reconciliándolo con él.

Pablo llama a la urgencia por el tiempo que tiene un especial significado al principio de la Cuaresma. Invita a la reconciliación, es decir, a llegar a su modalidad eclesial de la confesión o penitencia sacramental. Como la ceniza, que antes se empleaba haciéndola hervir con la ropa sucia para limpiar a ésta, queda como signo de lo que Dios hará con nosotros, limpiándonos del pecado.

Subraya el "hoy" de las palabras de las Escrituras. Dales un sentido de urgencia inaplazable.

Como **colaboradores** que somos de Dios,
    los exhortamos a **no echar** su gracia en saco roto.
Porque el Señor dice:
    En el tiempo favorable te escuché
    y en el día de la salvación te socorrí.
Pues bien,
    ahora es el tiempo favorable;
    ahora es el día de la salvación.

EVANGELIO   Mateo 6:1–6, 16–18

Lectura del santo Evangelio según san Mateo

En aquel tiempo, Jesús dijo a sus discípulos:
    "Tengan cuidado de **no practicar** sus obras de piedad
    delante de los hombres para que **los vean.**
De lo contrario, **no tendrán** recompensa con su Padre celestial.

Por lo tanto, cuando des limosna,
    no lo anuncies con trompeta,
    como hacen **los hipócritas** en las sinagogas y por las calles,
    para que los **alaben** los hombres.
Yo les **aseguro** que **ya recibieron** su recompensa.
Tú, **en cambio,** cuando des limosna,
    que **no sepa** tu mano izquierda **lo que hace** la derecha,
    para que tu limosna quede **en secreto;**
    y tu Padre, que **ve** lo secreto, **te recompensará.**

La piedad es interna más que externa. Su recompensa es el perdón. Deja caer casi sentenciosamente la consecuencia de no interiorizar las obras de piedad.

Señala el contraste entre los hipócritas y "ustedes". Repite con convicción que el Padre depara una recompensa a sus fieles.

EVANGELIO En esta parte del Sermón del Monte, el Señor nos llama a ejercitar una justicia "superior a la de los escribas y fariseos". Esto significa que el cristiano debe ser más entregado a Dios que la gente piadosa y observante y que los mismos académicos de la Ley.

Jesús hace hincapié en las prácticas consabidas de la justicia: ayuno, oración y limosna, deberes de piedad. La justicia aquí equivale a la santidad o piedad que Dios demanda de sus fieles para que puedan vivir en la tierra en armonía con el Cielo. Jesús recalca la verdadera motivación para que su discípulo ejecute esas obras de piedad.

La piedad era una de las cualidades más apreciadas por la gente en aquellas sociedades que san Mato conocía bien. Era una virtud cardinal, con la que se medía la grandeza de los ciudadanos. El bienestar y la paz de una ciudad eran la recompensa que otorgaban los dioses por haber cumplido los distintos deberes con ellos. La impiedad era reprobada filosófica y socialmente. Un buen ciudadano debía ser piadoso y reverente. Para la comunidad judía, esa virtud se traduce como "justicia" o santidad.

El primer camino de santidad que Jesús enumera aquí es el de la limosna, dar dinero al que nada tiene. En un medio donde la pobreza y la miseria crecen a ojos vistas, la limosna es para el cristiano una obligación de solidaridad; el camino para encontrar a Dios. La palabra nuestra "limosna" viene de la griega *eleemosyne*, derivada de "compasión". El discípulo de Jesús se santifica siendo solidario, compasivo, humanitario. Pero la limosna debe ser oculta, hecha ante Dios, el que mira el corazón humano, no ante los hombres. Esta conducta secreta es también

Cuando ustedes hagan oración,
   no sean como los hipócritas,
   a quienes **les gusta** orar de pie
   en las sinagogas y en **las esquinas** de las plazas,
   para que **los vea** la gente.
Yo les **aseguro** que **ya recibieron** su recompensa.
Tú, **en cambio,** cuando vayas a orar,
   entra en tu cuarto, **cierra** la puerta y ora ante tu Padre,
   que está **allí,** en lo **secreto;**
   y **tu Padre,** que **ve** lo secreto, te **recompensará.**

Cuando ustedes ayunen, **no pongan** cara triste,
   como esos **hipócritas** que **descuidan** la apariencia de su rostro,
   para que la gente **note** que están **ayunando.**
Yo **les aseguro** que **ya recibieron** su recompensa.
Tú, en cambio, cuando ayunes,
   perfúmate la cabeza y **lávate** la cara,
   para que **no sepa** la gente que estás ayunando,
   sino **tu Padre,** que está en lo secreto;
   y tu Padre, **que ve** lo secreto, te **recompensará".**

Esta parte final es como prepararse a una fiesta. Dila con cierta premura, como ansiando que llegue el momento de la recompensa.

un modo de imitar a Dios, pues él recompensará secretamente a su fiel.

La oración que distingue a los seguidores de Jesús va también por el riel del secreto. Se usaba orar en voz alta y en lugares públicos, plazas y templos. Jesús no reprueba la liturgia ni la piedad, sino ese gusto por evidenciar la piedad personal. No se habla aquí de la oración comunitaria ni del grupo, que también se presta a la hipocresía, sino de la individual. La oración es el camino para el encuentro del hombre con Dios, sea pública, la liturgia, o sea privada, rezo individual. Ese encuentro, como la limosna, es

sacro por la presencia de Dios, y no es lícito profanarlo con intenciones torcidas ni abusarlo para ganar "gracia" ante los demás.

Ayunar, privarse de comer y beber, y de todo placer corporal, es indicio de duelo y expiación por los propios pecados o las desgracias nacionales, pero el ayuno también dispone a recibir revelaciones particulares. Eran numerosos los días de ayuno obligatorio y devocional, pero éstos fueron restringidos a dos, lunes y jueves. En tales días estaba prohibido bañarse, perfumarse, usar calzado de piel y las relaciones conyugales. El fiel ayuna para "humillar el alma"

ante Dios. Pero Jesús recomienda a su discípulo hacer invisibles los signos de humillación, para favorecer el contacto personal e interior con Dios.

La Iglesia recomienda retomar las prácticas tradicionales de santidad durante esta Cuaresma, no para martirizarnos, sino para intensificar nuestra experiencia de Dios.

I DOMINGO DE CUARESMA

El rito de las primicias tiene una estructura muy simple. Hay que enfatizar los momentos de la profesión de fe hecha por el fiel.

Habla en primera persona. Haz esta parte sintiéndote protagonista junto con el fiel que ha experimentado la liberación del Señor. Llénate de agradecimiento y convicción.

Enfatiza esa frase de "Entonces clamamos . . . ". Cámbiale el ritmo a la lectura para hacer más evidente la obra liberadora del Señor.

I LECTURA   Deuteronomio 26:4–10

Lectura del libro del Deuteronomio

En aquel tiempo, dijo Moisés al pueblo:
   "Cuando presentes **las primicias** de tus cosechas,
   el sacerdote **tomará** el cesto de tus manos
   y lo pondrá **ante el altar** del Señor, tu Dios.
Entonces tú dirás **estas palabras** ante el Señor, tu Dios:

   'Mi **padre** fue un arameo errante, que bajó a Egipto
   y se estableció **allí** con muy pocas personas;
   pero luego **creció**
   hasta convertirse en una **gran nación**, potente y **numerosa**.

Los egipcios nos **maltrataron**, nos oprimieron
   y nos **impusieron** una dura esclavitud.
Entonces **clamamos** al Señor, Dios **de nuestros padres**,
   y el Señor **escuchó** nuestra voz,
   miró nuestra humillación, nuestros trabajos y nuestra angustia.
El Señor **nos sacó** de Egipto con mano **poderosa** y brazo
      protector,
   con un terror **muy** grande, entre señales y **portentos**;
   nos trajo a **este país** y nos dio **esta tierra**,
      que mana leche y miel.
Por eso ahora yo traigo aquí **las primicias** de la tierra
   que **tú**, Señor, me has dado'.

Una vez que hayas dejado tus primicias ante el Señor,
   te **postrarás** ante él para adorarlo".

I LECTURA Con este capítulo se cierra el Código deuteronómico (Dt 12–26), donde se legisla sobre el rito de las primicias (26:1–11) y sobre el reparto del diezmo trianual (26:12–15). La lectura tse refiere a la ceremonia para ofrecer las primicias.

Se suponía que, por ser Dios el dueño de la tierra, lo primero que producía ésta, le pertenecía a él. Tenía la ceremonia tres partes: invitación o advocación del sacerdote (v. 4), solemne profesión de fe del oferente (vv. 5–9) y entrega de las primicias (v. 10).

El sacerdote recibe el canasto del oferente y lo pone ante el altar, signo de la presencia divina. Entonces el oferente hacía confesión de fe; recitaba las proezas de Dios en favor de su pueblo. Es una recitación teológica. Cada israelita se siente dentro de una cadena de creyentes que han hecho suyos los hechos salvíficos de Dios y los transmite a la generación siguiente para que se los apropie.

Se notan cuatro momentos fundamentales: la llamada de Abrahán nómada, la experiencia de la esclavitud en Egipto, la liberación de Dios, sacando a los hebreos de Egipto, la donación de la tierra. Estos cuatro actos divinos forman el núcleo del credo de Israel. Cada vez que un hebreo, o el pueblo, celebre algo festivo o sufra una catástrofe, repetirá este credo, que recordará que su Dios fundamentalmente es un Dios gracioso. Este primado de Dios se reconoce aquí en el rito de las primicias, visiblemente, al postrarse el oferente delante del altar.

No es el hombre el que conduce la vida del pueblo elegido, es Dios quien lo lleva por lugares que a veces le pueden parecer al pueblo escabrosos, pero donde siempre lleva Dios una intención y una finalidad: la vida.

Para meditar

SALMO RESPONSORIAL   Salmo 91:1–2, 10–11, 12–13, 14–15

R. Está conmigo, Señor, en la tribulación.

Tú que habitas al amparo del Altísimo,
   que vives a la sombra del Omnipotente,
   di al Señor: "Refugio mío, alcázar mío,

Dios mío, confío en Ti". R.
No se acercará la desgracia,
   ni la plaga llegará hasta tu tienda,
   porque a sus ángeles ha dado órdenes
   para que te guarden en tus caminos. R.

Te llevará en sus palmas,
   para que tu pie no tropiece en la piedra;
   caminarás sobre áspides y víboras,
   pisotearás leones y dragones. R.

"Se puso junto a mí: lo libraré;
   lo protegeré porque conoce mi nombre,
   me invocará y lo escucharé.
Con él estaré en la tribulación,
   lo defenderé, lo glorificaré". R.

II LECTURA   Romanos 10:8–13

Lectura de la carta del apóstol san Pablo a los Romanos

La salvación de Dios está a la mano. Comunica a la asamblea su proximidad y que no pueden dejar ir la oportunidad de la fe en Cristo Jesús.

Hermanos:
La Escritura **afirma**:
   Muy a tu alcance, en tu boca y en tu corazón,
   se encuentra la salvación,
   esto es, el asunto de la fe que predicamos.
Porque **basta** que cada uno **declare** con su boca
   que Jesús es **el Señor** y que **crea** en su corazón
   que Dios **lo resucitó** de entre los muertos,
   para que **pueda** salvarse.

El nervio de la fe cristiana es creer y confesar. Esto debes certificarlo en tu lectura.

En efecto, hay que **creer** con el corazón
   para **alcanzar** la santidad y **declarar** con la boca
   para alcanzar **la salvación**.
Por eso dice la Escritura:
   Ninguno que crea en él quedará defraudado,
   porque **no existe** diferencia entre judío y no judío,
   ya que uno mismo es el Señor **de todos**,
   espléndido **con todos** los que lo invocan,
   pues *todo el que invoque al Señor como a su Dios,*
   será salvado por él.

II LECTURA En los capítulos 9-11 de la Carta a los Romanos, Pablo trata el gravísimo problema de la relación del pueblo judío con Jesús. Aborda el problema, para él tan doloroso, de por qué su pueblo en masa no aceptó a Jesús. Pablo habla de la elección de Israel por puro amor de Dios y al final dirá que Dios no ha rechazado a su pueblo. Habla de que paganos y judíos tienen al mismo Señor. Alude a una frase del Deuteronomio, que interpreta con mucha libertad, refiriéndola a Cristo. Aquella palabra para Pablo "es la palabra que predicamos". Transforma la palabra de Dios – la

Ley del AT – en el evangelio anunciado por él. El contenido de la Buena Noticia es Jesucristo, causa de nuestra salvación: "Porque si confiesas con la boca que Jesús es el Señor, si crees de corazón que Dios lo resucitó de la muerte, te salvarás" (v. 9).

Pablo se refiere a la fe que justifica, que hace agradable al hombre a Dios. La fe cristiana es considerada internamente, adhesión interior, y también como proclamación pública. Su contenido es el señorío de Cristo y posee una eficacia salvífica, para judíos y paganos por igual: "Todo el que invoque el nombre del Señor se salvará" (v. 13).

Por la fe el hombre se convierte en familiar de Dios. Por la fe llega el hombre a participar de la intimidad de Dios. En esto está la máxima grandeza del hombre. Su dignidad está en ser hijo de Dios y no debe andar buscando el hombre su grandeza en otros lados. La palabra de Dios, aceptada en la fe, conduce al hombre a la gloria y le proporciona un futuro divino.

EVANGELIO   Lucas 4:1–13

Lectura del santo Evangelio según san Lucas

En aquel tiempo,
    Jesús, **lleno** del Espíritu Santo, regresó del Jordán
    y conducido por **el mismo** Espíritu,
    se **internó** en el desierto,
    donde permaneció durante **cuarenta** días
    y fue **tentado** por el demonio.

No comió **nada** en aquellos días, y cuando se completaron,
        sintió **hambre**.
Entonces el diablo le dijo:
    "Si eres el Hijo de Dios, **dile** a esta piedra
        que se **convierta** en pan".
Jesús le contestó:
    "**Está** escrito: *No sólo de pan vive el hombre*".

Después lo llevó el diablo a un monte **elevado** y en un instante
    le hizo ver **todos** los reinos de la tierra y le dijo:
    "A **mí** me ha sido entregado
    todo el poder y la gloria de estos reinos,
    y yo los doy **a quien quiero**.
    Todo esto será **tuyo**, si te arrodillas y me **adoras**".
Jesús le respondió:
    "**Está** escrito: *Adorarás al Señor, tu Dios, y a él sólo servirás*".

Entonces lo llevó a Jerusalén,
    lo puso en la parte **más** alta del templo y le dijo:
    "Si eres el Hijo de Dios, **arrójate** desde aquí,
    porque **está** escrito:
    Los ángeles del Señor tienen órdenes de cuidarte
    y de sostenerte en sus manos,
    para que tus pies no tropiecen con las piedras".

Siéntete solidario con Jesús, llevado por el Espíritu y fortalecido con él. Pronuncia distintivamente las palabras de las Escrituras.

Estimula con cada pregunta a la asamblea para que se solidarice internamente con Jesús.

Es la tentación culminante, la que expresa toda la confianza de Jesús en Dios. Esta contundencia muéstrala también en la firmeza de tu voz y tu lenguaje corporal.

EVANGELIO   Los cuarenta años del caminar del pueblo de Israel por el desierto, poblado de tentaciones y caídas, tuvieron una función pedagógica, la de aprender a obedecer los mandamientos de Dios. En el desierto, Dios enseñó a caminar a su primogénito con la Ley. Ahora, las tentaciones de Jesús muestran su fidelidad a la Ley de Dios sobre todas las cosas.

La tentación de la autosuficiencia muestra un juego de asociaciones con el maná del desierto. Los sabios enseñaban que Dios le dio a su hijo, el pueblo de Israel, no sólo el pan (maná), sino su palabra, la ley,

escrita en piedras para sostenerlo siempre. Esa palabra en piedra orienta la vida del que es fiel a Dios y se porta como su hijo. Jesús se guía con esa palabra, y con esto muestra su filiación más profunda.

La segunda tentación desnuda el poder de los "señores del mundo". Los que detentan el poder y la gloria del mundo han pagado un precio al Diablo. El señorío del Mesías, sin embargo, tiene otro origen. También el pueblo mesiánico detenta una autoridad que viene sólo de Dios, al único que hay que adorar.

La tercera de las tentaciones pone en duda la verdad de las palabras de un salmo de las Escrituras que asegura la protección de Dios a su fiel. Este salmo se recita en la oración de la tarde y para alejar los demonios. El Mesías está seguro de que Dios le asiste en todo momento, y aleja al demonio con palabras de la Ley.

Pero Jesús le respondió:

"También está escrito: *No tentarás al Señor, tu Dios*".

Concluidas las tentaciones, el diablo se retiró de él, hasta que llegara la hora.

El relato de las tentaciones perfila a contraluz, la imagen de Dios proclamada por Jesús. No es un *deus ex machina*, como alguien que con su varita mágica remedia cada carencia nuestra. El Dios de Jesús alimenta a su pueblo con su palabra, le otorga soberanía y lo custodia en todo momento.

II DOMINGO DE CUARESMA

Es una lectura maravillosa. Déjate envolver por la fascinación de la fe y del Dios de la vida. Disponte a compartir esto con la comunidad de fe.

Hazle un espacio a la frase de la fe de Abram. Respira, luego prosigue.

I LECTURA   Génesis 15:5–12, 17–18

Lectura del libro del Génesis

En aquellos días, Dios **sacó** a Abram de su casa y le dijo:
  "**Mira** el cielo y **cuenta** las estrellas, si puedes".
Luego **añadió**: "Así **será** tu descendencia".

Abram **creyó** lo que el Señor le decía
  y, por **esa fe**, el Señor lo tuvo **por justo**.
Entonces le dijo: "**Yo soy** el Señor, el que **te sacó** de Ur,
  ciudad de los caldeos, para **entregarte** en posesión **esta tierra**".
  Abram **replicó**: "Señor Dios, ¿**cómo** sabré que voy a poseerla?"
Dios le dijo:
  "**Tráeme** una ternera, una cabra y un carnero,
    todos **de tres años**; una tórtola y un pichón".

Tomó Abram aquellos animales, los partió **por la mitad**
  y puso las mitades una **enfrente** de la otra,
    pero **no partió** las aves.
Pronto comenzaron los buitres a **descender** sobre los cadáveres
  y Abram los **ahuyentaba**.

Estando ya para ponerse el sol,
  Abram cayó en un **profundo** letargo,
  y un **terror** intenso y misterioso se **apoderó** de él.
Cuando se puso el sol, hubo **densa** oscuridad
  y sucedió que un brasero **humeante** y una antorcha **encendida**,
    pasaron por entre aquellos animales partidos.

Dios sella la alianza con la antorcha. Baja la velocidad en este párrafo.

| I LECTURA | El relato empieza con una promesa de descendencia, tan inmensa como las estrellas, a un anciano Abrahán, y a una estéril, su mujer. Abrahán cree, se apoya en el Señor. Pero enseguida empieza Abrahán a dudar. Pregunta por las anteriores promesas (Gen 12:1s; 13:14s). Pide una señal, lo que era legítimo con el contexto del Antiguo Testamento. El signo dado por Dios tiene una fuerza y espectacularidad admirable, llena de significado, en la que claramente le queda a Abrahán la seguridad de que el Señor se compromete con él a cumplirle cuanto le había prometido.

El rito del juramento era normal en el mundo de Abrahán. Iba el juramento no sólo acompañado de palabras, sino también de hechos, en concreto, de una comida ritual. Se cortaba un animal en dos y el que hacía el juramento pasaba por en medio del animal partido, significando que así les iría a los participantes si no cumplían con lo jurado. Lo raro aquí está en que se cortan tres animales. Las aves rapaces son alejadas. Abrahán enseguida se encuentra adormecido, pues Dios no puede ser visto por un mortal. La acción del Señor por medio de horno humeante y la antorcha de fuego, que pasa por en medio de los animales partidos, es la parte del compromiso divino. Hay que notar que Abrahán no pasa por en medio de los animales. No se trata propiamente de una alianza entre dos, con compromisos idénticos, sino sólo de una promesa y compromiso de Dios. Es pura gracia.

De **esta** manera hizo el Señor, aquel día,
una alianza con Abram, diciendo:

"A tus descendientes doy **esta tierra**,
desde el río de Egipto
hasta el gran río Eufrates".

Para meditar

SALMO RESPONSORIAL   Salmo 27:1, 7–8a, 8b–9abc, 13–14

R. El Señor es mi luz y mi salvación.

El Señor es mi luz y mi salvación,
  ¿a quién temeré?
El Señor es la defensa de mi vida,
  ¿quién me hará temblar? R.

Escúchame, Señor, que te llamo;
  ten piedad, respóndeme.
Oigo en mi corazón:
  "Busca mi rostro". R.

Tu rostro buscaré, Señor,
  no me escondas tu rostro.
No rechaces con ira a tu siervo,
  que tú eres mi auxilio. R.

Espero gozar de la dicha del Señor
  en el país de la vida.
Espera en el Señor, sé valiente,
  ten ánimo, espera en el Señor. R.

II LECTURA   Filipenses 3:17 — 4:1

Lectura de la carta del apóstol san Pablo a los Filipenses

Hermanos:
Sean todos ustedes **imitadores** míos
  y **observen** la conducta de aquellos
  que **siguen** el ejemplo que les he dado **a ustedes**.
  Porque, como **muchas** veces se lo he dicho a ustedes,
  y **ahora** se lo repito llorando,
  hay **muchos** que viven como **enemigos** de la cruz de Cristo.
Esos tales acabarán en **la perdición**, porque su dios **es el vientre**,
  se enorgullecen de lo que **deberían** avergonzarse
  y **sólo** piensan en cosas **de la tierra**.

Esta lectura requiere de mucha autenticidad. Proclámala con mucha humildad; la cruz de Cristo nos hermana.

Esa manera de proceder del Señor es la misma que emplea Jesús, entregándose por nosotros a la muerte, cuando éramos sus enemigos. Dios está por nosotros, sin exigirnos nada a cambio para podernos amar. Una reflexión que nos puede llevar a un arrepentimiento sincero en esta preparación de la Cuaresma.

II LECTURA Pablo siente necesidad de hablar de ciertos hermanos cristianos que predican un evangelio donde no entra la cruz ni la muerte de Jesús y sólo resaltan su poder de maestro y de curan-

dero u obrador de milagros. Claro, esto provoca que en su vida el cristiano no se vaya a encontrar con la persecución y el dolor que provoca seguir al Señor, como él había exigido. Pablo exige una coherencia con el mensaje y la manera de vivir de él. Les ha dado ejemplo patente cuando estuvo viviendo entre ellos.

El Apóstol nota que hay judeocristianos en la comunidad. Predican que el que acepta a Jesús, debe hacerse judío, por lo tanto, obligarse a la circuncisión y a las prácticas judías. Pablo ha predicado otra cosa.

El centro de la predicación de Pablo fue siempre Jesucristo, crucificado y resucitado. Los herejes se muestran como "enemigos de la cruz de Cristo" (v. 18). Estos judaizantes quieren expulsar la cruz, que les molesta tanto y concentrarse en la doctrina. Convierten a Jesús en un maestro, como tantos que por entonces enseñaban en las sinagogas. Pablo los califica de "enemigos" y les depara un final terrible: "Su final es la perdición", pues sólo se preocupan de las cosas terrenas: "su dios es el vientre, se enorgullecen de lo que deberían avergonzarse y sólo piensan en cosas de la tierra" (v. 19).

Ve elevando tu tono conforme avanzas en este párrafo. Es un trozo muy poderoso.

Nosotros, en cambio, somos **ciudadanos** del cielo,
    de donde **esperamos** que venga nuestro salvador, **Jesucristo**.
Él **transformará** nuestro cuerpo miserable
    en un cuerpo **glorioso**, **semejante** al suyo,
    en virtud del poder que tiene para **someter** a su dominio
    todas las cosas.

Este exhorto hazlo con verdadera convicción.

Hermanos **míos**, a quienes **tanto** quiero y extraño:
    ustedes, hermanos míos **amadísimos**,
    que son mi **alegría** y mi corona, **manténganse** fieles al Señor.

Versión corta: Filipenses 3:20—4:1

EVANGELIO   Lucas 9:28–36

Lectura del santo Evangelio según san Lucas

Dios nos transforma en la oración y por la escucha de su palabra. Anúnciala con poder, pero con su propia autoridad.

En aquel tiempo,
    Jesús se hizo **acompañar** de Pedro, Santiago y Juan,
    y **subió** a un monte para hacer oración.
Mientras oraba, su rostro **cambió** de aspecto
    y sus vestiduras se hicieron blancas y **relampagueantes**.
De pronto aparecieron conversando con él dos personajes,
    rodeados de **esplendor**: eran **Moisés** y **Elías**.
Y hablaban de la muerte que le esperaba **en Jerusalén**.

Muestra cierto asombro al relatar la gloria de Dios. Vuélvete testigo. Deja que te envuelva, lo mismo que a toda la asamblea.

Pedro y sus compañeros estaban **rendidos** de sueño;
    pero, **despertándose**, vieron **la gloria** de Jesús
    y de los que estaban **con él**.
Cuando éstos se retiraban, **Pedro** le dijo a Jesús:
    "**Maestro**, sería bueno que nos quedáramos **aquí**
    y que hiciéramos **tres** chozas:
    una **para ti**, una **para Moisés** y otra **para Elías**",
    sin saber lo que decía.

Al prepararnos para la Pascua, no debemos soslayar este camino señalado por Pablo. No seamos enemigos de la cruz del Señor. Caminemos con la cruz, sabiendo que nos une al Señor. Es tiempo de prepararnos a la Pascua que viene, que es un signo y presagio de la Pascua eterna.

EVANGELIO El relato de la transfiguración de Jesús trata de una revelación recibida por tres de los discípulos más cercanos a él, que serían columnas de la Iglesia primera. Jesús los llevó consigo hasta una montaña donde se puso a orar, y entonces ocurrió la revelación celeste en forma como de visión.

San Lucas marca los momentos más salientes de la vida de Jesús con la oración, del bautismo (3:21) hasta su proceso y las negaciones de Pedro (22:1s). En la oración se revela la presencia gloriosa de Dios, como queda manifiesta en la apariencia de Jesús y en "dos hombres" gloriosos que conversan con él sobre "su salida", que es el tema dominante aquí.

Tanto Moisés como Elías gozaron de privilegiadas epifanías en la montaña, el Sinaí y el Horeb. Ahora gozan de la gloria celeste. De ambos se decía que habían sido elevados o llevados al cielo, y también que de manera distintiva, habrían de marcar los días del Mesías. Esto certifica que Jesús es el Mesías de Israel, cuya "salida estaba por cumplirse en Jerusalén".

Guarda un silencio reverente tras la línea final y antes de la fórmula conclusiva.

No había **terminado** de hablar,
    cuando se formó una nube que **los cubrió**;
  y ellos, al verse **envueltos** por la nube, se llenaron **de miedo**.
De la nube salió **una voz** que decía:
  "**Éste** es mi Hijo, mi escogido; **escúchenlo**".
Cuando **cesó** la voz, se quedó Jesús **solo**.

Los discípulos guardaron **silencio**
  y por entonces no dijeron **a nadie** nada de lo que habían visto.

Conocemos de qué se trata esa salida o "éxodo", como se dice en griego; es su destino doloroso y glorioso. Ese misterioso plan de Dios para su Mesías lo tiene que ir asimilando la comunidad cristiana en oración y en diálogo con toda la Escritura, pero en silencio meditativo. San Lucas nos da una clave para escuchar, o mejor, entender lo que Jesús nos revela de Dios, de su gloria.

III DOMINGO DE CUARESMA (C)

I LECTURA   Éxodo 3:1–8, 13–15

Lectura del libro del Éxodo

Inicia con tono neutro el relato; luego deja ver otras tonalidades en tu voz para que lo inesperado vaya dominando.

En aquellos días,
Moisés **pastoreaba** el rebaño de su suegro, Jetró,
sacerdote de Madián.
En cierta ocasión llevó el rebaño **más allá** del desierto,
hasta el **Horeb**, el monte de Dios,
y el Señor se le apareció en **una llama** que salía de un zarzal.
Moisés observo con **gran** asombro
que la zarza ardía **sin consumirse** y se dijo:
"Voy a ver **de cerca** esa cosa **tan extraña**,
por qué la zarza no se quema".

Pronuncia el repetido nombre de Moisés con suavidad.

Viendo el Señor que Moisés se había desviado **para mirar**,
lo **llamó** desde la zarza:
"¡Moisés, **Moisés!**"
Él respondió: "**Aquí estoy**".
Le dijo Dios: "¡**No** te acerques!
Quítate las sandalias,
porque el lugar que pisas es tierra **sagrada**".
Y añadió: "**Yo soy** el Dios de tus padres, el Dios de Abraham,
el Dios de Isaac y el Dios de Jacob".

Infunde serenidad y confianza a tu voz en la presentación de Dios.

Entonces Moisés se **tapó** la cara,
porque tuvo **miedo** de mirar a Dios.

I LECTURA Moisés es llamado para ser voz y mano del Señor en la liberación de los israelitas oprimidos en Egipto (2:12–25). Su llamado le inicia en una extraordinaria experiencia transformante. Aprenderá lo que es serle fiel y fiel a su pueblo. Experimentará lo que es identificarse con un pueblo necesitado, que no ansía nada sino la muerte para acabar con el tipo de vida que lleva. De Dios aprenderá a ser compasivo y el amor a la libertad, que Dios injertará, con muchas dificultades, a este pueblo.

Dios empezará su gran obra con un hombre derrotado y que ha llegado a lo más bajo: la desconfianza y sentir haber fallado completamente en su vida: el Faraón anda tras de él, los de su raza no confían en él. Sólo le queda el desierto, el silencio y la soledad. Aquí aprenderá la experiencia de los Patriarcas. Será extranjero y trabajará en algo odioso para los egipcios (Gen 46:34). Es un perdedor. Por esto está preparado para que Dios lo llame.

Moisés trae pegada a su pie la curiosidad. Dios se sirve de esto y lo llama desde una zarza ardiente. Dios tiene sus caminos para que el hombre se le acerque. Dios le pide a Moisés que se quite las sandalias. Las sandalias representaban los derechos del hombre, su capacidad de poseer algo (Dt 25:9; Rut 4:7). Quitárselas significaba admitir que ya no tenía nada, que reconocía que el lugar pertenecía a Dios. Este gesto de humildad, de pobreza, es necesario para entrar en relación con Dios.

Dios se revela a Moisés como el Dios de sus padres, y es solidario con su pueblo. Lo sacará de ese infierno y lo llevará a una tierra envidiable. Moisés, en nombre de Dios, realizará esa empresa. Moisés pone

Baja la velocidad en las líneas del sufrimiento del pueblo.

Pero el Señor le dijo:
"**He visto** la opresión de mi pueblo en Egipto,
   he oído sus quejas contra los opresores
   y conozco **bien** sus sufrimientos.
He descendido para **librar** a mi pueblo de la **opresión**
      de los egipcios,
   para **sacarlo** de aquellas tierras
   y **llevarlo** a una tierra buena y espaciosa,
   una tierra que mana **leche y miel**".

Retoma la velocidad normal, pero con un tono dubitativo, como de incertidumbre.

Moisés le dijo a Dios:
"**Está bien**. Me presentaré a los hijos de Israel y **les diré**:
'El Dios de sus padres **me envía** a ustedes';
pero cuando me pregunten **cuál** es su nombre,
¿**qué** les voy a responder?"

Repite la identidad de Dios con voz suave y firme. Tras el envío, baja paulatinamente la velocidad.

Dios le contestó a Moisés: "Mi nombre es **Yo-soy**"; y añadió:
"**Esto** les dirás a los israelitas: 'Yo-soy me envía a ustedes'.
También les dirás: '**El Señor**, el Dios de sus padres,
   el Dios de Abraham, el Dios de Isaac, el Dios de Jacob,
   me envía **a ustedes**'.
Éste es mi nombre **para siempre**.
Con **este** nombre me han de recordar
   de generación en generación."

Para meditar

SALMO RESPONSORIAL   Salmo 103:1–2, 3–4, 6–7, 8 y 11

R. El Señor es compasivo y misericordioso.

Bendice, alma mía, al Señor,
   y todo mi ser a su santo nombre.
   Bendice, alma mía, al Señor,
   y no olvides sus beneficios. R.

Él perdona todas tus culpas
   y cura todas tus enfermedades;
   el rescata tu vida de la fosa,
   y te colma de gracia y de ternura. R.

El Señor hace justicia
   y defiende a todos los oprimidos;
   enseñó sus caminos a Moisés
   y sus hazañas a los hijos de Israel. R.

El Señor es compasivo y misericordioso,
   lento a la ira y rico en clemencia;
   como se levanta el cielo sobre la tierra,
   se levanta su bondad sobre sus fieles. R.

sus objeciones (son cinco). Pide que le dé su nombre y el Señor lo hace, mostrando en ese nombre la dirección que tendrá con su pueblo. Estará actuando en favor de su pueblo. El pueblo le recordará a Dios su vocación, para ser perdonado. Moisés aprenderá con el pueblo que en Dios, más fuerte que la ira o el abandono es la misericordia.

Igual que a Moisés, el Señor nos invita a vaciarnos de nosotros mismos para recibir esa gracia, ese llamado de acercarnos a él, para así poder recorrer una vida que nos lleve a la tierra sin límites de tiempo y espacio.

II LECTURA Los corintios le preguntan a Pablo cómo proceder con los *idolotitos*, es decir, con la carne ofrecida a los ídolos. ¿Se puede comer? Este problema se les presentaba a los cristianos de origen pagano. ¿Cómo vivir su fe en un ambiente que de ninguna manera estaba impregnado de ella?

En la comunidad había gente de procedencia y de estado social muy diferente, lo que causaba graves problemas incluso con Pablo, su fundador. Con todo, aquí se muestra la gran capacidad pedagógica, teológica y pastoral del Apóstol. Él da una solución a

nivel de doctrina: la libertad cristiana hay que mantenerla siempre, pero debe estar condicionada por el amor al prójimo; aquí, por el amor a los más débiles en la fe.

Los corintios, o una parte de ellos, se sentían fuertes en la fe, y en la práctica pensaban que el haber sido bautizados y haber participado del cuerpo del Señor, los convertía en invencibles al mal, que les daba una seguridad absoluta. Más aún, algunos pensaban que, puesto que ya habían sido iluminados por la fe, "todo les era permitido". Creían que lo externo no les dañaba lo

Pablo catequiza para mantener la unidad de la fe en la comunidad. Nada de estridencias. Mantén un tono sosegado.

Este párrafo saca las conclusiones. La piedra de toque es la última línea; refuérzala mirando a la asamblea.

II LECTURA   1 Corintios 10:1–6, 10–12

Lectura de la primera carta del apóstol san Pablo a los Corintios

Hermanos:
No quiero que **olviden**
  que en el **desierto** nuestros padres estuvieron **todos** bajo la nube,
  todos cruzaron el mar Rojo
  y todos se **sometieron** a Moisés,
  por una especie de **bautismo** en la nube y en el mar.
Todos comieron el **mismo** alimento milagroso
  y **todos** bebieron de la **misma** bebida espiritual,
  porque **bebían** de una roca **espiritual** que los acompañaba,
    y la roca **era Cristo**.
Sin embargo, la **mayoría** de ellos **desagradaron** a Dios
  y **murieron** en el desierto.

Todo esto sucedió como **advertencia** para nosotros,
  a fin de que **no** codiciemos cosas malas como **ellos** lo hicieron.
No murmuren ustedes
  como algunos de ellos **murmuraron**
  y **perecieron** a manos del ángel exterminador.
Todas estas cosas les sucedieron a nuestros **antepasados**
  como un ejemplo para **nosotros**
  y fueron puestas en las Escrituras como **advertencia**
  para los que vivimos en los **últimos** tiempos.
Así pues, el que **crea** estar firme, tenga cuidado de **no caer**.

---

interno. Así, no eran coherentes éticamente con el Evangelio.

Cuando el Apóstol alude a eventos principales del éxodo, espera que los corintios reconozcan su propia experiencia. El paso por el mar se presenta como un bautismo y se instaura un paralelo con los cristianos bautizados "en un solo Espíritu y son el cuerpo de Cristo" (1 Cor 12:1). Al hablar del alimento y bebida espiritual, evoca no sólo el bautismo, sino también la eucaristía. Ahora, el Apóstol subraya que los prodigios resultaron para los israelitas en una seguridad desviante. Confiaron idolátricamente en

los dones de Dios, no en Dios mismo; incluso, lo ofendieron y terminaron por no entrar en la tierra prometida. Deben aprender. No tienen garantizada la salvación, hay que luchar todavía con el egoísmo y, sobre todo, con la soberbia, eso de creerse haber llegado ya, cuando todavía van en camino. Ante todo, Pablo insiste en el principio de la caridad, que debe permear toda su actividad y que por las preguntas, se nota que no lo toman en cuenta.

Esta forma de proceder de Pablo es muy actual para nosotros, los cristianos de hoy, que a veces tomamos al cristianismo

como una especie de asociación donde ya pagamos la entrada y no obramos como gente que va en camino y que en cualquier momento puede perderse, si no atiende a la voz del que dirige: el Espíritu Santo.

EVANGELIO Escuchamos dos dichos y una breve parábola de Jesús, en el camino hacia Jerusalén. El tema es la conversión ante el inminente juicio de Dios. Jesús ha venido exhortando a discernir los signos de los tiempos, para prepararse al juicio de Dios, futuro pero inevitable, sobre los pecadores.

EVANGELIO   Lucas 13:1–9

Lectura del santo Evangelio según san Lucas

En aquel tiempo,
    algunos hombres fueron a ver a Jesús
    y le contaron que Pilato había **mandado** matar a unos galileos,
    mientras estaban **ofreciendo** sus sacrificios.
Jesús les hizo este comentario:
    "¿**Piensan** ustedes que aquellos galileos,
        porque les sucedió **esto**,
    eran **más** pecadores que todos **los demás** galileos?
Ciertamente **que no**;
    y si ustedes no se arrepienten, **perecerán** de manera semejante.
Y aquellos dieciocho que murieron **aplastados**
        por la torre de Siloé,
    ¿piensan **acaso** que eran más culpables
    que **todos** los demás habitantes de Jerusalén?
Ciertamente **que no**;
    y si ustedes **no se arrepienten**,
        perecerán de manera semejante".

Entonces les dijo esta **parábola**:
    "Un hombre tenía una **higuera** plantada en su viñedo;
    fue a buscar higos y **no los encontró**.
Dijo entonces al viñador:
    'Mira, durante **tres años** seguidos
    he venido a **buscar** higos en esta higuera
    y **no** los he encontrado. Córtala.
    ¿Para qué ocupa la tierra inútilmente?'
El viñador le contestó:
    'Señor, déjala todavía **este año**;
    voy a **aflojar** la tierra alrededor
    y a echarle abono, para **ver** si da fruto.
    Si no, el año que viene **la cortaré**' ".

Hay que tener muy en cuenta la propia fragilidad al proclamar este evangelio.

Nota el paralelismo en las preguntas y sus respuestas. No dramatices esta parte; Jesús quiere mover al arrepentimiento, no a la zozobra ni al miedo.

Haz la apelación a la paciencia y a trabajar con esperanza en la voz, sin que domine la decepción final.

El punto de arranque es la información de lo sucedido a los galileos que, mientras ofrecían sacrificios, fueron asesinados por Pilato. Esto debió ocurrir por alguna celebración pascual en el templo, pero de tal masacre cabría esperar noticias por Flavio Josefo, que nada reporta. La desgracia se ha cebado sobre aquellos hombres de la manera más inopinada aunque justiciera, pensarían muchos, pues eran pecadores. Pero Jesús reacciona confrontando a su auditorio con la suerte de los desgraciados; agrega el ejemplo de los aplastados por la torre de Siloé.

De no convertirse ahora, todos los escuchas serán aniquilados de manera semejante.

La muerte, consecuencia del pecado, es inevitable y alcanza a todos, lo mismo en el recinto sacro que en otra parte de la ciudad santa. Nadie puede vivir afincado en su seguridad, pues todos somos pecadores. Por eso hay que convertirse y estar siempre preparados. Cuanto antes, mejor. Hay que aprender en cabeza ajena.

La parábola comporta también la urgencia a actuar. Aunque la higuera estéril siga en pie, no significa que el dueño esté complacido con ella. Al contrario, su

decepción ha llegado al límite. Dios ofrece a los hombres un tiempo de gracia que no hay que malbaratar. Jesús, como el Bautista (Lc 4:19), urge a la conversión, es decir, a dar frutos ya. La caída del árbol es inminente. Sólo los cuidados del viñador podrán evitarla, si da frutos.

III DOMINGO DE CUARESMA (A)

I LECTURA   Éxodo 17:3–7

Lectura del libro del Éxodo

El pueblo se siente en peligro de muerte y reclama con fuerza para que Dios y su enviado reaccionen. Hay que acompañar esta situación límite con un tono de premura.

En aquellos días, el pueblo, **torturado** por la sed,
   fue a protestar **contra Moisés,** diciéndole:
   "¿Nos has hecho **salir** de Egipto
   para **hacernos morir** de sed a nosotros,
   a nuestros hijos y a nuestro ganado?"
Moisés **clamó** al Señor y le dijo:
   "¿**Qué puedo hacer** con este pueblo?
      Sólo falta que me **apedreen".**
Respondió el Señor a Moisés:
   "**Preséntate** al pueblo, llevando contigo
      a algunos de los ancianos de Israel,
      toma en tu mano el cayado con que golpeaste el Nilo y **vete.**
Yo estaré **ante ti,** sobre la peña, en Horeb.
Golpea la peña y saldrá de ella **agua** para que beba el pueblo".

Las instrucciones que da el Señor deben infundir confianza. Nada de titubeos ni vacilaciones en esta parte. Prepara bien cada frase y no te precipites.

Así lo hizo Moisés a la vista de los ancianos de Israel
   y puso por nombre a aquel lugar **Masá y Meribá,**
   por la **rebelión** de los hijos de Israel
   y porque habían **tentado** al Señor, diciendo:
   "¿**Está** o **no está** el Señor en medio de nosotros?"

Debe quedar claro ante la asamblea la razón de esos nombres raros, para que en la situación más extrema tenga la certeza de la ayuda divina y sepa que "Dios está con nosotros".

I LECTURA Los hebreos, como todo ser humano que siente que no puede por sí mismo solucionar sus problemas sino que dependen de Dios sólo, sienten la crisis y la desconfianza. Antes Dios había probado a Israel (*massah*), ahora el pueblo pone a prueba a Dios. Quiere que se manifieste. Exige de Dios pruebas y signos. Lo desafía, como si Dios fuera un ser humano, a que se decida y cumpla. El verbo hebreo *rib* tiene este sentido de pleito entre dos que están unidos por algo, un juramento o un pacto. Aquí desafía el pueblo al Señor de una manera insidiosa, como si Dios no hubiera cumplido su parte, cuando desde su salida de Egipto, ellos habían experimentado las bondades de él. Esta acusación se expresa de manera saliente en el v. 7: "¿Está el Señor entre nosotros o no?". Según esto, Dios había establecido un pacto con ellos, pero no estaba cumpliendo su parte, según los israelitas. Esto es una crítica y una acusación contra Dios, común a todos los hombres y tiempos. Lo acusan de no estar cumpliendo sus deseos. Se colocan dentro de lo que creen una alianza o pacto con deberes y obligaciones iguales. Su murmuración da ocasión para una ulterior manifestación de Dios que soldará más fuertemente tal relación.

Dios responderá. El Señor estará a un lado de Moisés. Dios estará "sobre la roca, sobre el Horeb. Golpea la roca y saldrá agua para que beba el pueblo" (v. 6). Golpeará con el mismo bastón con el que cambió las aguas del Nilo en sangre. Israel debe asociar esto con lo anterior. La memoria de estos hechos no lo debe olvidar y, por lo mismo, debe alejar la desconfianza y murmuración. Israel debe aprender a caminar al paso de Dios.

Como los otros hechos del Señor, este hecho del agua no debe olvidársele a Israel,

Para meditar

SALMO RESPONSORIAL   Salmo 95:1–2, 6–7, 8–9

R. Ojalá escuchen hoy la voz del Señor: "No endurezcan el corazón".

Vengan, aclamemos al Señor,
   demos vítores a la Roca que nos salva;
   entremos a su presencia dándole gracias,
   aclamándolo con cantos. R.

Entren, postrémonos por tierra,
   bendiciendo al Señor, creador nuestro.
Porque El es nuestro Dios,
   y nosotros su pueblo,
   el rebaño que El guía. R.

Ojalá escuchen hoy su voz:
   "No endurezcan el corazón como
      en Meribá,
   como el día de Masá en el desierto;
   cuando vuestros padres me pusieron
      a prueba
   y me tentaron, aunque habían visto
      mis obras". R.

II LECTURA   Romanos   5:1–2, 5–8

Lectura de la carta del apóstol san Pablo a los Romanos

Pablo finca todo en la fe en el Señor Jesucristo. Pronuncia con detenida claridad lo que esa fe nos ha alcanzado.

Hermanos:
Ya que hemos sido justificados **por la fe,**
   mantengámonos **en paz** con Dios,
   por mediación de nuestro Señor **Jesucristo.**
Por él hemos obtenido, con **la fe,**
   la **entrada** al mundo de la gracia,
   en el cual nos **encontramos;**
   por él, podemos **gloriarnos**
   de tener la **esperanza** de participar en **la gloria** de Dios.

La primera frase de este paso es capital. Identifica lo que Dios ha hecho en favor nuestro y comunícalo con alegre serenidad.

La esperanza **no defrauda,**
   porque Dios ha **infundido** su amor en **nuestros corazones**
   por medio del **Espíritu Santo,** que **él mismo** nos ha dado.
En efecto, cuando **todavía** no teníamos fuerzas
      para **salir** del pecado,
Cristo murió **por los pecadores** en el tiempo **señalado.**

---

ya que Dios "Hizo brotar para ti agua de la roca más dura" (Dt 8:15b). El agua seguirá siendo fundamental para la vida humana e imagen privilegiada para expresar la sed y necesidad de Dios. Pablo interpretará la roca que acompañaba a los hebreos en el desierto (según algunos rabinos) como figura de Cristo: "Bebían de la roca espiritual que les seguía; y la roca era Cristo" (1 Cor 10:4).

II LECTURA Después de haber hablado de la justificación por la fe, pasa Pablo a hablar de la justicia o salvación. El sujeto de la salvación es únicamente

Dios. Dios no es justo en cuanto ofrece o hace justicia, sino en cuanto justifica, es decir, hace justo a los hombres ante él. Es a lo que nosotros llamamos "gracia".

Es un misterio ese estado de salvación otorgado gratuitamente por Dios. Por un lado afirma el amor de Dios injertado en nuestro corazón por el Espíritu Santo y, por otro lado, supone el estupor y agradecimiento nuestro ante ese don recibido. El amor de Dios se derramó sobre nosotros, dándonos la oportunidad de amar a Dios y a nuestro prójimo con esa misma clase de amor. Este amor es inmerecido y Pablo lo

fundamenta con un argumento muy simple. La razón fundamental del amor desinteresado de Dios por nosotros, está en que siendo sus enemigos, él nos amó en este estado de enemistad. O sea, no nos amó porque hubiese en nosotros algo de valor o mérito, que explicase este amor de Dios. El amor de Dios es totalmente desinteresado. El amor divino es "creativo", en cuanto que lo que era digno de odio, fue hecho amable. Funda este amor de Dios al hombre, una relación de dar, como el esposo ama a la esposa. Es una relación en el hombre de dar y recibir. Recibe de Dios y da a sus semejantes. En

Esta verdad debe anidar en el corazón de la asamblea, pero también del proclamador.

Difícilmente habrá alguien que **quiera morir** por un justo,
aunque puede haber **alguno**
que esté **dispuesto** a morir por una persona sumamente buena.
Y **la prueba** de que Dios nos ama
está en que Cristo murió **por nosotros,**
cuando aún éramos pecadores.

EVANGELIO   Juan 4:5–42

Lectura del santo Evangelio según san Juan

Prepara muy bien esta lectura, técnica y espiritualmente, porque es larga. Procura hacer cambios de ritmo y no descuides los detalles. Si sientes necesario, señala dónde acelerar, dónde aminorar y marcar pausas y dónde modular la voz. No te pierdas en ningún momento.

El relato tiene vida con los nombres mencionados. Pronúncialos con toda claridad. El diálogo deberá ser vivo y de mayor rapidez a lo anterior.

En aquel tiempo,
llegó **Jesús** a un pueblo de Samaria, llamado **Sicar,**
cerca del campo que dio Jacob a su hijo José.
Ahí estaba **el pozo de Jacob.**
Jesús, que venía **cansado** del camino,
se **sentó** sin más en el brocal del pozo.
Era cerca del mediodía.

Entonces llegó una mujer de Samaria a **sacar agua** y Jesús le dijo:
"**Dame** de beber".
(Sus discípulos habían ido al pueblo
a comprar comida).
La samaritana le **contestó:**
"**¿Cómo** es que tú, **siendo judío,** me pides de beber **a mi,**
que soy **samaritana?**"
(Porque los judíos **no tratan** a los samaritanos).
Jesús le dijo:
"Si conocieras **el don de Dios** y **quién es** el que te pide de beber,
tú le pedirías **a él,** y él te daría **agua viva**".

Dios sólo existe la relación de dar y expandirse en nosotros. Nosotros realmente no podemos dar algo a Dios, sino simplemente responder a su amor, reconociéndolo. Esto es alabar al Señor, a lo que tanto invitan los salmos. En la cruz de Cristo ve el Apóstol un testimonio directo no sólo de la caridad de Cristo, sino del mismo Padre.

Pablo nos empuja a confiar en este amor solidario de Dios. Dios nos proyecta en la vida a una esperanza que nos jala a ir hacia lo mejor.

EVANGELIO En Samaría se adoraba al único Dios, la Ley de Moisés (el Pentateuco Samaritano) regía las vidas de las gentes y sobre el Garizín habían levantado un templo al Dios verdadero, aunque luego no hubo empacho alguno en convivir con otros cultos. A los ojos judíos, los samaritanos eran cismáticos y "peor que los paganos". En el último tercio del siglo II antes de Cristo, la expansión judía arrasó con el templo edificado sobre el Garizín y se anexó la región samaritana. Por otra parte, los propios samaritanos se llaman "observantes" o "guardianes" de la ley mosaica.

Para los judíos, los samaritanos eran peor que los paganos.

El campo que Jacob le heredó a José, su hijo favorito, es la referencia de Sicar. San Juan da nombres para llevar al lector a las raíces del pueblo. Jacob engendró a todas las tribus de Israel, José fue su salvador en Egipto. Las tribus, convocadas por Josué (Jesús) hicieron alianza en Siquén, terreno de los hijos de José (Jos 24), para servir sólo al Señor. Un tema destaca ya en el trasfondo del evangelio, el de la alianza.

Un don que se bebe. El diálogo entre Jesús y aquella anónima mujer nace de la

La mujer le respondió:
> "Señor, **ni siquiera** tienes con qué sacar agua
>   y el pozo es **profundo,**
> ¿**cómo** vas a darme **agua viva**?
> ¿**Acaso** eres tú **más** que nuestro padre Jacob,
> que nos dio **este pozo,** del que bebieron él,
>   sus hijos y sus ganados?"

Jesús le contestó: "El que bebe de esta agua **vuelve** a tener sed.
Pero el que beba del agua que yo le daré, **nunca más** tendrá sed;
   el agua que **yo le daré** se convertirá **dentro de él**
   en un **manantial** capaz de dar **la vida eterna**".

La mujer le dijo:
> "Señor, dame de esa agua para que no vuelva a tener sed
> ni tenga que venir hasta aquí a sacarla".

Él le dijo: "Ve a llamar a tu marido y vuelve".
La mujer le contestó: "No tengo marido".
Jesús le dijo: "Tienes razón en decir: 'No tengo marido'.
Has tenido cinco, y el de ahora no es tu marido.
   En eso has dicho la verdad".

La mujer le dijo:
> "Señor, ya veo que eres **profeta.**

Nuestros padres dieron culto **en este monte**
   y ustedes **dicen** que el sitio donde
   se debe dar culto está **en Jerusalén**".
Jesús le dijo: "**Créeme,** mujer, que se acerca la hora
   en que **ni en este monte** ni en Jerusalén adorarán al Padre.
Ustedes adoran **lo que no conocen;**
   nosotros adoramos **lo que conocemos.**
Porque la salvación **viene** de los judíos.

Muestra modulando la voz lo maravilloso del agua ofrecida por Jesús.

Dale rapidez a la petición de agua que hace la mujer.

Las frases de Jesús son categóricas. No las aceleres. Y deja que la mujer arrebate la palabra para iniciar el segmento siguiente.

---

necesidad: la sed de Jesús. Su urgencia no para mientes en distingos de raza, género ni religión; la sed pide ser satisfecha, y a reforzar esto obedece la atrevida postura de Jesús. Se sienta sobre el pozo como para obligar a la samaritana a negociar, pero ella se parapeta en los usos y costumbres: judíos y samaritanos no se tratan, más bien, se maltratan. No usan cosas comunes. Y entonces es que Jesús le deja ver que lo que ella sabe de él no se ajusta a la realidad de las cosas. Él está en posición de otorgar un don bebible de parte de Dios que ella desconoce,

agua viva. Basta que ella se lo pida para obtener agua corriente; él no se la negará.

La forma de ese diálogo juega con el paralelismo inverso de *dar-pedir, pedir-dar,* que da la equivalencia entre don y donante regida por el conocimiento: "Si conocieras . . . ". Es la base para la alianza: hay que conocer quién es uno y quién es otro para poder dar y pedir. Jesús comienza a darse a la samaritana.

El agua viva y el donante son equivalentes. Jesús es mayor que el patriarca Jacob, padre de las doce tribus de Israel y quien cavó ese pozo para sus descendientes.

Es mayor porque su donación es personal, creciente y continua, de modo que quien la recibe "nunca más tendrá sed". El don de Jesús es absolutamente satisfactorio. Y aquella mujer lo solicita.

El único Señor. Jesús condiciona el don a la presencia del marido. El lenguaje marital alude a la alianza de Dios con su pueblo, figurada como matrimonio. Esta parte del diálogo ha servido para moralizar porque se asumte que la mujer habría llevado una vida disoluta y pecaminosa. Pero esto es extraño al texto, no obstante la verdad a medias que ella pronuncia y que Jesús delata; en su

Pero se acerca la hora, **y ya está aquí,**
     en que los que quieran dar culto **verdadero**
     adorarán al Padre **en espíritu y en verdad,**
     porque **así es** como el Padre **quiere** que se le dé culto.
Dios es **espíritu,** y los que lo adoran
     deben hacerlo en espíritu **y en verdad".**

La mujer le dijo: "**Ya sé** que va a venir el Mesías (es decir,
     Cristo).
Cuando venga, **él** nos dará razón **de todo".**
Jesús le dijo: "**Soy yo,** el que habla contigo".

En esto **llegaron** los discípulos
     y se **sorprendieron** de que estuvieran conversando **con
          una mujer;**
     sin embargo, **ninguno** le dijo:
          '**¿Qué** le preguntas o **de qué** hablas con ella?'
Entonces la mujer dejó su cántaro,
     se fue **al pueblo** y comenzó a decir a la gente:
"**Vengan** a ver a un hombre que me ha dicho
     todo lo que he hecho.
¿No será éste **el Mesías?**"
Salieron del pueblo y se pusieron **en camino** hacia donde él estaba.

Mientras tanto, sus discípulos le **insistían:**
     "Maestro, **come".**
Él les dijo:
     "Yo **tengo** por comida, un **alimento** que ustedes **no conocen".**
Los discípulos comentaban **entre sí:**
          "¿Le habrá traído alguien **de comer?**"

La revelación de Jesús ha sido como en enigmas. Ahora es momento de mostrar cierto contraste en el diálogo; la samaritana habla con mayor velocidad que Jesús.

La atención regresa a la mujer. Ponle entusiasmo a sus palabras de invitación, para que arrastren a cada miembro de la asamblea.

inestable vida marital, quizá ella habría sido más víctima que victimaria. En aquellos medios, un marido procura honor y estabilidad social a su mujer. La vida de la mujer se orientaba hacia su marido. Aquella samaritana no era alguien socialmente honorable, tras cinco repudios, a no ser que fuera viuda repetidamente (cf. Tob 3), pero vive en situación irregular. Jesús reconoce honestidad en sus palabras, y trasluce su conocimiento profético, y esto lanza al siguiente asunto.

El único culto. Adorar consiste en reconocer como señor absoluto a Dios, Padre nuestro. No es un reconocimiento de palabra o que se haga de una vez por todas, sino una actitud o disposición que el verdadero adorador va modelando con toda su existencia, con su modo de ser. Y esto no depende de los lugares, sino, como Jesús apunta, del cómo se adore. "En espíritu y en verdad" no son dos realidades diferentes, en el modo de hablar de san Juan, sino que una explicita a la otra; "verdad" explica

"espíritu". El culto espiritual del creyente no depende del lugar donde se haga, sino de hacerlo en la verdad revelada por Dios en su Hijo, Jesucristo. Por eso escuchamos que el culto espiritual es siempre un culto cristológico y cristocéntrico, en sintonía con Dios, que es espíritu.

Adorar al Dios revelado. Los samaritanos "adoran lo que no conocen . . . ". Jesús imputa una ignorancia similar a los mismos judíos en 7:28s y 8:19 y 54, por ejemplo. El conocimiento bíblico no es sólo intelectual

La instrucción a los discípulos tiene tonos de acertijo, pues no es directa. Pero inyecta mayor entusiasmo para exhortar a la contemplación; es una invitación a trabajar.

Jesús les dijo:
"Mi **alimento** es hacer la voluntad del que **me envió**
        y llevar a **término** su obra.
¿**Acaso** no dicen ustedes que **todavía** faltan
        cuatro meses para la siega?
Pues bien, **yo** les digo:
Levanten los ojos y **contemplen** los campos,
        que ya están **dorados** para la siega.
Ya el segador **recibe** su jornal y almacena
        frutos para la **vida eterna.**
De **este** modo se alegran **por igual** el sembrador y el segador.
Aquí **se cumple** el dicho:
    '**Uno** es el que siembra y otro **el que cosecha'.**
Yo los envié a **cosechar** lo que no habían **trabajado.**
Otros trabajaron y ustedes **recogieron** su fruto".

Allí están los frutos del trabajo: creer en Jesús. La asamblea reunida por la Palabra es fruto de mucho trabajo. Contagia esta sensación a todos los presentes.

Muchos samaritanos de aquel poblado
        creyeron en Jesús por el testimonio de la mujer:
        '**Me** dijo **todo** lo que he hecho'.
Cuando los samaritanos **llegaron** a donde él **estaba,**
        le **rogaban** que se quedara con ellos, y **se quedó allí** dos días.
Muchos más creyeron **en él** al oír su palabra.
Y decían **a la mujer:**

Es la salida del relato. Termina de forma clamorosa, en el culmen del crescendo. No derritas ese entusiasmo. Mantén arriba la voz.

        "**Ya** no creemos por lo que tú nos **has contado,**
        pues **nosotros mismos** lo hemos oído
        y sabemos **que él es,** de veras,
        el **salvador** del mundo".

Lectura alternativa: Juan 4:5–15, 19–26, 39, 40–42

o doctrinal, sino que produce comportamientos coherentes, íntegros y consecuentes, por un lado. Por el otro, el verdadero conocimiento de Dios lo ofrece Jesús en su propia historia, en lo que dice y hace como enviado celeste.

"La salvación viene de (o pertenece a) los judíos". Por "salvación" se entiende la obra resultante del actuar de Dios en favor de sus fieles; aquí, sin embargo, los judíos serían el "origen" de tal estado salvífico, lo que resulta inadecuado, pues el origen de la

salvación será siempre Dios; ellos son, más bien, los depositarios o destinatarios primarios de la salvación.

Trabajar en la misma mies. La revelación del Dios verdadero es para comunicarla, de modo que cada persona se encuentre con Jesús. Unos siembran y otros cosechan, pero todos concurren para llevar a término la voluntad de Dios, su obra, con alegría contagiosa, el gozo del evangelio.

El relato corona con la recepción jubilosa de Jesús entre los hijos del patriarca

José, los samaritanos. Los que se han encontrado con Jesús saben quién es él, y construyen una comunidad de fieles "en espíritu y verdad". Esta es la auténtica comunidad cristiana, en cuyo seno no debe haber fracturas ni de género, ni de raza, ni de condición social. Esta es la vocación del discípulo.

IV DOMINGO DE CUARESMA (C)

I LECTURA Josué 5:9, 10–12

Lectura del libro de Josué

En aquellos días, el Señor dijo a Josué:
"**Hoy** he quitado de encima de ustedes el **oprobio** de Egipto".

Los israelitas acamparon en Guilgal,
donde **celebraron** la Pascua, al atardecer del día catorce del mes,
en la llanura desértica de Jericó.
El día siguiente a la Pascua, comieron del fruto de la tierra,
panes **ázimos** y granos de trigo tostados.
A partir de aquel día, **cesó** el maná.
Los israelitas ya **no volvieron** a tener maná,
y desde **aquel** año
comieron de los frutos que **producía** la tierra de Canaán.

SALMO RESPONSORIAL Salmo 34:2–3, 4–5, 6–7

R. Gusten y vean qué bueno es el Señor.

Bendigo al Señor en todo momento,
su alabanza está siempre en mi boca;
mi alma se gloría en el Señor:
que los humildes lo escuchen y se alegren. R.

Proclamen conmigo la grandeza del Señor,
ensalcemos juntos su nombre.
Yo consulté al Señor, y me respondió,
me libró de todas mis ansias. R.

Contémplenlo, y quedarán radiantes,
el rostro de ustedes no se avergonzará.
Si el afligido invoca al Señor, él lo escucha
y lo salva de sus angustias. R.

Es una lectura de absolución y perdón. Haz tuya esa actitud y muéstrala en un rostro afable y un tono reconfortante. Hoy es palabra clave.

La frase "a partir de . . . " marca el tiempo sin maná. Haz que lo note el escucha.

Para meditar

I LECTURA Las lecturas de hoy giran alrededor del perdón. La Cuaresma es 'tiempo favorable', tiempo para pedir perdón y para darlo.

El texto lectura habla desde la novedad que significa empezar a actuar en la tierra prometida. El éxodo había concluido con el paso del Jordán y con la nueva pascua, la primera en la tierra prometida, en el santuario de Gilgal. Esta palabra viene de un verbo que significa "rodar". Es el lugar donde el Señor ha hecho rodar, o sea, ha quitado la infamia de Egipto. Se refiere a que Dios quitó la humillación a Israel. Con Israel estaba en juego la fama de Dios como padre (Ex 4:22). A los hijos de la generación rebelde los introdujo en la tierra, cumpliendo su promesa. Ellos celebran la liberación obtenida. Están en la tierra de la libertad, no en la tierra de la esclavitud ni en el desierto de la murmuración.

La celebración de la nueva pascua, los Ázimos, y el cese del maná, significan el fin de la precariedad del desierto, donde Dios proveyó a su pueblo. Israel puede ahora comer de los productos de Canaán. Frutos que no ha sembrado. Todo es producto de la gratuidad de Dios.

El libro de Josué está bajo la inspiración del Deuteronomio, un libro escrito por teólogos después del exilio babilónico. Ellos dieron una nueva interpretación del pasado. El Dios que liberó a los padres, volverá a liberar y a volver a dar la tierra. Todo por el honor de Dios, pues el deshonor de Israel es el suyo (Ez 36:20–22). No será una simple repetición o imitación de lo antiguo, sino que habrá novedad. Habrá una nueva creación (Is 43:18s.), una nueva alianza, superior a la pasada (Jer 31:31–34). El regreso a la tierra y a la beneficencia de Dios, será realidad cuando el Señor encuentre en

II LECTURA   2 Corintios 5:17–21

Lectura de la segunda carta del apóstol san Pablo a los Corintios

Hermanos:
El que vive **según** Cristo es una criatura nueva;
    para él todo lo viejo **ha pasado**. Ya todo **es nuevo**.

Todo esto **proviene** de Dios,
    que nos **reconcilió** consigo por medio de Cristo
    y que nos confirió el ministerio de **la reconciliación**.
Porque, **efectivamente**, en Cristo,
    Dios **reconcilió** al mundo consigo
    y **renunció** a tomar en cuenta los pecados de los hombres,
    y a nosotros **nos confió** el mensaje de la reconciliación.
Por eso, nosotros somos **embajadores** de Cristo,
    y por nuestro medio,
    es **Dios mismo** el que los exhorta a ustedes.
En **nombre** de Cristo les pedimos que **se reconcilien** con Dios.

Al que **nunca** cometió pecado,
    Dios lo hizo "**pecado**" por nosotros,
    para que, **unidos a él**, recibamos la salvación de Dios
    y nos volvamos **justos y santo**s.

Lectura de reconciliación. Identifica lo nuevo de la reconciliación en Cristo.

El ministerio de la reconciliación es de todo cristiano y de la Iglesia entera. Es la encomienda de Dios a cada uno. Renueva esta vocación en la congregación.

Estas palabras son densas y "escandalosas". Ensáyalas bien, cincélalas de modo que aniden en la memoria de todos.

EVANGELIO   Lucas 15:1–3, 11–32

Lectura del santo Evangelio según san Lucas

En aquel tiempo,
    se acercaban a Jesús los publicanos y los pecadores
    para **escucharlo**.
Por lo cual los fariseos y los escribas **murmuraban** entre sí:
    "Éste **recibe** a los pecadores y **come** con ellos".

Prepara esta lectura haciendo memoria de tu encuentro con Dios. Deja que su misericordia aflore en tu porte y en tus palabras.

Israel, en el creyente, una disposición, un "arrepentimiento".

Es lo que la Cuaresma nos está pidiendo: volver a Dios, dado que él volverá y nos entregará un amor más pleno.

II LECTURA La Segunda carta a los corintios es compleja, pues tal vez esté formada de varias misivas de Pablo, escritas en momentos diferentes. La relación entre Pablo y la comunidad se deterioró, probablemente debido a ciertos predicadores judeocristianos. Ellos tenían otra visión de lo que era la fe cristiana; se

oponían a la predicación de Pablo. Pablo reacciona no sólo porque lo habían ofendido, sino por el modo torcido de entender lo realizado por el Señor. Está en juego la raíz de la novedad cristiana.

Como sucede en varias comunidades, la verdad del misterio central del cristianismo, la cruz y la resurrección, ha sido mal comprendida. O se comprende mal o se niega uno de sus componentes, casi siempre, la cruz. En la cruz de Cristo se han puesto las bases de una nueva existencia, de una relación nueva entre Dios y los

hombres y entre los mismos hombres. Pablo llama a esto nueva creación (Gal 6:15).

En el bautismo, el bautizado ha muerto a sí mismo, ha dejado al hombre viejo, es decir, una vida sin Cristo, para revestirse del hombre nuevo, es decir, de la vida de Cristo en el Espíritu Santo. Esta novedad la expresa Pablo de una manera dual, mediante las palabras de justificación y reconciliación.

La reconciliación tiene un sentido muy griego. Se trata de la acción por la cual un esclavo se convierte en libre. Adquirida la libertad, el esclavo ejerce su vida nueva de ciudadano. Es un cambio radical y este

La parábola es muy conocida, pero recítala como Buena Nueva. Descubre la novedad en cada cuadro y empápate de ella.

Jesús les dijo entonces esta **parábola**:
"Un hombre tenía **dos** hijos, y el **menor** de ellos
le dijo a su padre:
'**Padre**, dame la **parte** de la herencia que me toca'.
Y él **les repartió** los bienes.

No muchos días después, el hijo menor, juntando todo lo suyo,
se fue a un país **lejano**
y allá **derrochó** su fortuna, viviendo de una manera **disoluta**.
Después de **malgastarlo** todo,
sobrevino en aquella región una **gran hambre**
y él empezó a padecer **necesidad**.
Entonces fue a pedirle **trabajo** a un habitante de aquel país,
el cual lo mandó a sus campos **a cuidar cerdos**.
Tenía ganas de **hartarse** con las bellotas que comían los cerdos,
pero **no lo dejaban** que se las comiera.

Se puso entonces a reflexionar y se dijo:
'¡**Cuántos** trabajadores en casa de mi padre tienen pan **de sobra**,
y yo, aquí, me estoy **muriendo** de hambre!
Me levantaré, **volveré** a mi padre y le diré:
Padre, **he pecado** contra el cielo y **contra ti**;
ya **no merezco** llamarme hijo tuyo.
Recíbeme como a uno de tus trabajadores'.

Este es el momento de la toma de conciencia. Dale a tu voz un tono de meditación grave. No te precipites.

Enseguida se puso en camino hacia la casa de su padre.
Estaba todavía **lejos**,
cuando su padre **lo vio** y se enterneció **profundamente**.
Corrió hacia él, y echándole los brazos al cuello,
lo cubrió de besos.
El muchacho le dijo:
'Padre, **he pecado** contra el cielo y **contra ti**;
ya no merezco llamarme **hijo tuyo**'.

cambio, lo asimila Pablo a los cristianos que han pasado de la vida de pecado a la vida de la gracia.

La justificación es un concepto muy judío, que expresa el proceso por el que un miembro del pueblo elegido que había perdido su relación con Dios, es reintegrado por el Señor en una nueva relación con él. Es un acto gratuito y salvífico de Dios. Algo inaudito, pues ningún tribunal absuelve al culpable. Pero lo inaudito ocurre aquí: Dios absuelve al culpable. Por pura misericordia, no nos "atribuye nuestras culpas", sino que nos da una amnistía. No es un perdón, sino

una transformación total, un acto de recreación completamente gratuito. Pablo emplea una expresión audaz: se ha convertido en pecado Jesús, es decir, incurrió con su muerte en una maldición a los ojos de la ley judía. Jesús, el inocente, ha tomado sobre sí la situación de maldición, la de un culpable. Por eso Jesús, al tomar la cruz, al morir, desde dentro ha tomado al pecado con sus consecuencias y lo ha derrotado con su resurrección. Así, su muerte ha proporcionado a los que creen en él, la "justicia de Dios", es decir, los ha hecho hombres que "no viven

para sí mismos, sino para aquel que murió y resucitó por ellos" (2 Cor 5:15).

Hoy como entonces, estamos todos llamados por ese acto de Cristo a reconciliarnos con Dios y entre nosotros mismos.

Evangelio. Comienza el evangelio notando la divisoria entre los publicanos y pecadores, que escuchan a Jesús, y los fariseos y escribas, que rechazan su proceder: recibe y departe con los pecadores, es decir, se hace uno con ellos. En respuesta, Jesús pronuncia tres parábolas que siguen los pasos de tener-perder-buscar-encontrar-alegrarse. Jesús ilustra la necesidad de alegrarse por lo

Acelera un tanto al encuentro entre padre e hijo. Permite que la ansiedad del festejo llegue a la asamblea.

Pero **el padre** les dijo a sus criados:
'¡**Pronto**!, traigan la túnica más rica y **vístansela**;
pónganle un anillo en el dedo y sandalias en los pies;
traigan el becerro gordo y **mátenlo**.
Comamos y hagamos **una fiesta**,
porque este hijo mío estaba muerto y ha vuelto **a la vida**,
estaba perdido y lo **hemos encontrado**'.
Y empezó el banquete.

Baja la velocidad del relato en este punto. El auditorio debe captar lo que va pasando por el corazón del hijo mayor.

El hijo mayor estaba en el campo y al volver,
cuando se acercó a la casa,
oyó la música y los cantos.
Entonces **llamó** a uno de los criados
y le preguntó **qué pasaba**.
Éste le contestó:
'Tu hermano **ha regresado**
y tu padre mandó matar el becerro gordo,
por haberlo recobrado **sano y salvo**'.
El hermano mayor **se enojó** y no quería entrar.

Salió entonces el padre y **le rogó** que entrara; pero él replicó:
'¡Hace **tanto** tiempo que te sirvo,
sin desobedecer **jamás** una orden tuya,
y tú no me has dado **nunca** ni un cabrito
para comérmelo con mis amigos!
Pero eso sí, viene ese **hijo tuyo**,
que **despilfarró** tus bienes con **malas** mujeres,
y **tú** mandas matar el becerro **gordo**'.

La intensidad de las palabras del padre deben mostrar la urgencia de su corazón. Es la pasión de Dios por sus hijos lo que hay que comunicar en esta lectura.

El padre repuso:
'**Hijo**, tú **siempre** estás conmigo y **todo** lo mío es tuyo.
Pero era **necesario** hacer fiesta y **regocijarnos**,
porque este hermano tuyo **estaba muerto** y ha vuelto **a la vida**,
estaba **perdido** y lo hemos **encontrado**' ".

que Dios está realizando. Hoy escuchamos la parábola del padre que tenía dos hijos.

Jesús destaca la figura misericordiosa del padre, que modela a Dios. Él es un padre con corazón materno que no ajusticia con los mandamientos en la mano, ni recrimina los malos pasos, ni sermonea desde el pedestal de su autoridad. Todo lo contrario. Su amor por el pecador que vuelve le impulsa a correr a su encuentro, a colmarlo de ternura y a comenzar con toda su casa una fiesta que no termina.

Los dos hijos reflejan bien los grupos mencionados al comienzo de la lectura. Publicanos y pecadores se miran proyectados en el menor, y en el hijo mayor, se miran escribas y fariseos. El menor, con su ansia de libertad, acabó esclavo de sus propias necesidades, al final, insatisfechas, hasta que entró en razón y vino a experimentar la misericordia paterna. En cambio, la libertad del mayor le convirtió en esclavo de su propia casa, lo que le impide alegrarse para ser transformado en hermano. Se resiste a la fiesta fraterna. No sabemos si entró o no a la fiesta.

Esta parábola debe llenarnos de confianza en la misericordia de Dios, para volvernos a él, pero también para alegrarnos con los hermanos que han encontrado a Dios. Ahora es el tiempo propicio.

IV DOMINGO DE CUARESMA (A)

Es un relato popular y pintoresco. No lo despojes de su frescura e ingenuidad. Nárralo como lo haría un abuelo a sus nietos para que aprendan que Dios sigue caminos diferentes a los humanos.

Dios habla más que Samuel. Se dirige a toda la asamblea que debe estar atenta a esa voz interior que va guiando al último juez de Israel.

A las palabras de Samuel dales un tono resuelto.

I LECTURA   1 Samuel 16:1, 6–7, 10–13

Lectura del primer libro de Samuel

En aquellos días, dijo el Señor a Samuel:
　"**Ve** a la casa de Jesé, en **Belén,**
　porque de entre sus hijos me he escogido **un rey.**
Llena, pues, tu cuerno de aceite para ungirlo y **vete**".

Cuando **llegó** Samuel a Belén y vio a Eliab,
　　el hijo mayor de Jesé, pensó:
　"Éste es, **sin duda,** el que voy a **ungir** como rey".
　Pero el Señor le dijo:
　"**No** te dejes impresionar por su **aspecto** ni por su **gran** estatura,
　pues yo lo he **descartado,**
　porque yo **no juzgo** como juzga **el hombre.**
El hombre se fija en **las apariencias,**
　pero el Señor se fija en **los corazones**".

Así fueron pasando ante Samuel **siete** de los hijos de Jesé;
pero Samuel dijo:
　"**Ninguno** de éstos es el **elegido** del Señor".
Luego le preguntó a Jesé:
　"¿Son éstos **todos** tus hijos?"
Él respondió:
　"Falta el **más pequeño,** que está cuidando el rebaño".

I LECTURA La liturgia de hoy está caracterizada por la figura del ciego que adquiere la vista. En esta perspectiva se coloca la unción de David por el profeta Samuel. Con esta escena empieza el ciclo de David, que arranca con su llamada al trono. Dios es el de la iniciativa. Son varios los hermanos y Dios elige entre éstos. Elige al más pequeño. De nuevo se va Dios por la debilidad, para que se vea que la fuerza y grandeza de David provienen del que lo eligió.

La orden dada por Dios al profeta es perentoria: "Llena tu cuerno de aceite y parte" (v. 1). Dios da a Samuel el criterio que guiará esa elección: "No te fijes en las apariencias ni en su buena estatura . . . Porque Dios no ve como los hombres, que ven la apariencia. El Señor ve el corazón" (v. 7).

Para nosotros, el corazón ve al aspecto afectivo. En la Escritura se refiere, en general, a la interioridad del hombre. Sería para nosotros lo que entendemos por conciencia. Aquí están las decisiones, buenas o malas. Saúl fue rechazado porque su conciencia ya no estaba orientada a Dios y al bien del pueblo, sino a sí mismo. Era egoísta, autosuficiente.

Samuel debe ver con los ojos de Dios. Las intervenciones divinas en la historia del pueblo de Israel han mostrado una tendencia. Dios actuó con misericordia hacia el pobre y desvalido. Aquí se necesita volver a este camino abandonado por la sociedad hebrea. La grande estatura enorgullece. Ver desde lo alto es separarme, alejarme de la realidad que está casi siempre abajo, pegada al suelo. Es el *humus*, la tierra, lo humilde.

Por lo anterior Dios ha escogido a Jacob y dejado a Esaú; ha llamado a un Moisés "torpe de boca y lengua" (Ex 4:10); ha escogido al joven Jeremías. El escogido, el llamado

Samuel le dijo:
  "Hazlo **venir,** porque no nos sentaremos a comer
    hasta que llegue".
Y Jesé lo mandó llamar.

El muchacho era **rubio,** de ojos vivos y **buena presencia.**
Entonces el Señor dijo a Samuel:
  "Levántate y **úngelo,** porque **éste es".**
Tomó Samuel el cuerno con el aceite
  y lo **ungió** delante de sus hermanos.
A partir de aquel día, el espíritu del Señor estuvo con David.

Haz que tu voz suene un tanto exaltada, culminante. Elévala para que toda la asamblea contemple la unción de David y visualice al Cristo.

Para meditar

SALMO RESPONSORIAL   Salmo 23:1–3, 3b–4, 5, 6
R. El Señor es mi pastor, nade me falta.

El Señor es mi Pastor, nada me falta:
  en verdes praderas me hace recostar;
  me conduce hacia fuentes tranquilas
  y repara mis fuerzas. R.

Me guía por el sendero justo,
  por el honor de su nombre.
Aunque camine por cañadas oscuras,
  nada temo, porque tú vas conmigo:
  tu vara y tu cayado me sosiegan. R.

Preparas una mesa ante mí,
  enfrente de mis enemigos;
  me unges la cabeza con perfume,
  y mi copa rebosa. R.

Tu bondad y tu misericordia me acompañan
  todos los días de mi vida,
  y habitaré en la casa del Señor
  por años sin término. R.

II LECTURA   Efesios 5:8–14

Lectura de la carta del apóstol san Pablo a los Efesios

Hermanos:
En otro tiempo ustedes fueron **tinieblas,**
  pero **ahora,** unidos al Señor, **son luz.**
Vivan, por lo tanto, como **hijos** de la luz.
Los **frutos** de la luz son **la bondad,** la santidad y **la verdad.**
Busquen lo que es **agradable** al Señor
  y no tomen parte en las obras **estériles** de los que son **tinieblas.**

Luz y tinieblas son imágenes para hablar de la salvación. Debe quedar muy clara la condición actual de los bautizados y redimidos. En esta lectura, separa las dos líneas finales de este párrafo y únelas al siguiente.

---

debe fiarse y apoyarse en la gratuita elección de Dios: "Ha escogido Dios más bien a los locos del mundo para confundir a los sabios. Y ha escogido Dios a los débiles del mundo, para confundir a los fuertes. Lo plebeyo y despreciable del mundo ha escogido Dios; lo que no es, para reducir a la nada lo que es. Para que ningún mortal se gloríe en la presencia de Dios" (1 Cor 1:27–29).

Esta elección del pequeño David abrió los ojos de Samuel y también orienta nuestra manera de pensar y decidir. Estamos invitados todos los días a ver a través de los intricados acontecimientos humanos y de las personas, la presencia de Dios. Generalmente la verdad se encuentra en lo humilde y sencillo. A esto nos llama la liturgia de hoy.

II LECTURA La parte parenética de la carta a los Efesios se encuentra en los capítulos 4–6. Después de haber lanzado el Apóstol una llamada a la unidad de la iglesia como cuerpo de Cristo (4:1–16), coloca al cristiano frente a la situación anterior a su bautismo. Llama la atención el autor a no recaer en la vida pagana y pide distanciarse del estilo de vida de "los hijos de la desobediencia" (v. 6).

Para lo anterior el autor se vale de la imagen de luz y tiniebla. Los destinatarios pertenecían "entonces" a la tiniebla. Este "entonces" no se entiende cronológicamente, sino que más bien refleja el espacio-tiempo de la distancia de Cristo antes del bautismo. "Ahora" se han convertido en luz, son luz. Se puede decir que ahora difunden luz. Esto lo hacen "en el Señor" (v. 8), es decir, participando de la luz primordial que desde el principio es el Señor. Como era costumbre de Pablo, después de decir lo que es un creyente, lo invita a que sea coherente en su vida con lo que es.

Al contrario, repruébenlas **abiertamente;**
　porque, si bien las cosas que ellos hacen **en secreto**
　da rubor **aun mencionarlas,**
　al ser **reprobadas** abiertamente, todo queda **en claro,**
　porque **todo** lo que es iluminado
　por la luz se **convierte** en luz.

Por eso se dice: *Despierta, tú que duermes;*
　levántate de entre los muertos y Cristo será tu luz.

EVANGELIO　Juan 9:1–41

Lectura del santo Evangelio según san Juan

En aquel tiempo,
　Jesús vio al pasar a un ciego **de nacimiento,**
　y sus discípulos le preguntaron:
　"Maestro, ¿**quién** pecó para que éste naciera ciego,
　　él o sus padres?"
Jesús respondió:
　"Ni **él** pecó, ni **tampoco** sus padres.
Nació **así** para que **en él** se manifestaran las obras de Dios.
Es **necesario** que yo haga las obras del que me **envió,**
　mientras es **de día,**
　porque luego llega la noche y ya **nadie** puede trabajar.
Mientras esté en el mundo, **yo soy** la luz del mundo".

Dicho esto, escupió en el suelo, hizo **lodo** con la saliva,
　se lo puso en los ojos al ciego y le dijo:
"**Vé** a lavarte en la piscina de **Siloé**" (que significa '**Enviado**').
Él fue, **se lavó** y volvió **con vista.**

La palabra "luz" viene repetida. Enfatízala sobre todo en la línea final.

La extensión de este relato no le priva de dramatismo. Debes redondear cada una de sus escenas, para que la fatiga no se adueñe del auditorio. Tu preparación espiritual consistirá en revivir los momentos difíciles cuando has caminado al encuentro de Jesús.

Los gestos de Jesús son como un rito espontáneo. Describe cada acción casi con plasticidad y acompáñalos con una voz firme pero sin autoritarismo.

Pero el cristiano se puede quedar en el concepto, en la imagen sin llegar a lo concreto. Por esto el Apóstol, como Jesús, pasa a los frutos. Todavía permanece en cierta generalidad al designar tres frutos de la luz, pero son definiciones intermedias que llevan a la acción. Armado con esta definición, el cristiano puede entrar a lo concreto. Divisa práctica para actuar: "lo que agrada al Señor".

La decadencia moral del mundo greco romano era notoria. Los vicios más vergonzosos habían tomado carta de ciudadanía y se exhibían abiertamente, sin ningún pudor.

La conducta de los cristianos será como una luz fuerte que alumbrará y descubrirá esa tiniebla. No necesitan decirlo, al practicar lo contrario, se verá que la conducta pagana es oscuridad, tiniebla. Esa manera de actuar se funda con las palabras de una cita, cuyo origen es anónimo. Puede ser que haya sido tomada de un canto o himno cristiano primitivo. Hay una invitación final a despertar, a dejar las malas obras y dejarse guiar por Cristo, luz de la mañana que hace claro todo para el que despierta de su sueño.

Hemos sido iluminados para iluminar y no sólo para brillar. Este domingo el mensaje central está en Cristo que vence las tinieblas. La victoria de Cristo para el creyente no es sólo un punto de llegada, sino base de una existencia nueva que se irradia sobre los demás. Una exigencia de nuestra fe es el anunciarla, el llevarla a los demás.

EVANGELIO Mirar es uno de los atributos más apreciados entre nosotros porque determina el modo de vivir. Conocemos bien que, hasta no hace mucho, en pueblos y ranchos las personas invidentes eran objeto de chanzas y burlas, de pequeños y grandes, y hasta de sus propios

Muestra la incredulidad de los vecinos con varias modulaciones. Dale al curado, en cambio, un tono sereno pero contento.

Entonces los vecinos y los que lo habían visto antes
pidiendo limosna, preguntaban:
"¿No es **éste** el que se sentaba a pedir limosna?"
Unos decian: "Es **el mismo**".
Otros: "No es él, sino que **se le parece**".
Pero él decia: "**Yo soy**".
Y le preguntaban:
"Entonces, ¿**cómo** se te abrieron los ojos?"
Él les respondió:
"El **hombre** que se llama Jesús hizo lodo,
me lo puso en los ojos y me dijo:
'Ve a Siloé y **lávate**'.
Entonces **fui**, me lavé y comencé **a ver**".
Le preguntaron: "¿En **dónde** está él?" Les contestó: "**No lo sé**".

Este interrogatorio no debe ser duro, sino denotar la división entre los propios fariseos.

Llevaron entonces ante los fariseos al que **había sido** ciego.
Era **sábado** el día en que Jesús hizo lodo y le abrió los ojos.
También los fariseos le preguntaron **cómo** había adquirido la vista.
Él les contestó: "Me puso lodo en los ojos, me lavé y **veo**".
Algunos de los fariseos comentaban:
"Ese hombre **no viene** de Dios, porque no guarda el sábado".
Otros replicaban:
"¿**Cómo** puede un pecador hacer semejantes prodigios?"
Y había **división** entre ellos.
Entonces **volvieron** a preguntarle al ciego:
"Y tú, ¿**qué piensas** del que te abrió los ojos?"
Él les contestó: "Que es **un profeta**".

En este segmento aparece un tono intimidatorio. Muestra cierta ansiedad en la respuesta de los padres.

Pero los judíos **no creyeron** que aquel hombre,
que había sido ciego, hubiera **recobrado** la vista.
Llamaron, pues, a sus padres y les preguntaron:
"¿Es éste **su hijo**, del que ustedes **dicen** que nació ciego?
¿Cómo es que **ahora** ve?"
Sus padres contestaron:
"Sabemos que **éste** es nuestro hijo y que nació **ciego**.

familiares. Expuestos a constantes abusos, los invidentes debían aprender a sobrevivir haciéndose un caparazón que terminaba por aislarlos de los demás, y forjaban un mundo aparte. El complejo del armadillo lo desarrollamos todos, en medida mayor o menor, según nos sintamos amenazados. El ciego de nacimiento, una vez curado por Jesús, comenzará a ver la realidad con toda transparencia, sin los velos que las presiones sociales y religiosas han echado sobre ella. Y en esto se finca todo el dramatismo del relato.

El cuadro primero pone enfrente una problemática que inquieta al corazón humano, ¿son las desgracias personales consecuencias del pecado? ¿Vienen de la misma causa las calamidades colectivas? Para el hombre de la Biblia no hay duda, los males son consecuencia del pecado. Pero de elucubrar sobre ese asunto toparíamos con el origen del mal, y con sus concomitancias teológicas. El evangelio no se adentra en teodiceas; el daño está allí y los discípulos lo ventilan, aunque su lógica de efecto-causa no es tan contundente, como Jesús lo delata. En contrapartida, él adopta otra perspectiva.

Las desgracias son ocasión para la gracia, es decir, para que Dios sea revelado.

San Juan da una palabra clave para entender lo que cuenta. Explica "Siloé: como "enviado". Así resume la fe en Jesús que tiene el ciego que obedece sin chistar, la indicación de irse a lavar a la piscina de Siloé. Allí comienza a ver, y con claridad mayor, conforme avanza el relato. El foco, sin embargo, no se centra en la nueva realidad, sino en cómo ocurrió el cambio y en lo que ven –o dejan de ver– los que no han sido curados.

Cómo es que **ahora** ve o quién le haya dado la vista,
no lo sabemos.
Pregúntenselo **a él;** ya tiene edad **suficiente**
y responderá **por sí mismo**".
Los padres del que había sido ciego dijeron esto
por miedo a los judíos,
porque éstos ya habían convenido en **expulsar** de la sinagoga
a quien **reconociera** a Jesús como **el Mesías.**
Por eso sus padres dijeron: 'Ya tiene edad; **pregúntenle** a él'.

Llamaron **de nuevo** al que había sido ciego y le dijeron:
"Da **gloria** a Dios.
Nosotros **sabemos** que ese hombre es pecador".
Contestó él:
"Si es pecador, **yo no lo sé;** sólo sé que yo **era** ciego y **ahora** veo".
Le preguntaron **otra vez:** "**¿Qué** te hizo? ¿**Cómo** te abrió los ojos?".
Les contestó: "Ya se lo dije a ustedes **y no** me han dado crédito.
¿Para qué quieren oírlo **otra vez?**
¿Acaso **también** ustedes quieren hacerse discípulos **suyos?**"
Entonces ellos lo llenaron **de insultos** y le dijeron:
"Discípulo de ése **lo serás tú.**
Nosotros somos discípulos **de Moisés.**
Nosotros **sabemos** que a Moisés le **habló Dios.**
Pero ése, no sabemos **de dónde viene**".

Replicó aquel hombre:
"Es curioso que **ustedes** no sepan de **dónde** viene
y, sin embargo, me **ha abierto** los ojos.
Sabemos que Dios no escucha a **los pecadores,**
pero al que lo teme y **hace su voluntad,** a ése sí lo escucha.
Jamás se había oído decir que alguien **abriera** los ojos
a un ciego **de nacimiento.**
Si éste no viniera **de Dios,** no tendría **ningún** poder".

Ahora hay dureza en este repetido interrogatorio. Imprime un tono de agresión religiosa a los fariseos pero de seguridad lógica al interrogado.

Esta parte enseña la separación total entre el creyente en Jesús y el grupo fariseo. Es un momento de rispidez y ruptura total. Enfatiza la frase última que es lapidaria.

Los primeros en reaccionar al cambio ocurrido en el limosnero son sus vecinos. Se dividen las opiniones. Unos son incapaces de darle identidad al que la reclama: "Soy yo". Sus palabras son como un eco de lo mismo que Jesús ha dicho en el templo y que provocó su salida: "Antes de que existiera Abrahan, existo yo". Hay rasgos que se van haciendo comunes entre el curado y Jesús. Parece mentira, pero hasta la humanidad tiene que ser afirmada. La de Jesús se asoma al hablar, pero también en su nom-

bre, en hacer lodo y embarrar aquellos ojos todavía cegados. La humanidad del curado se nota lo visible; ahora no sólo lo miran, él mira, habla y ha dejado su condición de absoluta dependencia y vulnerabilidad. Sus palabras, y su experiencia, tienen que ser sopesadas por los fariseos.

Los fariseos, son piadosos observantes, conocedores de la voluntad de Moisés –y de la de Dios–. Ellos no discuten la identidad de aquel nuevo hombre, sino la del que le dio la vista en sábado, día de guardar. Mientras

unos no toleran que Jesús no guarde el reposo sabático, otros consienten en que sólo Dios puede dar la vista a un ciego de nacimiento. Así se incuba otra división por el testimonio del curado. Éste ve con claridad y no tiene pelos en la lengua: Jesús es un profeta. Su convicción no le viene de las prescripciones cumplidas o no por Jesús, sino de su propia experiencia. Un profeta obra con autoridad absoluta en nombre de Dios.

Los padres del curado se deslindan de él, "por miedo a los judíos", para no ser ex-

Le replicaron:

"Tú eres **puro** pecado **desde que naciste,**
¿cómo **pretendes** darnos lecciones?"
Y lo echaron **fuera.**

Supo Jesús que lo habían echado fuera,
y cuando lo encontró, le dijo:
"**¿Crees tú** en el Hijo del hombre?"
Él contestó: "¿Y **quién es,** Señor, para que yo crea **en él?**"
Jesús le dijo:
"**Ya** lo has visto; el que está hablando contigo, **ése es**".
Él dijo: "**Creo, Señor**". Y postrándose, **lo adoró.**

Entonces le dijo Jesús:
"Yo he venido a este mundo para que **se definan** los campos:
para que los ciegos **vean,** y los que ven **queden ciegos**".
Al oír esto, algunos fariseos que estaban con él le preguntaron:
"¿Entonces, **también nosotros** estamos ciegos?"
Jesús les contestó:
"Si estuvieran ciegos, no tendrían pecado;
pero como **dicen** que ven, siguen en su pecado".

Versión corta: Juan 9:1, 6–9, 13–17, 34–38

Este es un diálogo de tono muy diferente a los anteriores. Muestra la frescura y la calidez en tus palabras.

Jesús es categórico al señalar el pecado y las tinieblas. Baja la velocidad en la última línea para que la salida del relato sea natural.

---

cluidos de la comunidad. La misma familia del curado se mira separada por sus convicciones respecto a Jesús.

El último interrogatorio es más solemne, tiene cara de un proceso teológico formal que obliga a las partes a confesar su fe. Las autoridades se declaran discípulos de Moisés, pero son discípulos violentos porque insultan al curado. El enjuiciado, por su parte, sigue la lógica de su propia experiencia de luz. El nuevo vidente desenmascara la teología torcida que esgrimen las autori-

dades para rechazar al enviado de Dios y se gana la expulsión. Si por su ceguera, él era considerado pecador, ahora que ve todo con claridad, sigue todo en pecado, lo sentencian. Y otro tanto ocurre con Jesús, declarado pecador por la autoridad. Ambos comparten la condición de réprobos a los ojos de la autoridad judía.

El cuadro final contiene una profesión de fe y un pronunciamiento que da el sentido de todo el relato. Jesús le solicita al curado que profese su fe en el Hijo del

Hombre, una figura mesiánica, es decir, alguien que traería la salvación de Dios a sus fieles. Esa figura ya está allí, es Jesús, y el hombre ya "lo ha visto . . .". Estas palabras refieren a todo el proceso de iluminación que el curado ha pasado. Ver significa entender y creer, desde la experiencia de la luz que se abre paso en medio de la oscuridad.

V DOMINGO DE CUARESMA (C)

La liturgia aviva la memoria de la salvación para recrear la fe en Dios. Entusiásmate. Esta es una magnífica oportunidad para avivar la fe propia y de la asamblea. Refréscate en las bondades de Dios.

Es increíble lo que Dios hace para salvar a su pueblo. Mira a la asamblea y baja la velocidad antes y después de cada pregunta. Enfatiza el "yo" de la primera persona; es Dios mismo quien habla con firmeza y entusiasmo.

I LECTURA   Isaías 43:16–21

Lectura del libro del profeta Isaías

Esto dice el Señor, que **abrió** un camino en el mar
     y un **sendero** en las aguas **impetuosas**,
     el que hizo **salir** a la batalla
     a un **formidable** ejército de carros y caballos,
     que cayeron **y no se levantaron**,
     y se apagaron como una mecha que **se extingue**:

"**No** recuerden lo pasado **ni piensen** en lo antiguo;
     yo voy a realizar algo **nuevo**.
Ya **está** brotando. ¿No lo **notan**?
Voy a abrir **caminos** en el desierto
     y haré que **corran** los ríos en la tierra **árida**.
Me darán **gloria** las bestias salvajes,
     los chacales y las avestruces,
     porque haré correr **agua** en el desierto,
     y **ríos** en el yermo,
     para **apagar** la sed de mi pueblo escogido.
     Entonces el pueblo que me he formado
     proclamará mis alabanzas".

I LECTURA El profeta responde a las interrogantes de muchos habitantes de la pequeña provincia de *Jehud* (así la llamaban los persas), apocados por el irrelevante retorno de unos cuantos exiliados. Para ese pueblo que no tiene consuelo, el profeta se vuelve en "evangelista" de "consolación". Su profecía abre consolando a Jerusalén. Ha terminado su castigo. Dios no ha abandonado a su pueblo; es su creador y redentor. Intervendrá.

El éxodo es la creación de Israel. El que creó, recreará. El primer éxodo fue glorioso, pero lo que Dios está por hacer no tiene parangón. El regreso del exilio será un nuevo éxodo más glorioso que el primero: el desierto será asequible para que el pueblo en procesión llegue hasta Jerusalén. Entrará un pueblo recreado, nuevo completamente. Si la primera entrada a la tierra fue gloriosa, ésta nueva la superará con creces.

Cuántas veces, escuchando a la gente, se tiene la sensación de encontrarse frente a una humanidad que quiere algo nuevo, un mundo nuevo. Pero al mismo tiempo, desparrama esta misma gente una tremenda desilusión de que todo seguirá igual; son los mismos los que gobiernan, los ricos perpetran sus injusticias, el sistema no cambia, etc. Ante esto, suena la palabra de Dios que dice que el Señor es el único que hace

Para meditar

SALMO RESPONSORIAL   Salmo 126:1–2ab, 2cd–3, 4–5, 6

R. El Señor ha estado grande con nosotros, y estamos alegres.

Cuando el Señor cambió la suerte de Sión,
   nos parecía soñar:
   la boca se nos llenaba de risas,
   la lengua de cantares. R.

Hasta los gentiles decían:
   "El Señor ha estado grande con ellos".
El Señor ha estado grande con nosotros,
   y estamos alegres. R.

Que el Señor cambie nuestra suerte,
   como los torrentes de Negueb.
Los que sembraban con lágrimas
   cosechan entre cantares. R.

Al ir, iba llorando,
   llevando la semilla;
   al volver, vuelve cantando,
   trayendo sus gavillas. R.

II LECTURA   Filipenses 3:7–14

Lectura de la carta del apóstol san Pablo a los Filipenses

Hermanos:
Todo lo que era **valioso** para mí,
   lo consideré **sin valor** a causa de Cristo.
Más aún pienso que **nada** vale la pena
   en comparación con el **bien** supremo,
   que consiste en **conocer** a Cristo Jesús, mi Señor,
   por cuyo amor he renunciado **a todo**,
   y todo lo considero como **basura**,
   con tal de **ganar** a Cristo y de estar **unido** a él,
   no porque haya obtenido la **justificación** que proviene de **la ley**,
   sino la que procede **de la fe** en Cristo Jesús,
   con la que Dios hace justos **a los que creen**.

Y todo esto, para **conocer** a Cristo,
   experimentar la fuerza de su resurrección,
   compartir sus sufrimientos y asemejarme **a él** en su muerte,
   con la esperanza de **resucitar** con él de entre los muertos.

Ante el Bien supremo todo es secundario. Identifica lo valioso que Pablo enuncia para presentarlo a la asamblea como lo más apetecible.

Baja la velocidad de la lectura al llegar a "con tal de . . . unido a él".

Este párrafo guarda su propio tono. No es tan apasionado como lo previo.

"cosas nuevas". La primera, sembrar la esperanza de que el cambio está frente a nosotros; de que el Señor resucitado nos jala a construir una sociedad nueva, y de que eso es posible, porque la fuerza con que contamos, está en él. Todo depende de que la dejemos entrar y la dejemos expandirse a través de nuestros planes y acciones.

II LECTURA Pablo había buscado la salvación cumpliendo los mandamientos de la Ley oral y escrita. La circuncisión es un signo distintivo de este sometimiento. El cumplimiento de la Ley tenía el riesgo de crear cierto sentido de autosuficiencia, como si el hombre construyera su propia salvación. Por otro lado, daba este cumplimiento cierta angustia de dejar incumplido algún mandato. El encuentro con Cristo le da una voltereta completa a Pablo.

El hombre no se salva por sí mismo, sino que Dios lo salva por medio de la fe, que es la aceptación libre de esta salvación. La justificación no es una amnistía, sino una profunda transformación del creyente, que recibe del Espíritu Santo la capacidad de ser fiel a la alianza nueva, realizada en Cristo. Así el hombre sabe que no está en sus manos sino en las de Dios, su salvación y se libera de la angustia de no cumplir algún mandato.

No quiero decir que haya **logrado ya** ese ideal o que sea ya **perfecto**,
    pero me esfuerzo en **conquistarlo**,
    porque Cristo Jesús me ha conquistado.
No, hermanos, considero que **todavía** no lo he logrado.
Pero **eso sí**, olvido lo que he dejado atrás,
    y me **lanzo** hacia adelante,
    en **busca** de la meta y del trofeo al que Dios,
    por medio de **Cristo Jesús**, nos llama desde el cielo.

Pablo se confiesa en camino, no en la meta. Debemos hacer esto actitud de vida.

EVANGELIO   Juan 8:1–11

Lectura del santo Evangelio según san Juan

En aquel tiempo,
    Jesús **se retiró** al monte de los Olivos
    y al amanecer se presentó **de nuevo** en el templo,
    donde **la multitud** se le acercaba;
    y él, sentado entre ellos, les **enseñaba**.

Entonces los escribas y fariseos
    le llevaron a una mujer sorprendida en adulterio,
    y poniéndola frente a él, le dijeron:
"**Maestro**, esta mujer ha sido **sorprendida** en flagrante adulterio.
Moisés nos manda en la ley **apedrear** a estas mujeres.
¿**Tú** qué dices?"

Le preguntaban esto para **ponerle** una trampa y poder **acusarlo**.
Pero Jesús se **agachó** y se puso a escribir **en el suelo** con el dedo.
Pero como **insistían** en su pregunta, se **incorporó** y les dijo:
    "Aquel de ustedes que **no tenga pecado**,
    que le tire la **primera** piedra".
Se **volvió** a agachar y siguió escribiendo en el suelo.

Identifica los dramáticos momentos del relato y haz las pausas de la puntuación.

Solidarízate con la pecadora; sólo Jesús perdona.

Las palabras de Jesús deben sonar contundentes, no como de compromiso.

Habían llegado a la comunidad algunos predicadores que, sí, predicaban a Cristo, pero hablaban de la necesidad de la circuncisión. También allí había cristianos que se sentían perfectos, sin necesidad ya de nada. Éstos dejan de lado que, si bien ya se tiene la salvación primordial, todavía no se ha manifestado totalmente; falta que vuelva el Señor. Por eso, Pablo habla del conocimiento de Cristo, que no se reduce a lo intelectual, sino que es una identificación interna y vital con el Señor. Pero sabe que no ha alcanzado el final todavía; se sabe en camino a la resurrección.

La vocación cristiana exige maduración. Hay que esforzarnos y vivir con la mente y corazón tendidos hacia la meta final, que es Cristo resucitado.

EVANGELIO La liturgia nos ofrece el cuadro de la mujer sorprendida en adulterio para que, en la proximidad de la Semana Santa, cobremos conciencia de nuestro propio pecado y nos volvamos a Dios.

El pasaje lo conocemos bien. Escribas y fariseos confrontan a Jesús para que se pronuncie frente a la disposición mosaica de lapidar a la adúltera, quizá desposada. Esta problemática intrajudía, ponía contra la es-

Al oír **aquellas** palabras,
los acusadores comenzaron a escabullirse **uno tras otro**,
empezando por **los más viejos**,
hasta que dejaron **solos** a Jesús y a la mujer,
que estaba de pie, junto a él.

Entonces Jesús **se enderezó** y le preguntó:
"Mujer, ¿**dónde** están los que te acusaban?
¿**Nadie** te ha condenado?"
Ella le contestó: "**Nadie**, Señor".
Y Jesús le dijo: "**Tampoco yo** te condeno.
Vete y ya **no vuelvas** a pecar".

Desacelera la velocidad en las líneas finales. La misericordia de Jesús tiene que hacer eco en el corazón de los oyentes.

pada y la pared al evangelio que proclamaba la misericordia de Dios por encima de todo. Es una tentación. Sin embargo, el pronunciamiento de Jesús no deja lugar a dudas.

El relato desenmascara a ese juez que llevamos en nuestro interior, más o menos disimulado, según las circunstancias. Sabemos perfectamente lo que está mal, pero sólo lo expresamos cuando creemos que hallaremos eco a nuestra sentencia; de no ser así, nos haremos de la vista gorda, escudándonos en cualquier pretexto. A esta actitud conveniencera algunos le llaman "prudencia", otros cobardía y algunos más complicidad. Pero percibir el pecado y denunciarlo no es lo mismo que linchar al pecador. "El buen juez por su casa empieza", reza el refrán.

Este episodio fue muy relevante en el siglo II, cuando se discutía si había que readmitir en la comunión cristiana a los pecadores, particularmente a los adúlteros.

Como ayer, hoy seguimos más dispuestos a condenar que a perdonar, por eso, antes de dictar sentencia, mirémonos, hagamos caso a las palabras del Maestro.

V DOMINGO DE CUARESMA (A)

I LECTURA   Ezequiel 37:12–14

Lectura del libro del profeta Ezequiel

Esto dice el Señor Dios:
"Pueblo mío, **yo mismo** abriré sus sepulcros,
los haré **salir** de ellos
y **los conduciré** de nuevo a la tierra de Israel.

Cuando **abra** sus sepulcros y los saque **de ellos,**
pueblo mío, ustedes dirán que **yo soy** el Señor.

Entonces les **infundiré** a ustedes mi espíritu y **vivirán,**
los **estableceré** en su tierra
y ustedes **sabrán** que yo, el Señor, lo dije y **lo cumplí".**

Ezequiel nos orienta a la resurrección. Es un drama que muestra cada acción de Dios decidido a darle vida a su pueblo. El anuncio es solemne y con toda certeza.

Para meditar

SALMO RESPONSORIAL   Salmo 130:1–2, 3–4ab, 4c–6, 7–8
R. Del Señor viene la misericordia, la redención copiosa.

Desde lo hondo a ti grito, Señor;
Señor, escucha mi voz;
  estén tus oídos atentos
  a la voz de mi súplica. R.

Si llevas cuenta de los delitos, Señor,
¿quién podrá resistir?
Pero de ti procede el perdón,
y así infundes respeto. R.

Mi alma espera en el Señor,
  espera en su palabra;
  mi alma aguarda al Señor,
  más que el centinela la aurora.
Aguarde Israel al Señor,
  como el centinela la aurora. R.

Porque del Señor viene la misericordia,
  la redención copiosa;
  y él redimirá a Israel
  de todos sus delitos. R.

I LECTURA Muchas veces el profeta Ezequiel habló al pueblo de las consecuencias de su conducta. Por fin había llegado la palabra divina en forma de castigo. La estancia obligada del pueblo en el exilio, tampoco había convencido a los judíos en un primer momento, de la necesidad de cambiar su manera de vivir. El profeta insistirá en hacer entender al pueblo que el desastre no es otra cosa que el pago por su dureza de corazón. Sin embargo, en un momento determinado había que cambiar de dirección.

Ahora, el profeta anuncia de parte de Dios, el consuelo y un nuevo inicio. Recurre a la imagen de los sepulcros vacíos. Habla del regreso, un nuevo éxodo al país de sus antepasados. En su tierra, Israel podrá experimentar de nuevo la amistad con su Señor, podrá vivir en paz y encontrar sentido a su vida.

Los sepulcros se abrirán y los huesos extraídos adquirirán nueva vida. Aparece el horizonte del regreso. Un regreso que no significa borrar página, sino añadir una nueva. Lo pasado quedará como recuerdo y medida para valorar el nuevo don.

Dios resucitará al pueblo. Algo nunca visto. Los antiguos pueblos derrotados y destruidos se perdieron en el olvido de la historia. Piénsese en una Asiria, Babilonia, Persia . . . Nunca más se levantaron. Ahora Dios va a hacer el milagro de reconstruir con este montón de ruinas, a su pueblo. Es una nueva creación. Esta nueva posibilidad de vida no está pegada a la observancia de la Ley, sino al regalo del Espíritu de Dios.

Esta profecía encontrará su cumplimiento, cuando Jesucristo resucitado derramará su espíritu sobre la Iglesia (ver Hch 2:1–17) y, por boca de Pedro, el Señor declarará que

II LECTURA   Romanos 8:8–11

Lectura de la carta del apóstol san Pablo a los Romanos

Hermanos:
Los que viven en forma desordenada y egoísta
    no pueden agradar a Dios.
Pero ustedes **no llevan** esa clase de vida,
    sino una vida **conforme** al Espíritu,
    puesto que el Espíritu de Dios habita **verdaderamente**
        en ustedes.

Quien **no tiene** el Espíritu de Cristo, **no es** de Cristo.
En cambio, si Cristo vive **en ustedes,**
    aunque su cuerpo **siga sujeto** a la muerte a causa **del pecado,**
    su espíritu **vive** a causa de la actividad **salvadora** de Dios.

Si el Espíritu del Padre,
    que **resucitó** a Jesús de entre los muertos, **habita** en ustedes,
    entonces **el Padre,** que resucitó **a Jesús** de entre los muertos,
    también les dará vida a sus cuerpos mortales,
    por **obra** de su Espíritu que habita **en ustedes.**

EVANGELIO   Juan 11:1–45

Lectura del santo Evangelio según san Juan

En aquel tiempo,
    se encontraba enfermo **Lázaro,** en Betania,
    el pueblo de María y de su hermana Marta.
María era la que una vez **ungió** al Señor con perfume
    y le enjugó los pies **con su cabellera.**
El enfermo era su hermano **Lázaro.**
Por eso las dos hermanas le mandaron decir a Jesús:
    "Señor, el amigo a quien **tanto quieres** está enfermo".

El gozo del fiel cristiano le viene del Espíritu de Cristo. Ilumina tu rostro con la convicción de haberlo recibido desde el bautismo.

Comparte con la asamblea estas verdades que Pablo enseña. No te sientas separado de los asistentes a la celebración. Tú eres su voz.

Lectura dramática y extensa. Alerta tus sentidos para sostener cada cuadro del episodio. Es importante imponer un ritmo que no decaiga en ningún momento ni adormile.

---

el Espíritu de Dios se derramará sobre toda carne para otorgarle una vida divina.

La Cuaresma nos ofrece una profunda comprensión de lo que Dios está dispuesto a hacer por nosotros. Nos puede llevar a tener una nueva experiencia de Dios. Necesitamos dejarnos impregnar de su palabra y del Espíritu que resucitó a Jesús y trajo una vida renovada a la Iglesia.

II LECTURA Todo el capítulo octavo de la carta a los Romanos está dominado por el tema del Espíritu celestial que, enviado por el Hijo de Dios, vive en los creyentes para darles un nuevo sentido de la vida. En este contexto, Pablo emplea la palabra carne en el sentido concreto de pecado, muerte, enemistad con Dios. Así, la carne es contrapuesta a la vida en el Espíritu, como viene descrita.

El cristiano por la ley del Espíritu, que da la vida en Jesucristo, se encuentra en una situación nueva. Lo que no se podía conseguir por la oposición de la carne, ahora se cumple por el don del Espíritu. La calma y seguridad entra en el cristiano que está invadido por el Espíritu. Por lo mismo, desaparece esa desesperación y miedo, adheridos al cristiano que se deja guiar por la carne. Esto fue descrito precedentemente por el Apóstol (Rom 7:14–24). Esa desesperación no fue vencida y superada por un esfuerzo titánico de parte del hombre, al contrario, fue por el don del Espíritu, que ha guiado y sostenido la misma existencia de Jesús.

En el bautismo el creyente ha recibido el gran cambio por la infusión del Espíritu Santo: "Fuimos, pues, con él sepultados por el bautismo en la muerte, a fin de que, al igual que Cristo resucitó de entre los muertos por medio de la gloria del Padre, así también nosotros vivamos una vida nueva" (6:4).

Jesús interpreta los hechos bajo la luz de la gloria de Dios. Es una invitación a introducirnos en ese horizonte.

La información es como un paréntesis. Baja el tono de tu voz en esta línea. Luego retoma la normalidad.

Es un diálogo con sabor didáctico. Señala los contrastes entre las palabras de Jesús y las de sus discípulos que las comprenden bien. Tomás debe mostrar resolución.

Al oír esto, Jesús dijo:
"Esta enfermedad no acabará **en la muerte,**
sino que servirá para **la gloria** de Dios,
para que el Hijo de Dios **sea glorificado** por ella".

Jesús **amaba** a Marta, a su hermana y a Lázaro.
Sin embargo, cuando se enteró de que Lázaro **estaba enfermo,**
se detuvo **dos días** más en el lugar en que se hallaba.
Después dijo a sus discípulos: "**Vayamos** otra vez a Judea".
Los discípulos le dijeron:
"**Maestro,** hace poco que los judíos querían apedrearte,
¿y tú vas a volver **allá?**"
Jesús les contestó:
"¿Acaso no tiene **doce horas** el día?
El que camina **de día** no tropieza, porque **ve** la luz de este
mundo;
en cambio, el que camina de noche **tropieza,**
porque le falta la luz".

Dijo esto y luego añadió:
"Lázaro, **nuestro amigo,** se ha dormido;
pero yo voy ahora **a despertarlo**".
Entonces le dijeron sus discípulos:
"Señor, si duerme, es que **va a sanar**".
Jesús hablaba **de la muerte,** pero ellos **creyeron**
que hablaba del sueño natural.
Entonces Jesús les dijo **abiertamente:**
"Lázaro **ha muerto,** y me alegro por ustedes de no haber estado
ahí, **para que crean.** Ahora, **vamos** allá".
Entonces Tomás, por sobrenombre **el Gemelo,**
dijo a los demás discípulos:
"Vayamos **también** nosotros, para **morir** con él".

Cuando llegó Jesús, Lázaro llevaba ya **cuatro días** en el sepulcro.
Betania quedaba **cerca** de Jerusalén,
como a unos dos kilómetros y medio,

La lucha acompañará al cristiano. Una lucha del egoísmo contra la apertura a los demás, la lucha de Satanás contra Dios, la lucha de las tinieblas contra la luz. Esta lucha es la prolongación de la lucha que acompañó a Jesús durante su vida terrena, hasta el momento último, cuando Satanás entró en Judas para lanzar su último ataque (Lc 22:1–35).

El cristiano está armado de la fuerza necesaria para combatir contra el mal y, algo muy importante, tiene la garantía de la victoria, pues Cristo venció y nos dio al Espíritu para pelear a nuestro lado; pero él

tiene la parte fundamental en esta la lucha y en la victoria.

Se difunde hoy una cultura de la muerte, hecha de desprecio de la vida humana, del medio ambiente, de la naturaleza, de la belleza. Se hace un gran bien a la humanidad al pelear siempre por la vida, expandiéndola y defendiéndola. Sobre todo, los cristianos estamos llamados a luchar por una vida superior, la de la resurrección, que es una vida de cualidad muy por encima de la terrena.

EVANGELIO La Iglesia propone a los catecúmenos contemplar la vida vigorosa que Jesús da a los suyos. Marta, María y Lázaro son tres hermanos que forman una casa en Betania que se distingue por la predilección de Jesús. Jesús los amaba, cuenta san Juan. Allí se finca todo.

Como en la señal de luz realizada en el ciego de nacimiento, Jesús da el sentido de ésta; él coloca su quehacer en el horizonte de la gloria de Dios. San Juan gusta de la simbología y de transmitir la revelación más insinuando, sugiriendo y evocando que definiendo. Su forma de hablar hace que sus

Al encuentro con Marta acompáñalo con mayor viveza y velocidad en la lectura.

y **muchos** judíos habían ido a ver a Marta y a María
para **consolarlas** por la muerte de su hermano.
Apenas oyó Marta que Jesús llegaba, salió **a su encuentro;**
pero María **se quedó** en casa.
Le dijo Marta a Jesús:
"Señor, si **hubieras estado** aquí, **no habría muerto** mi hermano.
Pero aún ahora **estoy segura** de que Dios
te concederá **cuanto le pidas**".
Jesús le dijo: "Tu hermano **resucitará**".
Marta respondió:
"**Ya sé** que resucitará en la resurrección del **último** día".
Jesús le dijo: "**Yo soy** la resurrección y la vida.
El que **cree en mí**, aunque haya muerto, **vivirá;**
y **todo aquel** que está vivo y cree en mí,
no morirá para siempre.
¿Crees **tú** esto?"
Ella le contestó: "**Sí, Señor.**
Creo **firmemente** que tú **eres** el Mesías, el Hijo de Dios,
el que tenía **que venir** al mundo".

Este encuentro con María es más elocuente, menos teológico. Ayuda al auditorio con tu voz a que se represente la escena en toda su plasticidad.

Después de decir estas palabras, fue a buscar a su hermana
María y le dijo en voz baja:
"Ya vino el Maestro y **te llama**".
Al oír esto, María se levantó en el acto
y salió hacia donde estaba Jesús,
porque él no había llegado **aún** al pueblo,
sino que estaba en el lugar donde Marta lo había encontrado.
Los **judíos** que estaban con María en la casa, **consolándola,**
viendo que ella se levantaba y salía de prisa,
pensaron que iba al sepulcro para llorar ahí y la siguieron.

Cuando llegó María adonde **estaba** Jesús,
al verlo, **se echó** a sus pies y le dijo:
"**Señor,** si hubieras estado aquí, **no habría muerto** mi hermano".
Jesús, al verla **llorar** y al ver llorar a los judíos
que la acompañaban,

---

lectores abandonen la superficie del significado inmediato para penetrar en el misterio de Jesús, de su pascua. Aquí la palabra gloria y sus derivados llevan la línea principal. Gloria y vida son más que complementarias; en el horizonte de Juan son cuasi sinónimas. La enfermedad del amigo Lázaro es la ocasión para darle gloria a Dios y para que sea glorificado su Mesías. La gloria opaca la enfermedad, el dolor y muerte. La muerte está en el horizonte de Lázaro, pero esto no es más que el primer nivel. Lo que verdaderamente importa es la gloria de Dios y de su

Cristo, que pasa, necesaria y paradójicamente, por la muerte.

La muerte tiene su oportunidad señalada y no hay que apresurarla; igual que la noche, llegará, ciertamente. Ahora, enseña Jesús, es momento de caminar con seguridad, en la gloria. Lázaro, por su cuenta, ha caído en poder de la noche, duerme. Pero la jornada para ir a despertarlo será también una jornada de vida en la fe para los discípulos, no de muerte.

San Juan habla siempre de creer, pero no de la fe. Quizá quiera darnos a entender que creer es más un hacer que algo hecho,

más un proceso de experiencia, que el resultado conseguido, más el caminar que el camino.

Creer en Cristo, en las líneas del relato, tiene un principio o algo que motiva y echa a andar. Es lo que Jesús le precisa al grupo, cuando le anuncia que va a despertar a Lázaro muerto: " . . . para que crean". ¿Qué deben creer? Que Jesús es el enviado de Dios y que todo lo que realiza es movido por su entrega amorosa para dar vida a sus amigos, incluso al precio de la suya. Por eso, lo que dice Tomás es una verdad a medias, como son las solidaridades humanas,

se **conmovió** hasta lo más hondo y preguntó:
"**¿Dónde** lo han puesto?"
Le contestaron: "**Ven,** Señor, y lo verás".
Jesús se puso **a llorar** y los judíos comentaban:
"De veras ¡cuánto lo amaba!"
Algunos decían:
"¿No podía éste, que abrió los ojos al ciego **de nacimiento,**
hacer que Lázaro **no muriera?**"

Jesús, **profundamente** conmovido todavía,
se detuvo ante el sepulcro, que era una cueva,
sellada con una losa.
Entonces dijo Jesús: "**Quiten** la losa".
Pero Marta, la hermana del que había muerto, **le replicó:**
"Señor, **ya huele mal,** porque lleva cuatro días".
Le dijo Jesús:
"¿No te he dicho que **si crees,** verás la gloria de Dios?"
Entonces quitaron la piedra.

Jesús **levantó** los ojos a lo alto y dijo:
"**Padre,** te doy gracias porque me **has escuchado.**
Yo **ya sabía** que tú **siempre** me escuchas;
pero lo he dicho a causa de **esta muchedumbre** que me rodea,
para que **crean** que tú **me has enviado**".
Luego gritó con **voz potente:**
"¡Lázaro, **sal de allí!**"
Y **salió el muerto,** atados con vendas las manos y los pies,
y la cara envuelta en un sudario.
Jesús les dijo: "**Desátenlo,** para que pueda andar".

Muchos de los judíos que habían ido a casa de Marta y María,
al ver lo que había hecho Jesús, **creyeron** en él.

Versión corta: Juan 11:3–7, 17, 20–27, 33–45

Se aproxima el momento culminante. Haz que las palabras de Jesús vayan creciendo hasta que pronuncie la oración en el segmento siguiente y la orden subsiguiente.

Estas líneas no relatan sino que ofrecen el resultado del relato. Los oyentes deben simpatizar con los creyentes.

---

porque Jesús será el único que muera para dar vida. El caminar del discípulo, por el contrario, vive de esa muerte y, en esa medida, participa en la gloria del Enviado y glorifica a Dios.

En la plática con Marta, Jesús descubre un horizonte nuevo. Él es la resurrección y la vida perdurable. La creencia en la resurrección estaba más o menos difundida entre los judíos de la época, aunque los rabinos discutían sobre sus modos y comprensiones. La muerte primera es la física, la que todo hombre experimenta. La muerte segunda es la definitiva, el destino del impío decretado por el juicio del Mesías. En contrapartida, creer en Jesús garantiza la vida eterna. Esto es lo que Marta profesa. Pero el creer en Cristo no puede quedarse en las meras palabras. Lo que sustancia la fe son los hechos, y éstos ocurren cuando María, la otra hermana del difunto, encuentra al Maestro.

Resucitar a Lázaro es la mayor de las señales realizadas por Jesús, que son sus credenciales de haber sido enviado por Dios. Por su parte, el creyente en Cristo ya no vive abocado a la muerte, sino a la vida, anclado en la vida futura, no en el pasado. Mirar las señales del Mesías nos tiene que sembrar la esperanza de que el amor de Jesús arrostra todo peligro y vence toda atadura de muerte, para venir hasta el territorio de la noche a darle vida gloriosa a los suyos, a los que lo aman y a los que él ama. El nombre de Lázaro, "Dios ayuda", encierra toda la esperanza de la vida de los que creen en Jesucristo.

DOMINGO DE RAMOS DE LA PASIÓN DEL SEÑOR

EVANGELIO Lucas 19:28–40

Lectura del santo Evangelio según san Lucas

Este evangelio nos ambienta en lo que celebramos esta semana. Los acontecimientos no son ni fortuitos ni inesperados, sino que responden al designio de salvación en Cristo. Tu tono y postura espiritual deben responder a esto.

En aquel tiempo, Jesús, **acompañado** de sus discípulos,
    iba camino **de Jerusalén**, y al acercarse a Betfagé y a Betania,
    junto al monte llamado **de los Olivos**,
    envió **a dos** de sus discípulos, diciéndoles:
"**Vayan** al caserío que está frente a ustedes.
Al entrar, encontrarán atado un burrito que **nadie**
    ha montado todavía.
Desátenlo y tráiganlo aquí."
Si alguien les pregunta por qué lo desatan, **díganle**:
    'El Señor lo necesita' ".

Las cosas se desarrollan conforme a lo dicho por Jesús. Comunica esa sensación desde ahora, de que lo que está por venir es algo querido por Dios.

Fueron y encontraron **todo** como el Señor les había dicho.
Mientras desataban el burro, los dueños les preguntaron:
    "**¿Por qué** lo desamarran?"
    Ellos contestaron: "**El Señor** lo necesita".
Se llevaron, pues, el burro, le echaron **encima** los mantos
    e **hicieron** que Jesús montara en él.

Conforme iba **avanzando**,
    la gente **tapizaba** el camino con sus mantos,
    y cuando ya **estaba cerca** la bajada del monte de los Olivos,
    la multitud de discípulos, **entusiasmados**,
    se pusieron a alabar a Dios **a gritos**
    por **todos** los prodigios que habían visto, diciendo:

EVANGELIO El camino cuaresmal culmina con la Semana Santa. Esta semana estaremos celebrando los misterios de nuestra fe, repujados en la muerte y resurrección del Señor Jesús. Este es el misterio que informa e ilumina a todos los demás misterios cristianos. Hoy es Domingo de Ramos, una especie de estación en el camino cuaresmal, y portal para sumergirnos en los veneros de nuestra fe cristiana.

El evangelio de san Lucas está armado sobre el cañamazo conocido como "el viaje a Jerusalén" (9:51–19:28). En efecto, Jesús peregrina con su grupo de discípulos y discípulas desde Galilea. Su llegada a Jerusalén retrata al Rey, Mensajero de la paz que los líderes del pueblo no están dispuestos a recibir. La liturgia nos impulsa a levantar el corazón y a dar gloria a Dios, en un claro eco del mensaje que los ángeles anunciaron al nacer el Mesías.

I LECTURA En el capítulo anterior, el Segundo Isaías se quejaba de la oposición que encontró entre los deportados. Ahora expresa lo anterior mediante dos formas diferentes: una lamentación y un canto de confianza.

La primera estrofa contiene la lamentación que expresa la oposición entre el encargo divino y la experiencia del profeta y el motivo de su descargo, ya que el profeta ha sido fiel al encargo recibido, a pesar de las consecuencias terribles que le ha traído. El profeta ha sido un alumno fiel. No hablará el profeta lo que a él le venga en mente, sino lo que diariamente le comunique su Señor. Más aún, Dios le ha dado el don de saber hablar, contrario a lo que pasaba con Moisés, que necesitaba intérprete. Lo anunciado por su Señor no era para él, sino para que alentara al abatido.

Tu voz debe sonar entusiasta. La llegada del Mesías es una verdadera bendición para el pueblo.

"*¡Bendito el rey*
  que viene en el nombre del Señor!
  ¡Paz en el cielo
  y **gloria** en las alturas!*"

Algunos fariseos que iban entre la gente le dijeron:
  "Maestro, **reprende** a tus discípulos".
Él les replicó:
  "Les aseguro que si ellos se callan, **gritarán** las piedras".

I LECTURA   Isaías 50:4–7

Lectura del libro del profeta Isaías

Adopta la actitud de ser dócil discípulo de la Palabra. La palabra sostiene al profeta. La entereza es interna.

En aquel entonces, dijo Isaías:
  "El Señor me ha dado una lengua **experta**,
  para que pueda **confortar** al abatido
  con palabras **de aliento**.

Mañana tras mañana, el Señor **despierta** mi oído,
  para que **escuche** yo, como discípulo.
El Señor Dios me ha **hecho oír** sus palabras
  y yo **no he opuesto** resistencia
  ni me he echado **para atrás**.

De la disciplina del aprendiz se pasa a la violencia física y psicológica contra el Siervo. No atenúes la descripción dramática del profeta.

Recupera el aplomo y serenidad en este último párrafo, como que el vendaval ya ha pasado.

Ofrecí la espalda a los que me golpeaban,
  la mejilla a los que me **tiraban** de la barba.
No aparté mi rostro de los insultos y salivazos.

Pero el Señor **me ayuda**,
  por eso **no quedaré** confundido,
  por eso **endureció** mi rostro como roca
  y sé que **no quedaré** avergonzado.

El Segundo Isaías fue fiel a su encargo, no obstante las dificultades que esto le trajo: apaleo, jalones de barba y escupitajos. Evidentemente, el profeta menciona unas injurias para significar toda una situación de repulsa y ataque. Sería llamado el profeta ante la asamblea, juzgado y castigado. Él se resigna porque todo esto viene de la repulsa a la palabra de Dios.

Al lamento sigue la segunda estrofa que expresa la confianza del profeta. Lo externo que se le ha hecho, lo ha llevado a confirmar internamente de estar cumpliendo con lo mandado por Dios. Por esto está seguro de que conseguirá su objetivo. El profeta ganará el proceso, pues Dios es su abogado y juez; sus enemigos serán condenados.

Este pequeño trozo propone en miniatura el misterio pascual: muerte y resurrección. Jesús, como el profeta, sabe que su Padre le encomendó su misión y cumplirá su voluntad, encontrando una dulce intimidad en obedecerlo: "Por eso endurecí el rostro como piedra, sabiendo que no quedaría defraudado" (v. 7).

La procesión de Jesús entrando a Jerusalén, siendo aclamado, anuncia la segunda parte del misterio pascual. La primera, la muerte, de alguna manera está aludida en esta primera y segunda lectura de la liturgia de hoy. El triunfo pascual vendrá después del abajamiento, de la muerte, del desprecio y rechazo de aquellos a los que fue enviado, como le pasó al profeta del siglo sexto antes de nuestra era.

Para meditar

SALMO RESPONSORIAL   Salmo 22:8–9, 17–18a, 19–20, 23–24

R. Dios mío, Dios mío, ¿por qué me has abandonado?

Al verme, se burlan de mí,
　　hacen visajes, menean la cabeza:
"Acudió al Señor, que lo ponga a salvo;
　　que lo libre, si tanto lo quiere". R.

Me acorrala una jauría de mastines,
　　me cerca una banda de malhechores;
　　me taladran las manos y los pies,
　　puedo contar mis huesos. R.

Se reparten mi ropa,
　　echan a suerte mi túnica.
Pero tú, Señor, no te quedes lejos;
　　fuerza mía, ven corriendo a ayudarme. R.

Contaré tu fama a mis hermanos,
　　en medio de la asamblea te alabaré.
Fieles del Señor, alábenlo,
　　linaje de Jacob, glorifíquenlo,
　　témanle, linaje de Israel. R.

II LECTURA   Filipenses 2:6–11

Lectura de la carta del apóstol san Pablo a los Filipenses

Este himno tiene dos movimientos muy claros: uno descendente hasta la muerte y otro ascendente. Procura irle dando la entonación adecuada a cada sección en tu proclamación.

Cristo, siendo **Dios**,
　　no consideró que debía **aferrarse**
　　a las **prerrogativas** de su condición **divina**,
　　sino que, **por el contrario**, **se anonadó** a sí mismo,
　　tomando la condición **de siervo**,
　　y se hizo **semejante** a los hombres.
Así, hecho **uno de ellos**, se humilló **a sí mismo**
　　y por **obediencia** aceptó incluso **la muerte**,
　　y una muerte **de cruz**.

A la exaltación corresponde un tono de voz más elevado y ceremonial, pero no afectado.

Por eso Dios **lo exaltó** sobre todas las cosas
　　y le otorgó el nombre que está **sobre todo nombre**,
　　para que, al **nombre** de Jesús, todos **doblen** la rodilla
　　en el **cielo**, en la tierra y en **los abismos**,
　　y todos reconozcan **públicamente** que Jesucristo es **el Señor**,
　　para **gloria** de Dios Padre.

II LECTURA Este himno lo empleaban los cristianos quizá en su piedad privada o en la liturgia. Se trata de una composición literaria y religiosa espléndida, algo de lo mejor que nos llegó de esos tiempos primeros.

Pablo está hablando en la carta a sus cristianos filipenses de la vida comunitaria que, entre otras cosas, se debe alimentar de la humildad. En el mundo pagano la soberbia era algo apetecible para la gran mayoría.

Era una de las características de las ciudades romanas, más de ésta que había tenido su origen en soldados romanos. Pablo presenta la humildad como la atención que se tiene hacia el prójimo. Ofrece el ejemplo de Jesús. Dios ama tanto a los hombres, que estuvo dispuesto a entregar a su Hijo. Así la humildad se convierte en una virtud de primer rango en la existencia humana. Primero es una virtud divina y, después, será humana. Por esto el Señor pudo decir: "Aprendan de mí que soy manso y humilde de corazón" (Mt 11:29).

El himno puesto aquí (vv. 6–11) explica correctamente lo que Pablo entiende por humildad. La composición tiene dos partes (vv. 6–8 y 9–11). En la primera se describe el descenso del Cristo hacia lo más bajo, que es lo mismo que un despojo total en bien del hombre. En la segunda parte, se pinta la gloria que Dios reconoce y hace manifiesta a favor de Jesús.

Si no fuera por la revelación del misterio, nunca hubiéramos pensado, menos imaginado, este vaciarse de Jesús. Jesús llegó a

El relato es bastante extenso, por lo que conviene dosificar la velocidad de cada parte, incluso si en la lectura participan varias voces con la del narrador.

Guarda la intimidad eucarística en este fragmento. Dale gran calidez sobre todo al reproducir las palabras y gestos de Jesús.

Retrata las palabras y gestos de Jesús con serena confianza y gravedad. No los trivialices ni aligeres.

El señalamiento del traidor es triste. No se trata de un acertijo para divertirse, sino de una denuncia para que todos estén alertas.

EVANGELIO   Lucas 22:14—23:56

Pasión de nuestro Señor Jesucristo según san Lucas

Llegada **la hora** de cenar,
se sentó Jesús con sus discípulos y les dijo:
"**Cuánto** he deseado celebrar esta Pascua con ustedes,
antes de padecer,
porque yo les aseguro que ya **no la volveré a celebrar**,
hasta que tenga **cabal cumplimiento** en el Reino de Dios".
Luego **tomó** en sus manos una copa de vino,
pronunció la **acción de gracias** y dijo:
"**Tomen** esto y **repártanlo** entre ustedes,
porque **les aseguro** que ya **no volveré** a beber del fruto
de la vid hasta **que venga** el Reino de Dios".

Tomando después un pan, pronunció la acción de gracias,
lo partió y se lo dio, diciendo:
"Esto es mi cuerpo, que se entrega **por ustedes**.
Hagan esto en memoria mía".
Después de cenar, hizo **lo mismo** con una copa de vino, diciendo:
"**Esta** copa es la **nueva alianza**,
sellada **con mi sangre**, que se derrama **por ustedes**".

"Pero **miren**: la mano del que me va a entregar está
conmigo **en la mesa**.
Porque el Hijo del hombre **va a morir**, según lo decretado;
pero ¡**ay** de aquel hombre por quien será entregado!"
Ellos empezaron a preguntarse unos a otros
quién de ellos podía ser el que lo iba **a traicionar**.

lo último, a algo que tenía en ventaja sobre todos los seres creados, y lo sacrificó por el hombre, al hacerse un ser humano cabal. De infinito, se hizo finito. Del que da la vida, al que la recibe. Eso es un misterio y sólo lo podemos balbucear y, por lo mismo, sólo lo entenderemos un poco, desde fuera, sin poder entrar el misterio interno de la divinidad.

Este vaciarse tiene un sentido: el amor por el hombre, por nosotros. Por este gran amor viene el reconocimiento de Dios, que se convierte en un reconocimiento cósmico.

Por esto ese reconocimiento del Padre, se hace concreto en la exaltación de Jesús, del nombre que está sobre todo nombre. Un atisbo para descubrir el misterio de la Trinidad, que los concilios de los primeros siglos se encargarán de explicar y conceptualizar hasta donde el ser humano puede captar.

EVANGELIO En la mañana del catorce de Nisán, en los atrios del templo, cada jefe de familia degollaba y desollaba el cordero añal, que habría de consumir completamente, en grupo o familia, esa misma noche. Cada comensal debía

comer de la carne del cordero, al menos, lo equivalente a una aceituna. Comer la pascua era una obligación que recaía sobre sobre varones de Israel, aunque más que una pesada prescripción por cumplir, era ocasión de fiesta familiar.

La pascua de Cristo. Se comía reclinado, a la usanza griega. La premura del Éxodo, ritualizada en comer de pie y con la cintura ceñida para salir, parece haberse diluido con las generaciones. Sin embargo, Jesús coloca un tono de urgencia en lo que va a hacer y a decir.

Marca el contraste entre la primacía en el mundo y la primacía en la comunidad discipular. Enfatiza el "Pero ustedes . . ." y baja la velocidad en esas frases.

Después los discípulos se pusieron **a discutir**
    sobre **cuál** de ellos debería ser considerado
        como el **más importante**.
Jesús les dijo:
    "Los reyes de los paganos **los dominan**,
        y los que ejercen la autoridad se hacen llamar **bienhechores**.
    Pero ustedes **no** hagan eso, sino todo **lo contrario**:
        que el **mayor** entre ustedes actúe como si fuera **el menor**,
        y el que gobierna, **como si fuera** un servidor.
    Porque, ¿**quién** vale más, el que está a la mesa o **el que sirve**?
        ¿**Verdad** que es el que **está** a la mesa?
    Pues yo estoy en medio de ustedes **como el que sirve**.
    Ustedes han perseverado conmigo **en mis pruebas**,
        y yo les voy a **dar el Reino**, como mi Padre me lo dio **a mí**,
        para que **coman y beban** a mi mesa en el Reino,
        y se siente cada uno en un trono,
        para juzgar a las doce tribus de Israel".

Las palabras a Simón deben ser reconfortantes, no de amenaza. Simón será el que afiance la fe de sus compañeros.

Luego añadió:
    "**Simón**, Simón, mira que Satanás ha pedido permiso
        para **zarandearlos** como trigo;
    pero yo he orado por ti, para que tu fe **no desfallezca**;
        y tú, una vez convertido, **confirma** a tus hermanos".
Él le contestó:
    "**Señor**, estoy dispuesto a ir contigo **incluso** a la cárcel
        y a la muerte".
Jesús le replicó:
    "Te digo, Pedro, que hoy, **antes** de que cante el gallo,
        habrás negado **tres veces** que me conoces".

Jesús quiere poner al grupo en alerta. Acelera un poco en esta sección de la lectura.

Después les dijo a **todos ellos**:
    "Cuando los envié sin provisiones, sin dinero ni sandalias,
        ¿**acaso** les faltó algo?"
Ellos contestaron:
    "**Nada**".

Jesús ha deseado ardientemente comer la cena pascual, porque es la última "con ustedes, antes de padecer". Esta cena anticipa una ruptura, la de su éxodo. Pero esta cena última no es la definitiva. Esta cena cobra su sentido cabal sólo después de los sufrimientos, porque es su partida la que les da la novedad. El éxodo de Jesús abre un intervalo pascual que sólo estará completo en el Reino de Dios. La pascua del Reino sí será la cena completa, plena, la de Jesús con todos los suyos. Jesús coloca la última cena en las perspectivas de la cruz y del advenimiento del reinado de Dios.

La primera copa de la cena reafirma el intervalo pascual. Jesús jura no beber vino desde ahora, como renuncia a toda alegría celebrativa hasta que no llegue el Reino de Dios. Los apóstoles concurren en la misma decisión porque comparten la misma copa; no son sólo testigos, son participantes. La cena de Jesús está cargada de la ansiedad por el Reino de Dios. Es Jesús el que pugna por el advenimiento pleno del Reino y en ello involucra a sus discípulos. Es la tensión escatológica. Es la fuerza que transforma la realidad completa para conseguir que la cena pascual se convierta en la pascua de Cristo.

Las palabras y gestos eucarísticos vienen enseguida. La acción de gracias, bendición para el judío, es la alabanza que todo creyente eleva desde su corazón por la bondad de Dios, por los cuidados que tiene con todas las creaturas, porque las abriga y las alimenta. Tras esa oración, Jesús parte el pan y le da a cada comensal un trozo, pronunciando un sentido que va más allá de lo que el gesto habitual significaba. El pan partido y compartido entre los convidados a un banquete viene a manifestar la estrecha amistad entre ellos, su igualdad de condición o fraternidad. Comer del pan bendecido

Él añadió:
"Ahora, en cambio, el que tenga dinero o provisiones,
	que los tome;
	y el que no tenga espada, que **venda** su manto y compre una.
Les aseguro que conviene que se cumpla
	esto que está escrito de mí:
Fue contado entre los malhechores,
	porque se **acerca** el cumplimiento
	de **todo** lo que se refiere a mí".
Ellos le dijeron:
	"Señor, **aquí** hay dos espadas".
Él les contestó:
	"¡**Basta** ya!"

Salió Jesús, **como de costumbre**, al monte de los Olivos
	y lo acompañaron los discípulos. Al llegar a ese sitio, les dijo:
	"**Oren**, para **no caer** en la tentación".
Luego se **alejó** de ellos a la distancia de un tiro de piedra
	y se puso a orar de rodillas, diciendo:
	"**Padre**, si quieres, **aparta de mí** esta amarga prueba;
	pero que **no se haga** mi voluntad, sino **la tuya**".
Se le apareció entonces un ángel para **confortarlo**;
	él, en su angustia **mortal**, oraba con **mayor** insistencia,
	y comenzó a sudar **gruesas gotas de sangre**,
	que caían hasta el suelo.
Por fin **terminó** su oración, se levantó,
	fue hacia sus discípulos y los encontró **dormidos por la pena**.
Entonces les dijo:
	"¿**Por qué** están dormidos?
	Levántense y oren para no caer en la tentación".

Todavía estaba hablando,
	cuando llegó **una turba** encabezada por Judas,
	uno de los Doce, quien se acercó a Jesús **para besarlo**.
Jesús le dijo:
	"Judas, ¿con un beso **entregas** al Hijo del hombre?"

Retoma el tono "neutral" del relato. Al llegar al huerto de los Olivos dale intimidad e intensidad a las palabras de la oración de Jesús.

Acelera un tanto al narrar la captura de Jesús. Los eventos debieron ser vertiginosos.

era la expresión más clara de la dependencia del único Dios, y de comunión entre los presentes. Por eso las palabras de Jesús son tan relevantes, porque infunden un sentido novedoso a lo usual.

Con el pan partido Jesús se entrega a sus comensales. El trozo de pan es él, su cuerpo. No es griego el modo de pensar ni de expresarse, según lo cual el hombre sería ese compuesto de alma y cuerpo. Para alguien de raíces bíblicas el hombre es uno, vivo o muerto, entero. Jesús se entrega como don a los suyos y por los suyos. Al

aceptar el don, se recibe el amor crucificado de Dios. Ese pan troceado es sacramento del cuerpo inmolado en la cruz. Es la evidencia de la fidelidad del Mesías al proyecto del Reino de Dios. Puesto en manos de sus comensales, sus amigos y seguidores, ese trozo representa el compromiso por el Reino. Curiosamente, san Lucas no anota que lo comieran, porque deja que sus lectores lo asuman. Por otro lado, ese Jesús entregado viene a configurarse en el vínculo para la comunión de todos y cada uno de sus seguidores y comensales, comprometidos con el Reino.

En los banquetes griegos, a la cena seguía el simposio que se podía prolongar hasta entrada la noche. Lo principal era divertirse y festejar; abundaban el vino, los bailes y cantos, la conversación sabrosa, y, en ocasiones especiales, hasta literatos, poetas y filósofos. Por el contrario, en la cena pascual judía había tres o cuatro copas rituales. Tras la cena, Jesús repite el gesto que había hecho con la copa primera. A esta copa le pone novedad: es la nueva alianza en su sangre derramada.

La curación acentúa la bondad de Jesús en el peor momento; dale un ritmo y tono diferentes.

Retoma el tono del narrador conforme conduce a Jesús. Acompaña las negaciones de Pedro con un intercambio más vivo, que sube de tono en cada negativa del apóstol.

Al **darse cuenta** de lo que iba a suceder,
　　los que estaban con él dijeron:
　　"¿Señor, **los atacamos** con la espada?"
Y uno de ellos **hirió** a un criado del sumo sacerdote
　　y le **cortó** la oreja derecha. Jesús intervino, diciendo:
　　"¡Dejen! ¡Basta!"
Le tocó la oreja y **lo curó**.

Después Jesús dijo a los sumos sacerdotes,
　　a los encargados del templo
　　y a los ancianos que habían venido **a arrestarlo**:
　　"Han venido a aprehenderme con espadas y palos,
　　　como si fuera un bandido.
Todos los días he estado con ustedes en el templo
　　　y no me echaron mano.
　　Pero **ésta** es su hora y la del **poder** de las tinieblas".

Ellos lo **arrestaron**, se lo llevaron y lo hicieron entrar en la casa
　　del **sumo sacerdote**.
　　Pedro lo seguía **desde lejos**.
Encendieron fuego en medio del patio, se sentaron alrededor
　　y Pedro se sentó **también** con ellos.
Al verlo **sentado** junto a la lumbre, una criada **se le quedó**
　　mirando y dijo:
　　"Éste **también** estaba con él".
Pero él **lo negó**, diciendo:
　　"**No lo conozco**, mujer".
Poco después lo vio otro y le dijo:
　　"**Tú también** eres uno de ellos".
Pedro replicó:
　　"¡Hombre, **no lo soy**!"
Y como después de una hora, otro **insistió**:
　　"Sin duda que éste también estaba con él, porque **es galileo**".
Pedro contestó:
　　"¡Hombre, **no sé** de qué hablas!"
Todavía estaba hablando, cuando **cantó** un gallo.

La alianza nueva consiste en un modo inédito de entrar en comunión con Dios. Los profetas habían avizorado una alianza nueva (Jer 31) en la que cada fiel conocería internamente los mandamientos de Dios, sin necesidad de maestros o preceptores que indicaran lo que había que hacer en cada ocasión. Esto es lo que la sangre de Jesús viene a sellar: el conocimiento de Dios. La sangre de Jesús es el precio de la fidelidad a los mandamientos de Dios. La sangre derramada habla de la violencia padecida por Jesús, de su destino, pero también de su vida ofrendada para beneficiar a los suyos.

En esa copa que se ronda entre los comensales todos participan. Ellos son los primeros beneficiados de la alianza por unir su destino al del Mesías de Dios.

Del vaticinio sobre su muerte violenta se pasa al anuncio de la entrega del Hijo del hombre. En el triclinio de Jesús estaba el traidor. Jesús lo anuncia con un lamento, y se desatan las especulaciones. En realidad, ninguno de ellos se descarta como incapaz de semejante despropósito. Es la noche de la Eucaristía primera. Jesús no da marcha atrás.

Otro asunto halla combustible entre los discípulos: cuál de ellos debiera ser el más importante. Jesús zanja la cuestión con la lógica del servicio. Entre ellos no debe haber enseñoramientos sino servicio, no prebendas y privilegios sino entrega de la vida al precio del derramamiento de sangre. Jesús es el Diácono del Reino. El resto es oropel y frivolidad. Sus discípulos, en cambio, se caracterizan por la perseverancia y fidelidad en los momentos difíciles del Mesías, por eso les participa el Reino que su Padre le ha dado. No sólo les asegura que festejarán con él, sino que serán los jueces

Es el momento de la conciencia y del arrepentimiento petrino. Contémplalo con reverencia y así entrégalo a la asamblea para que se encuentre con la mirada de Jesús.

La reunión sanedrita tiene un aire hosco, hostil, con un Jesús digno y claro en sus pronunciamientos.

El Señor, volviéndose, **miró** a Pedro.
Pedro **se acordó** entonces de las palabras
    que el Señor le había dicho:
'**Antes** de que cante el gallo, me **negarás** tres veces',
    y saliendo de allí se soltó a llorar **amargamente**.

Los hombres que sujetaban a Jesús se **burlaban de él**,
    le daban golpes,
    le tapaban la cara y le preguntaban:
      "**¿Adivina** quién te ha pegado?"
Y proferían contra él **muchos** insultos.

Al amanecer **se reunió** el consejo de los ancianos con los sumos
    sacerdotes y los escribas.
    Hicieron **comparecer** a Jesús ante el sanedrín y le dijeron:
    "Si **tú eres** el Mesías, dínoslo".
Él les contestó:
    "Si se lo digo, **no lo van a creer**, y si les pregunto,
    no me van a responder.
Pero ya desde **ahora**,
    el Hijo del hombre está sentado **a la derecha**
      de Dios **todopoderoso**".

de las doce tribus de Israel, atribución judicial celeste.

El hilo de la fidelidad en las pruebas sigue con las pruebas de Simón y las del grupo. Como el que trilla sacude el trigo para que suelte el grano, Satanás los zarandeará. Sin embargo, el papel de valedor en la fe que el convertido Simón jugará para el grupo, está garantizado por la oración de Jesús. Pedro aprenderá de sus errores y caídas. De momento, cree que nunca fallará y protesta su fidelidad a Jesús, sólo para que éste le ratifique con santo y seña hasta la hora de su falencia.

Hacia el final del discurso Jesús dispone al grupo para la hora crítica; habla como si fuera a iniciar una campaña militar: hay que disponerse a cualquier eventualidad; nadie los apoyará. La línea del Segundo Isaías (cf. Is 53:12) da la razón de porqué Dios enaltece a su Siervo. Jesús es el Siervo fiel, "contado entre los malhechores", cuya suerte está por sellarse, pero cuyo destino último apenas se avizora. Las espadas salen sobrando. Del cenáculo, Jesús y el grupo pasan al Monte de los Olivos.

La prueba de Cristo. El comienzo de la prueba del Mesías está marcado por la oración de los discípulos y la de Jesús. La oración es el único sostén del discípulo al ser acusado ante los tribunales y procesado a muerte por la causa del Reino de Dios. Pero los discípulos desoyen y caen "dormidos por la tristeza". Cuando la tempestad arrecia no hay que bajar los brazos ni dar cabida al pesimismo. La imagen de Jesús orante sobrecoge; en solitario, arrodillado y suplicante, él se rehúsa a apurar la copa del sufrimiento inhumano que está por caer sobre él. Esta copa, la tercera del relato lucano, va con las otras, las de la cena. Ahora, él transpira sangre, el precio de cumplir la

Dijeron **todos**:

"Entonces, ¿**tú eres** el Hijo de Dios?"

Él les contestó:

"Ustedes **mismos** lo han dicho: sí **lo soy**".

Entonces ellos dijeron:

"¿**Qué** necesidad tenemos **ya** de testigos?"

Nosotros mismos lo hemos oído **de su boca**".

El consejo de los ancianos,

con los sumos sacerdotes y los escribas,

se levantaron y llevaron a Jesús **ante Pilato**.

Entonces comenzaron **a acusarlo**, diciendo:

"Hemos **comprobado** que éste anda **amotinando**

a nuestra nación

y **oponiéndose** a que se pague tributo al César

y diciendo que él es el **Mesías rey**".

Pilato preguntó a Jesús:

"¿**Eres tú** el rey de los judíos?"

Él le contestó:

"**Tú** lo has dicho".

Pilato dijo a los sumos sacerdotes y a la turba:

"No encuentro **ninguna** culpa en este hombre".

Ellos **insistían** con más fuerza, diciendo:

"Solivianta al pueblo

enseñando por **toda** la Judea, desde Galilea **hasta aquí**".

Al **oír esto**, Pilato preguntó si era galileo,

y al enterarse de que era de **la jurisdicción** de Herodes,

se lo remitió,

ya que Herodes estaba en Jerusalén **precisamente**

por aquellos días.

Pronuncia los cargos contra Jesús con toda claridad. San Lucas quiere mostrar que todos ellos son infundios contra los cristianos.

Pilato muestra un verdadero interés al principio en el acusado. Luego lo irá perdiendo.

---

voluntad del Padre. Su breve consuelo es la aparición angélica, aunque estas líneas no aparecen en los mejores manuscritos. El reproche del Maestro repite las palabras de la recomendación a orar; hoy rezamos con esas palabras el Padre nuestro, para fortalecer la fe cada día.

La aprehensión de Jesús tiene dos cuadros. En el primero, uno de los Doce, Judas, consuma la entrega con un beso, y salta la violencia. Los discípulos sucumben a la tentación de la violencia. Por su parte, Jesús apacigua el brote y cura la oreja de uno de sus enemigos. Él mantiene su decisión de apurar la tercera copa y su soberanía sobre los tumultuosos acontecimientos.

En el cuadro segundo, Jesús desenmascara la bellaquería de sus enemigos. Los conoce. Detentan el sistema del templo y su administración, son gente reputada de santa y honorable. Se cobijan en la noche y los conduce uno de los Doce. Jesús los exhibe. Son violentos y secuaces de las tinieblas. Esta es la oportunidad que no desaprovecharán.

La prueba de Pedro. Pedro quiere pasar desapercibido como espectador del drama, pero es reconocido hasta en tres ocasiones y otras tantas, él lo niega. Sólo Jesús le desnuda sus mentiras con la mirada profética, obligándolo a salir. Entonces comienza la ordalía como un juego hiriente. "Profetiza quién te ha herido", y además le insultaban. Sin duda que lo que más ha herido al Mesías ha sido la infidelidad de sus elegidos.

Comparecencia ante los judíos. El sanedrín sancionaba "usos y costumbres" judías. Asentado en Jerusalén, en un edificio aledaño al santuario, su cabeza era el sumo sacerdote. En reunión urgente, por la hora, la fecha y el asunto, se busca una causa incriminatoria contra Jesús. Jesús no reniega

La velocidad de la voz narrativa debe aumentar en la comparecencia ante Herodes. Preserva, sin embargo, el sentido de cada línea. Haz una breve pausa tras leer "vestidura blanca".

Herodes, al ver a Jesús, se puso **muy contento**,
   porque hacía **mucho tiempo** que quería verlo,
   pues había oído hablar **mucho** de él
   y esperaba presenciar **algún** milagro suyo.
Le hizo **muchas** preguntas, pero él no le contestó **ni una palabra**.
Estaban ahí los sumos sacerdotes y los escribas,
   acusándolo **sin cesar**.
Entonces Herodes, con su escolta,
   lo trató **con desprecio** y **se burló** de él,
   y le **mandó** poner una vestidura blanca.
Después se lo remitió a Pilato.
Aquel **mismo** día se hicieron amigos Herodes y Pilato,
   porque antes eran **enemigos**.

Muestra el énfasis de Pilato al declarar la inocencia de Jesús.

Pilato **convocó** a los sumos sacerdotes,
   a las autoridades y al pueblo, y les dijo:
   "Me han traído a este hombre, alegando que **alborota** al pueblo;
   pero yo lo he interrogado **delante** de ustedes
   y no he encontrado en él **ninguna** de las culpas
      de que lo acusan.
Tampoco Herodes, porque me lo ha enviado **de nuevo**.
Ya ven que **ningún** delito **digno** de muerte se ha probado.
Así pues, le aplicaré un escarmiento y **lo soltaré**".

Con ocasión de la fiesta, Pilato **tenía** que dejarles **libre** a un preso.
Ellos vociferaron **en masa**, diciendo:
   "¡**Quita** a ése! ¡**Suéltanos** a Barrabás!"
A éste lo habían metido en la cárcel
   por una **revuelta** acaecida en la ciudad y un homicidio.

---

de su identidad mesiánica. Sus acusadores sin pronunciarse al respecto, pasan a condenarlo; se erigen en testigos y jueces de la misma causa que promueven. Cuando está a merced de sus adversarios, Jesús se revela como el Hijo del hombre entronizado ya junto a Dios, figura mesiánica que detenta el poder de Dios. Esto es despojar al consejo de ancianos, sacerdotes y escribas de su autoridad legitimada por derecho divino. A quien detenta el poder de Dios es a quien condena el sanedrín. La revelación de Jesús cambia los lados de la mesa.

El proceso romano. Pilato era el procurador romano. Residía en Cesarea pero acudía a Jerusalén para supervisar el orden, con ocasión de las fiestas del templo. Administraba finanzas y milicia, lo mismo que la justicia con el famoso *ius gladii*, la pena capital, del que habían despojado al sanedrín. El consejo judío acusa a Jesús de ser un agitador popular, de oponerse al régimen romano y de insurrección. Pilato desestima los cargos con bastante simpleza: es un asunto de doctrina intrajudío, ninguna amenaza para el régimen imperial. Por lo mismo,

Pilato remite a Jesús al rey Herodes, quien administraba Galilea.

La comparecencia ante Herodes Antipas sólo la registra san Lucas. La descripción es muy genérica. Si de un lado, los acusadores no cejan en sus propósitos, del otro, Jesús no dice una palabra. El rey Herodes se burla del Mesías y le impone una vestidura "magnífica". No pronuncia sentencia alguna sobre Jesús, sino que reconoce la jerarquía de Pilatos y le devuelve al acusado como si fuera un obsequio de paz, porque las autoridades se vuelven amigas.

Los gritos pidiendo la crucifixión deben destacarse, pero sin alarmismos. Prosigue esta sección coloreando tu voz con el dramatismo de la escena.

La reiterada declaración de inocencia debe sonar con claridad. Marca bien, enseguida, el contraste entre el homicida y Jesús.

Pilato **volvió** a dirigirles la palabra,
    con la **intención** de poner en libertad a Jesús;
pero ellos **seguían** gritando:
    "¡Crucifícalo, **crucifícalo**!"
Él les dijo por **tercera vez**:
    "¿Pues qué **ha hecho** de malo?
No he encontrado en él **ningún delito** que merezca la muerte;
    de modo que le aplicaré un escarmiento y **lo soltaré**".
Pero ellos **insistían**, pidiendo a gritos que lo crucificara.
Como iba **creciendo** el griterío,
    Pilato **decidió** que se cumpliera su petición;
    soltó al que le pedían, al que había sido encarcelado
        por revuelta y homicidio,
    y a Jesús se lo entregó **a su arbitrio**.

El parágrafo es amplio y puede resultar pesado. Renueva la frescura del relato con inflexiones apropiadas de la voz, alarga las palabras en negrillas y apóyate en la puntuación.

Mientras lo llevaban a crucificar,
    echaron mano a un cierto Simón de Cirene,
        que volvía del campo,
        y **lo obligaron** a cargar la cruz, detrás de Jesús.
Lo iba siguiendo una **gran multitud** de hombres y mujeres,
    que se golpeaban el pecho y **lloraban** por él.
Jesús **se volvió** hacia las mujeres y les dijo:
    "**Hijas** de Jerusalén, **no lloren** por mí;
    lloren por ustedes y **por sus hijos**,
    porque van a venir días en que se dirá:
        '**Dichosas** las estériles y los vientres que no han dado a luz
        y los pechos que no han criado!'
Entonces dirán a los montes: '**Desplómense** sobre nosotros',
    y a las colinas: '**Sepúltennos**,'
    porque si **así** tratan al árbol verde, **¿qué pasará** con el seco?"

La descripción es sucinta. Importará más lo que suceda una vez que Jesús esté en la cruz.

Conducían, **además**, a dos malhechores, para ajusticiarlos con él.
Cuando llegaron al lugar llamado "**la Calavera**",
    lo crucificaron **allí**, a él y a los malhechores,
    uno a su derecha y el otro a su izquierda.

En la segunda parte del proceso romano, Pilato convoca al pueblo entero y sus representantes para declarar a Jesús inocente de los cargos que le imputan. Oferta castigarlo y soltarlo. En este punto los acusadores piden que libere a Barrabás, encarcelado por asesinato y rebelión. Pilato busca razonar la inocencia de Jesús, pero nada consigue. Las voces suben de tono hasta que el Procurador termina por entregarles a Jesús.

La ejecución. La crucifixión era un espectáculo y un tormento sangriento; a unos horrorizaría, otros lo lamentarían, y algunos más quizá lo disfruten. La comitiva militar obliga al Cirineo, un emigrado, a seguir a Jesús con el travesaño de la cruz a cuestas; el palo vertical estaría fijo en el Calvario. Otros dos delincuentes son conducidos por las calles de la ciudad, al mismo suplicio.

El encuentro con las mujeres compasivas, quizá alguna cofradía de tipo funerario, vuelca la atención sobre la peor desgracia que se avecina sobre ellas. Tan terrible será que lo que ahora parece motivo de dicha, tener hijos y criarlos, se volverá dolor insoportable; preferirían quedar sepultadas de golpe. San Lucas se refiere a los días angustiosos de la guerra, asedio y caída de Jerusalén en el año 70. Esos días de angustia y desgracias ya han pasado cuando san Lucas escribe, pero el autor los visualiza como consecuencia de no haber acogido al mensajero de la paz que Dios enviaba para salvar a su pueblo (ver Lc 19:41–44; 21:20–24).

Lo crucifican en un pedregoso promontorio fuera del muro de la ciudad, cerca de la Puerta del Jardín. En esos momentos de insoportable dolor, Jesús dispensa el perdón a la cuadrilla de sus verdugos que se reparte sus ropas. Magistrados y soldados se mofan del Cristo, el Rey de los judíos. A sus ojos, él

Jesús decía desde la cruz:
  "Padre, **perdónalos**, porque **no** saben lo que hacen".
Los soldados se **repartieron** sus ropas, echando suertes.

El pueblo estaba mirando.
    Las autoridades **le hacían muecas**, diciendo:
  "A **otros** ha salvado; que se **salve** a sí mismo,
    si él es el Mesías de Dios, **el elegido**".
También los soldados se **burlaban** de Jesús,
    y acercándose a él, le ofrecían vinagre y le decían:
"Si tú eres el rey de los judíos, **sálvate** a ti mismo".
Había, en efecto, sobre la cruz, un letrero en griego, latín
    y hebreo, que decía: "Éste es **el rey** de los judíos".

Uno de los malhechores crucificados **insultaba**
    a Jesús, diciéndole:
  "Si tú eres el Mesías, **sálvate** a ti mismo **y a nosotros**".
Pero el otro le reclamaba, **indignado**:
  "**¿Ni siquiera** temes tú a Dios estando en el **mismo** suplicio?
Nosotros **justamente** recibimos el pago de lo que hicimos.
Pero éste **ningún** mal ha hecho".
Y le decía a Jesús:
  "**Señor**, cuando llegues a tu Reino, **acuérdate** de mí".
Jesús le respondió:
  "Yo te **aseguro** que **hoy** estarás conmigo en el paraíso".

Era casi el mediodía,
    cuando las tinieblas invadieron **toda** la región
    y se **oscureció** el sol hasta las tres de la tarde.
El velo del templo **se rasgó** a la mitad.
    Jesús, clamando con voz potente, dijo:
  "¡Padre, en tus manos **encomiendo** mi espíritu!"
Y dicho esto, **expiró**.

Pronuncia con lentitud las lenguas y el letrero, pinchan el nervio de todo el relato.

El diálogo entre los malhechores debe tener la viveza de la animadversión.

El momento es el más dramático del evangelio. Eleva un tanto la voz y pronuncia con lentitud y veneración las últimas palabras de Jesús.

---

es incapaz de salvarse a sí mismo, ¿cómo salvará a su pueblo? (ver Lc 2:10). La salvación de Dios, necesariamente, pasa por la muerte de su Mesías.

De Lucas es la escena de los malhechores crucificados junto a Jesús; uno lo insulta, el otro, arrepentido, le pide ser incluido en su reino. El evangelio de la cruz es así: causa de rebelión para unos, prenda de salvación para otros. El arrepentido hace suya la salvación que se le presenta hoy.

Luego viene lo ominoso. La oscuridad es una imagen apocalíptica que habla de una catástrofe, aunque quizá aquí tenga el sentido de duelo. La rotura irreparable de la cortina del templo es signo de que un modo diferente de comunicación entre los hombres y Dios, inicia con la muerte de Jesús. Por la muerte de Jesús todos los hombres han sido perdonados por Dios (ver Heb 9:6–28).

Jesús entrega su espíritu con toda su fuerza. Grita su confianza total al entregarse en las manos del Padre con palabras del Salmo 31:5. Y el Padre lo recibe.

El comandante de los verdugos militares publicita la inocencia de Jesús, su justicia. Por su parte, los espectadores de la muerte del Mesías, dan muestras de arrepentimiento. Los conocidos del Justo ejecutado observan todo a la distancia, particularmente las mujeres que han sido sus discípulas desde Galilea.

Los cuerpos de los ajusticiados pertenecían a la justicia. Por eso, José de Arimatea, un miembro del consejo sanedrita, solicita a Pilatos el de Jesús, para darle piadosa sepultura. Lucas puntualiza que él no participó en los procederes del sanedrín y que esperaba el Reino de Dios. Este rasgo último le permite distanciarse del resto de sus colegas en el Consejo, y es también el

Con toda reverencia, reproduce la confesión
de fe del militar romano.

La sepultura del Señor tiene una fraseología
compleja; identifica el verbo principal en cada
oración y pronúncialo con claridad para que
el auditorio no se pierda ni confunda. Las
últimas líneas no concluyen el evangelio, sino
que preparan para algo más; procura que se
note esto en tu entonación.

[Aquí se arrodillan todos y se hace una breve pausa.]

El oficial romano, **al ver** lo que pasaba, dio gloria a Dios, diciendo:
    "**Verdaderamente** este hombre era justo".
Toda la muchedumbre que había acudido a este espectáculo,
    mirando lo que ocurría,
        se volvió a su casa **dándose** golpes de pecho.
Los conocidos de Jesús se mantenían **a distancia**,
    lo mismo que las mujeres que lo habían seguido desde Galilea,
    y permanecían mirando todo aquello.

Un hombre llamado José,
    consejero del sanedrín, hombre **bueno y justo**,
    que no había estado de acuerdo
    con la decisión de los judíos **ni con sus actos**,
    que era natural de Arimatea, ciudad de Judea,
    y que **aguardaba** el Reino de Dios,
        se presentó ante Pilato para **pedirle** el cuerpo de Jesús.
Lo **bajó** de la cruz, lo **envolvió** en una sábana
    y lo **colocó** en un sepulcro excavado en la roca,
        donde no habían puesto a nadie **todavía**.
Era el **día** de la Pascua y ya iba a empezar el sábado.
Las mujeres que habían seguido a Jesús desde Galilea
    acompañaron a José **para ver el sepulcro**
        y cómo colocaban el cuerpo.
Al regresar a su casa, prepararon **perfumes y ungüentos**,
    y el sábado **guardaron** reposo, conforme al mandamiento.

Lectura alternativa: Lucas 23:1–49

que lo mueve a actuar con toda piedad,
aunque con cierta premura, pues había que
celebrar la pascua esa noche y, además, el
sábado estaba por comenzar. El grupo de
discípulas, fieles observantes de la ley, observan todo y se preparan para rendir un
homenaje póstumo al Mesías de Israel.

JUEVES SANTO, MISA VESPERTINA DE LA CENA DEL SEÑOR

Hay que apoderarse del espíritu de la celebración. Es la fiesta de la libertad, del paso de la muerte a la vida, del encuentro familiar con Dios.

Cada signo y cada gesto pascual tiene que avivar la memoria del Dios de la libertad y dignidad.

I LECTURA   Éxodo 12:1–8, 11–14

Lectura del libro del Éxodo

En aquellos días,
    el Señor les dijo a Moisés y a Aarón **en tierra de Egipto:**
    "Este mes será para ustedes **el primero** de todos los meses
      y **el principio** del año.
Díganle **a toda** la comunidad de Israel:
    'El día diez de este mes, tomará cada uno
    un cordero **por familia,** uno por casa.
Si la familia es **demasiado pequeña** para comérselo,
    que se junte **con los vecinos** y elija un cordero adecuado
      al número de personas
    y a **la cantidad** que cada cual pueda comer.
Será un animal **sin defecto,** macho, de un año, cordero o cabrito.

Lo guardarán hasta el **día catorce** del mes,
    cuando **toda** la comunidad de los hijos de Israel
      lo inmolará al atardecer.
Tomarán la sangre y **rociarán** las dos jambas
    y el dintel de la puerta de la casa
    donde vayan a comer el cordero.
Esa noche **comerán la carne,** asada a fuego;
    comerán panes **sin levadura** y hierbas **amargas.**

I LECTURA   La lectura nos entrega el fondo hebreo de la celebración fundacional del pueblo de Dios. La fiesta de la pascua representa para Israel una experiencia y una llamada a la libertad en la alianza con Dios. El Dios ya casi olvidado, pues el sufrimiento les había llevado a olvidar que el Dios lejano, el de los padres, vino al encuentro de esos esclavos para ofrecerles la libertad antes de proponerles su plan. Dios sólo puede tratar con seres libres y, por esto, su primer acto será liberarlos. Esto se les quedará en la memoria y en una fiesta. De aquí las detalladas indicaciones rituales de una liturgia bien articulada, con clara referencia al hecho fundacional de la salida de Egipto.

El rito tendrá elementos para recordar a Israel el hecho fundacional. Primero tenemos la imagen de lo más cotidiano, el pan, lo más necesario y que, en adelante, llevará las huellas de una presencia. El pan ácimo relata la noche inacabada, la oscuridad rota por la presencia del Otro. Entre todas las noches del año, una será reservada no al sueño, sino a la contemplación y al relato. Se le recuerda al hebreo que debe tener su corazón abierto al Otro, en la vida y en el tiempo. La vigilia indica que debemos tener los ojos abiertos en la oscuridad, en esta noche que es paso a un día nuevo, a una humanidad nueva.

Para esto se debe comer del cordero, que a los cristianos nos recuerda al Cordero sin mancha, que se nos conservó en ese pan sagrado, verdadero Pan puro que nos alimenta y da fuerzas para pasar por el desierto hacia la tierra buena. Tierra donde beberemos con el Señor el fruto de la vid nueva.

Los ritos de la cena nos llevan no a la otra cena, sino al cumplimiento mismo. Es la eucaristía, la que nos da fuerza para

La Pascua tiene rostro terrible para los opresores.

Comerán **así: con** la cintura **ceñida,** las sandalias en los pies,
  un bastón en la mano **y a toda prisa,**
  porque **es la Pascua,** es decir, **el paso** del Señor.
Yo **pasaré** esa noche por la tierra de Egipto
  y **heriré a todos** los primogénitos del país de Egipto,
  desde los hombres hasta los ganados.
Castigaré a todos los dioses de Egipto, yo, **el Señor.**
La sangre les servirá **de señal** en las casas donde habitan ustedes.
Cuando yo vea la sangre, **pasaré de largo**
  y **no habrá** entre ustedes plaga exterminadora,
  cuando **hiera** yo la tierra de Egipto.

Haz notar a la asamblea presente que esta reunión conecta con todas las generaciones de los hijos de Dios.

Ese día será para ustedes **un memorial**
  y lo celebrarán como **fiesta** en honor del Señor.
De generación **en generación** celebrarán esta festividad,
  como institución **perpetua'** ".

Para meditar

SALMO RESPONSORIAL   Salmo 116:12–13, 15–16bc, 17–18
R. El cáliz de la bendición es comunión con la sangre de Cristo.

¿Cómo pagaré al Señor
  todo el bien que me ha hecho?
Alzaré la copa de la salvación,
  invocando su nombre. R.

Mucho le cuesta al Señor
  la muerte de sus fieles.
Señor, yo soy tu siervo,
  siervo tuyo, hijo de tu esclava;
  rompiste mis cadenas. R.

Te ofreceré un sacrificio de alabanza,
  invocando tu nombre, Señor.
Cumpliré al Señor mis votos
  en presencia de todo el pueblo. R.

luchar y fortalecernos en esta vida pasajera, esperando ser de los invitados a la cena del Cordero de la que nos habla el Apocalipsis.

II LECTURA Pablo dice a los corintios que él les ha transmitido algo que ha recibido como tradición. Así como lo ha recibido, lo ha pasado a ellos. Así se debe retener en el futuro. Ya de alguna forma estaba formulada esta tradición, que recibió con toda probabilidad de la iglesia de Antioquía. Esta tradición se remonta a Jerusalén y al Señor.

La Eucaristía era en tiempos de Pablo precedida de una cena en forma, donde los cristianos llevaban su alimento y lo compartían entre todos. Precisamente una falta en esa comunión, la no participación del alimento, es lo que hace al Apóstol recordar lo que significa el sacramento de la Cena santa.

La fórmula eucarística se sitúa entre dos horizontes claramente marcados. Ve hacia el pasado: "la noche en que era entregado" (v. 23), y ve hacia el futuro: "hasta que vuelva" (v. 26). Entre pasado y futuro está y se mueve el hoy y aquí de la comunidad eclesial. Esta presencia del cuerpo del Señor

es una llamada fuerte a la comunidad a vivir en caridad, a portarse como hermanos. De hecho, a propósito de esta falta de hermandad, cuando comían los pudientes de la abundancia de lo que llevaban para la cena, sin participar de su comida a los pobres que nada llevaban porque no tenían, será lo que motive esta parte de la carta. La unión con el cuerpo del Señor, exige la unión entre los hermanos.

Por lo mismo, el Apóstol saca las consecuencias de la celebración de la Eucaristía. Hay un empleo recíproco de la palabra cuerpo del Señor. Cuerpo del Señor es la

---

II LECTURA   1 Corintios 11:23–26

Lectura de la primera carta del apóstol san Pablo a los Corintios

Hermanos:

Yo recibí **del Señor** lo mismo que les **he trasmitido:**
    que el Señor Jesús, la noche en que iba **a ser entregado,**
    tomó pan en sus manos, y pronunciando la **acción de gracias,**
    lo partió **y dijo:**
    "Esto es **mi cuerpo,** que **se entrega** por ustedes.
Hagan esto **en memoria mía".**

Lo **mismo** hizo con el cáliz después de cenar, diciendo:
    "Este cáliz es **la nueva alianza** que se sella con mi sangre.
Hagan esto en memoria mía **siempre** que beban de él".

Por eso, **cada vez** que ustedes
    comen **de este pan** y beben **de este cáliz,**
    proclaman la muerte del Señor, **hasta que vuelva.**

EVANGELIO   Juan 13:1–15

Lectura del santo Evangelio según san Juan

Antes de la fiesta de la Pascua,
    sabiendo Jesús que había **llegado la hora**
    de pasar de este mundo al Padre
    y habiendo amado **a los suyos,** que estaban en el mundo,
    los amó **hasta el extremo.**

En el transcurso de la cena,
    cuando ya el diablo había puesto en el corazón de
        Judas Iscariote,
    hijo de Simón, la idea **de entregarlo,**
    Jesús, consciente de que el Padre había puesto en sus manos
        todas las cosas

Llénate de asombro y contemplación al reproducir con las palabras de Pablo el memorial de la Cena del Señor.

Infunde cariño y reverencia en la asamblea con tu propio porte y actitud corporal.

Alarga las palabras puestas en negrilla para avivar la futura venida del Señor.

Esta cena retrata la entrega de Jesús por la comunidad humana. Dale profundidad a tus expresiones. Apóyate en las líneas de sentido para que la oración inicial no resulte farragosa.

Las frases no son directas en este párrafo. Aminora la velocidad para que se entienda el texto.

---

comunidad de hermanos y Cuerpo del Señor es el pan y vino consagrados en el memorial celebrado hasta que él venga. Las consecuencias son muy claras. Antes de ir a la eucaristía debo ver si he pecado contra el cuerpo del Señor, es decir, contra algún miembro de la comunidad. Si así es, no puedo recibir el cuerpo del Señor bajo las especies del pan y vino.

La memoria ritual se prolonga en la memoria existencial: el don de sí que Cristo cumple, exige una actuación en la vida de los fieles. El mandato del amor fraterno no puede reducirse a una vaga filantropía, sino que tiene su fundamento en la última cena. La eucaristía ha perdido todo sentido social en la Iglesia. Se comulga ya por costumbre, sin fijarse lo que esto trae consigo. La regeneración, el crecimiento en la vida espiritual, la ayuda efectiva a los más débiles de la comunidad. Además, lo más grave, es que se ha convertido a la eucaristía en una ceremonia. Los adornos: las flores, cortinas, música, fotos, padrinos etc., se están apoderando de la misa y significan otra cosa muy distinta de lo que celebra la eucaristía. Se ha vuelto imprescindible ahora, para conmemorar algo en la vida de los cristianos, tener una misa. Pero, en la práctica, es una ceremonia que adorna a lo que se celebra o a quien se celebra. Con eso se le ha dado el golpe de gracia a su espíritu sacrificial y redentor. Regresemos al sentido que Pablo nos recuerda: memorial de la muerte del Señor por nosotros, que no significa, sino

Este gesto de Jesús debió sorprender a todos. Dale ese timbre de lo imprevisible.

y sabiendo que **había salido** de Dios y a Dios **volvía,**
se **levantó** de la mesa, se quitó el manto y tomando una
toalla, se la ciñó;
luego echó agua en una jofaina
y se puso **a lavarles los pies** a los discípulos
y a secárselos con la toalla que se había ceñido.

El diálogo debe ser vivaz. Las palabras de Jesús son de Maestro, deben sonar seguras y serenas.

Cuando llegó a **Simón Pedro,** éste le dijo:
"Señor, ¿me vas a lavar **tú a mí** los pies?"
Jesús le replicó: "Lo que estoy haciendo tú no lo entiendes **ahora,**
pero lo comprenderás **más tarde".**
Pedro le dijo: "Tú no me lavarás los pies **jamás".**
Jesús le contestó:
"Si no te lavo, **no tendrás parte conmigo".**
Entonces le dijo Simón Pedro:
"En ese caso, Señor, no sólo los pies,
sino **también** las manos y la cabeza".
Jesús le dijo:
"El que se ha bañado **no necesita** lavarse
más que los pies, porque **todo él** está limpio.
Y ustedes están limpios, aunque **no todos".**
Como **sabía** quién lo iba a entregar, por eso dijo:
'**No todo**s están limpios'.

Deja que la pregunta de Jesús cale en la asamblea. Enfatiza las frases con las que cierra el episodio.

Cuando **acabó** de lavarles los pies, se puso otra vez el manto,
volvió a la mesa y les dijo:
"**¿Comprenden** lo que acabo de hacer con ustedes?
Ustedes me llaman Maestro y Señor, y dicen bien, **porque lo soy.**
Pues si yo, **que soy el Maestro y el Señor,** les he lavado los pies,
también ustedes deben lavarse los pies **los unos a los otros.**
Les he dado ejemplo,
para que **lo que yo he hecho** con ustedes,
también ustedes **lo hagan".**

que se realiza en el sacramento, invitándonos a que hagamos lo mismo en la vida.

EVANGELIO El lavatorio de los pies aúna el más allá y el más acá, para darle cauce nuevo a lo de todos los días.

Jesús une a Dios con el mundo y al mundo con Dios. En san Juan, el mundo es la incredulidad marcada por el rechazo a Jesús, el mayor de los pecados. El rechazo a Dios nace de la autosuficiencia, que a veces hasta se pone máscara de "indignidad".

Hay muchos modos de rechazar a Dios porque no nos conocemos a nosotros mismos, no nos reconocemos insuficientes. Allí está Pedro como ejemplo, pero también Judas y los demás. Necesitamos que Dios, porque nadie más puede hacerlo, nos lave los pies primero, para unirnos a él.

El Hijo les pide a los lavados que se laven los pies unos a otros, no que le devuelvan el servicio. Lavarlos es abajarse por experimentar el amor total de Cristo; es poner la propia vida a su entera disposición.

Es el signo máximo del amor, de querer "pasar de este mundo al Padre". Divinizados por dejarnos limpiar por la Palabra de Dios, hay que atrevernos a ser signos de su amor por el mundo. Amémonos los unos a los otros, como él nos ha amado. Es la única manera de que la Iglesia se santifique y se adentre en el misterio pascual de su Señor.

VIERNES SANTO DE LA PASIÓN DEL SEÑOR

Causa asombro la figura paradójica del Siervo de Dios. Déjate envolver por su figura, sus expresiones y su recorrido.

I LECTURA   Isaías 52:13—53:12

Lectura del libro del profeta Isaías

He aquí que mi siervo **prosperará**,
   será **engrandecido** y exaltado,
   será **puesto en alto**.
Muchos se horrorizaron al verlo,
   porque estaba **desfigurado** su semblante,
   que **no tenía ya** aspecto de hombre;
   pero muchos pueblos se **llenaron** de asombro.
Ante él los reyes **cerrarán** la boca,
   porque verán lo que **nunca** se les había contado
   y **comprenderán** lo que nunca se habían imaginado.

Lanza las preguntas con mayor rapidez y elevando la voz hacia el final.

¿Quién habrá de creer lo que **hemos anunciado**?
¿A quién se le **revelará** el poder del Señor?
Creció en su presencia como **planta débil**,
   como una raíz **en el desierto**.
No tenía gracia **ni belleza**.
No vimos en él **ningún** aspecto atrayente;
   despreciado y rechazado por los hombres,
   varón de dolores, **habituado** al sufrimiento;
   como uno del cual se aparta **la mirada**,
   despreciado y **desestimado**.

I LECTURA El Siervo es figura misteriosa, cuya identidad no ha sido descubierta todavía entre los investigadores. Cada vez cede más terreno la interpretación colectiva, de representar al resto del Israel fiel. Parece tratarse de un individuo, pudiera ser el mismo profeta conocido como Segundo Isaías.

El lenguaje es distinto al de los otros tres cantos del Siervo. Este canto cuarto está armado en seis estrofas: la primera y última pertenecen al Señor. La suerte del Siervo es descrita en cuatro estrofas. Las primeras dos describen la vida y sufrimiento del Siervo y las últimas dos, su sufrimiento y muerte. Es una composición bien armada, que además cuenta con los artificios propios de la poesía hebrea.

Se describe la humildad radical del Siervo. No tiene raíz, se entiende, en el mundo del exilio en el que se encuentra un resto de Israel. No posee, además, ninguno de los valores que se apreciaban en aquellos tiempos y medios. Se emplean las imágenes de los Salmos y de Job. Contrariamente a los salmos de lamentación, el Siervo no invoca el castigo para sus detractores. Su manera de obrar es significativa, no necesita de palabras. No confiesa el Siervo un pecado que no ha cometido. El pecado es de los otros; ellos lo reconocen. Pero el dolor no es de los otros, sino de él. Su dolor resulta saludable para los que lo injuriaron y mataron. Más aún, para todos los pueblos.

Sufrió como nadie. Se describen algunos de sus sufrimientos y, al final, después de la muerte, viene su sepultura. Aunque su cadáver haya sido echado a la fosa común de los ajusticiados, una lápida ideal está sobre su tumba: "No ha cometido crímenes ni hubo engaño en su boca" (v. 9). Pero no todo se acaba con la muerte. La muerte

Aminora el ritmo de la lectura y alarga las palabras en negrillas.

Él **soportó** nuestros sufrimientos
  y **aguantó** nuestros dolores;
  nosotros lo tuvimos por **leproso**,
  herido por Dios y humillado,
  traspasado por nuestras rebeliones,
  triturado por nuestros crímenes.
Él **soportó** el castigo que nos **trae** la paz.
Por sus llagas hemos sido **curados**.

Todos andábamos errantes **como ovejas**,
  cada uno siguiendo **su camino**,
  y el Señor **cargó** sobre él **todos** nuestros crímenes.
Cuando lo maltrataban, se humillaba y **no abría** la boca,
  como un cordero llevado a **degollar**;
  como **oveja** ante el esquilador,
  enmudecía y no abría la boca.

Haz una pausa tras la primera línea de este párrafo. Luego prosigue a paso lento.

Inicuamente y **contra toda justicia** se lo llevaron.
¿**Quién** se preocupó de su suerte?
Lo **arrancaron** de la tierra de los vivos,
  lo **hirieron de muerte** por los pecados de mi pueblo,
  le dieron sepultura **con los malhechores** a la hora de su muerte,
  aunque **no había cometido** crímenes, ni hubo **engaño**
    en su boca.

Inicia el enaltecimiento del Siervo. Haz otro tanto con tu voz.

El Señor quiso **triturarlo** con el sufrimiento.
Cuando **entregue** su vida como expiación,
  verá a sus descendientes, **prolongará** sus años
  y **por medio de él** prosperarán los designios del Señor.
Por las fatigas de su alma, **verá** la luz y se saciará;
  con sus sufrimientos **justificará** mi siervo a muchos,
  cargando con los crímenes de ellos.

El tono debe ser diferente en las primeras dos líneas. Cuando se hace el sumario o la retrospectiva se dan los motivos de su ascenso.

Por eso le daré una parte **entre los grandes**,
  y con los fuertes **repartirá** despojos,
  ya que indefenso **se entregó** a la muerte

---

hace que esa raíz en tierra árida florezca y sea fecunda. Ahora el justo contempla la luz. Justificará a muchos (53:11b–12).

Como conclusión está una solemne declaración de Dios frente a la humanidad: reconsidera la conducta del Siervo, anula la condena, y declara inocente al Siervo. Su sufrimiento y su muerte expiatoria han liberado a los hombres, que se vuelven el botín de su triunfo y su victoria contra el mal. Su vida y muerte fue un sacrificio expiatorio para nosotros.

El Nuevo Testamento cita muchas veces este texto, aplicándolo a Jesús, a su

muerte redentora. Hch 8 interpreta el texto como una profecía a Jesucristo. La Iglesia ha seguido esa interpretación y no ha encontrado mejor texto que éste, para significar la muerte redentora del Señor Jesús. Por eso, de entrada, proclama solemnemente con este texto la muerte del Señor.

II LECTURA Este viernes nos invita a tomar la cruz como camino y a morir con Cristo para entrar al reposo divino. Jesús no sólo es un ejemplo, es un jefe.

Jesús ha atravesado los cielos. Una frase que alude a la misión que tenía el sumo sacerdote de atravesar una gran tienda antes de entrar en el santuario propiamente dicho, para hacer correr la sangre de las víctimas ofrecidas en señal de reconciliación con Dios. Al entrar Jesús, nuestro sumo sacerdote, al cielo, lo hace para reconciliarnos con Dios. En el cielo se ocupa en interceder por nosotros.

La gente perfecta nos desanima, pues somos imperfectos. La perfección de Jesús puede desanimarnos. Pero Jesús participa en su humanidad, en su conciencia y voluntad

y fue **contado** entre los malhechores,
cuando tomó sobre sí **las culpas de todos**
e **intercedió** por los pecadores.

Para meditar

SALMO RESPONSORIAL   Salmo 31:2 y 6, 12–13, 15–16, 17 y 25

R. Padre, en tus manos encomiendo mi espíritu.

A ti, Señor, me acojo:
 no quede yo nunca defraudado;
 tú, que eres justo, ponme a salvo,
A tus manos encomiendo mi espíritu:
 tú, el Dios leal, me librarás. R.

Soy la burla de todos mis enemigos,
la irrisión de mis vecinos,
el espanto de mis conocidos;
me ven por la calle y escapan de mí.
Me han olvidado como a un muerto,
me han desechado como a un
 cacharro inútil. R.

Pero yo confío en ti, Señor,
 te digo: "Tú eres mi Dios".
En tu mano están mis azares;
 líbrame de los enemigos que me
 persiguen. R.

Haz brillar tu rostro sobre tu siervo
 sálvame por tu misericordia.
Sean fuertes y valientes de corazón,
Los que esperan en el Señor. R.

II LECTURA   Hebreos 4:14–16; 5:7–9

Lectura de la carta a los Hebreos

Hermanos:
Jesús, el **Hijo** de Dios,
 es nuestro **sumo sacerdote**, que ha entrado en el cielo.
Mantengamos **firme** la profesión de nuestra fe.
En efecto, **no tenemos** un sumo sacerdote
 que no sea capaz **de compadecerse** de nuestros sufrimientos,
 puesto que **él mismo**
 ha pasado por **las mismas pruebas** que nosotros,
 excepto el pecado.
Acerquémonos, por tanto,
 con **plena** confianza al trono de la gracia,
 para **recibir** misericordia,
 hallar la gracia y **obtener** ayuda en el momento oportuno.

La lectura delinea ritos de la solemne liturgia celeste, calcados del sacerdocio de Jerusalén. De no tener esto en cuenta, nuestra lectura puede causar confusión.

humana en el gobierno divino sobre el mundo, en la obra divina de la reconciliación. Claro, Jesús es perfecto para perfeccionarnos. Jesús ha evolucionado hacia su perfección. ¿Cómo?

Jesús ha sido como nosotros un ser sensible, emotivo, capaz del placer y del dolor, de la alegría y de la pena. Como nosotros, se puso a obedecer a Dios. Él ha sido semejante a nosotros menos en el pecado (4:15). Ha amado al Padre y a nosotros con un amor único.

La salvación de la humanidad exigía la muerte de una víctima. Al querer nuestra salvación, implicaba para Jesús "dar su vida". Él mismo se ofrecerá. Es un acto de suprema obediencia de parte del que lo hace. Como ser sensible que es, Jesús siente horror al pecado, que es lo que separa al hombre de Dios. Al mismo tiempo, su sensibilidad le provoca un horror al sufrimiento y a la muerte. Él ama la vida en todos sus componentes. De aquí que, como dice el texto, "dirigió peticiones y súplicas, con clamores y lágrimas" (v. 7). Jesús "presenta". Es el término sacrificial por excelencia. Él acepta su sacrificio y lo ofrece. ¿Qué pide al que podía librarlo de la muerte? Pide que lo libere del miedo a la muerte. Él sabía de los sufrimientos atroces de los crucificados. Él no es un héroe inhumano. Él pide "piadosamente", sometiéndose a la voluntad de Dios. La petición fue escuchada. Morir en una maravillosa serenidad. Como hijo, sabe el precio de esta obediencia, pero lo hace.

Así el Dios-hombre ha obtenido la perfección. No es un gigante insensible a nuestras dificultades y debilidades. Está muy cerca de nosotros: "no es insensible a nuestra debilidad" (4:19). Él sabe desde dentro qué puede significar el renunciar a los deseos aun los más legítimos. Jesús, que conoce lo

El trasfondo de estas frases es la pasión del Señor.

Las dos líneas finales deben sonar como un evangelio para todos.

Precisamente por eso, Cristo, durante su vida mortal,
 ofreció oraciones y súplicas, con **fuertes** voces y lágrimas,
 a aquel que **podía** librarlo de la muerte,
  y **fue escuchado** por su piedad.
A pesar de que **era el Hijo**, **aprendió** a obedecer **padeciendo**,
 y llegado a su **perfección**,
 se **convirtió** en la causa de la salvación **eterna**
 para **todos** los que lo obedecen.

EVANGELIO   Juan 18:1—19:42

Pasión de nuestro Señor Jesucristo según san Juan

En **aquel** tiempo, Jesús fue con sus discípulos
 al **otro** lado del torrente Cedrón,
 donde había un huerto, y entraron **allí** él y sus discípulos.
Judas, el traidor, conocía **también** el sitio,
 porque Jesús se reunía a menudo allí con sus discípulos.

Entonces **Judas** tomó un batallón de soldados y guardias
 de los sumos sacerdotes y de los fariseos
 y **entró** en el huerto con linternas, antorchas y armas.

Jesús, sabiendo **todo** lo que iba a suceder, se **adelantó** y les dijo:
 "**¿A quién** buscan?"
Le contestaron:
 "A Jesús, **el nazareno**".
Les dijo Jesús:
 "**Yo soy**".
Estaba también con ellos Judas, **el traidor**. Al decirles '**Yo soy**',
 retrocedieron y **cayeron** a tierra.
Jesús les **volvió** a preguntar:
 "**¿A quién** buscan?"

La lectura es muy amplia. Será importante prepararla y marcar cada sección con un ritmo que la distinga, sobre todo si se hace con varias voces. Hoy no hay signado inicial y la proclamación arranca con el título: "Pasión de nuestro Señor . . . ".

Haz una pausa previa antes de introducir a Judas, aunque la puntuación no la confirma.

El diálogo debe ser vivo y dinámico. La voz de Jesús debe ser firme.

divino desde dentro, sabe lo que es el pecado, un mal inmenso. Por esto, aquí está la fuente de su compasión por el hombre.

Jesús ha hecho la prueba de una obediencia multiforme. Él puede comprender todas dificultades por las que tenemos que pasar. El malhechor, el asesino, el desalmado saben, han experimentado el pecado; pero el Señor sabe más que ellos y puede comprender mejor que nadie al pecador. Por eso no tengamos miedo: acerquémonos al trono de la gracia.

EVANGELIO La Iglesia se detiene hoy en los misterios de la salvación, siguiendo el relato de la pasión, muerte y resurrección de Jesús. De allí brota nuestra fe cristiana y toda su fuerza. Sin ese manantial, las enseñanzas del evangelio y los milagros de Jesús carecen de sustento; no pasarían de ser dichos de sabiduría y episodios sorprendentes, pero no revelación de Dios en Jesús de Nazaret.

Por una tradición muy antigua, este día se dedica al ayuno y la abstinencia por el dolor de los pecados, pero también al silencio meditativo y a la oración, para vivir más

unidos a Jesús. En muchos pueblos y hasta en comunidades urbanas, el Viernes Santo da ocasión a revivir la pasión del Señor en un Viacrucis viviente por las calles del vecindario; esto ayuda a muchas personas a expresar su fe, pero conviene coordinarlo con piedad y recogimiento, pues de otro modo se desvirtúa su sentido, y todo queda en lo anecdótico, banalizado. El esfuerzo de revivir el Viacrucis tiene que llegar hasta el corazón de todos los que participan en esa expresión pública de fe, de modo que propicie un auténtico encuentro con Jesucristo, muerto por nuestros pecados. Nada suplanta

Ellos dijeron:
   "A Jesús, **el nazareno**".
Jesús contestó:
   "Les he dicho que **soy yo**.
Si me buscan **a mí**, dejen que éstos se vayan".
Así **se cumplió** lo que Jesús había dicho:
   'No he perdido **a ninguno** de los que me diste'.

Esta parte hazla a una velocidad mayor que lo que antecede. La voz de Jesús debe tener tono severo.

Entonces **Simón Pedro**, que llevaba una espada,
   la sacó e **hirió** a un criado del sumo sacerdote
   y **le cortó** la oreja derecha. Este criado se llamaba **Malco**.
Dijo entonces Jesús **a Pedro**:
   "**Mete** la espada en la vaina.
¿No voy **a beber** el cáliz que me **ha dado** mi Padre?"

El batallón, su comandante y los criados de los judíos
   apresaron a Jesús, lo ataron y lo llevaron primero **ante Anás**,
   porque era suegro de Caifás, **sumo sacerdote** aquel año.
Caifás era el que había dado a los judíos **este consejo**:
   '**Conviene** que muera **un solo hombre** por el pueblo'.

Simón Pedro y otro discípulo iban siguiendo a Jesús.
Este discípulo era **conocido** del sumo sacerdote
   y **entró** con Jesús en el palacio del sumo sacerdote,
   mientras Pedro se quedaba **fuera**, junto a la puerta.
Salió el otro discípulo, el conocido del sumo sacerdote,
   habló con la portera e **hizo entrar** a Pedro.
La portera dijo entonces a Pedro:
   "¿No eres **tú también** uno de los discípulos de **ese** hombre?"
Él dijo:
   "**No lo soy**".

La voz de Pedro debe sonar convincente y firme. Pero perderá fuerza en cada negación.

Los criados y los guardias habían **encendido** un brasero,
   porque hacía **frío**, y se calentaban.
También Pedro estaba con ellos **de pie**, calentándose.

El sumo sacerdote **interrogó** a Jesús acerca de sus discípulos
   y de su doctrina.

---

la lectura meditativa y espiritual de la pasión del Señor en el evangelio.

San Juan, hacia el final de su escrito, anota que ha decidido escribir esas señales para que los oyentes crean que el Mesías es Jesús, el Hijo de Dios, y tengan vida en su nombre (cf. Jn 20:30–31). En ese evangelio de señales, el relato de la pasión del Mesías ocupa el lugar culminante, porque en él convergen todas las señales del Mesías, desde la de Caná (Jn 2) hasta la de la resurrección de Lázaro (Jn 11). Todas son señales de gloria del Mesías; pero lo son porque se alimentan

de la pasión, muerte y resurrección del Cristo, particularmente una.

Cuando san Juan contó la expulsión de los mercaderes del templo (Jn 2), anticipó la señal mayor de todo su escrito: la destrucción y edificación del templo nuevo, es decir, la pascua del Mesías de Dios (Jn 2:19–21). Esa señal anunciada a las autoridades judías viene a ejecutarse aquí, en los capítulos 18 y 19, aunque la noche de la entrega ha comenzado con la cena de Jesús con los suyos y los discursos de despedida (Jn 13–17).

El paso del Mesías a la gloria de su Padre comienza con el lavatorio de los pies

a los suyos (Jn 13) y sólo terminará tres días después, con la ascensión que anuncia el propio Resucitado a María de Magdala pidiéndole que lleve ese mensaje al grupo de discípulos (Jn 20:18). La Pascua del Mesías consiste en su tránsito "de este mundo . . . a Dios . . . "; es la hora de la revelación suprema del amor total y del cumplimiento absoluto de la voluntad del Padre. Esto es lo que san Juan relata en los capítulos 13 a 20. Sin embargo, la lectura de la pasión que se hace en la liturgia de este día inicia cuando Jesús ha terminado la oración por la unidad de los suyos con la que concluye sus

Jesús es dueño de sí en todo momento. Esto se nota en sus respuestas.

Jesús le contestó:

"Yo he hablado **abiertamente** al mundo
y he enseñado **continuamente** en la sinagoga y en el templo,
donde se reúnen **todos** los judíos,
y no he dicho **nada** a escondidas. **¿Por qué** me interrogas **a mí**?
Interroga a los que **me han oído**, sobre lo que **les he hablado**.
Ellos **saben** lo que he dicho".

Apenas dijo esto, uno de los guardias
le dio una **bofetada** a Jesús, diciéndole:
"**¿Así** contestas al sumo sacerdote?"
Jesús le respondió:
"Si he **faltado** al hablar, demuestra **en qué** he faltado;
pero si he hablado **como se debe**, ¿**por qué** me pegas?"
Entonces **Anás** lo envió atado a Caifás, el **sumo** sacerdote.

La reacción de Jesús es vigorosa; no le restes poder.

Simón Pedro estaba de pie, calentándose, y le dijeron:
"¿No **eres tú** también **uno** de sus discípulos?"
Él **lo negó** diciendo:
"**No lo soy**".
Uno de los criados del sumo sacerdote,
pariente de aquel a quien Pedro
le **había cortado** la oreja, le dijo:
"¿Qué no te vi yo **con él** en el huerto?"
Pedro **volvió** a negarlo y **en seguida** cantó un gallo.

La seguridad de Pedro se resquebraja en esta negación.

Llevaron a Jesús de casa de Caifás **al pretorio**.
Era muy de mañana y ellos **no entraron** en el palacio
para **no incurrir** en impureza
y poder así **comer** la cena de Pascua.

La conducción al pretorio señala otro momento del relato. Es el interrogatorio romano.

Salió entonces Pilato a donde estaban ellos y les dijo:
"¿**De qué** acusan a ese hombre?"

---

discursos de despedida. Sólo hay que tomar en cuenta que todos los acontecimientos que tienen que ver con la aprehensión, proceso y ajusticiamiento del Cristo de Dios, sólo cobran sentido salvífico en el marco de la Pascua de Jesús: la entrega de su vida por los suyos, como declara san Juan en 13:1–3.

La aprehensión en el huerto. El huerto está enfrente del monte del templo. Jesús y su grupo debieron salir de la ciudad por la puerta más próxima para cruzar el Cedrón, un barranco seco la mayor parte del año y que servía de escurridero a los desagües del

templo. Ese barranco separa la ciudad de Jerusalén del monte que le queda al oriente, el de los Olivos; allí está el huerto. Desde allí se tiene una magnífica vista del templo y de la ciudad; de noche, se podrían observar bien los movimientos de las gentes que entran o salen de la ciudad amurallada; cualquier lámpara o antorcha en movimiento se podría identificar sin dificultad. Esto pone de relieve la soberana libertad de Jesús para entregarse, pues ya se les ha escapado de las manos en varias ocasiones (ver Jn 7:30; 8:59; 10:39).

Jesús y su grupo entran al huerto, les es familiar por ser lugar consabido de reunión, por eso lo conoce también el traidor, y se introducirá allí con un piquete de gente armada.

San Juan destaca el señorío de Jesús sobre los acontecimientos: sabe todo lo que está por venir, y actúa en favor de los suyos, abriéndoles la opción para que salven su vida. Los mismos adversarios, por su parte, acatarán su voluntad. Jesús es el soberano en todo momento; no rehúye la búsqueda del traidor y se identifica con toda entereza delante de sus captores.

Las palabras de los acusadores deben tener mayor velocidad que las de Pilato.

El diálogo es muy interesante, pero el procurador no parece hablar el mismo lenguaje; puedes leer sus palabras más rápidamente. Crea a la pregunta final de Pilato una especie de resonancia retardando la siguiente línea.

Le contestaron:

"Si **éste** no fuera **un malhechor**, no te lo hubiéramos traído".

Pilato les dijo:

"Pues **llévenselo** y júzguenlo **según su ley**".

Los judíos le respondieron:

"No estamos autorizados para **dar muerte** a nadie".

Así **se cumplió** lo que había dicho Jesús,

indicando **de qué muerte** iba a morir.

Entró **otra vez** Pilato en el pretorio, llamó a Jesús y le dijo:

"¿**Eres tú** el rey de los judíos?"

Jesús le contestó:

"¿Eso lo preguntas **por tu cuenta** o te lo han dicho **otros**?"

Pilato le respondió:

"¿**Acaso** soy yo judío?

Tu pueblo y los sumos sacerdotes te han entregado **a mí**.

¿**Qué** es lo que has hecho?"

Jesús le contestó:

"Mi Reino **no es de este mundo**.

Si **mi Reino** fuera de este mundo,

mis servidores **habrían luchado** para que no cayera yo

en manos de los judíos.

Pero mi Reino **no es de aquí**".

Pilato le dijo:

"¿Conque tú eres rey?"

Jesús le contestó:

"**Tú** lo has dicho. **Soy rey**.

Yo nací y **vine** al mundo para ser **testigo de la verdad**.

Todo el que es de la verdad, **escucha** mi voz".

Pilato le dijo:

"¿**Y qué es** la verdad?"

En este cuadro podemos ver los dos datos extremos de los orígenes del Cristo, los que, conforme a los criterios de discernimiento del tiempo, dan su verdadera identidad: es un hombre que viene de un oscuro pueblo de los cerros de Galilea, y el que viene de Dios para redimir a los suyos.

Los "Yo soy" de Jesús hacen eco a la voz de Dios, cuando se aprestaba a salvar a su pueblo de los poderes que lo oprimían; Dios se identificaba con el "Yo soy", para que sus fieles tuvieran la certeza de que lo que sucedía estaba siendo operado por él mismo, y por nadie más. Ahora, con la pascua de

Jesús, el Mesías va a liberar al mundo de la oscuridad del pecado, haciendo brillar el amor inmenso de Dios por la humanidad cegada por su propia gloria. En este cuadro preciso de la aprehensión, el "Yo soy" soberano de Jesús deja en claro su voluntad para entregarse. Sus adversarios caen al escucharlo; pero también abre las puertas para que los suyos puedan salvar su vida.

Destacan Pedro, en el grupo de discípulos, y Malco en el que comanda Judas. El seguidor de Jesús pareciera pertenecer al otro bando, pues está armado y ataca con la espada a un esclavo del sumo sacerdote.

Al parecer es un ataque cobarde porque ocurre cuando el Cristo abrió antes la opción de la fuga. Este ataque ha servido para especular si Pedro sería zurdo, si hubo una escaramuza entre los grupos, o si atacó por la espalda. Importa, sin embargo, que Jesús reprueba la resistencia violenta de su defensor para poder apurar la tremenda copa que el Padre le tiende, y así llevar a cumplimiento su obra. Por otro lado, en Malco, cuyo nombre significa "rey", san Juan exhibe la humillación y deformación de la realeza como la conciben las autoridades romanas y religiosas judías. Aquí no hay curación del

Dicho esto, salió **otra vez** a donde estaban los judíos y les dijo:
"No encuentro en él **ninguna** culpa.
Entre ustedes **es costumbre**
que por Pascua **ponga en libertad** a un preso.
¿Quieren que les suelte **al rey** de los judíos?"
Pero **todos ellos** gritaron:
"¡No, a **ése no**! ¡A **Barrabás**!"
(El tal Barrabás era **un bandido**).

Entonces Pilato tomó a Jesús y lo mandó **azotar**.
Los soldados **trenzaron** una corona **de espinas**,
se la pusieron en la cabeza,
le echaron encima un manto color **púrpura**,
y acercándose a él, le decían:
"**¡Viva** el rey de los judíos!", y le daban de bofetadas.

Pilato salió otra vez afuera y les dijo:
"Aquí lo traigo para que sepan que **no encuentro**
en él **ninguna** culpa".
Salió, pues, **Jesús** llevando la corona de espinas
y el manto color púrpura.
Pilato les dijo:
"**Aquí está** el hombre".
Cuando lo vieron los sumos sacerdotes
y sus servidores, **gritaron**:
"**¡Crucifícalo, crucifícalo!**"
Pilato les dijo:
"**Llévenselo** ustedes y **crucifíquenlo**,
porque yo **no encuentro** culpa en él".
Los judíos le contestaron:
"Nosotros tenemos **una ley** y según esa ley **tiene que morir**,
porque se ha declarado **Hijo de Dios**".

Se desata la violencia contra Jesús. Puedes endurecer el tono de voz.

Acompaña las palabras de Pilato con cierto desprecio.

La voz de Pilato debe sonar autoritaria.

mutilado, como en Lucas. Con la batalla simbólica de la luz y las tinieblas en desarrollo, se va dando también un discernimiento sobre la realeza del Mesías de Dios.

Proceso y ejecución del Mesías. Los cuadros siguientes a la aprehensión en el huerto se desarrollan en las respectivas casas de Anás y de Caifás, sacerdotes principales. Justo al inicio del interrogatorio privado, san Juan apunta el sentido de lo que está ocurriendo pero citando el consejo de Caifás: la muerte de Jesús será para beneficio del pueblo (ver Jn 11:50).

La función sacerdotal consistía en ofrecer sacrificios sobre el altar del templo para expiar por los pecados del pueblo, para que éste pudiera vivir delante de Dios. Durante la sujeción a los romanos, sin embargo, la aristocracia sacerdotal era también representante del pueblo ante la autoridad romana, a la que debía dar cuenta de los impuestos y de la estabilidad social, en la que la jerarquía sagrada ocupaba un lugar prominente. A este renglón debe obedecer el intercambio entre el Prisionero y Anás.

El interrogatorio en el interior de la casa de Anás a Jesús pone en el tapete la preocupación por la paz social. Si Jesús se tiene por el Mesías de Dios, y sus seguidores lo reconocen tal, esto tiene consecuencias políticas y sociales que no pueden ocultarse. Pero Jesús era un maestro itinerante con algunos seguidores galileos y contados simpatizantes en Jerusalén, que no representaba una amenaza seria para la paz social. A los ojos de los jerarcas, sin embargo, convenía cegar cualquier posibilidad de sublevación, pues de crecer la popularidad del Galileo, se convertiría en un peligro nacional, ante todo para la jerarquía que se alimentaba del templo y su teología, como

Denota cierta reserva en las palabras de Pilato, y entereza en las de Jesús.

Cuando Pilato oyó estas palabras, se asustó aún más,
    y entrando otra vez en el pretorio, dijo a Jesús:
      "**¿De dónde** eres tú?"
Pero Jesús **no le respondió**.
Pilato le dijo entonces:
    "**¿A mí** no me hablas?
¿No sabes que tengo **autoridad** para soltarte
    y autoridad para **crucificarte**?"
Jesús le contestó:
    "No tendrías **ninguna** autoridad sobre mí,
    si no te la hubieran dado **de lo alto**.
Por eso, el que me entregado a ti tiene un pecado **mayor**".

Desde ese momento, Pilato **trataba** de soltarlo,
    pero los judíos **gritaban**:
    "¡Si sueltas **a ése**, **no eres amigo** del César!; porque todo el que
      pretende ser rey, es enemigo del César".
Al oír **estas** palabras, Pilato sacó a Jesús y lo **sentó** en el
      tribunal, en el sitio que llaman "**el Enlosado**"
      (en hebreo Gábbata).
Era el día de **la preparación** de la Pascua, hacia el mediodía.
Y dijo Pilato a los judíos:
    "**Aquí tienen a su rey**".
Ellos gritaron:
    "¡Fuera, fuera! ¡**Crucifícalo**!"
Pilato les dijo:
    "**¿A su rey** voy a crucificar?"
Contestaron los sumos sacerdotes:
    "**No** tenemos más rey que **el César**".
Entonces se lo entregó para que **lo crucificaran**.

Otro punto culminante es la declaración de Jesús Rey. No aceleres tu lectura en este párrafo, porque el evangelista le da un relieve muy especial.

anticipa Caifás ya en 11:46–50. Había que cortar por lo sano.

Por otro lado, ante las preguntas de Anás, Jesús aclara que su movimiento no es esotérico, ni secreto, de iluminados o para unos cuantos, sino que sus enseñanzas son públicas y universales, pues la sinagoga y sobre todo el templo, eran puntos de reunión abiertos a todo el mundo. La transparencia de la doctrina y del propio Jesús, así como su tranquilidad contrasta con los modos de proceder de los sacerdotes, que se manejan a oscuras, con violencia y a espaldas del pueblo.

Afuera, en clara discrepancia con lo que ocurre adentro del palacio, Pedro niega todo vínculo con su maestro hasta tres veces, ante la servidumbre de Anás. Pedro niega su identidad con los "No soy" que suenan como contrapunto a los "Yo soy" de Jesús, pronunciados en el huerto y avalados adentro. Estar con Jesús es la marca del discipulado, pertenecer a los suyos, y es la razón de haberlo seguido hasta ese lugar. Pero a la hora de dar razón de su conducta, Pedro se desdice y se despoja de su identidad de discípulo. Como ya se anotó en lavatorio de los pies, tras la salida de Judas, sólo

a Jesús le compete entregar la vida (Jn 13:36–38), no a Pedro, aunque en el cenáculo éste se mostraba dispuesto a ofrendarse por su Señor. Ahora, Simón Pedro niega hasta la evidencia del pariente de Malco. Lo que no puede callar es el canto del gallo y la memoria de las palabras de Jesús.

De lo ocurrido en casa de Caifás, el sumo sacerdote en funciones y yerno de Anás, nada dice san Juan. Y apunta simplemente que de mañana llevaron a Jesús al pretorio, el sitio donde despachaba el procurador romano cuando estaba en Jerusalén. San Juan lanza una puya contra el

Retoma la velocidad normal del relato en todo el cuadro de la crucifixión del Rey.

Tomaron a Jesús y él, **cargando** con la cruz,
    se dirigió hacia el sitio llamado "**la Calavera**"
    (que en hebreo se dice Gólgota),
    donde lo **crucificaron**, y con él a **otros dos**,
    uno de **cada lado**, y en medio **Jesús**.
Pilato **mandó** escribir un letrero
    y ponerlo **encima** de la cruz;
    en él estaba escrito: 'Jesús el nazareno, **el rey** de los judíos'.
Leyeron el letrero **muchos** judíos,
    porque **estaba cerca** el lugar donde crucificaron a Jesús
    y estaba escrito en **hebreo, latín y griego**.
Entonces los sumos sacerdotes de los judíos le dijeron a Pilato:
    "**No escribas**: 'El rey de los judíos',
    sino: '**Éste ha dicho: Soy rey** de los judíos' ".
Pilato les contestó:
    "Lo escrito, **escrito está**".

Cuando crucificaron a Jesús, los soldados cogieron su ropa
    e hicieron **cuatro partes**,
    una para cada soldado, y **apartaron** la túnica.
Era una túnica **sin costura**,
    tejida **toda** de una pieza de arriba a abajo.
Por eso se dijeron:
    "No la rasguemos, sino **echemos suertes**
    para ver a quién le toca".
Así se **cumplió** lo que dice la Escritura:
    Se repartieron mi ropa y echaron a suerte mi túnica.
    Y eso hicieron los soldados.

Junto a la cruz de Jesús estaba **su madre**,
    la hermana de su madre,
    María la de Cleofás, y **María Magdalena**.

Haz notar las frases de la Escritura. Son muy importantes.

prurito judío de pureza cuando dice que no entraron en la casa del pagano para no contaminarse y poder comer la pascua. Creen guardar la Ley pero alimentan sus intenciones homicidas.

Pilato era el procurador romano en Palestina. Era el administrador de la justicia, militar y hombre pragmático. Quiere saber el crimen que le imputan a Jesús, pero sólo obtiene generalidades. Sólo cuando identifica que Jesús se tiene por rey de los judíos, surge algo que pida su intervención. El tipo de realeza de Jesús, sin embargo, no cuadra con sus expectativas y por eso hará inten-

tos tibios por liberarlo. Pero puede más la presión de los judíos que piden la liberación de un bandido, Barrabás (significa "hijo del padre") y la crucifixión de Jesús, que la aplicación razonable del derecho y la justicia.

La realeza de Jesús es el foco de la amplia comparecencia ante el representante del César romano, honrado en santuarios y liturgias como hijo de los dioses y lugarteniente de la diosa Roma, por el territorio del imperio. Decir que Jesús es el Mesías de Dios equivale a decir que es "rey de los judíos". Su reinado no es de este mundo, porque sus raíces y su inspiración no son las de

este mundo. Uno tiene que recordar el reinado del Hijo del hombre que viene del cielo, opuesto a los reinados de las bestias que vienen del mar y de la tierra. El reinado de Jesús es el de la verdad, no de la mentira ni del pecado; es el reinado de la humanidad gloriosa. En esta línea de revelación y transparencia, la verdad significa la fidelidad inquebrantable de Dios por los suyos. Esa fidelidad es la que el hombre Jesús encarna y es la misma que las autoridades rechazan, hacen mofa y reniegan.

La crucifixión de Jesús es la expresión más clamorosa del amor de Dios por su

Es el culmen de la pasión del Señor. Jesús muere dueño de sí, entregándose. Apóyate en las negrillas para darle fuerza a la expresión. Conforme avanza el párrafo ve haciendo lento el paso. El momento de veneración debe también reajustar la lectura litúrgica.

Al **ver** a su madre y **junto a ella** al discípulo que **tanto** quería,
   Jesús dijo a su madre:
   "**Mujer**, ahí está **tu hijo**".
Luego dijo al discípulo:
   "**Ahí está** tu madre".
Y **desde entonces** el discípulo se la llevó a vivir **con él**.

Después de esto,
   sabiendo Jesús que **todo** había llegado a **su término**,
   para que **se cumpliera** la Escritura, dijo:
   "*Tengo sed*".
Había allí un jarro **lleno** de vinagre.
   Los soldados sujetaron una esponja **empapada** en vinagre
   a una caña de hisopo
   y se la acercaron a la boca.
Jesús probó el vinagre y dijo:
   "**Todo está cumplido**",
   e, inclinando la cabeza, **entregó** el espíritu.

   [Aquí se arrodillan todos y se hace una breve pausa.]

Entonces, los judíos,
   como era el día **de la preparación** de la Pascua,
   para que los cuerpos de los ajusticiados
   no se quedaran en la cruz **el sábado**,
   porque **aquel** sábado era un día **muy** solemne,
   pidieron a Pilato que les **quebraran** las piernas
      y los **quitaran** de la cruz.
Fueron los soldados, le quebraron las piernas **a uno**
   y luego **al otro** de los que habían sido crucificados **con él**.

pueblo, necesitado de misericordia. Por un lado, el Mesías de Dios va siendo sometido por los líderes judíos y romanos, a una deshumanización aberrante, en nombre de la sobrevivencia del pueblo y de la seguridad nacional. Por el otro, en esa andadura de deshumanizar al Mesías, sus verdugos también se deshumanizan, pierden lo que les distingue de lo irracional, la imagen de Dios, para hacer de la violencia su señora. Así, la deshumanización se da por cuenta doble: al aniquilar a la víctima y al erigirse en amo o señor. En semejante proceso, recuperar la humanidad sólo será posible mediante el

poder de la misericordia; la misericordia todopoderosa de Dios.

En la crucifixión, Dios, su rostro, se deja ver en las palabras de las Escrituras proféticas que san Juan va desgranando en un cuadro y en otro. Ellas muestran una perspectiva más alta, la del proyecto divino que no se mira ni sorprendido ni superado por los acontecimientos, sino que los mantiene bajo el horizonte de la salvación. Es la hora del cumplimiento, cuando la palabra ha venido a cuajarse en gestos, carne, acción y fuente de esperanza en la misericordia de Dios para quienes contemplen al Traspasado.

La sepultura de Jesús no corresponde a su condición de ajusticiado o criminal, sino a la de un rey. Los perfumes abundantes mitigarán los olores de la putrefacción, y el sepulcro nuevo habla del espacio incontaminado y de la novedad que la pascua inicia. La gente piadosa solía sepultar a sus difuntos cerca de algún árbol o en algún huerto, como signo de vida imperecedera y, luego, de resurrección. José de Arimatea, un discípulo oculto, y Nicodemo, uno de los principales fariseos, ejecutan las honras fúnebres al cuerpo del Mesías. Esto les privaría de

Brinda a la asamblea esta escena de la lanzada para su contemplación. Disponte a la reverencia y al asombro ante el Traspasado.

Pero al llegar **a Jesús**,
viendo que ya **había muerto**, no le quebraron las piernas,
sino que uno de los soldados
le traspasó el costado con una lanza
e **inmediatamente** salió **sangre y agua**.

El testimonial es solemne. Préstale voz y rostro al testigo.

El que vio **da testimonio** de esto y su testimonio es **verdadero**
y él **sabe** que dice la verdad, para que **también** ustedes **crean**.
Esto sucedió para que **se cumpliera** lo que dice la Escritura:
No le quebrarán ningún hueso;
y en **otro** lugar la Escritura dice:
Mirarán al que traspasaron.

Es la sepultura del Rey. Dale solemnidad, reverencia y cierta rigidez a tu voz.

Después de esto, **José de Arimatea**, que era **discípulo** de Jesús,
pero **oculto** por miedo a los judíos,
pidió a Pilato que lo **dejara llevarse** el cuerpo de Jesús.
Y Pilato lo **autorizó**.
Él fue entonces y **se llevó** el cuerpo.

Llegó **también** Nicodemo, el que había ido a verlo **de noche**,
y trajo unas **cien** libras de una mezcla de mirra y áloe.

Prepara la salida de la lectura. Aminora el paso conforme avanzas, como para depositar a Jesús en la tumba, delante de toda la asamblea. Tribútale veneración total.

Tomaron el cuerpo de Jesús
y lo **envolvieron** en lienzos con esos aromas,
según **se acostumbra** enterrar entre los judíos.
Había **un huerto** en el sitio donde lo crucificaron,
y en el huerto, un sepulcro **nuevo**,
donde **nadie** había sido enterrado **todavía**.
Y como para los judíos era el **día de la preparación** de la Pascua
y el sepulcro **estaba cerca**, **allí** pusieron a Jesús.

comer la pascua, obligados a una prolongada purificación. Por otro lado, desde su identidad tan condicionada, ellos comienzan a restituir la humanidad de la Víctima.

VIGILIA PASCUAL

Recuerda pausar tras anunciar la lectura. Luego contempla a Dios y cómo surge su obra del caos inicial.

Dios habla y sucede. Luego ordena poniendo nombres. Dale tono al repetitivo "Dijo Dios". Son diez sus palabras.

I LECTURA   Génesis 1:1—2:2

Lectura del libro del Génesis

En el principio **creó** Dios el cielo y la tierra.
La tierra era **soledad** y caos;
  y las tinieblas **cubrían** la faz del abismo.
El espíritu de Dios **se movía** sobre la superficie de las aguas.

Dijo Dios:
  "Que **exista** la luz", y la luz existió.
Vio Dios que la luz **era buena**, y **separó** la luz de las tinieblas.
Llamó a la luz "**día**" y a las tinieblas, "**noche**".
Fue la tarde y la mañana del **primer** día.

Dijo Dios:
  "Que haya una **bóveda** entre las aguas,
  que **separe** unas aguas de otras".
E hizo Dios una bóveda
  y **separó** con ella las aguas de arriba, de las aguas de abajo.
  Y así fue. Llamó Dios a la bóveda "**cielo**".
  Fue la tarde y la mañana del **segundo** día.

Dijo Dios:
  "Que se **junten** las aguas de debajo del cielo en un **solo** lugar
  y que aparezca el suelo seco". Y así fue.
Llamó Dios "**tierra**" al suelo seco y "**mar**" a la masa de las aguas.
Y **vio** Dios que era **bueno**.

I LECTURA Como en todo inicio, los editores del libro del Génesis pusieron especial empeño en que la composición literaria tuviera una entrada bien cuidada. Esto sucede en todos los ámbitos de la actividad humana. Se tiene especial cuidado de la presentación, de la puerta de entrada de un edificio, de una casa. Este esmero contrasta a veces con lo que viene después, pero como todo buen vendedor, el autor o editor de la Biblia compuso un bello canto de entrada especialmente ordenado.

El compositor escogió un canto letánico: cinco fórmulas que se mueven cadenciosa y repetidamente dando el sentido repetitivo de la letanía. El orden septenario de la semana judía sirvió de marco inspirador. La Creación resulta de una semana laboral de Dios. El mensaje central es claro: el mundo que todos vemos y palpamos, tiene orden. Los siete días de la creación tienen el orden siguiente: en los tres primeros se tiene la creación de las obras principales; en los tres días siguientes se adornan. Así sale un canto claro donde impera por doquier el orden bello.

Lo más importante para el hebreo, es el tiempo. Para colocarse frente a la vida, no es el espacio lo determinante, sino el sucederse de los días. Por esto, no le dieron los hebreos o no tuvieron el genio suficiente para descollar en las obras de construcción.

Dijo Dios:
"**Verdee** la tierra con plantas que den **semilla**
y **árboles** que den fruto y semilla, según su especie,
sobre la tierra".
Y **así fue**.
Brotó de la tierra hierba **verde**, que producía semilla,
según su especie,
y **árboles** que daban fruto y **llevaban** semilla,
según su especie.
Y **vio** Dios que era bueno. Fue la tarde y la mañana del **tercer** día.

Dijo Dios:
"Que haya **lumbreras** en la bóveda del cielo,
que **separen** el día de la noche, **señalen** las estaciones,
los días y los años,
y **luzcan** en la bóveda del cielo
para **iluminar** la tierra". Y **así fue**.
Hizo Dios las **dos** grandes lumbreras:
la lumbrera **mayor** para regir el **día**
y la **menor**, para regir la **noche**;
y **también** hizo las estrellas.
Dios puso las lumbreras en la bóveda del cielo
para **iluminar** la tierra,
para **regir** el día y la noche, y **separar** la luz de las tinieblas.
Y vio Dios que **era bueno**.
Fue la tarde y la mañana del **cuarto** día.

Dijo Dios:
"**Agítense** las aguas con un **hervidero** de seres vivientes
y **revoloteen** sobre la tierra las aves, bajo la bóveda del cielo".
Creó Dios los **grandes** animales marinos
y los **vivientes** que en el agua se deslizan y la **pueblan**,
según su especie.
Creó **también** el mundo de las aves, según sus especies.

En cambio, en lo literario, crearon relatos bellos e importantes. En el primer día Dios hace de la nada. Una nada que se representa el hebreo como un montón de agua desordenada, movida de un lado para otro por el viento. Dios, de este desorden primordial, crea la luz, que le permitirá por medio de la división, crear el día y la noche. Así empieza el tiempo.

El siguiente día hizo el firmamento, que separa las aguas de arriba de las de abajo del firmamento. El tercer día hizo que las aguas se colocaran en un lugar para que dejaran el espacio donde aparecieran los continentes. En los tres siguientes días, adornó el Señor la tierra o espacio seco, el espacio que hay entre el cielo y la tierra y las aguas o el mar.

Luego el relato bíblico distingue todo lo anterior del hombre. Éste es creado a la imagen y semejanza de Dios (1:24–27). Los animales fueron creados según sus especies. El hombre no, no tiene especies. Cada hombre es igual al otro y es semejante a Dios. Es cierto que había leyes decretando lo contrario a esta afirmación y que favorecerán la diferencia entre los hombres por raza, religión o riqueza. Pero habrá otros textos que tratarán de llegar a lo afirmado al principio: no es creado el hombre según sus especies. No hay especies. Hay personas y esto se impondrá al final. La diferencia religiosa será la última de la que el cristianismo

Vio Dios que **era bueno** y los **bendijo**, diciendo:
 "Sean fecundos y **multiplíquense**; llenen las aguas del mar;
 que las aves se multipliquen **en la tierra**".
Fue la tarde y la mañana del **quinto** día.

Dijo Dios:
 "**Produzca** la tierra vivientes, según sus especies:
 animales **domésticos**, reptiles y fieras, según sus especies".
Y así fue.
Hizo Dios las fieras, los animales domésticos y los reptiles,
 cada uno según su especie. Y vio Dios que **era bueno**.

Dijo Dios:
 "Hagamos al hombre a nuestra imagen **y semejanza**;
 que **domine** a los **peces** del mar, a las **aves** del cielo,
 a los animales **domésticos** y a **todo** animal
 que se arrastra sobre la tierra".

Y **creó** Dios al hombre a su imagen;
a **imagen suya** lo creó;
 hombre y mujer los creó.

Y los **bendijo** Dios y les dijo:
 "**Sean** fecundos y **multiplíquense**, llenen la tierra y **sométanla**;
 dominen a los peces del mar, a las aves del cielo
 y **a todo ser viviente** que se mueve sobre la tierra".

Y dijo Dios:
 "**He aquí** que les entrego **todas** las plantas de semilla
 que hay sobre la faz de la tierra,
 y **todos** los árboles que producen frutos y semilla,
 para que les sirvan **de alimento**.

El día sexto Dios crea a los animales terrestres, junto con el hombre. Haz una breve pausa antes de retomar la lectura sobre la creación del hombre.

Dale tono de bondad, no de imperativo, a la bendición de Dios.

en boca de Pablo afirmará: "Ya no se distinguen judío y griego, esclavo y libre, hombre y mujer, porque todos ustedes son uno con Cristo Jesús" (Gal 3:29).

Con este solemne canto letánico, la Biblia canta la bondad de la Creación y de la humanidad, creada en orden, fruto del amor de Dios. El hombre tiene la encomienda de llevar a este mundo todavía a una integración mayor, que es lo que Dios encomienda:

"Sean fecundos, multiplíquense, llenen la tierra y sométanla" (Gen 1:28).

II LECTURA Con el episodio del sacrificio de Isaac se llega al clímax del ciclo de Abrahán. Este ciclo abarca prácticamente al Génesis, del capítulo 12 al 24. El hilo conductor de este ciclo, es la promesa de un hijo. Junto a esta promesa está presente la fe, que aquí al final se diluye en esperanza.

La narración empieza a moverse con el mandato divino: "Toma a tu hijo preferido y ofrécemelo allí en sacrificio". Mandato extraño y contrario a la bondad y ternura con que el Dios de sus padres se había manifestado y obrado con Abrahán. El lector fácilmente se puede ir en su comprensión por el lado sentimental. ¿Cómo es posible que un padre vaya a matar a su propio hijo? Los relatos y películas inspiradas en este capítulo se van

Y a **todas** las fieras de la tierra, a **todas** las aves del cielo,
   a **todos** los reptiles de la tierra, a **todos** los seres que respiran,
   también les doy por alimento las verdes plantas". **Y así fue.**
Vio Dios **todo** lo que había hecho y lo encontró **muy bueno.**
Fue la tarde y la mañana del **sexto** día.

Así **quedaron concluidos** el cielo y la tierra
   con todos sus ornamentos,
y **terminada** su obra, descansó Dios el **séptimo** día
de **todo** cuanto había hecho.

Versión corta: Génesis 1:1, 26–31

El párrafo conclusivo debe tener un tono de grandiosidad, no de cansancio.

Para meditar

SALMO RESPONSORIAL   Salmo 104:1–2a, 5–6, 10 y 12, 13–14, 24 y 35c
R. Envía tu espíritu, Señor, y repuebla la faz de la tierra.

Bendice, alma mía, al Señor:
¡Dios mío, qué grande eres!
Te vistes de belleza y majestad,
la luz te envuelve como un manto. R.

Asentaste la tierra sobre sus cimientos,
   y no vacilará jamás;
   la cubriste con el manto del océano,
   y las aguas se posaron sobre
      las montañas. R.

De los manantiales sacas los ríos,
   para que fluyan entre los montes;
   junto a ellos habitan las aves del cielo,
   y entre las frondas se oye su canto. R.

Desde tu morada riegas los montes,
   y la tierra se sacia de tu acción fecunda;
   haces brotar hierba para los ganados,
   y forraje para los que sirven al hombre. R.

Cuántas son tus obras, Señor,
   y todas las hiciste con sabiduría;
   la tierra está llena de tus criaturas.
¡Bendice, alma mía, al Señor! R.

O bien: Salmo 33:4–5, 6–7, 12–13, 20 y 22

por este camino y expresan el paroxismo de Abrahán al llevar a su hijo al sacrificio.

Llama la atención el silencio de Isaac. Sólo habla una vez. Sin embargo, es el objeto de la misión de Abrahán. Pero el autor principal es Abrahán. Hay en el ciclo una línea que va de un menos a un más. Empieza Abrahán obedeciendo a una propuesta de ir hacia un futuro inmediato, pastos para su ganado y de tener un hijo. Lo último parecía imposible. Sobre este tema se va a

centrar el ciclo. Hay varias posibilidades de adquirir este hijo y éstas son intentadas por Abrahán: por adopción legal, por medio de la generación de una esclava joven de Sara. Pero la promesa vuelve a hacer subir la tensión: la promesa es tener un hijo del imposible, se decir, de la mujer anciana de Abrahán. Al principio Abrahán se rió, dudó, pero después creyó. Y llegó el hijo, Isaac y cuando éste ya estaba crecido y su padre lo

veía un joven hecho, recibió una extraña petición divina.

El problema para Abrahán no proviene del sentimiento paterno, sino de la fe. Es decir, desde el principio su fe estaba anclada en tener un hijo, una descendencia que Dios le concedería a él y a su mujer cuando ya no podían engendrarlo naturalmente. Pero esa promesa se hizo realidad. Su hijo es su esperanza. Y resuolta que ahora Dios le pide su esperanza, lo que lo hace vivir. Es

II LECTURA   Génesis 22:1–18

Lectura del libro del Génesis

En aquel tiempo, Dios le puso **una prueba** a Abraham y le dijo:
    "**¡Abraham, Abraham!**"
Él respondió: "**Aquí** estoy".
Y Dios le dijo:
    "**Toma** a tu hijo único, **Isaac**, a quien **tanto** amas;
    vete a la región de Moria y **ofrécemelo** en sacrificio,
    en el monte que **yo te indicaré**".

Abraham **madrugó**, aparejó su burro,
    tomó consigo a dos de sus criados y a su hijo Isaac;
    cortó leña para el sacrificio
    y se **encaminó** al lugar que Dios le había **indicado**.
Al **tercer** día divisó a lo lejos el lugar.
Les dijo entonces a sus criados:
    "**Quédense** aquí con el burro;
    yo iré con el muchacho hasta allá, para **adorar** a Dios
    y después regresaremos".

Abraham tomó la leña para el sacrificio, se la cargó a su hijo Isaac
    y tomó en su mano el fuego y **el cuchillo**.
Los dos caminaban **juntos**.
Isaac dijo a su padre Abraham:
    "¡Padre!" Él respondió: "¿Qué quieres, **hijo**?"
El muchacho contestó: "**Ya tenemos** fuego y leña, pero,
    ¿**dónde** está el cordero para el sacrificio?"
Abraham le contestó:
    "Dios **nos dará el** cordero para el sacrificio, hijo mío".
Y siguieron caminando juntos.

Cuando llegaron al sitio que Dios le **había señalado**,
    Abraham **levantó** un altar y acomodó la leña.
Luego **ató** a su hijo Isaac, lo puso sobre el altar, **encima** de la leña,
    y tomó el cuchillo para degollarlo.

Es un relato duro y tremendo. Dios le pide al patriarca toda su esperanza de futuro. La respuesta de Abrahán nos sirve para apoyar nuestra fe en Dios.

Si el diálogo previo fue desgarrador, dale a esta descripción un tono más neutro, pero baja la velocidad línea tras línea.

---

lo último que Dios le puede pedir a un ser humano: lo que jala la vida, la esperanza. Pues creyó Abrahán contra toda esperanza. "Ofreció a su hijo único, el que era la garantía de la promesa" (Heb 11:17).

| III LECTURA | Se trata de uno de los dos hechos fundantes del pueblo de Israel. O, si se quiere, de la liberación de la esclavitud que va a proporcionar

que Dios haga la alianza con los hebreos en el Sinaí.

Este hecho de la salida de Egipto se conservó profundamente en la mente y recuerdo de los israelitas. Se amalgamaron aquí dos versiones del "milagro del mar". La versión más popular y la que ha dado lugar a representaciones espectaculares en el cine, es la más reciente, atribuida al autor más tardío: al así llamado sacerdotal.

El relato más antiguo describe las cosas de una manera muy simple: los israelitas van huyendo de los egipcios. Los militares, tal vez guardias de frontera, iban persiguiendo a estos hebreos que llegaron a orillas del mar. Allí se quedaron a orillas del mar. Por la noche vino un viento del este, un *sciroco*, que aparece de vez en cuando, e hizo que las aguas del mar en esa parte, en el mar de las cañas, se recorrieran hacia el oeste. La niebla que había llegado,

Pero el **ángel** del Señor lo llamó desde el cielo y le dijo:
  "¡**Abraham**, **Abraham**!" Él contestó: "**Aquí estoy**".
El ángel le dijo:
  "**No** descargues la mano contra tu hijo, **ni le hagas daño**.
Ya veo que **temes** a Dios, porque **no** le has negado a tu hijo **único**".
Abraham **levantó** los ojos y vio un carnero,
  enredado por los cuernos en la maleza.
Atrapó el carnero y lo **ofreció** en sacrificio, **en lugar** de su hijo.
Abraham puso por nombre a aquel sitio "el Señor **provee**",
  por lo que aun el **día de hoy** se dice:
  "el monte donde el Señor **provee**".

El ángel del Señor **volvió** a llamar a Abraham desde el cielo
  y le dijo:
  "**Juro** por mí mismo, dice el Señor, que por haber **hecho esto**
  y no haberme negado a tu hijo **único**, yo te **bendeciré**
  y **multiplicaré** tu descendencia como las estrellas del cielo
  y las arenas del mar.
Tus descendientes **conquistarán** las ciudades enemigas.
En tu descendencia **serán bendecidos**
  todos los pueblos de la tierra,
  porque **obedeciste** a mis palabras."

Versión corta: Génesis 22:1–2, 9–13, 15–18

Dios reafirma su primera promesa al Patriarca con un juramento. Pronuncia con brío renovado el último segmento, el de la bendición universal. En Abrahán hemos sido bendecidos todos los creyentes.

Para meditar

SALMO RESPONSORIAL   Salmo 16:5 y 8, 9–10, 11
R. Protégeme, Dios mío, porque me refugio en ti.

El Señor es el lote de mi heredad y mi copa;
  mi suerte está en tu mano:
tengo siempre presente al Señor,
  con él a mi derecha no vacilaré. R.

Por eso se me alegra el corazón,
  se gozan mis entrañas,
  y mi carne descansa serena.
Porque no me entregarás a la muerte,
  ni dejarás a tu fiel conocer la corrupción. R.

Me enseñarás el sendero de la vida,
  me saciarás de gozo en tu presencia,
  de alegría perpetua a tu derecha. R.

---

impidió que los israelitas vieran a sus perseguidores y éstos a aquellos. Así estuvieron las cosas gran parte de esa noche. A la mañana siguiente, entre las dos y seis de la mañana, las aguas volvieron a su cauce normal. Sea porque en su persecución los egipcios con sus carros se metieron en la tierra que había dejado el mar al retirarse, sea porque no se dieron cuenta de que se habían instalado en el lecho del mar de donde se habían retirado las aguas, al querer perseguir a la

luz del día a los hebreos que habían aprovechado la ocasión y se habían ido al otro lado del mar, se encontraron con el agua y sus carros se hundieron en la arena, provocando que no pudieran perseguir a los hebreos y, además, que muchos de ellos quedaran ahogados. Este relato es el más antiguo y está conservado. Sólo que después del destierro se introdujo la versión que nosotros más conocemos y es la más reciente. Como las dos versiones hablaban fundamentalmente de lo

mismo, no se conservaron una al lado de la otra, sino que se amalgamaron, introduciendo aquí y allá algún elemento que no poseía una u otra.

En esta lectura de la liturgia pascual es muy importante fijarse en la arenga que hace Moisés al pueblo (vv. 13–14). Moisés no les dice que combatan sin miedo, sino que el Señor peleará por ellos. Moisés tiene un plan como el de Débora (Jue 4:7–8): llevar

III LECTURA   Éxodo 14:15—15:1

Lectura del libro del Éxodo

Este paso funda la libertad de Israel. Dios lo libera. Tu voz debe resonar con timbre de orgullo por lo que Dios hizo por los suyos. Desde tu preparación distingue los momentos del relato.

En aquellos días, dijo el Señor a **Moisés**:
  "¿**Por qué** sigues clamando a mí?
Diles a los israelitas que se pongan **en marcha**.
Y **tú**, alza tu bastón,
    extiende tu mano sobre el mar y **divídelo**,
    para que los israelitas entren en el mar **sin mojarse**.
Yo voy a **endurecer** el corazón de los egipcios
    para que los persigan,
    y me **cubriré** de gloria a expensas del faraón
    y de **todo** su ejército, de sus carros y jinetes.
Cuando me haya cubierto de gloria a **expensas** del faraón,
    de sus carros y jinetes,
    los egipcios **sabrán** que **yo soy** el Señor".

El **ángel** del Señor, que iba **al frente** de las huestes de Israel,
    se colocó **tras ellas**.
Y **la columna** de nubes que iba adelante,
    también se desplazó y se puso a sus espaldas,
    entre el campamento de los israelitas
    y el campamento de los egipcios.
La nube era **tinieblas** para unos y claridad para otros,
    y **así** los ejércitos no trabaron contacto durante **toda** la noche.

Es el punto culminante que se prolonga bastante, hasta el párrafo siguiente. Dale sentido de pánico a la exclamación de los egipcios.

Moisés **extendió** la mano sobre el mar,
    y el Señor hizo soplar durante **toda** la noche
    un **fuerte** viento del este, que **secó** el mar, y **dividió** las aguas.
Los israelitas **entraron** en el mar y **no** se mojaban,
    mientras las aguas formaban **una muralla** a su derecha
      y a su izquierda.
Los egipcios **se lanzaron** en su persecución
    y **toda** la caballería del faraón,
    sus carros y jinetes, entraron **tras ellos** en el mar.

los carros a terrenos fangosos, donde quedarán inutilizados.

El mensaje es claro: las armas más potentes hechas por el hombre, no son más poderosas que la potencia de la naturaleza mandada por Dios. Moisés es un hombre de fe y sabe que la fragilidad humana nunca podrá con la fuerza infinita de Dios.

Esta lectura es imprescindible en la liturgia de la pascua cristiana. Quiere recordarle al fiel cristiano que tenga fe en su Dios, que por el bautismo le ha dado la libertad. El esclavo permanece esclavo hasta que tiene miedo de su amo. El temor a Dios, insinuado por el texto (Ex 14:31), está unido a la fe, porque juega sobre un sentimiento de confianza, una confianza que nace de la experiencia de la lectura de este relato y se perfecciona mirando el nuevo éxodo que celebra hoy la Iglesia.

IV LECTURA El pueblo hebreo estaba acostumbrado a las imágenes. Nosotros los modernos estamos más habituados a ello. Nuestra época se ha llamado la civilización de la imagen. Por lo tanto, no nos será difícil imaginarnos a Jerusalén como una mujer.

La lectura de hoy se dirige históricamente a los deportados, que se encontraban algunos en Babilonia y otros, en las

Hacia el **amanecer**,
  el Señor miró **desde** la columna de fuego y humo
  al ejército de los egipcios
  y **sembró** entre ellos el **pánico**. **Trabó** las ruedas de sus carros,
  de suerte que no avanzaban sino **pesadamente**.
Dijeron entonces los egipcios:
  "**Huyamos** de Israel, porque el Señor lucha en su favor
  contra Egipto".

Entonces el Señor le dijo a Moisés:
  "**Extiende** tu mano **sobre** el mar,
  para que **vuelvan** las aguas sobre los egipcios,
  sus carros y sus jinetes".
Y **extendió** Moisés su mano sobre el mar,
  y al amanecer, las aguas **volvieron** a su sitio,
  de suerte que **al huir**, los egipcios se encontraron **con ellas**,
  y el Señor **los derribó** en medio del mar.
Volvieron las aguas y **cubrieron** los carros, a los jinetes
  y a **todo** el ejército del faraón,
  que se había metido en el mar para **perseguir** a Israel.
Ni uno solo se salvó.

Pero los **hijos** de Israel caminaban por lo seco en **medio** del mar.
Las aguas les hacían **muralla** a derecha e izquierda.
Aquel día **salvó** el Señor a Israel de las manos de Egipto.
Israel **vio** a los egipcios, **muertos** en la orilla del mar.
Israel vio la **mano fuerte** del Señor sobre los egipcios,
  y el pueblo **temió** al Señor y **creyó** en el Señor
  y en **Moisés**, su siervo.
Entonces Moisés y los hijos de Israel
  cantaron **este cántico** al Señor:

[El lector no dice "Palabra de Dios" y el salmista de inmediato entona el Salmo Responsorial.]

Es como una marcha triunfante la de Israel. Marca los verbos de la salvación.

ciudades vecinas. Los deportados pertenecían a la gente importante, pues la gente sencilla se había quedado en lo que fue convertido en parte del dominio caldeo. Ahora los deportados ya se habían instalado en esos lugares, que por cierto, ahora estaban bajo el dominio persa. En estas circunstancias Dios les envió un profeta que les anunció el fin de su castigo: podrán volver a su tierra.

Por medio del profeta, Dios se dirige a estos deportados no para anunciarles un castigo, ni menos, para decirles que ya han cumplido con el castigo del destierro, sino para afirmarles exclusivamente el amor de Dios y su disposición a un giro completo. Toda la iniciativa está de parte de Dios. El pueblo, lo que de él queda, debe entregarse a esta promesa con toda fe y confianza. Dios nunca abandonó a su pueblo, a pesar

de sus graves deficiencias. Pone el ejemplo de lo sucedido después del diluvio. Dios se arrepiente de volverlos a castigar. Ahora vuelve a su amor primero, como una mujer dejada y repudiada a la que el esposo no puede dejar de querer. Tenemos una de las mejores páginas del AT donde se nos habla del amor inmenso y gracioso de Dios para su pueblo.

SALMO RESPONSORIAL   Éx 15:1–2, 3–4, 5–6, 17–18

R. Cantaré al Señor, sublime es su victoria.

Cantaré al Señor, sublime es su victoria:
  caballos y jinetes arrojó en el mar.
Mi fortaleza y mi canto es el Señor,
él es mi salvación.
  él es mi Dios, y yo lo alabaré,
 es el Dios de mis padres,
   y yo Lo ensalzaré. R.

El Señor es un guerrero, su nombre es
  el Señor.
Los carros del faraón los lanzó al mar
  y a sus guerreros;
 ahogó en el mar Rojo a sus mejores
   capitanes. R.

Las olas los cubrieron,
  bajaron hasta el fondo como piedras.
Tu diestra, Señor, es fuerte y terrible,
  tu diestra, Señor, tritura el enemigo. R.

Los introduces y los plantasen el monte
  de tu heredad,
 lugar del que hiciste tu trono, Señor;
 santuario, Señor, que fundaron tus manos.
El Señor reina por siempre jamás. R.

IV LECTURA   Isaías 54:5–14

Lectura del libro del profeta Isaías

"El que **te creó**, te tomará **por esposa**;
  su nombre es '**Señor** de los ejércitos'.
Tu redentor es el **Santo** de Israel;
  será llamado 'Dios de **toda** la tierra'.
Como a una mujer abandonada y **abatida**
  te **vuelve** a llamar el Señor.
¿**Acaso** repudia uno a la esposa de la juventud?,
  dice tu Dios.

Por un instante te **abandoné**,
  pero con **inmensa** misericordia te **volveré** a tomar.
En un arrebato **de ira**
  te **oculté** un instante mi rostro,
  pero con amor **eterno** me he apiadado **de ti**,
  dice el Señor, tu redentor.

Me pasa **ahora** como en los días de Noé:
  entonces **juré** que las aguas del diluvio
  no volverían a cubrir la tierra;

Después, aparece la imagen de Jerusalén, que de forma fantasiosa es descrita, construida con materiales preciosos y piedras de las más ricas. Desde luego que todo lector se da cuenta del aspecto simbólico de la nueva Jerusalén. Dios va a hacer con su pueblo algo nuevo, no va simplemente a restituir lo pasado, sino que trae una novedad. La liturgia interpreta esta novedad a la luz del Señor, que en esa noche de gracia resucita de entre los muertos y es el primero de una inmensa muchedumbre que forma el nuevo pueblo.

V LECTURA Con este poema termina el profeta conocido como Segundo Isaías su mensaje. Como acostumbra, llama, invita a la gente, a los desterrados, de muchas maneras. Ahora emplea la forma sapiencial de ofrecer la sabiduría como alimento o bebida. Aquí la palabra que Dios se ofrece como mercancía. Se pone el profeta como un vendedor que en el mercado o por las calles ofrece su mercancía. No lo pueden superar en el precio. Él ofrece la palabra gratis. Los oyentes del profeta no pueden poner ninguna objeción o motivo para rechazar esta oferta salvífica de Dios. Ofrece quitarles la sed, aludiendo al éxodo. Les añade el motivo de la leche, que les debe traer al recuerdo de la tierra "que mana leche y miel". El Señor les promete conducirlos en un nuevo éxodo. No les va a

ahora **juro** no enojarme ya **contra ti**
    ni volver a amenazarte.
Podrán **desaparecer** los montes
    y **hundirse** las colinas,
    pero mi amor por ti **no desaparecerá**
    y mi alianza de paz quedará firme **para siempre**.
Lo dice el Señor, el que se **apiada** de ti.

Tú, la **afligida**, la zarandeada por la tempestad,
    la **no** consolada:
He aquí que **yo mismo** coloco tus piedras sobre piedras **finas**,
    tus cimientos sobre **zafiros**;
    te pondré almenas **de rubí**
    y puertas de **esmeralda**
    y murallas de **piedras preciosas**.

Todos tus hijos serán discípulos del Señor,
    y **será grande** su prosperidad.
Serás consolida **en la justicia**.
Destierra la angustia,
    pues ya **nada** tienes que temer;
    olvida tu miedo,
    porque ya no se acercará **a ti**".

La consolación de Dios a su pueblo es esplendorosa. Infunde a tu voz orgullo y brillo.

Para meditar

SALMO RESPONSORIAL   Salmo 30:2 y 4, 5–6, 11 y 12a y 13b

R. Te ensalzaré, Señor, porque me has librado.

Te ensalzaré, Señor, porque me has librado
    y no has dejado que mis enemigos
    se rían de mí.
Señor, sacaste mi vida del abismo,
    me hiciste revivir cuando bajaba a la fosa. R.

Tañan para el Señor, fieles suyos,
    den gracias a su nombre santo;
    su cólera dura un instante;

su bondad de por vida;
    al atardecer nos invita el llanto;
    por la mañana, el júbilo. R.

"Escucha, Señor, y ten piedad de mí;
Señor, socórreme".
Cambiaste mi luto en danzas,
Señor, Dios mío,
    te daré gracias por siempre. R.

---

costar nada, es una oferta gratuita de Dios, como fue la anterior.

Como un sabio, el profeta invita a que lo oigan. Lo que Dios ofrece sacia tanto el estómago como la sed. La oferta es para que tengan vida en el sentido material y espiritual. Enseguida el profeta anuncia lo principal que deben oír. Dios ofrece una alianza: "sellaré con ustedes alianza perpetua" (v. 3). Pone el ejemplo de la alianza con David, cuyo reino abarcaba muchos

pueblos. Esta alianza fue la primera que Israel experimentó como pueblo. Natán le había prometido a David un reino estable y eterno (2 Sam 7:16; Sal 89). La eternidad de esta dinastía había sido siempre afirmada por la teología jerosolimitana. Después en tiempo del Deuteronomio (siglo VII a.C.) se había ampliado esta alianza eterna al pueblo de Israel: "Has establecido a tu pueblo, Israel, como pueblo tuyo para siempre" (2 Sam 7:24). En esta línea habla el profeta

aquí. Se necesitan testigos para la alianza, por esto llama a David. Además, a los pueblos atraídos hacia esta salvación por lo visto en la acción divina a favor de Israel. Pero no se debe equivocar Israel, esto lo hace Dios no para gloria del pueblo, sino para gloria y honra del Señor.

En la segunda parte el profeta habla de buscar al Señor. Una invitación que recorre toda la Biblia. Jesús dirá que para encontrar hay que buscar. Esa búsqueda supone

V LECTURA   Isaías 55:1–11

Lectura del libro del profeta Isaías

La salvación de Dios es gratis y para todos. Una invitación a banquetear. Vocéala con entusiasmo y dignidad.

Esto dice el Señor:
"**Todos** ustedes, los que tienen sed, **vengan** por agua;
y los que no tienen dinero,
vengan, tomen trigo y coman;
tomen vino y leche **sin pagar**.
¿**Por qué** gastar el dinero en lo que **no es pan**
y el salario, en lo que **no alimenta**?
Escúchenme atentos y comerán **bien**,
saborearán platillos **sustanciosos**.
Préstenme atención, **vengan** a mí,
escúchenme y **vivirán**.

De esto se trata: Dios hace alianza con los suyos. Es oferta de misericordia que hay que honrar.

Sellaré con ustedes una alianza **perpetua**,
cumpliré las promesas que hice a David.
Como **a él** lo puse por testigo **ante** los pueblos,
como **príncipe** y soberano de las naciones,
así tú reunirás a un pueblo **desconocido**,
y las naciones que no te conocían **acudirán a ti**,
por amor del Señor, **tu Dios**,
por el **Santo** de Israel, que te **ha honrado**.

Busquen al Señor mientras lo pueden encontrar,
invóquenlo mientras está cerca;
que el malvado **abandone** su camino,
y el criminal, sus planes;
que **regrese** al Señor, y **él** tendrá piedad;
a nuestro Dios, que es **rico** en perdón.

Mis pensamientos **no son** los pensamientos de ustedes,
sus caminos no son mis caminos.
Porque así como **aventajan** los cielos a la tierra,
así aventajan mis caminos a **los de ustedes**
y **mis** pensamientos a **sus** pensamientos.

atención y seguridad. La seguridad la da Dios. Los planes, los cómos y las fuerzas, están en el Señor. Aquí es donde más se equivoca el hombre. Sin el dominio del tiempo y de las posibilidades humanas, es decir, sin contar con la debilidad radical humana, es imposible hacer planes aptos y a largo plazo y, menos, algo adaptado al bien de uno. Por esto el profeta le hace ver al pueblo que el plan de Dios siempre se cumple y el ejemplo del agua que siempre logra su

objetivo no obstante su aparente fracaso y tardanza, es muy plástico y convincente. Sobre todo, algo que se olvida mucho entre nosotros: la palabra de Dios no sólo participa conocimientos y revelaciones, sino fuerza creativa y efectiva que lleva a su fin lo dicho o expresado.

VI LECTURA El libro del profeta Baruc está compuesto de tres partes muy claras. La sexta lectura de la

Vigilia pascual está tomada de la segunda parte. Se dejaron de lado los versos 16–31 del capítulo tercero. En cuanto al género, se trata de un poema sapiencial, que describe la grandeza y sabiduría del Dios creador, que todo lo hizo con perfección y envió a su pueblo Israel a caminar entre todos los otros pueblos, otorgándole a él en la Ley una sabiduría superior a la de los demás pueblos.

Muestra al auditorio con tu mirada lo lejos que está el proceder de Dios de el del ser humano.

Como **bajan** del cielo la lluvia y la nieve
    y no **vuelven allá**, sino **después** de **empapar** la tierra,
    de **fecundarla** y hacerla germinar,
    a fin de que dé semilla **para sembrar** y pan **para comer**,
    así será la palabra que **sale** de mi boca:
    no volverá a mí sin resultado,
    sino que **hará** mi voluntad
    y **cumplirá** su misión".

Para meditar

SALMO RESPONSORIAL   Is 12:2–3, 4bcd, 5–6

R. Sacarán aguas con gozo de las fuentes de la salvación.

El Señor es mi Dios y Salvador:
    confiaré y no temeré,
    porque mi fuerza y mi poder es el Señor,
    él fue mi salvación.
Y sacarán aguas con gozo
de las fuentes de la salvación. R.

Den gracias al Señor
    invoquen su nombre,
    cuenten a los pueblos sus hazañas,
    proclamen que su nombre es excelso. R.

Tañan para el Señor, que hizo proezas,
    anúncienlas a toda la tierra;
    griten jubilosos, habitantes de Sión:
"Qué grande es en medio de ti
    el Santo de Israel". R.

VI LECTURA   Baruc 3:9–15, 32—4:4

Lectura del libro del profeta Baruc

Escucha, Israel, los mandatos de vida,
    presta oído para que adquieras prudencia.
¿**A qué** se debe, Israel, que estés aún en país enemigo,
    que **envejezcas** en tierra extranjera,
    que te hayas **contaminado** por el trato con los muertos,
    que te veas contado entre los que **descienden** al abismo?

Es que **abandonaste** la fuente de la sabiduría.
Si hubieras **seguido** los senderos de Dios,
    habitarías **en paz** eternamente.

El profeta busca que Israel vuelva a escuchar la voz de Dios. Imposta un tono afable a tu voz, en busca del efecto que la lectura busca.

El texto proviene del tardo helenismo cuando Israel, al verse mezclado entre tanto pueblo, y después de haber sufrido tan terribles catástrofes, se dio cuenta de que su razón de ser y su grandeza, no estaba en ninguna clase de poder humano, sino en su sabiduría, que se identificaba con la Ley. Una manera de ver y de conducirse, superior a las de los demás pueblos. Comunicar esto a los demás pueblos, era su razón de ser, ésta era la vocación que había recibido de Dios.

En esta noche en que Cristo aparece como el que lleva a cumplimiento todo lo dicho y expresado por el AT, nuestra lectura ofrece varias claves que se aplican perfectamente a la Vigilia pascual. La línea de la vida. Los mandatos del Señor son "mandatos de vida", que nos indican "dónde se encuentra la vida larga" (3:14). Se encuentra en Dios que llamó a todos a la vida y les garantizó que "los que la guarden vivirán" (4:1). La vida es algo que en el AT se precia en primer

lugar. Los mandamientos en el Sinaí fueron dados: "Así prolongarás tu vida en la tierra que el Señor, tu Dios, te va a dar" (Ex 20:12b). De la misma forma responde Jesús al escriba que le preguntó por el mandamiento mayor: "Obra así y vivirás" (Lc 10:28).

Separarse de Dios es la muerte. El hombre, según la palabra de Dios, debe decidirse por Dios o contra él. Esto nos dicen los versos 3:11s; 4:1s. Central es la expresión del Deuteronomio: "Mira: hoy pongo

Aprende **dónde** están la prudencia,
la inteligencia y la energía,
así aprenderás **dónde** se encuentra el **secreto** de vivir larga vida,
y **dónde** la luz de los ojos y **la paz**.

¿**Quién** es el que **halló** el lugar de la sabiduría
y tuvo acceso **a sus tesoros**?

El que **todo** lo sabe, la conoce;
con su inteligencia la ha **escudriñado**.

El que **cimentó** la tierra para **todos** los tiempos,
y la **pobló** de animales cuadrúpedos;
el que **envía** la luz, **y ella va**,
la llama, y **temblorosa** le obedece;
llama a los astros, que **brillan** jubilosos
en sus puestos de guardia,
y ellos le responden: "**Aquí** estamos",
y refulgen **gozosos** para **aquel** que los hizo.

Él es **nuestro** Dios
y no hay **otro** como él;
él ha **escudriñado** los caminos de la sabiduría,
y se la dio a su hijo **Jacob**,
a Israel, **su predilecto**.

Después de esto, ella apareció en el mundo
y **convivió** con los hombres.

La **sabiduría** es el libro de los **mandatos** de Dios,
la ley de validez **eterna**;
los que la guardan, **vivirán**,
los que la abandonan, **morirán**.

Vuélvete a ella, Jacob, y **abrázala**;
camina hacia la claridad de su luz;
no entregues a otros tu gloria,
ni tu dignidad a un pueblo **extranjero**.

Bienaventurados nosotros, Israel,
porque lo que agrada al Señor
nos ha sido **revelado**.

Esta pregunta va a solicitar una serie de respuestas sobre la identidad de Dios hasta llegar a la confesión de él. Hay un crescendo que tienes que reflejar con fidelidad.

Otra vez viene la invitación para que Israel acuda a la sabiduría divina. Estimula a la asamblea a buscar la sabiduría.

---

delante de ti la vida y la felicidad, la muerte y la desdicha . . . Te pongo delante bendición maldición. Elige la vida y vivirás tú y tu descendencia . . . " (Dt 30:15, 19s).

Sólo el regreso a Dios nos dará una nueva manera de vivir. La experiencia de las calamidades que ha sufrido Israel, le enseñaron cómo sólo en el Señor y en sus indicaciones se encuentra la vida (Bar 3:11s). Por esto Pedro le puede decir al Señor: "¿Señor, a quién iremos? Tú solo tienes palabras de vida eterna" (Jn 6:68).

En Cristo nos ha llegado la vida. Siempre el hombre debe decidirse a favor de la vida. "Debemos aprender . . . dónde se encuentra la vida larga" (3:14). Por esto dirá Pablo: "Ninguno vive para sí, ninguno muere para sí. Si vivimos, vivimos para el Señor; si morimos, morimos para el Señor" (Rom 14:7). Debemos alegrarnos por la vida que nos trae en plenitud Jesús, el Mesías. Esta alegría llenará nuestro corazón y es lo que llevaremos a los demás. Jesús es nuestra alegría y lo que da sentido a nuestra vida.

VII LECTURA Esta profecía de Ezequiel ha sufrido muchas adiciones y supresiones, fruto de la meditación y reflexión que varias generaciones hicieron durante y después del destierro. Los exiliados habían guardado cierta esperanza, mientras estaba en pie la ciudad de Jerusalén y el templo, más aún, después de la destrucción de ambas construcciones, las mismas ruinas siguieron alimentando en algunos exiliados esperanzas de un nuevo inicio en la tierra ancestral.

Para meditar

SALMO RESPONSORIAL   Salmo 19:8, 9, 10, 11

R. Señor, tú tienes palabras de vida eterna.

La ley del Señor es perfecta
   y es descanso del alma;
   el precepto del Señor es fiel
e instruye el ignorante. R.

Los mandatos del Señor son rectos
   y alegran el corazón;
   la norma del Señor es límpida
y da luz a los ojos. R.

La voluntad del Señor es pura
   y eternamente estable;
   los mandamientos del Señor
      son verdaderos
   y enteramente justos. R.

Más preciosos que el oro,
   más que el oro fino;
   más dulces que la miel
de un panal que destila. R.

VII LECTURA   Ezequiel 36:16–28

Lectura del libro del profeta Ezequiel

En **aquel** tiempo,
   me fue dirigida la palabra del Señor **en estos términos**:
   "**Hijo** de hombre,
   cuando los de la casa de Israel habitaban **en su tierra**,
   la **mancharon** con su conducta y **con sus obras**;
   como **inmundicia** fue su proceder **ante** mis ojos.
Entonces **descargué** mi furor contra ellos,
   por la **sangre** que habían **derramado** en el país
   y por haberlo **profanado** con sus idolatrías.
Los **dispersé** entre las naciones
   y anduvieron **errantes** por todas las tierras.
Los juzgué **según** su conducta, **según** sus acciones los **sentencié**.
Y en las naciones a las que se fueron,
   desacreditaron mi santo nombre,
   haciendo que de ellos se dijera:
   'Este es el pueblo del Señor,
   y ha tenido que salir **de su tierra**'.

Al mirar atrás, se notan los pecados del pueblo, para que escarmiente. El culmen de la ruta es la dispersión del pueblo.

Al final, algunos sacaron falsas conclusiones: "Seremos como los demás pueblos, como las razas de otros países, que adoran al leño y la piedra" (Ez 20:32). Esto significaba renunciar a su vocación y a su identidad de ser el pueblo de Dios: "Ustedes serán para mí un pueblo sagrado, un reino sacerdotal" (Ex 19:6). Por lo tanto, las consecuencias de los exiliados eran falsas. Por esto habló el Señor al Profeta como se lee en esta vigilia (Ez 36:16–28).

Por principio, no deben ignorar su antigua historia. Su pecado y el castigo concomitante, no deben esfumarse de la proclamación del nuevo inicio que hará el Señor. Como lo hizo Moisés antes de la entrada a la tierra prometida, recordándoles su pasado: "Recuerda y no olvides que provocaste al Señor, tu Dios, en el desierto, desde el día que saliste de Egipto hasta que llegaron a ese lugar han sido rebeldes al Señor" (Dt 9:7). Luego, lapidariamente lo resumió así: "Desde que los conozco, han sido

rebeldes al Señor" (Dt 9:24). Así ahora Dios le dice al profeta, recuérdale al pueblo su historia pecaminosa en la tierra santa. La presencia de Israel entre los pueblos, su manera de ser y de vivir, traería la alabanza al Señor. Pero su conducta pecaminosa trajo lo contrario. "Se rebeló contra mis leyes y mandatos, pecando más que los otros pueblos, más que los países vecinos." (Ez 5:6). "Hijo de hombre, cuando la casa de Israel habitaba en su tierra la contaminó, con su conducta y con sus malas obras;

Este es el punto clave para la restauración del pueblo: la compasión de Dios. A este segmento dale profundidad y extensión con tu voz y tu porte.

Pero, por mi **santo** nombre,
que la casa de Israel **profanó** entre las naciones a donde llegó,
me **he compadecido**.
Por eso, **dile** a la casa de Israel:
'**Esto** dice el Señor: no lo hago **por ustedes**, casa de Israel.
Yo mismo mostraré la santidad de mi nombre excelso,
que ustedes **profanaron** entre las naciones.
Entonces ellas **reconocerán** que **yo soy** el Señor,
cuando, por medio de ustedes les **haga ver** mi santidad.

Los **sacaré** a ustedes de entre las naciones,
los **reuniré** de **todos** los países y los **llevaré** a su tierra.
Los **rociaré** con agua **pura** y quedarán purificados;
los purificaré de **todas** sus inmundicias e idolatrías.

El final es formidable y entusiasta: la comunión de Dios con su pueblo. Hazle sentir a la asamblea esta oferta de Dios como un don atractivo e irresistible.

Les daré un corazón **nuevo** y les **infundiré** un espíritu nuevo;
arrancaré de ustedes el corazón **de piedra**
y les daré un corazón **de carne**.
Les infundiré **mi espíritu**
y los **haré vivir** según mis preceptos
y guardar y cumplir **mis mandamientos**.
Habitarán en la tierra que di a sus padres;
ustedes serán **mi pueblo** y **yo** seré su Dios."'

Para meditar

SALMO RESPONSORIAL   Salmo 42:3, 5bcd, Salmo 43:3, 4

R. Como busca la cierva corrientes de agua, así mi alma te busca a ti, Dios mío.

Tiene sed de Dios, del Dios vivo:
¿cuándo entraré a ver
el rostro de Dios? R.

Cómo marchaba a la cabeza del grupo,
hacia la casa de Dios,
entre cantos de júbilo y alabanza,
en el bullicio de la fiesta. R.

Envía tu luz y tu verdad:
que ellas me guíen
y me conduzcan hasta tu monte santo,
hasta tu morada. R.

Que yo me acerque al altar de Dios,
al Dios de mi alegría;
que te dé gracias al son de la cítara,
Dios, Dios mío. R.

para mí sus proceder fue como sangre inmunda" (Ez 36:17).

Dios castigó a su pueblo y lo echó de su tierra. Pero en lugar de que los paganos vieran en este castigo la justicia divina, lo interpretaron como una debilidad del Señor. Confundieron al Señor con el Dios nacional de un pueblo como los otros dioses. Uno de tantos. Por esto Dios va a obrar de modo diferente, en atención a la honra de su nombre.

Habla el Señor de la causa por la que hará algo nuevo: "No lo hago por ustedes, casa de Israel, sino por mi santo Nombre, profanado por ustedes en las naciones adonde fueron" (Ez 36:22). Obrará, pues, para defender su nombre. ¿Cómo va a obrar el Señor? Va a tomar a Israel de los ríos de Babilonia y lo llevará a los "desiertos de los pueblos", para conducirlo a su tierra: "Cuando los purifique de sus culpas, haré que se repueblen las ciudades y que las ruinas se reconstruyan. Volverán a cultivar la tierra

desolada . . . y los pueblos sabrán que yo, el Señor, reedifico lo destruido y planto lo arrasado" (Ez 36:33s).

Va a curar a Israel desde dentro, del corazón, la sede de las decisiones. El bautismo que fluye de la resurrección del Señor, nos da a los cristianos un corazón nuevo, una ley interna con la que el Espíritu Santo nos jala para hacer el bien y evitar el mal. Sólo por medio de una conducta apegada al evangelio del Señor, podremos glorificar y manifestar la unicidad de Dios en nuestro

O bien:

Para meditar

SALMO RESPONSORIAL   Is 12:2–3, 4bcd, 5–6

R. Sacarán aguas con gozo de las fuentes de la salvación.

El Señor es mi Dios y Salvador:
    confiaré y no temeré,
    porque mi fuerza y mi poder es el Señor,
    él fue mi salvación.
Y sacarán aguas con gozo
    de las fuentes de la salvación. R.

Den gracias al Señor
    invoquen su nombre,
    cuenten a los pueblos sus hazañas,
    proclamen que su nombre es excelso. R.

Tañan para el Señor, que hizo proezas,
    anúncienlas a toda la tierra;
    griten jubilosos, habitantes de Sión:
"Qué grande es en medio de ti
    el Santo de Israel". R.

O bien: Salmo 51:12–13, 14–15, 18–19

EPÍSTOLA   Romanos 6:3–11

Lectura de la carta del apóstol san Pablo a los Romanos

Hermanos:

Actualiza la voz de san Pablo, catequiza y enseña con tono de intimidad.

¿No saben ustedes que todos los que hemos sido **incorporados**
    a Cristo Jesús
    por medio **del bautismo**, hemos sido incorporados **a él en su
    muerte**?
En efecto, por el bautismo fuimos **sepultados** con él en su muerte,
    para que, así como Cristo **resucitó** de entre los muertos
    por la **gloria** del Padre,
    así también **nosotros** llevemos una vida **nueva**.

Esta parte debe acentuar la certeza absoluta en la resurrección. Mira las expresiones de la vida e infúndeles cariño al pronunciarlas. No corras, las frases son complejas.

Porque, si hemos estado **íntimamente** unidos a él
    por una muerte **semejante** a la suya,
    también lo estaremos en su **resurrección**.
Sabemos que nuestro viejo yo fue crucificado **con Cristo**,
    para que el cuerpo del pecado quedara **destruido**,
    a fin de que ya **no sirvamos** al pecado,
    pues el que ha muerto **queda libre** del pecado.

---

mundo. Nuestra felicidad sólo existe pasando por la glorificación del Señor. Transformar nuestra sociedad será posible sólo si nos dejamos transformar desde lo interior por el Espíritu, el don que nos dejó el Padre para hacer creíble su Evangelio.

EPÍSTOLA El Apóstol en esta parte explica el estado de gracia o de justificación otorgado por el Señor. Empieza San Pablo recordando lo fundamental de su evangelio: los que han creído

en Cristo y han sido bautizados en él, están unidos a la muerte y a la vida de Cristo.

Es fundamental para Pablo la unión del cristiano con Cristo por el bautismo. Sabemos que el rito consistía en una inmersión, por lo tanto, se prestaba mucho para ese hablar de Pablo de un sepultarse con Cristo. Nos unimos a un hecho histórico, la muerte de Cristo. Su muerte fue aceptar la voluntad del Padre, con lo que destruyó el no del pecado de los hombres. Nosotros nos unimos a este sí de Jesús.

La muerte de Cristo fue aceptada por el Padre en el hecho de su resurrección, lo que prueba el valor redentor de su muerte. Muerte y resurrección son dos fases del mismo suceso salvífico central. Por el bautismo somos solidarios con el Señor en su misterio central: su muerte y resurrección.

Después de haber resumido en el v. 5 la doctrina del bautismo, saca dos conclusiones: el rechazo del pecado y la unión a la vida de Cristo. Lo primero empieza con el verbo "conocemos". ¿Qué conocemos? Que

Por lo tanto, si hemos muerto **con Cristo**,
  estamos seguros de que también **viviremos** con él;
  pues **sabemos** que Cristo,
  una vez **resucitado** de entre los muertos, ya morirá **nunca**.
La muerte ya **no tiene** dominio sobre él,
  porque al morir, **murió** al pecado de una vez **para siempre**;
  y al resucitar, **vive ahora** para Dios.
Lo mismo ustedes, considérense **muertos** al pecado
  y **vivos** para Dios en Cristo Jesús, **Señor nuestro**.

Para meditar

SALMO RESPONSORIAL   Salmo 118:1–2, 16ab–17, 22–23

R. Aleluya, aleluya, aleluya.

Den gracias al Señor porque es bueno,
porque es eterna su misericordia.
  Diga la casa de Israel:
eterna es su misericordia. R.

La diestra del Señor es poderosa,
la diestra del Señor es excelsa,
No he de morir, viviré
para contar las hazañas del Señor. R.

La piedra que desecharon los arquitectos
es ahora la piedra angular.
Es el Señor quien lo hecho,
ha sido un milagro patente. R.

EVANGELIO   Lucas 24:1–12

Lectura del santo Evangelio según san Lucas

Es el corazón del Evangelio de la vida. Estudia sus partes y cómo pronunciarlas. Da la Buena Nueva como si se produjera en este momento. Vibra con ella, para que la asamblea la acoja.

El **primer** día después del sábado, **muy** de mañana,
  llegaron las mujeres al sepulcro,
  llevando los perfumes que **habían preparado**.
Encontraron que la piedra ya **había sido** retirada del sepulcro
    y **entraron**,
  pero **no hallaron** el cuerpo del Señor Jesús.

el viejo hombre está enredado en el pecado. Éste es parte de él. En cambio, el nuevo hombre implica la imitación de la muerte de Cristo, al crucificar al viejo hombre. La vida del cristiano es comulgar con los sufrimientos y muerte de Cristo y, luego, unirse a la gloria de su resurrección. El cristiano bautizado no puede seguir como esclavo del pecado, pues aunque viva en un cuerpo mortal, está para vivir unido a Cristo.

Viene el verbo "creemos", que inaugura el párrafo que habla de nuestra unión con Cristo. Como la desobediencia del primer hombre rompió la relación con Dios, ahora la obediencia perfecta del segundo Adán nos incorporó a Jesús y, por lo mismo, a su Iglesia. Nuestra unión con Cristo, "escondida con Cristo en Dios" Col 3:3, ya es una realidad actual y llegará a su perfección después de nuestra muerte.

Al ser bautizados, fuimos admitidos a la filiación divina y así debemos vivir, ejercitando la caridad fraterna. Todavía podemos convertirnos en esclavos del pecado; pero ya fuimos liberados y debemos controlar nuestra conducta. El Señor nos liberó, pero siempre bajo la ley de la libertad, que sigue siendo amenazada por la ley del pecado, y debemos estar atentos a esto. El final todavía no llega, pero lo esperamos con ansia y, al mismo tiempo, con cautela.

EVANGELIO   Celebramos la resurrección de Jesús. Este acontecimiento nos habla de la insospechada intervención de Dios en la historia humana.

Sólo con la memoria se llega a la resurrección. Las palabras de los varones deben resonar con fresca seguridad. Apela a la memoria.

Estando ellas todas **desconcertadas** por esto,
    se les presentaron **dos varones** con vestidos **resplandecientes**.
Como ellas se llenaron **de miedo** e inclinaron el rostro a tierra,
    los varones les dijeron:
    "**¿Por qué** buscan entre los muertos **al que está vivo?**
No está aquí; **ha resucitado.**
Recuerden que cuando estaba todavía en Galilea les dijo:
    'Es **necesario**
    que el Hijo del hombre **sea entregado** en manos
        de los pecadores y **sea** crucificado y al tercer día **resucite'** ".
Y ellas **recordaron** sus palabras.

Cuando regresaron del sepulcro,
    las mujeres anunciaron **todas estas cosas** a los Once
        y a **todos** los demás.
Las que decían estas cosas a los apóstoles eran **María Magdalena**,
    Juana, María (**la madre de Santiago**) y las demás que estaban
        con ellas.
Pero **todas** estas palabras les parecían **desvaríos** y **no** les creían.

Pedro se levantó y **corrió** al sepulcro.
Se asomó, pero **sólo** vio los lienzos y se regresó a su casa,
    asombrado por lo sucedido.

Es la parte conclusiva. Desacelera para que los nombres de los testigos de la resurrección se queden en la mente de todos. El párrafo final debe sembrar una interrogación en el aire.

Él nos deja atisbar su poderosa vitalidad cuando vence a la muerte y saca de la tumba al Mesías, su amado Hijo. Este es el dato de la fe cristiana que san Lucas nos entrega con el relato de la visita de las mujeres a la tumba; con él no sólo indica la resurrección corporal de Jesús, sino también que el discipulado adquiere su consistencia a partir de lo sucedido en aquella tumba vacía.

A las mujeres, se les aparecen unos ángeles anunciando lo sucedido: Jesús ha sido resucitado. Dios lo resucitó porque sólo Dios resucita y da vida. Esta buena nueva llega desde el cielo, como sucedió al principio del evangelio, en torno al nacimiento del Mesías. Aquí comienza otra novedad, la del Evangelio, la de la vida nueva. Viene del cielo pero no es una novedad absoluta, porque tiene raíces en lo que Jesús hizo y dijo en Galilea, sobre su propio destino. Él es el Hijo del hombre, entregado y crucificado pero resucitado al tercer día. Ellas hacen la memoria de lo que Jesús le dijo entonces, y pueden ver cómo ensambla con lo sucedido. El núcleo de la pascua cristiana es la muerte y resurrección del Cristo. Entonces se transforman en apóstoles que anuncian a los Once que el Crucificado vive. No lo han visto pero ellas creen.

San Lucas menciona un grupo femenino encabezado por María Magdalena, Juana y María la de Santiago; todas ellas se convierten en testigos de la muerte y resurrección ante los propios apóstoles. Ellos, sin embargo, no les creen. Y, con Pedro a la cabeza, ellos también habrán de recorrer un camino que los lleve a mirar la coherencia entre lo anunciado en las Escrituras y lo sucedido en Jesús de Nazaret, y a ser testigos de la vida nueva.

DOMINGO DE PASCUA

Dios cumple todas sus promesas mesiánicas con la resurrección de Jesús. Hay un tono de gozo incontenible en esta proclamación.

I LECTURA   Hechos 10:34a, 37–43

Lectura del libro de los Hechos de los Apóstoles

En aquellos días, Pedro tomó la palabra y dijo:
"Ya saben ustedes lo sucedido en **toda** Judea,
    que tuvo principio **en Galilea**,
    después del Bautismo predicado por Juan:
    cómo Dios **ungió** con el **poder** del Espíritu Santo
    a **Jesús** de Nazaret y cómo **éste** pasó haciendo **el bien**,
    sanando **a todos** los oprimidos por el diablo,
    porque Dios estaba **con él**.

Nosotros somos **testigos**
    de cuanto él **hizo** en Judea y en Jerusalén.
Lo mataron **colgándolo** de la cruz,
    pero Dios **lo resucitó** al tercer día
    y **concedió** verlo, no a todo el pueblo,
    sino **únicamente** a los testigos **que él**,
    de antemano, había escogido:
    a nosotros, que hemos **comido y bebido** con él
    después de que **resucitó** de entre los muertos.

Él nos mandó **predicar** al pueblo
    y **dar testimonio** de que Dios
    lo ha constituido **juez** de vivos y muertos.
El testimonio de los profetas es **unánime**:
    que cuantos **creen en él** reciben, por su medio,
    el perdón de los pecados".

El testimonio es nuestro también. Únete a Pedro y a los apóstoles espiritualmente con la asamblea.

Testimonio es la palabra clave de esta lectura. Haz énfasis especial en las frases que la contienen.

I LECTURA Que los paganos tenían también parte en la herencia de Israel, era algo asegurado, pero las maneras de esa participación, era algo muy controvertido entre los judíos. Así, esa cuestión fue la principal dificultad en los primeros pasos de la extensión de la Iglesia.

Los primeros pasos se le adjudican a Pedro. En realidad, fue el Espíritu Santo el de la iniciativa. La invitación de Cornelio a Pedro fue circunstancial. Se trataba de que Pedro diera una explicación tal vez más concreta del movimiento cristiano. Estando Pedro en esta explicación, sucedió el descenso del Espíritu Santo, como en el día de Pentecostés, sobre el grupo de los primeros discípulos. No le quedó a Pedro sino completar con el acto sacramental, lo que el Espíritu Santo ya había llevado a cabo.

Pedro da un reporte de lo sucedido a la madre Iglesia de Jerusalén. En la reunión de Jerusalén, que se ha venido llamando primer concilio, volverá el asunto de Cornelio (Hch 15:7–9). Ya había habido pasos anteriores: lo de Esteban, del eunuco de Etiopía y de la conversión de Saulo; pero faltaba la experiencia del jefe de la comunidad para que se consagrara la entrada oficial de los paganos "en el camino" (11:18).

Pablo expuso a Cornelio un evangelio sintetizado (vv. 37–41). Finalizó proclamando que los apóstoles eran testigos. Son éstos los que nos conectan con la vida de Jesús. Terminó con la resurrección. Pero la historia de la salvación no se cierra con la resurrección de Jesús. Los días que vivimos en la Iglesia son de la misma calidad. Jesús ya lo había anticipado en su testamento. No basta que se cumplan en él las Escrituras, pues falta que "en su nombre, el arrepentimiento en vistas al perdón de los pecados,

Para meditar

SALMO RESPONSORIAL   Salmo 118:1–2, 16ab–17, 22–23

R. Éste es el día en que actuó el Señor: sea nuestra alegría y nuestro gozo.

O bien: R. Aleluya.

Den gracias al Señor porque es bueno,
 porque es eterna su misericordia.
Diga la casa de Israel:
 eterna es su misericordia. R.

La diestra del Señor es poderosa,
 la diestra del Señor es excelsa,
No he de morir, viviré
 para contar las hazañas del Señor. R.

La piedra que desecharon los arquitectos
 es ahora la piedra angular.
Es el Señor quien lo hecho,
 ha sido un milagro patente. R.

II LECTURA   Colosenses 3:1–4

Lectura de la carta del apóstol san Pablo a los Colosenses

Hermanos:
Puesto que ustedes **han resucitado** con Cristo,
 busquen los bienes **de arriba**,
  donde **está** Cristo, sentado **a la derecha** de Dios.
Pongan **todo** el corazón en los bienes **del cielo**,
 no en los de la tierra,
  porque **han muerto**
   y su vida **está escondida** con Cristo en Dios.
Cuando **se manifieste** Cristo, **vida** de ustedes,
 entonces **también** ustedes se manifestarán **gloriosos**,
  juntamente con él.

O bien:

La vida cristiana tiene una cualidad que le viene de Cristo resucitado. Proclama con entusiasmo ese destino glorioso que es la vocación de todo bautizado.

---

sea proclamado a todas las naciones, comenzando por Jerusalén: de esto serán mis testigos" (Lc 24:44–49). Hay una profunda continuidad entre los hechos salvíficos, el testimonio y la predicación. Cuando Jesús ejercerá su función de juez, habrá terminado la Iglesia en su papel de testimoniar.

Pedro no olvida algo que está muy claro desde el principio del movimiento cristiano: el cumplimiento de las Escrituras. Pedro hace una referencia general: "Todos los profetas dan testimonio de el". El centro del testimonio: Cristo es el salvador que perdona nuestros pecados. Todos somos

pecadores. Él nos libera del pecado. El Espíritu Santo apoyará visiblemente la magnífica proclamación de Pedro, de que "Dios no hace diferencia entre las personas" (v. 34).

II LECTURA Colosas, en Asia Menor, era famosa porque sus habitantes estimaban y practicaban cierto gnosticismo y sincretismo. Los cristianos de Colosas habían introducido en su práctica de la fe cristiana otras prácticas incompatibles. A fin de cuentas, era natural que aquellas representaciones cósmicas, astrológicas y mágicas a las que estaban acos-

tumbrados, influyeran en su mente y en su actuar. Habían recibido el Evangelio recientemente, y la fe requiere tiempo para madurar. El autor de la carta apuntala lo fundamental, de donde deriva toda práctica cristiana: la fe y la dependencia de Jesucristo y de la vida divina que ha traído el Señor a los cristianos con su muerte y resurrección.

En los primeros dos capítulos, el autor expuso la revelación cristológica, y en los dos siguientes las consecuencias de ella. En esta parte parenética se extraen las consecuencias bautismales. La vida del cristiano no es sólo la que se manifestará en la

II LECTURA   1 Corintios 5:6–8

Lectura de la primera carta del apóstol san Pablo a los Corintios

Hermanos:

¿No saben ustedes que **un poco** de levadura
hace fermentar **toda** la masa?
Tiren la antigua levadura,
para que sean ustedes una masa **nueva**,
ya que son pan **sin levadura**,
pues **Cristo**, nuestro cordero pascual, ha sido **inmolado**.

Celebremos, pues, la fiesta de la Pascua,
no con la **antigua** levadura, que es de vicio **y maldad**,
sino con el pan **sin** levadura,
que es de **sinceridad y verdad**.

Comunica la fuerza de ser fermento en el mundo. Firme tu voz y tu postura, pero cálida en la invitación a celebrar.

EVANGELIO   Juan 20:1–9

Lectura del santo Evangelio según san Juan

El **primer** día después del sábado, estando **todavía** oscuro,
fue María Magdalena al sepulcro
y vio **removida** la piedra que lo cerraba.
Echó **a correr**,
llegó a la casa donde estaban **Simón Pedro** y el otro discípulo,
a quien Jesús **amaba**, y les dijo:
"**Se han llevado** del sepulcro al Señor
y **no sabemos** dónde lo habrán puesto".

Salieron Pedro y el otro discípulo camino del sepulcro.
Los dos iban corriendo **juntos**, pero el otro discípulo corrió **más aprisa** que Pedro y llegó **primero** al sepulcro,
e **inclinándose**, miró los lienzos puestos en el suelo,
pero **no entró**.

Recorre con la asamblea el camino de la Magdalena, desde la oscuridad de la noche hasta la certeza invisible de la resurrección.

No precipites la lectura en este punto. Detente ante el sepulcro y reveréncialo internamente antes de proseguir con Simón.

parusía, sino que empieza ya aquí y ahora, aunque de modo incipiente. Por eso saca las consecuencias: "busquen los bienes de arriba"; "pongan todo el corazón en los bienes del cielo, no en los de la tierra". Cuando el autor habla de lo "de arriba" no se refiere a un Cristo etéreo, sino al concreto, al que resucitó de entre los muertos. Cierto, Cristo esta "arriba", los cristianos estamos "abajo", pero nos une a él la fe y la experiencia del bautismo, que nos orienta hacia Cristo, por lo

que debemos vivir en esa correspondencia. Este es el fundamento de la ética cristiana.

Enseguida se pone la mirada en el futuro: el momento de la revelación decisiva del Cristo glorioso que será, al mismo tiempo, la perfección para los creyentes, cuya vida está determinada por la gloria de Cristo.

Es cierto que con el bautismo hemos dado el paso principal y decisivo, pero debemos actuar cada día conforme a ese bautismo. Ejercitando la libertad y con la

conciencia clara de pertenecer al Señor, el cristiano difunde el señorío de Cristo.

EVANGELIO El evangelio de esta liturgia es sólo la primera parte de un relato pascual que se completa en el episodio siguiente, cuando Jesús resucitado se deja ver por María Magdalena y la hace su apóstol o enviada para anunciar la resurrección y ascensión a los discípulos (20:18). La parte que nos toca el día de hoy habla de la ausencia de Jesús, de una búsqueda insatisfecha.

Aminora la velocidad conforme te acercas al final. Haz tu lectura más meditativa que descriptiva.

En eso llegó también **Simón Pedro**, que lo venía siguiendo,
     y **entró** en el sepulcro.
Contempló los lienzos puestos en el suelo y el sudario,
     que había estado **sobre** la cabeza de Jesús,
     puesto **no con los lienzos** en el suelo,
     sino **doblado** en sitio aparte.
Entonces entró también el **otro** discípulo,
     el que había llegado **primero** al sepulcro, y vio y **creyó**,
     porque hasta entonces **no habían entendido** las Escrituras,
     según las cuales Jesús **debía** resucitar de entre los muertos.

Lecturas alternativas: Lucas 24:1–12; Lucas 24:13–35 (con la Misa de la tarde o de la noche)

La primera protagonista del relato estuvo al pie de la cruz; y fue testigo de la entrega última del Mesías, y de su muerte. Ella, con otras mujeres y el discípulo amado, estuvieron en el tránsito tremendo de Jesús el día de la Preparación pascual. Ha pasado ya la cena de Pascua y es "el primer día de las semanas", es decir, el día del ceremonial de las primicias en el templo, cuando eran presentados los frutos primeros de la cosecha a Dios haciendo memoria del don de la tierra prometida y de las gestas de la salvación; así iniciaba el pueblo entero un ciclo nuevo, cargado de vida y esperanza.

Hoy, María Magdalena es la primera testigo de la tumba vacía. Esto lo anunciará ella a otros dos discípulos destacados del grupo, Simón Pedro y "el otro discípulo, al que Jesús amaba". De alguna manera, se inicia una búsqueda de Jesús en la que todos se van involucrando. Buscan la razón de la ausencia hasta en la entraña del sepulcro. Allí, ellos miran lo que fue mortaja: las vendas y el sudario doblado aparte.

¿Son señales de vida o de muerte? Son prendas mudas a las que las Escrituras abren luz en la inteligencia discipular. Y esa luz enciende el creer: debía resucitar de entre los muertos. ¿Pero, por qué? Aquí arranca la búsqueda de todo discípulo a lo largo y ancho de las Escrituras; es una búsqueda apoyada en la fidelidad inquebrantable de Dios.

II DOMINGO DE PASCUA (DOMINGO DE LA DIVINA MISERICORDIA)

El retrato del grupo de creyentes está lleno de respeto. Marca la distancia con los de afuera.

Pedro realiza lo mismo que Jesús hacía. Enfatiza las curaciones con un ritmo más pausado en esta sección. Retoma el ritmo normal en el párrafo final.

I LECTURA Hechos 5:12–16

Lectura del libro de los Hechos de los Apóstoles

En aquellos días,
   los apóstoles realizaban **muchas** señales milagrosas
      y prodigios en medio del pueblo.
Todos los creyentes solían reunirse,
   por común acuerdo, en el pórtico de Salomón.
Los demás **no se atrevían** a juntárseles,
   aunque la gente los tenía en **gran** estima.

El **número** de hombres y mujeres que creían en el Señor
   iba creciendo de día en día, hasta el punto de que
   tenían que sacar en **literas y camillas** a los enfermos
   y ponerlos en las plazas, para que, cuando Pedro **pasara**,
   al menos su sombra cayera sobre alguno de ellos.

Mucha gente de los alrededores **acudía** a Jerusalén
   y llevaba a **los enfermos**
   y a los **atormentados** por espíritus malignos,
   y **todos** quedaban curados.

I LECTURA Para reflexionar sobre el misterio de la Resurrección, es buen camino el de seguir a la comunidad primitiva, porque en ella los milagros manifiestan la presencia activa del Señor. San Lucas, en estos inicios de su segundo libro, compuso tres resúmenes o sumarios de la comunidad primitiva cristiana. Hoy nos toca el tercero, que con pocas pinceladas describe lo que era la comunidad cristiana. Allí tenemos lo fundamental, para que nos sirva en una necesidad apremiante del camino.

En los otros dos sumarios Lucas había descrito puntos esenciales y criterios inspi-

radores del creyente; en éste nos habla de la fuerza que dimana de la comunidad cristiana. Las señales de las que es mediadora, testimonian la presencia del resucitado. Se reunían los apóstoles en el pórtico de Salomón, un lugar muy conocido en la explanada del templo. Era normal que allí se reunieran grupos para estudiar, rezar o discutir problemas religiosos o cultuales.

Un rasgo importante para Lucas es registrar el poder taumatúrgico de los apóstoles, sobre todo de Pedro. Tiene dos características: la potencia del Espíritu que obra los milagros y que de este don se benefician

también los que no son de Jerusalén. Hay una apertura al exterior: vienen los de fuera. Hay una continuación con la vida del Señor: "Y toda la gente intentaba tocarlo, porque salía de él una fuerza que sanaba a todos" (Lc 6:19).

Los milagros son considerados como signos por los que Dios quiere manifestar la continuación de la presencia divina en esa comunidad, fundada por Jesús. Estos signos indican que el Resucitado permanece en ese grupo pequeño de sus seguidores.

Es cierto que en el correr de los tiempos esos signos no se manifiestan de manera

Para meditar

SALMO RESPONSORIAL   Salmo 118:2–4, 22–24, 25–27a

R. Den Gracias al Señor porque es bueno, porque es eterna su misericordia.

O bien: R. Aleluya.

Diga la casa de Israel:
   eterna es su misericordia.
Diga la casa de Aarón:
   eterna es su misericordia.
Digan los fieles del Señor:
   eterna es su misericordia. R.

La piedra que desecharon los arquitectos
   es ahora la piedra angular.
Es el Señor quien lo hecho,
   ha sido un milagro patente.
Éste es el día en que actuó el Señor:
   sea nuestra alegría y nuestro gozo. R.

Señor, danos la salvación;
Señor, danos prosperidad.
Bendito el que viene en nombre del Señor,
   le bendecimos desde la casa del Señor;
   el Señor es Dios, El nos ilumina. R.

II LECTURA   Apocalipsis 1:9–11, 12–13, 17–19

Lectura del libro del Apocalipsis del apóstol san Juan

Juan es profeta y vidente. Conecta con su espíritu para hacer esta lectura.

Yo, **Juan**,
   hermano y compañero de ustedes en la tribulación,
   en el Reino y en la **perseverancia** en Jesús,
   estaba **desterrado** en la isla de Patmos,
   por haber **predicado** la palabra de Dios
   y haber dado **testimonio** de Jesús.

Un domingo caí en **éxtasis**
   y oí a mis espaldas una voz **potente**,
   como de **trompeta**, que decía:
   "**Escribe** en un libro **lo que veas**
   y **envíalo** a las **siete** comunidades cristianas de Asia".

La visión es majestuosa. Sorpréndete primero para que la asamblea también lo haga.

Me volví para ver **quién** me hablaba,
   y al volverme, vi **siete** lámparas de oro,
   y en medio de ellas, **un hombre** vestido de larga túnica,
   ceñida a la **altura** del pecho, con una franja de **oro**.

---

tan llamativa, pero en el fondo continúa la Iglesia llevando al mundo la liberación del pecado con el poder de los sacramentos, en los cuales Cristo obra con su Espíritu. Con su caridad externa y la vivencia de muchos cristianos sigue mostrándose la presencia y el poder del Resucitado.

II LECTURA La segunda lectura habla de la llamada que recibió de Cristo glorioso el prisionero de Patmos. Se le ordenó que pusiera por escrito lo que le sería mostrado en una visión y esto lo debería enviar a las siete iglesias. Más que de una

visión, se trata de una contemplación. Nos trasmite una experiencia de fe en un ambiente duro y difícil para la Iglesia. Sabemos que por el Evangelio estaba preso el vidente, aunque no sepamos pormenores.

Esta experiencia sucedió un domingo. Sería durante la oración. Juan estaba preso con otros hermanos que sufrían por la misma causa. Todos tienen la función de ser testigos. Además, la experiencia de Juan tiene una dimensión eclesial. Juan debe escribir, fijar lo acaecido para que no se pierda y así pueda llegar a las siete iglesias, es decir, a la Iglesia entera.

Juan maneja los símbolos que entienden sus destinatarios. Vio siete candeleros de oro. La palabra nos lleva al campo litúrgico. De hecho, según el profeta Zacarías (4:2), el candelero de los siete brazos se encontraba en el santuario del templo de Jerusalén. Más adelante dirá el vidente que esos candeleros representaban las siete iglesias. Esa visión significa que es en la iglesia donde Juan verá a Cristo resucitado y glorioso. Esto sigue siendo verdad: Cristo se encuentra en la comunidad eclesial, en comunión con todos los hermanos.

Las palabras de Jesús transmiten confianza. Comunica certidumbre en tu tono de voz.

Al contemplarlo, **caí** a sus pies como muerto;
    pero **él**, poniendo sobre mí la mano derecha, me dijo:
    "**No temas. Yo soy** el primero y el último;
    yo soy **el que vive.**
Estuve **muerto** y ahora, como ves,
    estoy vivo por los siglos de los siglos.
Yo tengo las llaves de la muerte y del **más allá.**
Escribe lo que **has visto,**
    tanto sobre las cosas **que están sucediendo,**
    como sobre las que sucederán **después**".

EVANGELIO   Juan 20:19–31

Lectura del santo Evangelio según san Juan

Este evangelio se compone de dos episodios. Dale prestancia a la narración imprimiéndole un tono de lo inesperado a la presencia del Resucitado y sus dones.

Al **anochecer** del día de la resurrección,
    estando **cerradas** las puertas de la casa
    donde se hallaban los discípulos, por **miedo** a los judíos,
    se presentó **Jesús** en medio de ellos y les dijo:
    "**La paz** esté con ustedes".
Dicho esto, **les mostró** las manos y el costado.
Cuando los discípulos **vieron** al Señor,
    se **llenaron** de alegría.

Es crucial esta información y el diálogo, pues de ella depende el siguiente cuadro.

De nuevo les dijo Jesús: "**La paz** esté con ustedes.
    Como **el Padre** me ha enviado, **así también** los envío yo".
Después de decir esto, **sopló** sobre ellos y les dijo:
    "**Reciban** al Espíritu Santo.
A los que **les perdonen** los pecados, les quedarán **perdonados;**
    y a los que no se los perdonen, les quedarán **sin perdonar**".

Aparece un personaje inspirado en Dan 7:13, cuya apariencia humana es clara, y representa al Mesías, concebido como un ser sobrehumano y trascendente. Es el Hijo del hombre, tan referido por Cristo, con quien se identifica en el juicio ante el sumo sacerdote Anás. Por llevar un vestido largo y una faja de oro, el personaje tiene los rasgos del sumo sacerdote y del rey. Posee la autoridad y dignidad suprema.

La reacción del vidente va con el tipo de literatura que emplea: la apocalíptica. Cae a tierra como muerto y es confortado por el personaje que le habla. El misterioso personaje se presenta con títulos divinos y como resucitado ("el Viviente"). El Resucitado ha derribado el muro que lo quería retener dentro del reino de la muerte. Por eso se abren nuevas posibilidades. En el v. 19 se tiene como un resumen del contenido del libro: "Escribe lo que viste: lo de ahora y lo que sucederá después".

El vidente es un cristiano que ha sido regenerado por el bautismo. Es un testigo y está dispuesto a declarar en favor de Cristo, aunque esto le esté trayendo sufrimientos. Este creyente pertenece a una comunidad, a la Iglesia. La revelación se dirige en el fondo a la Iglesia, mediante un individuo. La Iglesia es una lámpara que vive en la tierra y en la historia, pero su esperanza está en el cielo. Jesucristo sujeta con su mano a la Iglesia y nunca la abandonará.

EVANGELIO El par de apariciones de Jesús al grupo de discípulos, a ocho días de distancia una de otra, comunica la realidad contundente de la resurrección. Los creyentes se reunían el primer día de la semana, al caer la tarde, para hacer la memoria de Jesús y experimentar los dones mesiánicos.

Tomás, uno de los Doce, a quien llamaban **el Gemelo**,
　　no estaba con ellos cuando vino Jesús,
　　y los otros discípulos le decían:
　　"Hemos visto al Señor".
Pero él les **contestó**:
　　"Si no veo **en sus manos** la señal de los clavos
　　y si **no meto mi dedo** en los agujeros de los clavos
　　y no meto **mi mano** en su costado, **no creeré**".

Ocho días después,
　　estaban reunidos los discípulos **a puerta cerrada**
　　y **Tomás** estaba con ellos.
Jesús se presentó de nuevo en medio de ellos y les dijo:
　　"**La paz** esté con ustedes".
Luego le dijo a Tomás:
　　"**Aquí** están mis manos; **acerca** tu dedo.
Trae acá tu mano, **métela** en mi costado
　　y **no sigas** dudando, sino **cree**".
Tomás le respondió: "¡**Señor mío y Dios mío!**"
Jesús **añadió**: "Tú crees porque me has visto;
　　dichosos los que creen **sin haber visto**".

Otras **muchas** señales milagrosas hizo Jesús
　　en **presencia** de sus discípulos,
　　pero **no están escritas** en este libro.
Se escribieron **éstas**
　　para que ustedes **crean** que Jesús es **el Mesías**,
　　el **Hijo** de Dios, y para que, **creyendo**,
　　tengan **vida** en su nombre.

Este segmento no pertenece al episodio, sino que concluye todas las señales de Jesús. Haz una pausa de cuatro tiempos para que esto se note mejor.

El saludo de Jesús es el tradicional que se dan entre sí los judíos. Los griegos se saludaban con un "¡ánimo!" o "¡alégrate!" más el nombre de la persona. Jesús saluda con "la paz", y detrás de él puede verse el sentido del *shalom* bíblico, que es mucho más que la ausencia de conflicto, pues condensa todos los bienes necesarios para sentirse pleno, contento, feliz. La persona sólo se entiende relacionada con los demás. Jesús saluda al grupo discipular entero. El saludo del Resucitado comunica los bienes últimos: la salvación de Dios para los suyos. En aquella circunstancia precisa, el grupo discipular está encerrado por miedo a los que no aceptan que el Crucificado sea el Mesías de Dios. Pero los discípulos, paradójicamente, apenas Jesús les muestra o revela sus llagas, se llenan de alegría.

En esa realidad pascual que trasciende el dolor con gozo, el miedo con alegría, se afinca el envío discipular, con los mismos medios que el envío de Jesús y con idéntica misión: perdonar los pecados con el poder del Espíritu Santo.

Tomás tiene los rasgos de los discípulos de todos los tiempos. Su incredulidad es la nuestra, y su confesión también. Es nuestro Gemelo. Por eso, para creer y arrodillarse ante el Dios y Señor nuestro, es necesario volver a contemplar las manos y el costado del Resucitado, sacramento de su entrega total por nosotros. De modo que para que la Iglesia, comunidad mesiánica, cumpla su misión deberá de mirar continuamente al Traspasado; de otra manera, lejos del Crucificado, perderá su identidad cristiana.

III DOMINGO DE PASCUA

La represión de la autoridad es dura y con cierto desprecio.

I LECTURA   Hechos 5:27–32, 40–41

Lectura del libro de los Hechos de los Apóstoles

En aquellos días,
   el sumo sacerdote **reprendió** a los apóstoles y les dijo:
"Les hemos prohibido **enseñar** en nombre de ese Jesús;
sin embargo,
   ustedes **han llenado** a Jerusalén con sus enseñanzas
   y quieren hacernos **responsables**
   de la sangre de **ese hombre**".

Pedro y los otros apóstoles **replicaron**:
   "**Primero** hay que obedecer **a Dios** y **luego** a los hombres.
El Dios de nuestros padres **resucitó** a Jesús,
   a quien **ustedes** dieron muerte **colgándolo** de la cruz.
La mano de Dios **lo exaltó** y lo ha hecho **jefe y Salvador**,
   para dar a Israel la gracia **de la conversión**
   y **el perdón** de los pecados.
Nosotros **somos testigos** de todo esto
   y **también** lo es el **Espíritu Santo**,
   que Dios ha dado a los que **lo obedecen**".

Los miembros del sanedrín mandaron **azotar** a los apóstoles,
   les prohibieron hablar en nombre **de Jesús** y los soltaron.
Ellos se retiraron del sanedrín,
   felices de haber padecido aquellos ultrajes
   por **el nombre** de Jesús.

Retoma el tono narrativo normal y austero. Haz una salida de la lectura aminorando la velocidad.

I LECTURA La liturgia nos lleva de nuevo a los Hechos de los Apóstoles, para presentarnos un rasgo de lo que ha traído la resurrección de Jesús.

La experiencia del Resucitado y la posesión de su Espíritu vuelven audaces a los discípulos. Al principio la autoridad judía los quiso amedrentar, prohibiéndoles hablar, después pasó a la acción, con una verdadera persecución. Nada conseguirá, pues ellos continuarán difundiendo su experiencia, sabiéndose enviados de Dios.

Estamos ante un acto de objeción de conciencia: " . . . si es correcto a los ojos de

Dios que les obedezcamos a ustedes antes que a él. Júzguenlo. Nosotros no podemos callar lo que hemos visto y oído" (4:19–20). Lo mismo repiten ante el sanedrín: "Hay que obedecer a Dios antes que a los hombres" (5:29). Es claro que para todo hombre sensato la obediencia en ciertos casos no es una virtud. Pedro va a aprovechar para dar una pequeña catequesis ante el sanedrín: "nosotros somos testigos". No pueden callar. Hacerlo significaría traicionar su conciencia y su misión.

Vienen las consecuencias. Sufrir por mantener lo que uno es o aquello en lo que

uno cree. Se requiere de mártires, es decir, de testigos de la verdad o de las verdades. Es fácil acomodarse a la moda. Siempre lo ha sido. Rebelarse es de pocos y se paga caro. Se puede pagar hasta con la cárcel, como aquí; luego serán amenazas de muerte.

Los discípulos recibieron 39 azotes. Esto no los amedrentó, sino que se llenaron de alegría por seguir las hormas del Maestro. Hay una relación estrecha entre el amor a Cristo y el servicio a la Iglesia. Toda forma de servicio nace y depende de la capacidad de amar. Todo ministerio y servicio en la Iglesia es posible con la condición de que

Para meditar

SALMO RESPONSORIAL   Salmo 30:2 y 4, 5 y 6, 11 y 12a y 13b

R. Te ensalzaré, Señor, porque me has librado.

O bien R. Aleluya.

Te ensalzaré, Señor, porque me has librado
    y no has dejado que mis enemigos
        se rían de mí.
Señor, sacaste mi vida del abismo,
    me hiciste revivir cuando
        bajaba a la fosa. R.

Tañan para el Señor, fieles suyos,
    den gracias a su nombre santo;
    su cólera dura un instante,
    su bondad, de por vida;
    al atardecer nos visita el llanto,
    por la mañana, el jubilo. R.

Escucha, Señor, y ten piedad de mí;
Señor, socórreme
Cambiaste mi luto en danzas.
Señor, Dios mío, te daré gracias
    por siempre. R.

II LECTURA   Apocalipsis 5:11–14

Lectura del libro del Apocalipsis del apóstol san Juan

La visión celeste es magnífica, exaltada y exultante. Hay un crescendo jubiloso de alabanza y que debe alcanzar a la asamblea. Pon especial atención a lo que aclaman los ángeles.

Yo, Juan, tuve **una visión**, en la cual
    oí alrededor del trono de los vivientes y los ancianos,
    la voz de **millones y millones** de ángeles,
    que cantaban con voz **potente**:

"**Digno** es el Cordero, que fue **inmolado**,
    de **recibir** el poder y la riqueza, **la sabiduría** y la fuerza,
    el honor, la gloria y **la alabanza**".

Es la alabanza de toda creatura. Exalta un tanto la alabanza para que la asamblea se sienta incorporada al tributo universal. La siguiente línea pertenece también a la alabanza.

Oí **a todas** las creaturas que hay en el cielo, en la tierra,
    debajo de la tierra y en el mar—**todo** cuanto existe—,
    que decían:

"Al que **está sentado** en el trono y al **Cordero**,
    la alabanza, **el honor**, la gloria **y el poder**,
    por los **siglos** de los siglos".

Y los cuatro vivientes respondían: "**Amén**".
Los **veinticuatro** ancianos se **postraron** en tierra
    y adoraron **al que vive** por los siglos de los siglos.

---

sea un ministerio de sufrimiento y de crucifixión como ha sido el de Jesús. Y esto es cierto hoy como lo fue ayer.

II LECTURA Esta segunda lectura es una doxología. Hay un coro celestial que le canta al Señor por su victoria. La palabra doxología es un compuesto griego: *doxa* significa opinión, alabanza y *logos* discurso, juicio. Es una fórmula de oración litúrgica que canta la gloria de Dios y de Cristo.

En las tragedias griegas, los coros se refieren a los acontecimientos pasados o a los que vienen. En la Biblia, el mismo efecto

se consigue mediante oraciones, súplicas o hasta cantos de victoria. La parte de la doxología de hoy tiene un desarrollo ascendente, en tres momentos. Primero aparece la celebración de los cuatro vivientes y de los veinticuatro ancianos (vv. 8–10). Segundo, el coro se enriquece con un grupo innumerable de ángeles (vv. 11–12). El vidente oyó, se entiende, un canto. Se alaba al Cordero y se le adscriben siete cualidades. Por fin viene la tercera parte (vv. 13–14). Ahora el coro es toda la Creación, incluidos los seres angélicos. Todo el coro canta la identificación de Dios y el Cordero. Antes se le

había adjudicado a Dios, la Creación (c. 4), y se le atribuía la salvación al Cordero. Ahora ambas cosas se les adjudican tanto a Dios como al Cordero.

Para concluir, se habla de los cuatro vivientes que representan a la Creación y los veinticuatro ancianos que representan al pueblo antiguo y al nuevo. Ambos miembros aceptan lo anterior por un "Amén", propio de judíos y cristianos. La postración era una costumbre netamente helenista oriental. El autor quiere afirmar la total aceptación de Dios y del Cordero. De fondo está lo

EVANGELIO   Juan 21:1–19

Lectura del santo Evangelio según san Juan

En aquel tiempo, Jesús se les apareció **otra vez** a los discípulos
    junto al lago de Tiberíades.
Se les apareció **de esta manera**:

Estaban juntos **Simón Pedro**, **Tomás** (llamado el Gemelo),
    Natanael (el de Caná de Galilea),
    los hijos de Zebedeo y otros dos discípulos.
Simón Pedro les dijo: "**Voy a pescar**".
Ellos le respondieron: "**También** nosotros vamos contigo".
Salieron y se embarcaron, pero aquella noche **no pescaron nada**.

Estaba amaneciendo, cuando **Jesús** se apareció en la orilla,
    pero los discípulos **no lo reconocieron**.
Jesús les dijo: "**Muchachos**, ¿han pescado algo?"
Ellos contestaron: "**No**".
Entonces él les dijo:
    "**Echen** la red a la **derecha** de la barca y encontrarán **peces**".
Así lo hicieron,
    y luego ya **no podían** jalar la red por **tantos** pescados.

Entonces el discípulo a quien amaba Jesús le dijo a Pedro:
    "**Es el Señor**".
Tan pronto como Simón Pedro oyó decir que **era el Señor**,
    se anudó a la cintura la túnica,
    pues se la había quitado, y **se tiró** al agua.
Los otros discípulos llegaron en la barca,
    arrastrando la red con los pescados,
    pues no distaban de tierra más de **cien** metros.

Prepárate para esta proclamación haciendo memoria de las manifestaciones de Jesús en tu vida diaria. Esa presencia inadvertida es la que hay que redescubrir con la asamblea.

Es una descripción normal. No aceleres la lectura ni pauses más de lo que la puntuación va indicando. Incluso el diálogo debe tener un tono neutro, por decirlo así.

Alarga la frase del reconocimiento del discípulo amado y dale un tono como de confianza, pero sin que llegue a susurro.

---

contrario del sometimiento de los paganos a la bestia (cap. 13).

Hoy en día es muy importante porque Dios habla a la esperanza. El Señor nos recuerda que debemos jalar a nuestro mundo hacia el porvenir. La figura del Cordero, Jesús, es llamativa: lavó los pies a sus discípulos, dándonos un ejemplo y símbolo de servicio. Él trajo un reino sin poder y dinero. Un reino sin señores y siervos. Un reino sin componentes de arriba y de abajo, sin mandatos y sin obediencia. Y nosotros somos los llamados, pues estamos integrados en ese coro, que dice por dónde y cómo debemos acompañar la victoria del Cordero, forjando un reino de servidores, movidos por amor. Nuestro rey no nos exige postración, sino amor expresado en servicio.

EVANGELIO En este relato el evangelista deja muy en claro que cuenta una manifestación de Jesús al grupo de siete discípulos. Cuenta, pues, una experiencia de salvación en la que Jesús muestra cómo Dios viene a socorrer al necesitado. Hasta que el hombre socorrido se da cuenta de que lo recibido no lo debe a sus esfuerzos ni a sus capacidades, sino a alguien más, cae en la cuenta de que alguien le guía misteriosamente; entonces se puede lanzar

Tan pronto como **saltaron** a tierra,
    vieron unas brasas y sobre ellas un pescado y pan.
Jesús les dijo:
    "**Traigan** algunos pescados de los que acaban de pescar".
Entonces Simón Pedro **subió** a la barca
    y arrastró **hasta la orilla** la red,
    repleta de pescados grandes.
Eran **ciento cincuenta y tres**,
    y a pesar de que eran **tantos**, **no se rompió** la red.
Luego les dijo Jesús:
    "**Vengan** a almorzar".
Y ninguno de los discípulos se atrevía a preguntarle:
    "**¿Quién eres?**", porque **ya sabían** que era **el Señor**.
Jesús **se acercó**, tomó el pan y se lo dio **y también** el pescado.
Ésta fue la **tercera** vez que Jesús se **apareció** a sus discípulos
    después de **resucitar** de entre los muertos.

Después de almorzar le preguntó Jesús **a Simón Pedro**:
    "**Simón**, hijo de Juan, ¿me amas **más** que éstos?"
Él le contestó: "**Sí**, Señor, **tú sabes** que te quiero".
Jesús le dijo: "**Apacienta** mis corderos".
Por **segunda** vez le preguntó: "**Simón**, hijo de Juan, **¿me amas?**"
Él le respondió: "**Sí**, Señor, **tú sabes** que te quiero".
Jesús le dijo: "**Pastorea** mis ovejas".
Por **tercera** vez le preguntó: "**Simón**, hijo de Juan, **¿me quieres?**"
Pedro se **entristeció** de que Jesús le hubiera preguntado por
    tercera vez si lo quería y le contestó:
    "**Señor**, tú **lo sabes todo**; tú bien sabes **que te quiero**".
Jesús le dijo: "**Apacienta** mis ovejas.

Esta información es parentética y así debes hacerlo notar con tu tono de voz. Luego viene otro desarrollo.

Es un cuadro muy emotivo y trascendente. Dale el peso a las palabras de Pedro.

a realizar en su vida lo que Dios le pide, cuando se abre a la comunión. Ése es el punto del reconocimiento.

La pesca sobreabundante es para que los discípulos reconozcan al Señor. Ellos han vuelto a sus tareas cotidianas en el mar de Tiberíades; este nombre evoca el señorío del César de Roma, pues al lago de Galilea o de Genesaret había sido rebautizado en honor a Tiberio emperador. De ese mar les venía la vida cotidiana, con cierto sabor a

fracaso por la pesca frustrada. Allí, Jesús se hace reconocer, no sólo por los 153 peces grandes, sino sobre todo porque la red no se rompió. Todos se convencen de que es el Señor. Esto es lo fundamental. Entonces, el Señor se vuelve anfitrión con el almuerzo de pan y peces que él aporta, no Simón (ver Jn 6:1–15). Es almuerzo eucarístico, sin duda ninguna. De allí deriva lo demás.

La encomienda del pastoreo universal a Simón Pedro surge casi como confirmación de Jesús al amor "mayor" protestado por

Pedro hasta en tres ocasiones; la tercera suena ya con la prudencia de la experiencia y el eco de las traiciones de Pedro. Como Jesús "alimenta" a su grupo de discípulos, Pedro hará otro tanto respecto a las ovejas de Jesús. El pastoreo se funda en el amor a Jesús más que en el cariño por las ovejas. Pero es un encargo recibido del Señor, y aceptado con total disponibilidad y entrega "mayor", la de la vida. El único modelo a seguir es Jesús (ver Jn 10). San Juan no dice cómo prolongar el pastoreo tras la muerte de

Yo te **aseguro**: cuando eras joven,
    tú mismo te ceñías la ropa e ibas **a donde querías**;
    pero cuando **seas viejo**,
    extenderás los brazos y **otro** te ceñirá
    y te **llevará** a donde **no quieras**".
Esto se lo dijo
    para indicarle con qué género de **muerte**
    habría de **glorificar** a Dios.
Después le dijo: "**Sígueme**".

Lectura alternativa: Juan 21:1–14

Pedro; sin embargo, la Iglesia vela por el rebaño en términos ministeriales de vida en la fe, la esperanza y la caridad, como un solo rebaño, bajo un único Pastor: el Señor Jesús.

IV DOMINGO DE PASCUA

I LECTURA   Hechos 13:14, 43–52

Lectura del libro de los Hechos de los Apóstoles

Es una lectura que marca un viraje en la predicación del Evangelio. La parte primera es como preparación para el desenlace dramático que vendrá luego. Busca darle viveza a la narración.

En aquellos días,
   Pablo y Bernabé prosiguieron su camino
   desde Perge hasta **Antioquía** de Pisidia,
   y el **sábado** entraron en la sinagoga y tomaron asiento.
Cuando se **disolvió** la asamblea,
   muchos judíos y prosélitos piadosos
   acompañaron a Pablo y a Bernabé,
   quienes **siguieron** exhortándolos
   a **permanecer** fieles a la gracia de Dios.

El sábado **siguiente**
   casi **toda** la ciudad de Antioquía
   acudió **a oír** la palabra de Dios.
Cuando los judíos vieron una concurrencia **tan grande**,
   se **llenaron** de envidia
   y comenzaron a **contradecir** a Pablo con palabras **injuriosas**.

Es el testimonio apostólico. Hay que distinguir las palabras de las Escrituras de las de los propios apóstoles.

Entonces Pablo y Bernabé dijeron **con valentía**:
   "La palabra de Dios **debía** ser predicada **primero** a ustedes;
      pero como **la rechazan**
   y no se juzgan **dignos** de la vida eterna,
      nos dirigiremos **a los paganos**.
Así nos lo **ha ordenado** el Señor, cuando dijo:
*Yo te he puesto como **luz** de los **paganos**,*
   *para que **lleves** la **salvación***
      *hasta los **últimos rincones** de la **tierra**".*

I LECTURA   En Antioquía de Pisidia, Pablo se vuelve a predicar a los paganos, porque los de su pueblo no quieren recibir la Buena Nueva. Hace ver que esto sucede en conformidad a las Escrituras, pues el Evangelio tiene un destino universal (ver Is 49:6). Este fue un parte aguas para la fe cristiana.

Los misioneros cristianos se dirigen a los paganos, pero no para reemplazar a los judíos, que no han respondido y que han sido eliminados del Israel auténtico. Tampoco quieren para fundar un nuevo Israel, idea lejanísima a los apóstoles. Lo hacen porque,

reconociendo al Mesías en Jesús, Israel sabe que la salvación llega no sólo a Israel, sino también a los gentiles, permaneciendo tales y aceptando a Jesús. No tienen que convertirse primero en judíos según la carne.

La cerrazón de los judíos antioquenos de Pisidia es un problema de comunicación. Sucede porque no se abre el espíritu humano completamente y no oye lo que el otro quiere comunicar. Muchas veces son nuestros prejuicios los que nos impiden ver la realidad como es. Además, hay que leer e interpretar la realidad continuamente, porque cambia siempre.

Hay que dejar que las palabras escuchadas en la liturgia entren suave y libremente a nuestra mente, para rumiarlas y luego llevarlas a la práctica.

Al **enterarse** de esto,
    los paganos se regocijaban y **glorificaban** la palabra de Dios,
        y **abrazaron** la fe
    todos aquellos que estaban **destinados** a la vida eterna.

La **palabra** de Dios se iba propagando por toda la región.
Pero los judíos
    azuzaron a las mujeres devotas de la **alta** sociedad
    y a los ciudadanos principales,
    y **provocaron** una persecución contra Pablo y Bernabé,
    hasta **expulsarlos** de su territorio.

Pablo y Bernabé se **sacudieron** el polvo de los pies,
    como **señal** de protesta, y **se marcharon** a Iconio,
    mientras los discípulos se quedaron **llenos** de alegría
    y del **Espíritu Santo**.

Es un resumen del florecimiento de la predicación. Pronúncialo con parsimonia, pero sin perder el ritmo.

Para meditar

SALMO RESPONSORIAL   Salmo 100:2, 3, 5

R. Somos su pueblo y ovejas de su rebaño.

O bien R. Aleluya.

Aclama al Señor, tierra entera,
    sirvan al Señor con alegría,
entren en su presencia con aclamaciones. R.

"El Señor es bueno,
    su misericordia es eterna,
    su fidelidad por todas las edades". R.

Sepan que el Señor es Dios:
    que él nos hizo y somos suyos,
su pueblo y ovejas de su rebaño. R.

II LECTURA   Apocalipsis 7:9, 14–17

Lectura del libro del Apocalipsis del apóstol san Juan

Yo, Juan, **vi** una muchedumbre **tan grande**,
    que **nadie** podía contarla.
Eran individuos de **todas** las naciones y **razas**,
    de **todos** los pueblos y lenguas.

La visión es resplandeciente. Descríbela como contemplándola, para que el auditorio se impregne del sentido majestuoso de la gloria de Dios.

II LECTURA San Juan nos invita a contemplar uno de los cuadros más ricos y esplendorosos del Apocalipsis: la muchedumbre inmensa del pueblo elegido que une sus voces a las de todas las creaturas celestiales. Se insiste en lo universal de la muchedumbre. No hay discriminación. Luego el autor señala el carácter litúrgico de la asamblea. Están de pie, es una expresión de disposición al servicio. Este servicio litúrgico honra a Dios y al Cordero. Esta asamblea trae todas las características del triunfo: el color blanco es signo de la trascendencia y de la salvación;

las palmas son un signo de victoria. Son todos los que han vencido al mundo en la gran prueba escatológica. Es la Iglesia de todos los tiempos, por lo mismo, nosotros, que hemos sido lavados por el bautismo en la sangre del Cordero.

La felicidad escatológica habla con imágenes de Isaías (49:10), que evocan un paraíso para nómadas, acostumbrados a la sequía y a la ausencia de agua. Son símbolos de la presencia divina (Sal 23). El Señor Jesús es el pastor escatológico que ha constituido este grupo de ovejas, fieles al Señor,

por su sangre. Este grupo es inseparable del Señor, lo siguen a todas partes.

Este pastor, el Cordero, conduce a las ovejas a las aguas de vida. Hay una alusión o recuerdo de esa conversación de Jesús con la samaritana, a propósito de esa agua que salta hasta la vida eterna. Después de esa mirada hacia adelante, al final del recorrido de un cristiano, debemos volver a nuestro tiempo, a nuestro camino, que aunque esté difícil, sabiendo por adelantado lo que nos espera, lo podemos recorrer con paciencia y firmeza.

Todos estaban de pie, **delante** del trono y del Cordero;
   iban vestidos con una **túnica blanca**
   y llevaban **palmas** en las manos.

Uno de los ancianos que estaban **junto** al trono, me dijo:
   "**Estos** son los que han pasado por la **gran persecución**
   y han lavado y **blanqueado** su túnica
   con la **sangre** del Cordero.
Por eso están **ante el trono** de Dios
   y le sirven **día y noche** en su templo,
   y el que **está sentado** en el trono
   los protegerá **continuamente**.

Ya no sufrirán hambre **ni sed**,
   no los quemará el sol ni los **agobiará** el calor.
Porque **el Cordero**, que está en el trono, **será** su pastor
   y **los conducirá** a las fuentes del agua de **la vida**
   y Dios **enjugará** de sus ojos toda lágrima".

EVANGELIO   Juan 10:27–30

Lectura del santo Evangelio según san Juan

En aquel tiempo, Jesús dijo a los judíos:
   "Mis ovejas **escuchan** mi voz;
   yo **las conozco** y ellas **me siguen**.
Yo les **doy** la vida eterna y no perecerán **jamás**;
   nadie las arrebatará de mi mano.
Me las ha dado **mi Padre**, y él es **superior** a todos.
El Padre y yo **somos uno**".

Son palabras de revelación. Enfatiza las palabras sobre la persecución. La fe en Cristo gana la bienaventuranza.

Estas magníficas promesas deben quedar grabadas en el corazón de la comunidad.

Son apenas unas cuantas frases, pero muy reveladoras, de quién es Jesús. Prepárate a transmitir a la comunidad mucha calidez y seguridad.

EVANGELIO Las palabras de Jesús subrayan su relación con las ovejas, relación de salvación.

La salvación es primariamente pertenencia. Las ovejas son de Jesús porque escuchan su voz y lo siguen. Seguirlo, el discipulado, es algo cierto y constatable, no etiqueta, ni movimiento mecánico. Se trata de conocimiento. Es la experiencia que se hace al encontrarse con una persona, al crear un compromiso y un vínculo sagrado de unidad (ver Jn 9). El interés y la cercanía del Buen Pastor contrastan con los líderes a quienes les importan las ovejas sólo para aprovecharse de ellas.

Se sigue a Jesús porque da vida eterna. Es la duradera, de una cualidad distinta, porque es la de Dios y la que depara a sus fieles. Da la vida con su voz.

Lo que funda la pertenencia entre Jesús y sus ovejas es su unidad con el Padre. Esta unidad se expresa como autoridad común, con la figura de la mano, pero también es unidad total y exclusiva. Todo mundo sabe que el Pastor de Israel es Dios, y el Mesías su delegado. Por eso, al resucitar al Mesías, Dios ha puesto todo en su mano y lo ha convertido en el único Pastor universal, el que nos da vida eterna.

V DOMINGO DE PASCUA

I LECTURA Hechos 14:21–27

Lectura del libro de los Hechos de los Apóstoles

Este relato es crucial para el Cristianismo de los orígenes. Mira las dificultades que tuvo Pablo y el papel de Bernabé. Cada parágrafo tiene focos distintos. Identifícalos y dales la intensidad debida.

En aquellos días,
   volvieron **Pablo y Bernabé** a Listra, Iconio y Antioquía,
   y ahí **animaban** a los discípulos
   y los exhortaban a **perseverar** en la fe,
   diciéndoles que hay que pasar por **muchas tribulaciones**
   para **entrar** en el Reino de Dios.
En **cada** comunidad designaban **presbíteros**,
   y con oraciones y ayunos
   los **encomendaban** al Señor, en quien habían **creído**.

El parágrafo va creciendo en intensidad. La disposición en líneas le marca tres pasos, para disolver la tensión.

Atravesaron luego Pisidia y llegaron a Panfilia;
   predicaron en Perge y llegaron a Atalía.
De ahí se embarcaron para Antioquía,
   de donde **habían salido**, con la gracia de Dios,
   para **la misión** que acababan de cumplir.

Este es un segmento pacífico. Llena tu voz con un tono de sereno regocijo, sin exaltaciones.

Al llegar, **reunieron** a la comunidad y les contaron
   lo que **había hecho** Dios por **medio** de ellos
   y **cómo** les había abierto a **los paganos**
   las puertas de la fe.

I LECTURA Pablo crea una forma de organización embrionaria: "Algunos ancianos en cada comunidad". No impone simplemente la estructura judía, hace acomodos y novedades. Esto supone que se empieza a ver que el Señor puede tardar un poco y que se necesita cierta estructura para poder vivir como cristianos. Una comunidad no puede existir y desarrollarse sin estructura. Jesús dejó lo mínimo de estructura. Esta sería labor de la Iglesia.

Pablo y Bernabé informan sobre su trabajo misionero a la Iglesia madre, Antioquía en este caso. Notan graves dificultades que empezaban a asomarse en cada iglesia. Pero también veían que había algo común: la entrada de los paganos a la fe. Ellos hablan de la necesidad de apertura. Esto traerá después la consecuente independencia de las comunidades recién fundadas. Ellas intentarán organizarse y solucionar sus problemas, que no eran iguales a los de otras comunidades. Esto ya nos da una dirección por donde debemos trabajar todas las comunidades actuales: diócesis, parroquias, pequeñas comunidades. Hay que adaptarse teniendo en cuenta el centro que coagula: la fe, que es la misma. Este rejuego entre fe y concreción en cada comunidad es lo normal y debemos procurar que estos dos componentes se correspondan.

II LECTURA Para cerrar su libro de sellos, san Juan nos planta ante una profunda transformación que conforta a la comunidad cristiana: la visión de la nueva creación.

Todo es nuevo: nuevo cielo, tierra, Jerusalén . . . Isaías revive (66:22). Esto nuevo es la antítesis de cuanto tenemos ante nosotros ahora. No se puede describir

Para meditar

SALMO RESPONSORIAL   Salmo 145:8–9, 10–11, 12–13ab

R. Bendeciré tu nombre por siempre jamás, Dios mío, mi rey.

O bien R. Aleluya.

El Señor es clemente y misericordioso,
   lento a la cólera y rico en piedad;
   el Señor es bueno con todos,
   es cariñoso con todas sus creaturas. R.

Que todas tus creaturas te den
      gracias, Señor,
   que te bendigan tus fieles;
   que proclamen la gloria de tu reinado,
   que hablen de tus hazañas. R.

Explicando tus proezas a los hombres
   la gloria y majestad de tu reinado.
Tu reinado es un reinado perpetuo,
   tu gobierno va de edad en edad. R.

II LECTURA   Apocalipsis 21:1–5

Lectura del libro del Apocalipsis del apóstol san Juan

La lectura es densa y avanza como en espiral. Cuida mucho el fraseo para que cada idea sea clara.

Yo, Juan, vi un cielo **nuevo** y una tierra **nueva**,
   porque el **primer** cielo y la **primera** tierra
   habían **desaparecido** y el mar ya **no existía**.

También vi que **descendía** del cielo, desde donde **está Dios**,
   la ciudad **santa**, la **nueva** Jerusalén,
   engalanada como una novia,
   que va a **desposarse** con su prometido.
Oí una **gran** voz, que **venía** del cielo, que decía:

Hay un cambio de tono, de los preceptos a la victoria de la fe. Inyéctale entusiasmo a esta seccioncita.

   "**Esta es** la morada de Dios con los hombres;
   vivirá con ellos como su Dios
   y **ellos** serán su pueblo.
Dios les enjugará **todas** sus lágrimas
   y ya **no habrá** muerte ni duelo,
   ni penas ni llantos,
   porque **ya** todo lo antiguo **terminó**".

La línea final está cargada de esperanza y certeza. Mantén la voz como si algo más fuera a continuar.

Entonces el que estaba **sentado** en el trono, dijo:
   "**Ahora** yo voy a hacer **nuevas todas** las cosas".

lo nuevo, sólo se puede contraponer a lo antiguo.

Viene del cielo la Jerusalén nueva, creada por Dios y conservada para este final. Es el pueblo renovado de Dios, universal, formado por toda clase de hombres, sin las barreras que hoy limitan a los hombres. Las puertas de la ciudad están abiertas en todas direcciones (21:25). Es la familia de los salvados, la de Dios, la Iglesia que es sacramento en el mundo.

A la figura de la ciudad se añade la de la novia que se prepara para la boda. Su vestido de lino está formado por las obras justas de los santos. Sigue lo auditivo. La novedad es la aparición de los signos habituales de la presencia de Dios en Israel: las nubes, el arca de la alianza, el templo. La tienda de Dios simboliza su habitación entre los hombres. La muerte con todos los males que acarrea a la humanidad, ha sido vencida definitivamente.

Al final Dios toma la palabra: confirma la verdad de la visión. La nueva alianza quedó establecida; el nombre nuevo, el cristiano, vive en la novedad del Espíritu y de la vida. La comunidad es una creación nueva de Dios, su pueblo real y sacerdotal. Pasó todo lo antiguo, viene lo nuevo. La comunidad que escucha salta de alegría por este anuncio.

La fe ve a través de lo caduco, cómo ya la creación va tomando esa figura nueva de nuestro ser que resplandecerá cuando se manifieste la resurrección y renovación final. Esto anima al que lucha aún en ese mundo, donde todavía las sombras opacan y oscurecen la novedad de Cristo.

EVANGELIO El evangelio viene del comienzo de los discursos de despedida, precisamente cuando Judas ha salido y luego de que Jesús lavara los

Jesús participa su gloria a los discípulos gracias al amor fraterno mutuo. Adueñate de una actitud de cálida intimidad con Cristo para que este evangelio no suene extraño a los oídos de la asamblea.

Marca el "yo" de Jesús como propio, con plena conciencia de que viene de la cruz.

EVANGELIO   Juan 13:31–33, 34–35

Lectura del santo Evangelio según san Juan

Cuando Judas **salió** del cenáculo, Jesús dijo:
  "**Ahora** ha sido **glorificado** el Hijo del hombre
  y Dios ha sido glorificado en él.
Si Dios ha sido glorificado **en él**,
  también Dios lo glorificará **en sí mismo**
  y **pronto** lo glorificará.

Hijitos, **todavía** estaré un poco con ustedes.
Les doy un mandamiento **nuevo**:
  que **se amen** los unos a los otros, **como yo** los he amado;
  y por **este** amor reconocerán **todos**
  que **ustedes** son mis discípulos".

pies de los suyos. Tenemos tres importantes asuntos que serán tratados más tarde: la glorificación de Jesús, su inminente partida y el mandato del amor. Estos tres asuntos están conectados entre sí.

La pasión y muerte del Mesías es la hora de las tinieblas, pero Jesús la coloca como la hora de la gloria, de la resplandeciente glorificación mutua entre Padre e Hijo. Jesús busca sólo la gloria de Dios. Dios ya lo ha glorificado "dándole toda autoridad", confiándole "llevar a cabo su obra", dándole señales bellas y grandes . . . pero lo volverá a glorificar en la cruz, pues dará

su salvación a los que lo miren. A su vez, el Hijo del hombre glorifica a Dios con su fidelidad al mandamiento recibido, llevando todo a "cumplimiento" y no dejando que "nada se pierda". Esta es la gloria de Dios, la salvación del hombre.

La partida de Jesús es inminente. Le compete sólo a él, pues sólo él puede derramar los bienes que necesitan los suyos. La lectura litúrgica omite las frases de la búsqueda discipular que dejan ver el esfuerzo del grupo por reunirse con su Señor. Esa búsqueda tiene resonancias en el primer relato pascual.

El mandato nuevo del amor mutuo es el primer remedio a la ausencia de Jesús. La presencia de Jesús entre sus discípulos está garantizada por el amor de unos a otros. Este amor nace del amor ejemplar de Jesús, su causa y medida. Así es como el creyente participa en la glorificación de Padre e Hijo.

VI DOMINGO DE PASCUA

Ante una situación de serio conflicto el diálogo, la conciliación y la fidelidad a Jesús resultan decisivos. Dale a tu proclamación la seguridad de que el Espíritu está presente en su medio.

I LECTURA   Hechos 15:1–2, 22–29

Lectura del libro de los Hechos de los Apóstoles

En **aquellos** días,
  vinieron de Judea a Antioquía algunos discípulos
  y se pusieron a **enseñar** a los hermanos que,
  si **no se circuncidaban** de acuerdo con **la ley** de Moisés,
  no **podrían** salvarse.
Esto **provocó** un altercado
  y una **violenta** discusión con Pablo y Bernabé;
  al fin se decidió que Pablo, Bernabé y algunos más
  fueran **a Jerusalén** para tratar el asunto
  con los **apóstoles** y los presbíteros.

Los apóstoles y los presbíteros,
  de acuerdo con toda la comunidad cristiana,
  juzgaron **oportuno** elegir a algunos de entre ellos
  y enviarlos a Antioquía con Pablo y Bernabé.
Los elegidos fueron **Judas** (llamado Barsabás) y **Silas**,
  varones **prominentes** en la comunidad.
A **ellos** les entregaron una carta que decía:

"**Nosotros**, los apóstoles y los presbíteros,
  hermanos suyos, **saludamos** a los hermanos de Antioquía,
Siria y Cilicia, convertidos del paganismo.

I LECTURA El asunto de la circuncisión fue un problema central para los creyentes primeros. Su solución es fundamental para comprender la misión de Jesús. ¿Cuál es el objetivo de su venida, sobre todo, de su muerte y resurrección? La ley de Moisés era parte fundamental de la alianza de Dios con su pueblo. Había que entender el sentido de ésta y cotejarla con lo aportado por Jesús.

Como ese problema atañía a toda la Iglesia, decidió la comunidad de Antioquía ir a donde estaban los primeros testigos o apóstoles y que se sentía como el centro de los cristianos. Se delegó a los que representaban el éxito en la oferta de la Buena Noticia de Jesús a los paganos: Pablo y Bernabé.

Estos hombres ven los problemas de frente y dan una solución, que es embrionaria, pero que será decisiva. No se privilegia ninguna de las dos posturas completamente. Santiago recurre a las Escrituras y pide que no se les imponga a los cristianos venidos del paganismo toda la ley de Moisés, sino sólo algunos puntos que se pensaba esenciales, sobre todo, en vistas a la coexistencia de los dos grupos o tendencias.

Enterados de que **algunos** de entre nosotros,
     sin mandato **nuestro**,
     los han **alarmado e inquietado** a ustedes con sus palabras,
     hemos decidido de **común** acuerdo
     elegir a dos varones y enviárselos,
     en compañía de nuestros **amados hermanos** Pablo y Bernabé,
     que han **consagrado** su vida
     a la causa de **nuestro Señor Jesucristo.**
Les enviamos, pues, a Judas y a Silas,
     quienes les trasmitirán, **de viva voz,** lo siguiente:
     '**El Espíritu Santo** y nosotros
     hemos **decidido** no imponerles más cargas
     que las **estrictamente** necesarias.
A saber: que se **abstengan** de la fornicación
     y de **comer** lo inmolado a los ídolos,
     la sangre y los animales **estrangulados.**
Si se apartan de esas cosas, **harán bien'.**
Los saludamos".

La resolución transmitida en la carta debe tener tono formal.

Anuncia estas prescripciones puntuales con la seriedad que tienen, porque son las que hacen posible la convivencia fraterna entre paganos y judíos.

Para meditar

SALMO RESPONSORIAL   Salmo 67:2–3, 5, 6 y 8

R. Oh Dios, que te alaben los pueblos, que todos los pueblos te alaben.

O bien R. Aleluya.

El Señor tenga piedad y nos bendiga,
     ilumine su rostro sobre nosotros;
     conozca la tierra tus caminos,
     todos los pueblos tu salvación. R.

Que canten de alegría las naciones,
     porque riges el mundo con justicia,
     riges los pueblos con rectitud
     y gobiernas las naciones de la tierra. R.

Oh Dios, que te alaben los pueblos,
     que todos los pueblos te alaben.
     Que Dios nos bendiga; que le teman
     hasta los confines del orbe. R.

En esto que parece un compromiso, que no lo es, dado que no se admite que la Ley y su observancia sea lo que salva, se adopta la gradualidad. Toda la comunidad acepta, no sólo los que eran los jefes. Para todos los que participaron en la discusión y llegaron a la solución, era claro que el Espíritu Santo estaba allí con ellos y que a través de sus resoluciones los guiaba sabiamente. Es algo que no debemos olvidar ante tantas desavenencias, pequeñas y grandes, que se dan en la Iglesia vista en su totalidad y, a veces, entre distintas comunidades eclesiales.

II LECTURA   Apocalipsis 21:10–14, 22–23

Lectura del libro del Apocalipsis

Un ángel me transportó **en espíritu** a una montaña elevada,
   y **me mostró** a Jerusalén, la ciudad santa,
   que **descendía** del cielo,
   resplandeciente con la **gloria** de Dios.
Su **fulgor** era semejante al de una piedra **preciosa**,
   como el de un diamante **cristalino**.

Tenía una muralla **ancha y elevada**,
   con doce puertas **monumentales**,
   y sobre ellas, **doce** ángeles y **doce** nombres escritos,
   los nombres de las **doce** tribus de Israel.
Tres de estas puertas daban al oriente,
   tres al norte, **tres** al sur y **tres** al poniente.
La muralla descansaba sobre **doce** cimientos,
   en los que estaban escritos
   los **doce** nombres de los **apóstoles** del Cordero.

No vi **ningún** templo en la ciudad,
   porque el **Señor** Dios todopoderoso y el **Cordero**
   son el templo.
No necesita la luz del sol o de la luna,
   porque la **gloria** de Dios la ilumina
   y el **Cordero** es su lumbrera.

La visión cuaja todo el anhelo de la humanidad oprimida. Es muy importante que lleve ese sello tu proclamación, para que la novedad surja desde adentro de cada escucha.

La lectura culmina con frases negativas para hacer sobresalir lo positivo. Subraya aquí la presencia de Dios y el Cordero con tono jubiloso.

II LECTURA En la lectura se nota que está en el subconsciente del vidente y de los lectores, la ciudad de Babilonia como contrafigura.

El vidente fue admitido a una visión que trasciende la experiencia humana. Tiene una especie de éxtasis. Es llevado a un monte grande y alto. Habla simbólicamente. Así puede ver la Jerusalén nueva.

Hay en el v. 2 una alusión a Jerusalén como novia y luego se pasa a hablar de la esposa, como si ya el Cordero se hubiera casado con la Iglesia en una unidad perfecta. La ciudad ha sido edificada con lo mejor para para recalcar su riqueza, como sobre todo su luz.

Es una ciudad grandiosa y majestuosa, perfectamente protegida, separada de lo demás. El número doce alude a las doce tribus y a los doce apóstoles, es decir, la unidad de las dos alianzas, la comunidad universal del pueblo de Dios.

Algo muy importante es que en esta ciudad no hay templo: Dios y el Cordero están allí presentes. Se hace realidad la presencia anunciada y balbuceada por Moisés y el pueblo: el Dios con nosotros, sin mediación alguna. Tampoco se necesita el arca, ni la tienda del encuentro. La luz eterna, que dimana de la presencia de Dios, ilumina a todos.

Con tino, la liturgia del tiempo pascual nos pone frente a los dones que la muerte y resurrección de Jesús aportarán a los creyentes. Mírate beneficiado por esa pascua y hazle partícipe a la asamblea de esos beneficios.

EVANGELIO   Juan 14:23–29

Lectura del santo Evangelio según san Juan

En aquel tiempo, Jesús dijo a sus discípulos:
    "El que me ama, **cumplirá** mi palabra
    y **mi Padre** lo amará
    y haremos **en él** nuestra morada.
El que no me ama **no cumplirá** mis palabras.
La palabra que están oyendo no es **mía**,
    sino del **Padre**, que me envió.
Les he hablado de esto **ahora** que estoy con ustedes;
    pero el **Consolador**,
    el **Espíritu Santo** que mi Padre les enviará **en mi nombre**,
    les enseñará **todas** las cosas
    y les recordará **todo** cuanto yo les he dicho.

La **paz** les dejo, **mi paz** les doy.
No se la doy como la da **el mundo**.
No **pierdan** la paz ni se acobarden.
Me han oído decir: 'Me voy, pero **volveré** a su lado'.
Si me amaran, se **alegrarían** de que me **vaya** al Padre,
    porque el Padre es **más** que yo.
Se los he dicho **ahora**, **antes** de que suceda,
    para que cuando suceda, **crean**".

La paz del creyente le viene de Jesús. Somos alegres portadores de paz. Deja que las frases negativas tengan su propio peso.

EVANGELIO Estas breves líneas tratan de la promesa de Jesús de venir con su Padre a habitar en el creyente, de la promesa del envío del Paráclito, del don de la paz y de la alegría que los discípulos deben experimentar porque Jesús se va al Padre.

La promesa del Dios que mora en medio de su pueblo se cumple con la venida de Jesús y el Padre a habitar en su discípulo. Éste queda transformado en santuario en tanto hace realidad el mandamiento nuevo. A esto equivale guardar la palabra de Jesús cuyo origen es su Padre, Dios.

El Paráclito es como un catalizador. Él da vida, conecta, vivifica y actualiza la revelación de Jesús; santifica. Su función es enseñar al grupo cuanto Jesús ha dicho. Y Jesús les ha dado a conocer a los suyos todo lo que vio y oyó del Padre. El Espíritu hace verdad la revelación a las nuevas situaciones.

La paz que Jesús les entrega a los suyos es escatológica. La de Jesús es la paz que fluye de la vida nueva conseguida al precio de su entrega. Por eso, esa paz contrarresta el miedo y la cobardía ante el porvenir.

¿Cómo puede alguien alegrarse con la partida de Jesús? Porque es el único modo de adquirir un intercesor insuperable ante "el más grande". Él garantiza todos los bienes: su palabra, el amor mutuo, el Espíritu Santo, la paz y la alegría. Estos bienes pertenecen a la Iglesia de todos los tiempos.

ASCENSIÓN DEL SEÑOR

I LECTURA   Hechos 1:1–11

Lectura del libro de los Hechos de los Apóstoles

En mi **primer** libro, querido Teófilo,
    escribí acerca de **todo** lo que Jesús hizo y **enseñó**,
    hasta el día en que **ascendió** al cielo,
    después de dar sus instrucciones,
    por medio del **Espíritu Santo**,
    a los apóstoles que había **elegido**.
A ellos se les **apareció** después de la pasión,
    les dio **numerosas** pruebas de que estaba **vivo**
    y durante **cuarenta** días se dejó ver por ellos
    y les habló del **Reino** de Dios.

Un día, estando con ellos a la mesa, **les mandó**:
    "**No** se alejen de Jerusalén.
Aguarden aquí a que se **cumpla**
    la promesa de **mi** Padre, de la que **ya** les he hablado:
Juan bautizó **con agua**; dentro de **pocos** días ustedes serán
    bautizados con el Espíritu Santo".

Son los últimos momentos de Jesús con los suyos. Distingue bien el paso del sumario al relato directo. Con el párrafo siguiente, dale un aire más cálido y familiar a la escena.

I LECTURA El autor une este libro al ya escrito con un resumen de los sucesos ya narrados. Luego viene a los últimos acontecimientos, para hablar de la Ascensión. Los apóstoles quedan como los testigos exclusivos de los hechos y de las últimas palabras del Señor.

Al describir la Ascensión, Lucas parece insistir más en la separación de Jesús de los suyos, que en la glorificación del Señor. Muestra el alejamiento. Se abre una nueva época en la historia de la salvación, pero no ha llegado todavía el tiempo de la manifestación gloriosa del reino.

Los dos ángeles insisten en no especular sobre los signos del cielo que revelarán la venida del Señor. Eso sí, no deben dudar de que Jesús regresará. Ahora toca a los apóstoles ser testigos y depositarios de la palabra y de la promesa del Señor. Es el tiempo de testimoniar el Evangelio por toda la tierra.

La pregunta debe sonar de verdadero interés. Son las últimas palabras de Jesús.

Los ahí reunidos le preguntaban:
"**Señor**, ¿ahora sí vas a **restablecer** la soberanía de Israel?"
Jesús les contestó:
"A ustedes **no** les toca **conocer** el tiempo y la hora
que el Padre **ha determinado** con su autoridad;
pero cuando el Espíritu Santo **descienda** sobre ustedes,
los **llenará** de fortaleza y serán **mis testigos** en Jerusalén,
en **toda** Judea, en Samaria
y hasta los **últimos** rincones de la tierra".

Dicho esto, se fue **elevando** a la vista de ellos,
hasta que una nube lo **ocultó** a sus ojos.
Mientras miraban **fijamente** al cielo, **viéndolo** alejarse,
se les presentaron **dos hombres** vestidos de blanco,
que les dijeron:
"**Galileos**, ¿qué hacen **allí** parados, **mirando** al cielo?
Ese **mismo** Jesús que los ha dejado para **subir** al cielo,
volverá como lo han visto alejarse".

Para meditar

SALMO RESPONSORIAL   Salmo 47:2–3, 6–7, 8–9
R. Dios asciende entre aclamaciones; el Señor, al son de trompetas.

O bien R. Aleluya.

Pueblos todos, batan palmas,
aclamen a Dios con gritos de júbilo;
porque el Señor es sublime y terrible,
emperador de toda la tierra. R.

Dios asciende entre aclamaciones;
el Señor, al son de trompetas:
toquen para Dios, toquen,
toquen para nuestro Rey, toquen. R.

Porque Dios es el rey del mundo:
toquen con maestría.
Dios reina sobre las naciones,
Dios se sienta en su trono sagrado. R.

Nosotros estamos por el don del Espíritu, en continuidad con la Iglesia apostólica. No debemos dejarnos llevar por un sentimiento estéril del pasado o por una contemplación quimérica del futuro. Lo pasado se fue. Nos unimos a Cristo por los apóstoles.

El final, es asunto del Padre celestial. En nuestra época debemos hablar e ir implantando el Reino, seguros de la asistencia del Espíritu Santo.

II LECTURA   Efesios 1:17–23

Lectura de la carta del apóstol san Pablo a los Efesios

Hermanos:
Pido al Dios de **nuestro Señor** Jesucristo,
  el **Padre** de la gloria,
  que les conceda espíritu de **sabiduría**
  y de **reflexión** para conocerlo.

Le pido que les **ilumine** la mente para que **comprendan** cuál
    es la esperanza que les da su **llamamiento**,
  cuán **gloriosa** y rica es la **herencia** que
    Dios da a los que **son suyos** y cuál la extraordinaria
    grandeza de su poder para **con nosotros**,
  los que **confiamos** en él,
  por **la eficacia** de su fuerza poderosa.

Con esta fuerza **resucitó** a Cristo
  de entre los muertos y lo hizo **sentar** a su derecha en **el cielo**,
    por **encima** de todos los **ángeles**, principados, **potestades**,
    virtudes y **dominaciones**,
  y por encima de **cualquier persona**,
  no sólo del **mundo actual** sino también del **futuro**.

Todo lo puso bajo sus pies y a **él mismo**
  lo constituyó **cabeza suprema** de la Iglesia,
    que es su cuerpo, y la plenitud del que lo
    consuma **todo en todo**.

Versión corta: Hebreos 9:24–28, 10:19–23

La lectura va colocando varios énfasis que hay que distinguir en el tono e intensidad. Entre el yo de Pablo y el ustedes de la comunidad se va tejiendo la unidad en Cristo. Te toca hilar con tino.

Descubre ante la asamblea la grandeza de la fe. Apréciala desde tu preparación para que tus palabras sean coherentes.

El poder de Dios es para dar vida. Pronuncia con honda convicción este párrafo.

II LECTURA La lectura celebra el triunfo de Cristo. Pablo compone una oración de acción de gracias e intercesión. Da gracias a Dios Pablo por la fe en el Señor Jesús y el amor en el seno de la comunidad.

Los efesios han visto a través de la resurrección del Señor, un mundo transfigurado en acción. En esto fundan su esperanza. El poder ilimitado de Dios aporta al creyente la fuerza necesaria para esta transformación.

Encontramos un himno a Cristo con los elementos tradicionales: la resurrección de los muertos; estar sentado a la derecha de Dios; sumisión de todos; supremacía cósmica. Pero también una nota eclesial. Cristo es la cabeza de todo. Cristo es la cabeza de la Iglesia y esta Iglesia es su cuerpo y es llamado "plenitud de lo que lo llena todo en todo". La Iglesia es comunidad de los creyentes, pero sobre todo es una institución de salvación para todo el mundo. El que subió al cielo realizó su obra redentora y liberadora como cabeza de la Iglesia. Es decir, que esta acción pasa siempre por la Iglesia.

EVANGELIO El evangelio de hoy relata la instrucción del Resucitado a su grupo de discípulos, explicándoles las Escrituras y abriéndoles las entendederas, para, finalmente, indicarles que aguarden al Espíritu Santo en Jerusalén. Luego se cuenta

Es el relato de la despedida de Jesús. Aunque hay cierto aire de nostalgia, los discípulos se alegran por la promesa del Espíritu. Esa será nuestra actitud para proclamar: gozosa espera.

EVANGELIO   Lucas 24:46–53

Lectura del santo Evangelio según san Lucas

En aquel tiempo,
    Jesús se **apareció** a sus discípulos y les dijo:
    "**Está escrito** que el Mesías **tenía** que padecer
    y había de **resucitar** de entre los muertos al **tercer** día,
    y que en **su nombre** se había de predicar a **todas** las naciones,
    comenzando por Jerusalén,
    la **necesidad** de volverse a Dios y el **perdón** de los pecados.
Ustedes son **testigos** de esto.
Ahora yo les voy a enviar al que mi Padre **les prometió**.
Permanezcan, pues, **en la ciudad**,
    hasta que **reciban** la fuerza de lo alto".

Después salió con ellos **fuera** de la ciudad,
    hacia un lugar cercano a Betania;
    levantando las manos, **los bendijo**,
    y **mientras** los bendecía,
    se fue apartando de ellos y **elevándose** al cielo.
Ellos, después de adorarlo,
    regresaron a Jerusalén, **llenos** de gozo,
    y permanecían **constantemente** en el templo,
    alabando a Dios.

Reproduce espiritualmente la bendición de Jesús a su comunidad. Tu proclamación de la Buena Nueva es una gran bendición.

de manera muy escueta la ascensión. Este compendioso relato concentra la fiesta de la Iglesia en la liturgia de hoy.

En el mundo de los antiguos, arrebatos a las esferas celestes, jornadas de ultramundo y ascensiones o entronizaciones de personajes insignes no eran algo inaudito. Pensemos en Enoc y Elías, pero el mismo Pablo testimonia algún arrebato. Esos fenómenos tenían mayormente función revelatoria, pero también servían para acreditar a algún intercesor o declarar digno de veneración a algún benefactor o personaje notable. En el caso de Jesús, la Ascensión confirma su resurrección.

Los pecadores son los primeros beneficiados de lo sucedido con Jesús; ellos son perdonados con tal de que se conviertan a Dios en el nombre del Señor Jesús; es decir, que lo acepten como su intercesor. Y esta buena noticia es para todos los hombres.

Un elemento realza en este cuadro ascensional: el gozo que alaba. Si al comienzo del evangelio Zacarías no pudo bendecir al pueblo reunido en el templo por quedarse mudo (Lc 1:21s), ahora Jesús al alejarse al cielo, bendice al grupo discipular desde el aire, como signo de universalismo. El ciclo se cierra constatando cómo se queda el

grupo: gozoso y alabando a Dios, en el templo de Jerusalén. La reacción es producto de saber que han sido perdonados sus pecados, gracias a Jesús. La ciudad, por otro lado, y el templo en particular, era para Lucas el epicentro de la salvación. Sólo que, recordémoslo, al momento en que escribe su evangelio, el templo no existe más. El lugar donde se expiaban los pecados de Israel –y de la humanidad– ha sido suprimido. Justamente por esto, y como contrapunto al sistema de salvación del judaísmo, la Ascensión de Jesús al cielo resulta tan relevante. Él es nuestro intercesor, el que nos consiguió el perdón de los pecados.

VII DOMINGO DE PASCUA

I LECTURA   Hechos 7:55–60

Lectura del libro de los Hechos de los Apóstoles

En aquellos días,
  Esteban, **lleno** del Espíritu Santo, miró al cielo,
  vio la **gloria** de Dios y a Jesús,
  que estaba de pie a **la derecha** de Dios, y dijo:
  "Estoy viendo los cielos **abiertos**
  y al **Hijo** del hombre **de pie** a la derecha de Dios".

Entonces los miembros del sanedrín **gritaron** con fuerza,
  se **taparon** los oídos
  y **todos a una** se precipitaron sobre él.
Lo sacaron **fuera** de la ciudad y empezaron a **apedrearlo**.
Los **falsos** testigos depositaron sus mantos
  a los pies de un joven, llamado **Saulo**.

Mientras lo apedreaban, Esteban **repetía** esta oración:
  "Señor Jesús, **recibe** mi espíritu".
Después se puso de rodillas y dijo con **fuerte** voz:
  "**Señor**, no les tomes en cuenta este pecado".
Y diciendo esto, **se durmió** en el Señor.

El primer mártir de la fe cristiana es Esteban. Subraya la firmeza de su fe y su generosidad para perdonar.

Acelera un tanto la lectura para retratar mejor la violencia del linchamiento.

Con mucha serenidad y confianza, reproduce las palabras de Esteban; deben inflamar a la asamblea en piedad y compasión, no en odio hacia los verdugos.

| I LECTURA | Lucas ve el martirio de Esteban bajo la lupa de la muerte del Señor Jesús. Fue acusado Esteban por sus palabras y obras ante el Sanedrín, como Jesús. Intervinieron falsos testigos en ambos casos. Se acusó a Jesús de haber amenazado al templo (Mc 14:58), e igualmente a Esteban. Aparece en ambos la figura del Hijo del hombre, con referencia al Sal 110. Pide Esteban como Jesús, perdón para sus adversarios y mueren ambos pronunciando palabras sálmicas.

Por lo anterior, Lucas está invitando claramente a todos los lectores cristianos a que, así como fue y obró el Señor, así lo hagan ellos. La imitación de Jesús puede llevar a la muerte (ver Lc 6:22). Pero el testimonio de la Palabra no podrá ser suprimido. Aparece ya Pablo.

Esteban nos dice quién es Jesús.

Ve el cielo abierto y a Jesús sentado a la derecha de Dios. A Jesús dirige Esteban su oración final, como se hacía entre los judíos con Dios: "Señor Jesús, recibe mi espíritu" (v. 59). Jesús, como Dios en el AT, recibe el espíritu, que había otorgado al hombre para poder vivir.

| II LECTURA | La segunda lectura está tomada del epílogo del Apocalipsis. Se escogieron las sentencias que hablan de la próxima venida del Señor y así sirven parenéticamente.

El Señor vendrá como juez de los hombres. Los juzgará de acuerdo a sus obras. Las obras son una expresión concreta de la fe de cada persona. También aquí se identifica Jesús como el alfa y la omega, principio y fin, es decir, es el Omnipresente. Se habla de dos grupos diferentes, aunque la lectura toma sólo a los justos, que participarán del árbol de la vida, plantado en Jerusalén y da

Para meditar

SALMO RESPONSORIAL   Salmo 97:1 y 2b, 6 y 7c, 9

R. El Señor reina, altísimo sobre toda la tierra.

O bien R. Aleluya.

El Señor reina, la tierra goza,
　se alegran las islas innumerables.
Justicia y derecho sostienen su trono. R.

Los cielos pregonan su justicia,
　y todos los pueblos contemplan su gloria.
Ante él se postran todos los dioses. R.

Porque Tú eres, Señor,
　altísimo sobre toda la tierra,
　encumbrado sobre todos los dioses. R.

II LECTURA   Apocalipsis 22:12–14, 16–17, 20

Lectura del libro del Apocalipsis del apóstol san Juan

El "yo" de Jesús es majestuoso e imponente. Hay un intervalo de corte litúrgico quizá, que hay que valorar adecuadamente. No resulta fácil mantener la lógica y secuencia del diálogo. Prepara muy bien esta lectura, para que el auditorio no se pierda.

Yo, Juan, **escuché** una voz que me decía:
　"Mira, **volveré** pronto y **traeré** conmigo la recompensa
　que voy a dar a cada uno **según** sus obras.
Yo soy el Alfa y la Omega,
　yo soy el primero y el último, el principio y el fin.
Dichosos los que lavan su ropa en la **sangre** del Cordero,
　pues ellos tendrán derecho
　a **alimentarse** del árbol de la vida
　y a **entrar** por la puerta de la ciudad.

Deja la última frase del párrafo con prestancia, como alargándola para que la asamblea la retenga.

Yo, **Jesús**, he enviado a mi ángel
　para que **dé testimonio** ante ustedes
　de **todas** estas cosas en sus asambleas.
Yo soy el retoño de la estirpe de David,
　el **brillante lucero** de la mañana".

Es un anhelo de cada generación cristiana y hay que asimilarse a la comunidad.

El Espíritu y la Esposa dicen: "¡**Ven**!"
El que oiga, diga: "¡**Ven**!".
El que tenga sed, **que venga**,
　y el **que quiera**, que venga a beber **gratis**
　del agua de la vida.

frutos mensualmente y produce hojas que sirven de medicina para los pueblos.

Viene un diálogo entre el Espíritu y la comunidad. Los cristianos son los que se acercan a Jesús para recibir de él el agua de vida. "El que escucha", está en la asamblea y participa en este culto escatológico. La esposa es el pueblo cristiano, insistiendo en unirse a su Señor. Aquí se tiene la oración por la venida del Mesías, para recibir lo que él quiere dar. El Espíritu los arranca de los diferentes amos o dominios para dirigirlos

hacia el solo Señor, que dona los bienes verdaderos, de los que la vida es el primero.

El que oye el mensaje de Cristo está invitado a dejar entrar en él el espíritu profético, que ansía: ¡Ven! No se puede esperar a este Señor pasivamente. Como la Creación, el creyente debe estar tendido hacia la venida del Mesías. La invitación a venir para recibir el agua viva, es una invitación a la eucaristía.

Al final, aparece la voz aramea *Maranatha*, que se puede traducir como algo

pasado: el Señor vino o como futuro en imperativo: ¡Ven, Señor! Lo último va más de acuerdo con el tenor litúrgico y final del libro. Su presencia espiritual en la eucaristía es una anticipación del fin. El Salvador les permite gustar de los bienes del Reino. Pero es exigente. Obedecerle puede llevar hasta al testimonio de la vida. Si no se acepta así, entonces se va a encontrar el fiel con un juez que condenará al pecador endurecido, lo cual está fuera de los pensamientos y deseos del escritor sagrado. Este *Maranatha*

Quien **da** fe de todo esto **asegura**:
  "**Volveré** pronto". **Amén**.
¡**Ven**, Señor Jesús!

EVANGELIO   Juan 17:20–26

Lectura del santo Evangelio según san Juan

En aquel tiempo,
  Jesús **levantó** los ojos al cielo y dijo:
  "**Padre**, no **sólo** te pido por mis discípulos, sino **también**
  por los que **van a creer** en mí por la **palabra** de ellos,
  para que todos **sean uno**,
  como tú, **Padre**, en mí y yo en ti somos uno,
  a fin de que **sean uno** en nosotros
  y el mundo **crea** que **tú** me has enviado.

Yo les he dado la **gloria** que tú me diste,
  para que **sean uno**, como **nosotros** somos uno.
Yo **en ellos** y tú **en mí**, para que su unidad sea **perfecta**
  y así el mundo **conozca** que **tú** me has enviado
  y que los **amas**, como me amas **a mí**.

Padre, quiero que donde **yo esté**,
  estén también **conmigo** los que me has dado,
  para que **contemplen** mi gloria, la que me diste,
  porque me has amado desde **antes** de la creación del mundo.

Padre **justo**, el mundo **no** te ha conocido;
  pero **yo sí** te conozco
  y **éstos** han conocido que **tú** me enviaste.
Yo les he dado a conocer **tu nombre**
  y se lo **seguiré** dando a conocer,
  para que el amor con que me amas **esté** en ellos
  y yo **también** en ellos".

En esta parte de la bella e íntima oración, Jesús abraza a cada persona humana para acercarla al corazón de Dios. Comienza por identificar las frases que te hablan más, y ensaya proclamarlas con especial acento.

La unidad de todos los creyentes se realiza en la gloria divina. Presenta esto como una vocación y un desafío para nosotros.

Asegura estas palabras con certeza total. La asamblea debe reconocerse en ellas porque identifica el amor de Dios en ellas.

---

quedó en nuestra eucaristía. Es la respuesta de la comunidad a la presentación del pan y vino consagrados.

EVANGELIO La lectura de hoy tiene dos partes bastante claras. En la primera escuchamos que Jesús ora por los que creerán en él, gracias a la palabra proclamada por los discípulos.

Jesús pide por la unidad de los futuros creyentes. Con esta súplica al Padre, Jesús rebasa el tiempo y el espacio hasta alcanzar a todas las generaciones de los que ponen su confianza en él. De este modo, el creyente se vincula al Predicado, para ser incorporado en el dinamismo de unidad entre Padre e Hijo. Gracias a la unidad de los creyentes, conseguida por la palabra escuchada, creída y guardada, el mundo podrá reconocer tanto al Revelador, el enviado del Padre, como el amor del Padre hacia todos los creyentes y hacia el propio Jesús. Ese reconocimiento liberará al mundo de su pecado. El quehacer expiatorio de Jesús extiende su eficacia en la unidad de los creyentes. La unidad de los cristianos, entre sí y con Dios, guarda efectos redentores.

En la segunda, se retoma el hilo de la unidad con una intensidad poco usual, porque es la hora de la glorificación, en la que todo discípulo está llamado a participar.

PENTECOSTÉS, MISA VESPERTINA DE LA VIGILIA

Pueden identificarse tres momentos del relato, luego del marco general: la doble resolución de los constructores, la inspección de Dios y la ejecución de su sentencia. No hay diálogo. Aminora un poco la velocidad en los segmentos del discurso directo.

A la inspección de la ciudad dale un tono más reposado, un tanto calculador, pero decidido.

I LECTURA   Génesis 11:1–9

Lectura del libro del Génesis

En aquel tiempo,
toda la tierra tenía una **sola lengua** y unas **mismas** palabras.
Al emigrar los hombres desde el **oriente,**
encontraron una llanura en la región de **Sinaar**
y ahí se **establecieron.**

Entonces se dijeron unos a otros:
"**Vamos** a fabricar ladrillos y a **cocerlos**".
Utilizaron, pues, **ladrillos** en vez de piedra,
y **asfalto** en vez de mezcla.
Luego dijeron:
"**Construyamos** una ciudad y una torre
que llegue hasta el cielo para hacernos **famosos,**
antes de **dispersarnos** por la tierra".

El Señor **bajó** a ver la ciudad y la torre
que los hombres estaban **construyendo** y se dijo:
"Son un solo pueblo y hablan una **sola** lengua.
Si ya **empezaron** esta obra,
en adelante ningún proyecto les parecerá **imposible.**
Vayamos, pues, y **confundamos** su lengua,
para que no se **entiendan** unos con otros".

I LECTURA **Génesis.** Este bello relato fue leído por muchas generaciones. Relecturas posteriores dejaron sus señales en el relato. Ante unas célebres ruinas de unas construcciones magníficas se hacían diferentes interpretaciones. Aquí tenemos dos muy claras: una sobre la diversidad de lenguas como castigo y otra de la dispersión de los hombres por todo el mundo. Una apegada a la torre; la otra, a la ciudad.

Una leyenda popular narraba la fundación de Babilonia y terminaba constatando: "También se le llamó Babel". Este nombre está vinculado al motivo de la confusión en el v. 7. Se trataba de la imposibilidad de entenderse, de sembrar la discordia entre los constructores. Allí estaban las ruinas famosas del gigantesco edificio *E-temen-an-ki*. Entonces se insistía en el límite de toda condición humana. La ruina de la torre lo mostraba: el hombre no puede alzarse sobre su condición humana, para conquistar lo divino. A esta leyendita, el autor bíblico le imprimió un nuevo sentido. Se nota su mano en los vv. 1, 4a: "hagámonos un nombre" y "hablaban una sola lengua". Se insiste en el motivo de la lengua única a partir de hombres y su celebridad. De allí se pasa a la diversidad de las lenguas.

El relato es plurivalente. Babel resulta un lugar de pecado y la dispersión de los hombres una maldición. Se piensa en que todos los hombres sean uno y esto como algo que existió en el pasado y que hay que recuperar. Es un deseo que no ha desaparecido, tenemos la ONU; pero esa unidad no debe concebirse como existente antes, sino como algo por conquistar.

I LECTURA **Éxodo.** La ida al monte santo, el Sinaí, era la petición

Entonces el Señor los **dispersó** por toda la tierra
    y **dejaron** de construir su ciudad;
    por eso, la ciudad se llamó **Babel**,
    porque ahí **confundió** el Señor la lengua de todos los hombres
    y desde ahí los **dispersó** por la superficie de la **tierra.**

O bien:

I LECTURA   Éxodo 19:3–8, 16–20

Lectura del libro del Éxodo

En aquellos días, **Moisés** subió al monte Sinaí
    para hablar con **Dios.**
El Señor lo **llamó** desde el monte y le **dijo:**
    "Esto **dirás** a la casa de Jacob,
    esto **anunciarás** a los hijos de Israel:

    'Ustedes han visto **cómo** castigué a los egipcios
    y de qué manera los he **levantado** a **ustedes** sobre alas de águila
    y los he **traído** a mí.
Ahora bien, si **escuchan** mi voz y guardan mi **alianza,**
    serán mi especial **tesoro** entre todos los pueblos,
    aunque toda la tierra es **mía.**
Ustedes serán para mí un reino de **sacerdotes**
    y una **nación** consagrada'.
Éstas son las palabras que has de **decir** a los hijos de Israel".

Moisés **convocó** entonces a los **ancianos** del pueblo
    y les expuso todo lo que el Señor le había **mandado.**
Todo el pueblo, a una, **respondió:**
    "Haremos cuanto ha dicho el Señor".

La descripción es majestuosa e imponente, pero tiene la fuerza de ser un auténtico evangelio. Sin ser impositivo, muestra la seriedad del compromiso de la alianza.

Pronuncia estas tres líneas con mayor detención, mirando a la asamblea.

---

original de Moisés al faraón. Ahora que están allí los hebreos, el Señor explica por su mediador, Moisés, el sentido de la salida de Egipto. Empieza el Señor recordando sus grandes hechos salvíficos: la liberación de la esclavitud. Lo hace con lenguaje poético, los condujo "en alas de águila".

Enseguida viene la propuesta de elección de Israel de parte de Dios. Está aglutinada en tres términos. Primero: serán su propiedad especial, reino de sacerdotes y un pueblo santo. Lo primero, propiedad especial, es lo más importante y abarca las otras dos cualidades. La relación entre Dios

y este pueblo no es algo natural, que dimane de la creación, sino fruto del amor y afecto divino (ver Dt 7:6–11). El pueblo debe entender que es elegido para una cercanía especial con Dios.

Para ser pueblo santo (ver Dt 7:6; 14:2; 28:9) ha sido sacado de lo profano y traído a lo sagrado, el terreno de Dios.

Luego viene la bajada del Señor al monte con fenómenos naturales, que indicaban la trascendencia divina con la que está pactando Israel. Claro, lo hará a través del intermediario, Moisés. Pero este acto ya indica una dirección: esta trascendencia

divina se acercará definitivamente en el Señor Jesús.

Espléndidamente escogió este texto la liturgia para meditar en el gran don del Espíritu Santo que viene a entrar más dentro del pueblo de Dios. Su función será la de adentrarnos más en la naturaleza divina y de acercarnos más a los demás, para manifestar concretamente lo que es el verdadero Dios.

I LECTURA   **Ezequiel.** Ezequiel es un mago magnífico de la fantasía profética. Describe la situación de los exiliados en un valle misterioso, desde

La teofanía es dramática. Marca las reacciones del pueblo bajando la velocidad de la lectura.

Al **rayar** el alba del tercer día, hubo **truenos** y relámpagos;
    una densa nube **cubrió** el monte
    y se **escuchó** un fragoroso resonar de trompetas.
    Esto hizo temblar al **pueblo,** que estaba en el campamento.
    Moisés hizo **salir** al pueblo para ir al **encuentro** de Dios;
    pero la gente se **detuvo** al pie del monte.
Todo el monte Sinaí humeaba,
    porque el Señor había **descendido** sobre él en **medio** del fuego.
Salía humo como de un horno y todo el monte **retemblaba**
      con violencia.
El sonido de las trompetas se hacía cada vez **más fuerte.**
Moisés **hablaba** y Dios le **respondía** con truenos.
El Señor **bajó** a la cumbre del monte
    y le dijo a Moisés que **subiera.**

O bien:

I LECTURA   Ezequiel 37:1–14

Lectura del libro del profeta Ezequiel

La visión es espectacular y contiene un crescendo que hay que respetarle y transmitir en la lectura; de la desolación a la resurrección.

En aquellos días, la mano del **Señor** se posó sobre mí,
    y su **espíritu** me trasladó
    y me colocó en **medio** de un campo lleno de huesos.
Me hizo dar vuelta en torno a **ellos.**
Había una cantidad **innumerable** de huesos
    sobre la superficie del **campo**
    y estaban completamente **secos.**

Entonces el Señor me **preguntó:**
    "Hijo de hombre, ¿podrán a caso **revivir** estos huesos?"
Yo respondí: "**Señor,** tú lo **sabes**".
Él **me dijo:** "Habla en mi **nombre** a estos huesos y diles:
    'Huesos secos, **escuchen** la palabra del Señor.

---

luego, en el imperio babilónico. Dios le muestra un montón enorme de huesos secos. Es la muerte. Le pregunta al profeta si podrá haber nueva vida. El profeta cree que Dios puede hacerlo.

Esos huesos representan al pueblo de Dios que después del año 587 habían perdido toda esperanza. Judá había desaparecido del mapa como pueblo. Fue convertido en una especie de colonia de Babilonia y la gente importante, entre ella Ezequiel, fue a parar al exilio. La nación murió. ¿Podrá volver la vida?

Ezequiel nota la aridez, inmovilidad y el silencio de los huesos. Nada se mueve. Para que vuelva la vida se necesita espíritu, ese viento vital que haga mover esos huesos, que se llenen de carne y rompan el silencio, hablando. En el fondo está la realidad: ¿puede ese pueblo sobrevivir como pueblo?

Ezequiel nos hace asistir a ese juntarse de los huesos y al ruido provocado por este fenómeno. Vuelven a la vida, gracias a que Dios otorgó el espíritu por medio del profeta. Esta capacidad de superar la muerte empieza a visualizarse en Israel, que no tenía en su credo la posibilidad de la

resurrección. Hacerse pueblo de Dios es obra del espíritu profético.

I LECTURA **Joel.** Esta profecía contiene un mensaje del Señor que sería leído sin duda en una liturgia penitencial del templo. Empieza con la promesa de una nueva existencia para Israel. La prevé para un tiempo lejano. Será una novedad del espíritu. Para el hebreo el espíritu, el aliento, es lo que hace vivir al hombre. El pueblo tiene dificultades graves. No las conocemos históricamente con precisión, pero las mayores dificultades estarán siempre en la

Ve despacio en esta parte de la descripción para que la asamblea se impregne del espíritu de esta lectura.

Esto **dice** el Señor Dios a estos huesos:
   He aquí que yo les **infundiré** el espíritu y revivirán.
   Les **pondré** nervios, haré que les **brote** carne,
   la **cubriré** de piel, les **infundiré** el espíritu y revivirán.
   Entonces **reconocerán** ustedes que yo soy el Señor'".

Yo pronuncié en el nombre del **Señor**
   las **palabras** que él me había **ordenado,**
   y mientras **hablaba,** se oyó un gran estrépito,
   se produjo un terremoto
   y los **huesos se juntaron** unos con otros.
   Y vi cómo les iban **saliendo** nervios y carne
   y cómo se **cubrían** de piel; pero **no tenían espíritu.**
Entonces me dijo el Señor:
   "Hijo de hombre, **habla** en mi nombre al espíritu y **dile:**
   'Esto dice el Señor: **Ven, espíritu,** desde los cuatro vientos
   y **sopla sobre** estos muertos, para que vuelvan a la vida' ".

Dale profundidad y fuerza a las palabras de Dios a su pueblo. Enfatiza la primera persona del singular.

Yo **hablé** en nombre del Señor, como él me había **ordenado.**
Vino sobre ellos el **espíritu, revivieron** y se pusieron de pie.
Era una multitud **innumerable.**
El Señor me dijo:
   "Hijo de hombre:
Estos huesos son toda **la casa de Israel,** que ha dicho:
   '**Nuestros** huesos están secos;
   pereció nuestra esperanza y estamos **destrozados**'.
Por eso, **habla** en mi nombre y diles:
   'Esto **dice el Señor:** Pueblo mío,
   yo mismo **abriré** sus sepulcros,
   los haré salir de ellos y los **conduciré** de nuevo
      a la **tierra** de Israel.
   Cuando **abra** sus sepulcros y los **saque** de ellos, pueblo mío,
   ustedes **dirán** que yo soy el Señor.
Entonces les **infundiré** mi espíritu,
   los **estableceré** en su tierra y **sabrán** que yo,
   el Señor, lo **dije** y lo **cumplí**' ".

pobreza e injusticia. De aquí la necesidad del Espíritu de Dios, que hará que el pueblo viva y se vigorice realizando sus propósitos como pueblo de Dios. Todos los miembros de este pueblo recibirán en abundancia el espíritu profético, un espíritu que rebasa la letra con sus dones y carismas.

La profecía de Joel y de otros profetas era importante para la comunidad postexílica. Insistía en el día del Señor, pero con un valor plural. El Espíritu llegará y será más abundante en esa pequeña comunidad que se había formado después del destierro. Ante la oscuridad de su vida, los hebreos

deben pensar en los grandes hechos de Dios y en esa promesa del profeta Joel. En el libro de los Hechos 2:17–21 se hará una relectura de Joel, para explicar el evento de la llegada del Espíritu Santo. Además, esa abundante derrama del Espíritu sobre todos hombres, recuerda la petición de Edad y Meldad (Núm 11:29), cuando Moisés deseaba que el Espíritu se diera a todos. Ahora llega a todos, como lo anunció también Joel y lo celebramos en la fiesta de Pentecostés.

II LECTURA En este capítulo octavo, Pablo presenta su visión

sobre la vida espiritual del cristiano. Es decir, ¿cómo un cristiano se debe dejar guiar por el Espíritu? El texto se abre con el gemido de la creación. La creación tiene que ver con el hombre. El día de hoy lo vemos con mucha mayor claridad. Pablo lo veía, pero en una dimensión más profunda. Para Pablo la creación presentada como un organismo vivo, es vista como un todo, que espera en el sufrimiento, la salvación y liberación completa.

Nosotros los humanos vivimos en este mundo y participamos de la suerte del mundo. Claro, hemos recibido al Espíritu y

O bien:

I LECTURA   Joel 3:1–5

Lectura del libro del profeta Joel

Esto dice el Señor Dios:
    "**Derramaré** mi espíritu sobre todos;
    profetizarán sus hijos y sus hijas,
    sus ancianos **soñarán** sueños
    y sus jóvenes verán **visiones.**
También sobre mis siervos y mis siervas
    derramaré mi espíritu en aquellos días.

Haré **prodigios** en el cielo y en la tierra:
    sangre, fuego, columnas de humo.
    El sol se **oscurecerá,**
    la luna se **pondrá** color de sangre,
    antes de que llegue el día **grande** y terrible del Señor.

Cuando **invoquen** el nombre del Señor se salvarán,
    porque en el monte Sión y en Jerusalén **quedará** un grupo,
    como lo ha **prometido** el Señor
    a los sobrevivientes que ha **elegido".**

SALMO RESPONSORIAL   Salmo 104:1–2a, 24 y 35c, 27–28, 29bc–30
R. Envía tu Espíritu, Señor, y repuebla la faz de la tierra.

O bien R. Aleluya.

Bendice, alma mía, al Señor:
¡Dios mío, qué grande eres!
Te vistes de belleza y majestad,
    la luz te envuelve como un manto. R.

Cuántas son tus obras, Señor,
    y todas las hiciste con sabiduría
    la tierra está llena de tus criaturas.
¡Bendice, alma mía, al Señor! R.

Todos ellos aguardan
    a que les eches comida a su tiempo:
    se la echas, y la atrapan;
    abres tu mano, y se sacian de bienes. R.

Les retiras el aliento, y expiran
    y vuelven a ser polvo;
    envías tu aliento, y los creas,
    y repueblas la faz de la tierra. R.

Las promesas del Señor son magníficas. Haz que se note la inclusión del primer párrafo con "derramar".

Este párrafo pasa de la primera a la tercera persona. La asamblea reunida es el grupo de fieles a los que el Señor habla. Haz sentir esto.

Para meditar

---

esto es muy importante. El cristiano que ya posee las primicias del Espíritu, no está exento del sufrimiento y de la espera. Ya el don del Espíritu es un anticipo de la liberación completa, que alcanzará al mundo, es decir, a todo el universo.

Pablo antes afirmó y probó que éramos hijos del Padre por adopción. Esta adopción no se ve desarrollada todavía plenamente, pero lo será en el futuro. La adopción es un don de filiación que nos alcanza el Espíritu de Cristo con el bautismo. Por medio de este Espíritu hemos sido liberados y ya empezamos a actuar como hijos del Padre

común, llenos de vigor y fuerza divinos para vivir la libertad filial; pero nos debemos también al universo que, por medio nuestro, debe participar en esta liberación.

Además, Pablo pasa a hablarnos de otro efecto de la venida del Espíritu a nosotros. El Espíritu intercede por nosotros, viene en ayuda de nuestra debilidad. La debilidad es esencial, pues sin la gracia de Dios, del punto de vista humano, no podemos acercarnos a Dios. El Espíritu Santo nos da la capacidad de que podamos llamar a Dios, "Papá", porque esto es lo que dice la palabra hebrea *Abbá*. El Espíritu toma el

papel de intercesor y así aparece varias veces en nuestras oraciones litúrgicas. Así nos damos cuenta de que el Espíritu nos llena de fuerza para poder comportarnos como hijos de Dios y para arreglar el mundo en aquello que debe arreglarse. En primer lugar, el mundo no nos lo dio Dios perfecto en todo, dejó que nosotros lo completáramos. Además, lo más importante, nos mandó que lo santificáramos, que le diéramos una dirección hacia su fin, que no puede ser otro que la gloria de Dios. Esto tendrá lugar cuando todo esté en orden, cuando llegue el famoso *shalom*, la paz

II LECTURA   Romanos 8:22–27

Lectura de la carta del apóstol san Pablo a los Romanos

Hermanos:
>Sabemos que la **creación** entera gime
>hasta el presente y sufre **dolores** de parto;
>y no sólo ella, sino **también** nosotros,
>los que **poseemos** las primicias del Espíritu,
>gemimos **interiormente,** anhelando que se realice
>plenamente nuestra condición de **hijos de Dios,**
>la **redención** de nuestro cuerpo.

>Porque ya es nuestra la salvación,
>   pero su **plenitud** es todavía objeto de esperanza.
>Esperar lo que ya se posee **no es** tener esperanza,
>   porque ¿**cómo** se puede **esperar** lo que ya se posee?
>En cambio, si esperamos algo que todavía **no poseemos,**
>   tenemos que esperarlo con **paciencia.**

>El **Espíritu** nos ayuda en nuestra debilidad,
>   porque nosotros no sabemos **pedir** lo que nos **conviene;**
>   pero el Espíritu mismo **intercede** por nosotros con gemidos
>   que no pueden expresarse con **palabras.**
>Y Dios, que conoce **profundamente** los corazones,
>   **sabe** lo que el Espíritu quiere decir,
>   porque el Espíritu ruega **conforme** a la voluntad de **Dios,**
>   por los que le **pertenecen.**

Mira la fuerza transformadora del Espíritu de Dios que hace anhelar los bienes celestes a todos los reunidos.

Este párrafo es del Espíritu. Identifica las frases y dale ritmo a cada una de l as funciones de lo que él hace en cada creyente. Únete a esta asamblea que le pertenece a Dios.

que, decía Jesús, el mundo por sí solo no puede dar.

El Espíritu Santo recibido por el cristiano no es una garantía de salvación, es el que guía al cristiano hacia el encuentro definitivo con Dios. Y el hombre quiere que así como él se encontrará con Dios cara a cara, así lo puedan hacer todos los hombres. Es la tarea de la evangelización, vista del lado del Espíritu que vino al hombre, para impulsarlo y sostenerlo en la lucha por este anuncio de Cristo a todos.

EVANGELIO El día más solemne de la fiesta de las Tiendas o de la Cosecha, era el del "gozo de la Ley". Se hacía una procesión sacerdotal desde la fuente de Siloé hasta el templo, en un ritual que recogía agua de la fuente y la llevaba hasta el altar para, después de circularlo siete veces, derramarla al sonido de la trompeta y los gritos entusiastas de los fieles. Las oraciones del pueblo con sus sacerdotes pedían la lluvia, indispensable para el campo, los hombres y los ganados. Por la noche había el solemne lucernario y los bailes de los hombres virtuosos que aumenta-

ban el regocijo de los festejos. Ese es el marco para la proclamación que hace Jesús sobre el Espíritu Santo, el fruto mejor de la pascua cristiana, la Ley nueva.

El hombre busca a Dios, lo anhela y procura de una forma y de otra. Las Escrituras nos hablan de esa búsqueda como una sed que no se apaga para siempre; vuelve un día y otro. Desde los pozos de los patriarcas de Israel, hasta la roca de la que brotaba agua siguiendo al pueblo por el desierto, según interpretaban los sabios judíos. Esa agua que saciaba y refrescaba al pueblo en sus campamentos por el desierto era la Ley

Es una proclamación eufórica, embriagadora. La proclama de Jesús debe ser plenificante. Beber de Jesús es el ansia que debes despertar en cada escucha.

Distancia un tanto la explicación del evangelista de la vigorosa proclama del primer párrafo.

EVANGELIO   Juan 7:37–39

Lectura del santo Evangelio según san Juan

El **último** día de la fiesta,
    que era el más **solemne,**
    exclamó Jesús en voz alta:
    "El que tenga sed, que venga a **mí;**
    y **beba,** aquel que cree en mí.
Como dice la Escritura:
Del corazón del que cree en mí brotarán ríos de agua viva".

Al decir esto,
    se refería al **Espíritu Santo** que habían de recibir
    los que **creyeran** en él,
    pues aún **no había venido** el Espíritu,
    porque Jesús no había sido **glorificado.**

de Dios que aseguraba la vida. Ese anhelo que la Ley saturaba, Jesús ahora lo retoma y lo sacia con el seguimiento. "Ir a Jesús y beber de él" es una clave para hablar de discipulado y no tener necesidad de nada más. Jesús lo es todo.

Creer en Jesús equivale a recibir al Espíritu Santo. No se puede seguir a Jesús sin la fuerza que da el Espíritu. Esto nos deja claro recibir el Espíritu es que más que un punto de llegada; el Espíritu es el motor o el dinamismo que empuja la vida entera del creyente tras el misterio pascual de Cristo, su pasión, muerte y resurrección. Sólo pegando

nuestros labios a la fuente de ese misterio abrevamos del Espíritu, lo recibimos, nos sacia y refresca en la jornada discipular hacia la tierra prometida. El camino nos lo marcan los testimonios de la entera Escritura, pues por ella fluye la vida de Cristo, su Espíritu, que todo lo vivifica. El Espíritu es la sabiduría y fuerza del discipulado, la nueva Ley, como dirá Pablo a los Gálatas, la Ley de Cristo.

La vigilia de Pentecostés nos invita a despertar en nosotros la sed de Dios, la sed de plenitud en Cristo. Es el momento de prepararnos, de despertarnos y sacudirnos

la modorra de la autosatisfacción y salir de "nuestra zona de confort" como dice el papa Francisco, y adentrarnos en el misterio pascual de Cristo que nos da su Espíritu para hacernos pueblo suyo, de profetas, reyes y sacerdotes.

PENTECOSTÉS, MISA DEL DÍA

I LECTURA   Hechos 2:1–11

Lectura del libro de los Hechos de los Apóstoles

Celebramos el cumplimiento de la promesa de Jesús resucitado: el Espíritu es derramado sobre todos los creyentes. Un don para todos. Tu presencia y servicio vienen de él, así como la misma asamblea.

El **día** de Pentecostés,
　　todos los discípulos estaban reunidos en un **mismo** lugar.
De repente se oyó un **gran** ruido que venía del cielo,
　　como cuando sopla un viento fuerte,
　　que **resonó** por **toda** la casa donde se encontraban.
Entonces aparecieron **lenguas** de fuego,
　　que se distribuyeron y **se posaron** sobre ellos;
　　se llenaron **todos** del Espíritu Santo
　　y empezaron a hablar en **otros** idiomas,
　　según el Espíritu los **inducía** a expresarse.

En esos días había en Jerusalén judíos **devotos**,
　　venidos de **todas** partes del mundo.
Al **oír** el ruido, acudieron **en masa** y quedaron **desconcertados**,
　　porque **cada uno** los oía hablar en su **propio idioma**.

Los nombres de las regiones pueden sonar extrañas, pero dales realidad mirando de hito en hito a los reunidos porque todos venimos de sitios más desconocidos.

Atónitos y llenos de admiración, preguntaban:
　　"¿No son galileos **todos estos** que están hablando?
　　¿**Cómo**, pues, los oímos hablar en nuestra **lengua nativa**?
Entre **nosotros** hay medos, partos y elamitas;
　　otros vivimos en Mesopotamia, Judea, Capadocia,
　　en el Ponto y en Asia, en Frigia y en Panfilia,
　　en Egipto o en la zona de Libia que limita con Cirene.

I LECTURA El relato de la venida del Espíritu está unido a la fiesta judía de Pentecostés. En este relato, se narran los acontecimientos que ocurren en un lugar cerrado, (vv. 1–4); viene luego la descripción de sus repercusiones hacia el exterior (vv. 4–11), incluyendo un catálogo de pueblos a partir del verso 9.

Lucas piensa en la dinámica del "cumplimiento", es decir, piensa en la resurrección en tres actos: resurrección, ascensión y llegada del Espíritu. Estos actos se fueron cumpliendo sucesivamente como una transición del tiempo cuando estaba Jesús al de

ahora. Cumpliéndose el último acto se llega al tiempo de la Iglesia, que nace propiamente en el día de Pentecostés. La fiesta de Pentecostés era una fiesta de la cosecha y desde el segundo siglo d.C. se tenía como la fiesta del don de la ley en el Sinaí. Hay una leyenda sobre el don de la Ley, en que la voz de Dios se habría proclamado en 70 idiomas. Hay cierta cercanía o parentesco entre la leyenda y la narración lucana.

El viento fuerte, huracanado que entró al lugar, es un signo de la llegada del Espíritu. Luego aparecen las lenguas de fuego sobre cada persona, que se reparten y se

posan sobre cada uno de los que están en la casa. Lo anterior está indicando que todos participan del Espíritu. Es el Espíritu Santo quien hace hablar a todos de manera que se entiendan. Cada uno de los residentes judíos que estaban en Jerusalén, oía hablar a los apóstoles alabar los hechos de Dios en su propia lengua. Entre los exégetas sigue discutiéndose si se trataría de una especie de *glossolaia* como en Corinto (1 Cor 14) o si cada uno de los oyentes entendía a los apóstoles en su propia lengua.

Se trata de hablar de la aparición de la tercera persona de la Trinidad. Es normal

Algunos somos **visitantes**, venidos de Roma, judíos y prosélitos;
   también hay cretenses y árabes.
Y sin embargo, **cada quien**
   los oye hablar de las maravillas de Dios en **su propia** lengua".

Para meditar

SALMO RESPONSORIAL   Salmo 104:1ab y 24ac, 29bc–30, 31 y 34

R. Envía tu Espíritu, Señor, y repuebla la faz de la tierra.

O bien R. Aleluya.

Bendice, alma mía, al Señor:
¡Dios mío, qué grande eres!
Cuántas son tus obras, Señor,
   la tierra está llena de tus criaturas. R.

Les retiras el aliento, y expiran
   y vuelven a ser polvo;
   envías tu aliento, y los creas,
   y repueblas la faz de la tierra. R.

Gloria a Dios para siempre,
   goce el Señor con sus obras.
Que le sea agradable mi poema,
   y yo me alegraré con el Señor. R.

II LECTURA   Romanos 8:8–17

Lectura de la carta del apóstol san Pablo a los romanos

Hermanos:
Los que viven en forma **desordenada** y **egoísta** no pueden agradar
   a Dios.
Pero ustedes no llevan esa clase de vida, sino una vida **conforme**
   al Espíritu,
   puesto que el Espíritu de Dios habita **verdaderamente** en
      ustedes.
Quien no tiene el **Espíritu de Cristo**, no es de Cristo.
En cambio, si Cristo **vive** en ustedes,
   aunque su **cuerpo** siga sujeto a la muerte a causa del pecado,
      su **espíritu** vive a causa de la actividad salvadora de Dios.
Si el Espíritu del Padre, que **resucitó** a Jesús de entre los
      muertos, habita en ustedes,

La diversidad en la comunidad es la experiencia primera de Pablo. Mira tu comunidad y haz tuyo su espíritu de unidad. Tu propio servicio tiende a esto.

que se recurra a hechos paranormales, acontecimientos que hagan captar a los hombres la llegada del Espíritu: su vitalidad y fuerza (el viento) y sus efectos comunicativos. Es decir, el Espíritu es el que hará que los hombres se puedan entender entre sí. La lista de los oyentes está indicando también la universalidad de la Iglesia, que es de todos, que pertenece a todas las naciones, a todas las culturas. Es una llamada de atención hoy en día. a calibrar si verdaderamente hemos tenido en cuenta la inculturación del Evangelio. Parece que hemos frenado esa tendencia que en otros siglos fue muy fuerte. Pero el Espíritu sin duda empujará a la Iglesia a ir por ese lado: inculturar y salir hacia los demás.

II LECTURA El capítulo octavo de Romanos habla de la vida según el Espíritu, que es la que da al cristiano la capacidad de vivir el tipo de vida traído por el Señor Jesús. Comienza Pablo hablando de la vida bajo la carne y bajo el espíritu, dos conceptos para él fundamentales. El que vive bajo los principios de la carne se deja llevar por la potencia del pecado y de la muerte. Del verso ocho en adelante, Pablo hablará del hombre que se deja guiar por el Espíritu hasta la plenitud de la redención.

Para Pablo la antítesis carne-espíritu son dinámicas opuestas que orientan toda la vida. El espíritu no representa una posibilidad autónoma del hombre, como si fuese algo constitutivo suyo, sino un don de Dios. La carne representa el dinamismo egocéntrico. Pablo recuerda que los cristianos hicieron una elección, al bautizarse y recibir al Espíritu. El Espíritu que habita en el cristiano, está señalado como el Espíritu del que resucitó a Jesús de entre los muer-

entonces el Padre, que **resucitó** a Jesús de entre los muertos,
también les dará **vida** a sus cuerpos mortales,
por obra de su **Espíritu**, que habita en ustedes.

Por lo tanto, hermanos, **no** estamos **sujetos** al desorden egoísta
del hombre,
para hacer de ese **desorden** nuestra regla de conducta.
Pues si ustedes viven de ese modo, **ciertamente** serán
destruidos.
Por el **contrario**,
si con la ayuda del Espíritu **destruyen** sus malas acciones,
entonces **vivirán**.

Los que se dejan **guiar** por el Espíritu de Dios, **ésos** son hijos de
Dios.
No han recibido ustedes un espíritu de **esclavos**, que los haga
temer de nuevo,
sino un espíritu de **hijos**, en virtud del cual podemos llamar
Padre a Dios.

El **mismo** Espíritu Santo, **a una** con nuestro propio espíritu,
da testimonio de que somos **hijos** de Dios.
Y si somos hijos, somos también **herederos** de Dios y
coherederos con Cristo,
puesto que sufrimos **con él** para ser glorificados junto **con él**.

EVANGELIO   Juan 20:19–23

Lectura del santo Evangelio según san Juan

Al **anochecer** del día de la resurrección,
estando **cerradas** las puertas de la casa
donde se hallaban los discípulos, por **miedo** a los judíos,
se **presentó** Jesús en medio de ellos y les dijo:
"**La paz** esté con ustedes".
Dicho esto, **les mostró** las manos y el costado.

Acompaña estas líneas rotundas con la convicción de la unidad fundante que da el bautismo.

La paz es resultado de justicia alcanzada por el Resucitado y un don para la Iglesia. Abraza ese don y anúncialo con las palabras de Jesús.

La paz viene del perdón. Carga de bondad estas líneas dirigidas a la comunidad eclesial.

tos, es decir, del Espíritu divino. Este Espíritu hará vivir a nuestro cuerpo. Introduce en el v.10 la palabra "vida", como equivalente de justificación.

Enseguida Pablo toma el tema de la filiación divina, que se extiende hasta el verso 30. La experiencia del Espíritu es una vida dinámica, tendida hacia el futuro. Se alude a la esperanza. El Espíritu guía al hombre, que así ve realizarse cada día más su filiación divina. Este Espíritu que habita en el creyente, es también principio de oración nueva. No es sólo porque nos enseña, sino porque desde dentro de nosotros ora. No dice lo que debemos hacer, sino que lo hace. Nos hace decir "Abbá" ("Papá"). Jesús lo decía con toda propiedad y él nos dio el poder de decirlo (Gal 4:6). Así nuestra oración debe discurrir como la del niño, que es simple, espontánea y confiada, cuando se dirige a su Padre y le dice "Papá". Esto nos da el verdadero sentido teológico de la oración. Nos ayuda a adquirir la serenidad del niño, que pone toda su confianza en su padre.

EVANGELIO En el cauce del Evangelio según san Juan, el don del Espíritu Santo está estrechamente ligado a la resurrección de Jesús; los discípulos lo reciben del propio Resucitado y en el mismo día que resucita, el primero de la semana. Esto sucede durante una "reunión nueva" de discípulos, que, tras la dispersión de la noche de la aprehensión, pudieran ser convocados por María Magdalena, la "Apóstol de los apóstoles", fiel a la encomienda del Resucitado.

La nueva reunión discipular pareciera transcurrir en ausencia de Jesús. En realidad, él es quien la ha hecho posible y viene a "estar en medio de ellos". Este lenguaje calca el de la alianza nueva prometida en los

Cuando los discípulos **vieron** al Señor, se llenaron **de alegría**.
De nuevo les dijo Jesús: "**La paz** esté con ustedes.
Como **el Padre** me ha enviado, así **también** los envío yo".

Después de decir esto, **sopló** sobre ellos y les dijo:
    "**Reciban** el Espíritu Santo.
A los que **les perdonen** los pecados, les quedarán **perdonados**;
    y a los que **no** se los perdonen, les quedarán **sin perdonar**".

O bien:

EVANGELIO   Juan 14:15–16, 23–26

Lectura del santo Evangelio según san Juan

En aquel tiempo, Jesús dijo a sus discípulos:
    "Si me aman, **cumplirán** mis mandamientos;
    yo le **rogaré** al Padre
    y él les enviará **otro** Consolador que esté **siempre** con ustedes,
    el **Espíritu** de verdad.

El que me ama, **cumplirá** mi palabra
    y mi Padre **lo amará** y vendremos a él
    y haremos **en él** nuestra morada.
El que **no me ama**, no cumplirá mis palabras.
Y la palabra que están oyendo **no es mía**,
    sino **del Padre**, que me envió.

Les he hablado de esto **ahora** que estoy con ustedes;
    pero el **Consolador**,
    el Espíritu Santo que mi Padre les enviará **en mi nombre**,
    les enseñará **todas** las cosas
    y les recordará **todo** cuanto yo **les he dicho**".

Jesús revela la intimidad que crea en el creyente el cumplir su palabra. Con calidez y profundidad disponte a proclamar.

profetas, la de Dios morando con los suyos para garantizarles la salvación. Ahora, lo mismo sucede en Cristo resucitado. Él se presenta con la paz y mostrando las señales de su muerte en cruz. En esto los discípulos reconocen a su Señor y se alegran.

El reiterado saludo de la paz que Cristo da a los reunidos viene con un nombramiento. Los discípulos quedan instituidos en enviados suyos, con el mismo estatus y cualidad que él ha tenido y cumplido a cabalidad de parte del Padre. Y para esto les

transmite el Espíritu Santo. La reunión discipular, en su carácter apostólico o de enviada del Resucitado, tiene idéntica función que Jesús, el enviado del Padre: perdonar los pecados o retenerlos. Aceptar la palabra del Enviado y creer en él, lleva al discípulo a vivir el perdón que Dios otorga en el Crucificado; rechazarla le hace permanecer en la oscuridad del pecado.

Nuestra reunión litúrgica reproduce las notas de la congregación de los discípulos de Jesús. En ellas, los creyentes hacemos la

experiencia del Dios con nosotros; por eso son experiencia de paz, de alegría, de reconocimiento de Jesús, pero también del Espíritu Santo, del envío y del perdón.

SANTÍSIMA TRINIDAD

I LECTURA   Proverbios 8:22–31

Lectura del libro de los Proverbios

Esto dice la sabiduría de Dios:
   "El Señor me poseía desde **el principio**,
   antes que sus obras **más** antiguas.
Quedé establecida **desde** la eternidad, desde **el principio**,
   antes de que la tierra **existiera**.
Antes de que existieran los abismos
   y **antes** de que brotaran los manantiales de las aguas,
   fui concebida.

Antes de que las montañas
   y las colinas quedaran asentadas, **nací yo**.
Cuando **aún** no había hecho el Señor la tierra **ni los campos**
   ni el primer polvo del universo,
   cuando él **afianzaba** los cielos,
   ahí estaba yo.
Cuando **ceñía** con el horizonte la faz del abismo,
   cuando **colgaba** las nubes en lo alto,
   cuando **hacía brotar** las fuentes del océano,
   cuando **fijó** al mar sus límites
   y mandó a las aguas que **no los traspasaran**,

La sabiduría personificada pronuncia este poema. No es un relato. Identifica las frases principales para que no pierdas el sentido y la asamblea siga la secuencia con mayor facilidad.

Pronuncia con firmeza "nací yo" y luego "ahí estaba yo". Dale amplitud a tu voz en todos los "yo" anunciados en la parte final de este párrafo.

I LECTURA En este poema la sabiduría se introduce como una persona, una profetisa que habla a los hombres. Comienza diciendo que ella estaba presente antes de la Creación, que quiere vivir con los hombres y llevarlos a una comunión con ella. Con esto, nos dice qué clase de autoridad tiene esta sabiduría, si hasta la Creación es joven.

La sabiduría deja el tono docente y elogioso, para separarse de sus oyentes y describe en un canto largo su misteriosa esencia, un auténtico himno a la sabiduría del Creador.

La sabiduría es obra creada, antes de todas las creaturas. Es el principio de las obras de Dios. No es Dios, ni una hipóstasis propia de Dios. Se quiere decir que los orígenes de la sabiduría están en la oscuridad de la eternidad. La sabiduría se ponía a jugar delante de Dios y este juego gozaba de la complacencia divina. Jugaba bajo la mirada de Dios en medio de los hombres. Se realiza en la historia sobre la tierra. Por su antigüedad merece toda la atención y respeto de parte del hombre. La sabiduría es un muchacho, un pequeño niño que juega en

medio de los hombres bajo la mirada complaciente de Dios.

Más que a razonar, el cristiano es invitado a contemplar el misterio de Dios, como una madre que con amor observa a su hijo. Así es la mirada de Dios. La mirada del Padre al Hijo y al Espíritu Santo y de éstos al Padre y entre ellos. También está la mirada de Dios hacia el hombre, como dice el Salmo 8.

Esto ayuda para considerar un rasgo del misterio trinitario. Es lo más humano, la experiencia del juego, el descubrimiento del mundo que se extiende bajo la mirada de

cuanto establecía los cimientos de la tierra,
yo **estaba** junto a él como **arquitecto** de sus obras,
yo era su encanto **cotidiano**;
todo el tiempo me **recreaba** en su presencia,
jugando con el orbe de la tierra
y mis delicias eran **estar** con los hijos de los hombres".

Para meditar

SALMO RESPONSORIAL   Salmo 8:4–5, 6–7, 8–9

R. Señor, Dios nuestro, ¡qué admirable es tu nombre en toda la tierra!

Cuando contemplo el cielo, obra de tus
   dedos,
   la luna y las estrellas que has creado.
¿qué es el hombre para que te acuerdes
   de él;
   el ser humano, para darle poder? R.

Lo hiciste poco inferior a los ángeles,
   lo coronaste de gloria y dignidad,
   le diste el mando sobre las obras de
   tus manos,
   todo lo sometiste bajo sus pies. R.

Rebaños de ovejas y toros,
   y hasta las bestias del campo,
   las aves del cielo, los peces del mar,
   todo lo sometiste bajo sus pies. R.

II LECTURA   Romanos 5:1–5

Lectura de la carta del apóstol san Pablo a los Romanos

Observa que la lectura hace referencias al Padre, al Hijo y al Espíritu Santo. Nota el centralismo de Jesucristo y el paralelismo entre los dos párrafos para que la asamblea distinga cada persona de la Trinidad.

Hermanos:
Ya que hemos sido **justificados** por la fe,
   mantengámonos **en paz** con Dios,
   por **mediación** de nuestro Señor Jesucristo.
Por él hemos obtenido, con la fe,
   la **entrada** al mundo de la gracia,
   en el cual nos **encontramos**;
   por él, podemos **gloriarnos**
   de tener **la esperanza** de participar en **la gloria** de Dios.

los niños. El hombre sabio se reconoce salido de las manos de Dios, y se complace estando bajo su mirada, junto a él, en cada momento. Esta mirada se revelará, después, tripartita.

II LECTURA La vida cristiana es considerada como una adquisición y una esperanza. Es como si estuviéramos por empezar una larga carrera que tenemos por delante. El hombre, judío o griego, ha sido liberado y ahora se detiene por un momento a considerar el regalo que se le había otorgado.

Primero, Pablo celebra la paz que le ha proporcionado la justificación al creyente. Es el primer efecto de la gracia concedida por Dios. De enemigo que era, fue convertido en amigo. Este regalo le viene al cristiano por medio del Señor Jesús. Es la paz, el *shalom* prometido por Jesús y entregado después de su resurrección. Ese soplo, el Espíritu que el Señor les otorgó, fue para que vencieran el mal, perdonando o no los pecados.

Por medio de Jesús tienen los cristianos entrada a la gracia. Da la impresión de que se refiere a un espacio de la gracia. Tal

vez hay una relación al templo que, como apuntan dos salmos (Sal 15 y 24), exige ciertas condiciones para poder entrar a la presencia divina. Ahora los justificados tienen acceso a la presencia divina.

Por la fe, el cristiano tiene entrada a la presencia de Dios. Además, dice Pablo, esperamos la gloria de Dios. Si se alegran los cristianos en las tribulaciones, es en atención al fin: el amor que le tienen a Cristo. Esto es una realidad para el cristiano, que sabe que en este mundo tiene parte "en los sufrimientos de Cristo" (2 Cor 1:3s).

Este párrafo hace como un crescendo con las dificultades actuales del creyente, aliviado por el Espíritu. Di las últimas líneas mirando a la asamblea.

Más aún, nos gloriamos **hasta** de los sufrimientos,
  pues **sabemos** que el sufrimiento **engendra** la paciencia,
  la paciencia engendra la virtud **sólida**,
  la virtud sólida **engendra** la esperanza,
  y la esperanza **no defrauda**,
  porque Dios **ha infundido** su amor en nuestros corazones
  por medio del **Espíritu Santo**,
  que **él mismo** nos ha dado.

EVANGELIO   Juan 16:12–15

Lectura del santo Evangelio según san Juan

En aquel tiempo, Jesús dijo a sus discípulos:
  "**Aún** tengo **muchas** cosas que decirles,
  pero **todavía** no las pueden comprender.
Pero **cuando venga** el Espíritu de verdad,
  él los **irá guiando** hasta la verdad **plena**,
  porque no hablará **por su cuenta**,
  sino que dirá lo que **haya oído**
  y les anunciará las cosas **que van a suceder**.
Él me **glorificará**,
  porque **primero** recibirá de mí
  lo que les vaya **comunicando**.
Todo lo que tiene el Padre **es mío**.
Por eso he dicho que **tomará** de lo mío
  y se lo comunicará **a ustedes**".

La promesa cumplida de Jesús es obra de la Sma. Trinidad. Proclama este evangelio con gran gozo espiritual, consuelo y confianza plena.

Pudiéramos a veces pensar que el proyecto de Dios no es muy inteligente, dado que en el mundo reinan la muerte y la desesperación. Pero no es así. Jesús nos revela que el proyecto de Dios abarca a la misma muerte, porque no es ésta un final, sino el paso a resucitar.

EVANGELIO Jesús les deja ver a los discípulos que en el tiempo por venir tendrán la asistencia del Espíritu para comprender sus palabras y todo lo que les ha dado a conocer de parte de su Padre,

Dios. Su partida no significa entonces el desamparo del grupo, sino una asistencia tan cualificada que les capacitará a entrar en comunión perfecta, de gloria, con él y con el Padre, pues el Espíritu sólo comunica lo que recibe de Jesús, y Jesús sólo transmite lo que el Padre le ha dado. Es un todo. Pero este dinamismo de recepción y entrega mutuas (la tradición divina) ha quedado impregnado de la gloria de la cruz, la plena humanidad del Hijo.

El Espíritu de la verdad no es alguien independiente a Jesús o al Padre; por el contrario, él depende tanto de Jesús como del

Padre, y por eso podrá ser el Guía en la verdad plena, es decir, experto fiel en dar el conocimiento de Jesús, en su historia, en su revelación completa y en su extrema fidelidad de Dios, a ser manifestada en la gloria de la cruz.

El Espíritu de la verdad, es el Don de Cristo resucitado para guiar a los creyentes e integrarlos en la comunión con la Trinidad. Él es el Gran Comunicador de Cristo glorificado y del Padre que glorifica; él es quien nos hace comprender la gloria de la cruz, y así nos la comunica.

SANTÍSIMOS CUERPO Y
SANGRE DE CRISTO

Se trata de un intercambio sagrado de dones.
Pronuncia la lectura con solemnidad y desde
tu interioridad.

I LECTURA   Génesis 14:18–20

Lectura del libro del Génesis

En **aquellos** días, Melquisedec, **rey** de Salem,
    presentó **pan y vino**, pues era sacerdote del Dios **altísimo**,
    y **bendijo** a Abram, diciendo:
    "Bendito sea Abram de parte del Dios altísimo,
    creador de cielos y tierra;
    y bendito sea el Dios altísimo,
    que entregó a tus enemigos en tus manos".

Y Abram le dio el diezmo de todo lo que había rescatado.

Para meditar

SALMO RESPONSORIAL   Salmo 110:1, 2, 3, 4
R. Tú eres sacerdote eterno, según el rito de Melquisedec.

Oráculo del Señor a mi Señor:
"Siéntate a mi derecha,
y haré de tus enemigos
estrado de tus pies". R.
Desde Sión extenderá el Señor
el poder de tu cetro:
somete en la batalla a tus enemigos. R.

"Eres príncipe desde el día de tu nacimiento,
entre esplendores sagrados;
yo mismo te engendré, como rocío,
antes de la aurora". R.
El Señor lo ha jurado y no se arrepiente:
"Tú eres sacerdote eterno,
   según el rito de Melquisedec". R.

I LECTURA Este episodio se injertó en las tradiciones de Abrahán, para poner al patriarca en contacto con Jerusalén. El nombre de "Melquisedec" transparenta que originalmente en Jerusalén se adoraba a cierta divinidad: "Sedec". Quizá se buscó fundamentar la peregrinación al templo, pues en el fondo del relato está la recepción pacífica de Melquisedec a Abrahán, ofreciéndole pan y vino, forma de una comida. Dejando de lado más interpretaciones, ciñámonos a lo que los cristianos verían en esa escena.

Ya la carta a los Hebreos (cap. 7) toma el texto como una alusión al sacerdocio de Jesús, preanunciado en el oficio de Melquisedec, superior, al de Leví por su antigüedad y origen. Esto lo reforzarán los santos padres de la Iglesia. Justino debilita el mandato de la circuncisión, aludiendo al pagano Melquisedec; Eusebio juega con la ofrenda espiritual del pan y del vino contra la ley mosaica de la ofrendas de sangre. Para Clemente de Alejandría, los dones de Melquisedec prefiguran los signos de la última cena.

La venida del Hijo de Dios inaugura un nuevo orden de cosas, indicando una salida al pecado y a la muerte del hombre por el ofrecimiento de Jesús, de sí mismo, en la cruz, contenido en los símbolos del pan y del vino. Con este ofrecimiento no sólo nos salvó del pecado, sino que nos sigue alimentando, para fortificarnos y conservarnos frente a las fuerzas terribles del mal.

II LECTURA Estamos ante una de las tradiciones litúrgicas más antiguas de la comunidad cristiana; de allí su importancia. Es lo que hace la comunidad. Es un texto breve, exacto, bien cuidado, sin

II LECTURA   1 Corintios 11:23–26

Lectura de la primera carta del apóstol san Pablo a los Corintios

Hermanos:
Yo **recibí** del Señor **lo mismo** que les **he transmitido**:
    que el **Señor Jesús**, la noche en que iba a ser **entregado**,
    tomó **pan** en sus manos,
    y pronunciando la **acción de gracias**, lo **partió** y dijo:
    "**Esto es mi cuerpo**, que se entrega **por ustedes**.
    Hagan **esto** en memoria **mía**".

Lo mismo hizo con el cáliz, después de cenar, **diciendo**:
    "**Este** cáliz es la **nueva** alianza que se sella **con mi sangre**.
Hagan esto en memoria mía **siempre** que beban **de él**".

Por eso, **cada vez** que ustedes comen de **este** pan
    y beben de **este** cáliz,
    proclaman **la muerte** del Señor, **hasta** que vuelva.

EVANGELIO   Lucas 9:11–17

Lectura del santo Evangelio según san Lucas

En aquel tiempo,
Jesús habló del **Reino de Dios** a la multitud
    y **curó** a los enfermos.

Cuando **caía** la tarde, los **doce** apóstoles se acercaron a decirle:
    "**Despide** a la gente para que vayan a los pueblos y caseríos
    a buscar alojamiento y comida,
    porque **aquí** estamos en un lugar solitario".
Él les contestó: "Denles **ustedes** de comer".

La simplicidad del relato guarda el corazón de la fe cristiana. Con gozo y reverencia particípalo a la asamblea. Apóyate cuidadosamente en la puntuación.

Al pronunciar las palabras "por ustedes", mira a la comunidad para que se sepa integrada en la alianza de la acción litúrgica.

Jesús revela el reino remediando las carencias cotidianas; no separes lo que Dios en el evangelio ha unido.

---

minucias innecesarias, fácil de aprender, como era la transmisión oral rabínica antigua.

A consulta expresa sobre la manera de conducirse en la Cena del Señor, Pablo, molesto, responde que es contradictorio que cada quien coma su cena, sin compartir su comida con los demás. Funda esto con la antiquísima tradición recibida por él y también por ellos.

Pone por delante su persona, en la cadena de transmisión: "Yo recibí del Señor lo que les transmití . . . ". Es decir, se trata de algo con origen en el Señor Jesús. Es la transmisión oral del Maestro a sus discípulos.

Ningún discípulo se permitiría cambiar una palabra siquiera de lo que viniera de su maestro. En Jesús está el origen, Pablo es un simple y fiel mediador.

Pablo mira hacia atrás: lo que Jesús hizo "en la noche en que fue consignado". Históricamente fue Judas el que lo entregó, pero detrás estaba el designio de Dios mismo, de la entrega de su propio hijo a la humanidad. Designio aceptado libremente por Jesús.

Esta entrega voluntaria de Jesús es lo que señalan el pan y el vino: "El cuerpo que se entrega por ustedes" y "la nueva alianza

sellada con mi sangre". Se trata de la nueva alianza, prometida en varias partes del AT.

Luego se dirige Pablo al futuro; ordena el *zicaron* hebreo que consiste en hacer presente lo pasado, aquí está traducido como "hacer memoria". Repitiendo el signo del pan y del vino, siempre se está anunciando la muerte, la entrega del Señor por nosotros, hasta el fin.

Así responde Pablo al comportamiento de ciertos cristianos, sobre todo, de algunos ricos: recupera la "Fracción del pan". Siempre que participamos de la misa, debemos recordar la autoentrega del Señor por

En esta parte, coloca todo lo que tienes en manos de Jesús para que él lo transforme. También la Eucaristía transforma la vida de la comunidad.

Pero ellos le replicaron:
"No tenemos más que **cinco** panes y **dos** pescados;
a no ser que vayamos **nosotros** mismos
a **comprar** víveres para **toda** esta gente".
Eran como **cinco mil** varones.

Entonces Jesús dijo a sus discípulos:
"**Hagan** que se sienten en grupos como de cincuenta".
Así lo hicieron, y **todos** se sentaron.
Después Jesús tomó **en sus manos**
los **cinco** panes y los **dos** pescados,
y **levantando** su mirada al cielo,
pronunció sobre ellos una oración **de acción de gracias**,
los partió y los fue dando a los discípulos,
para que **ellos** los distribuyeran **entre la gente**.

El énfasis recae en el carácter de abundancia y saciedad.

Comieron **todos** y se **saciaron**,
y de lo que **sobró** se llenaron **doce** canastos.

nosotros, con la exigencia que de aquí se desprende para nosotros.

EVANGELIO En el relato de la liturgia se asoman tanto la fuerza que tiene Jesús para curar a los enfermos, enseñar sobre el Reino de Dios y remediar sus necesidades, como la pregunta por la identidad del que da alimento a las gentes. Esas cuestiones hallan fondo en la experiencia del Reino que Jesús hace realidad para los

necesitados. Los primeros en ser involucrados en esa experiencia son sus apóstoles.

Los apóstoles miran que hay que despedir a las gentes; es tarde y están en despoblado. Pero Jesús no los secunda. Los responsabiliza con alimentarlas. Esto supera sus alcances, y lo dicen. Entonces Jesús hace una eucaristía sobre aquellos panes y peces que los apóstoles reparten hasta saciar a toda la gente. Sobraron doce canastos; uno por cada apóstol. El prodigio parece hecho para ellos y para nosotros.

Nos toca hacer carne el misterio del Cuerpo de Cristo. Primero, él se nos comparte profeta, rey y sacerdote, desde el bautismo. Por eso, nuestra vocación es hacer realidad su Reino, sanando, alimentando y enseñando. Ser miembros dinámicos de ese Cuerpo es nuestra propia vocación. Vocación que vitalizamos en la reunión, convidados por su palabra.

X DOMINGO ORDINARIO

I LECTURA   1 Reyes 17:17–24

Lectura del primer libro de los Reyes

En aquellos días,
  cayó enfermo el **hijo** de la dueña de la casa en la que
    se hospedaba Elías.
La enfermedad fue tan grave, que el niño **murió**.
Entonces la mujer le dijo a Elías:
  "¿Qué te he hecho **yo**, hombre de Dios?
¿Has venido a mi casa para que recuerde **yo** mis pecados
    y se muera **mi hijo**?"

Elías le respondió:
  "Dame acá a **tu hijo**".
Lo tomó del regazo de la madre,
  lo subió a la habitación donde él dormía
  y lo acostó sobre el lecho.
Luego clamó al Señor:
  "Señor y Dios mío,
  ¿es posible que también con esta **viuda** que me hospeda **te
    hayas** irritado,
  haciendo morir a **su** hijo?"

Luego se tendió tres veces sobre el niño y suplicó al Señor,
    diciendo:
  "**Devuélvele** la vida a este niño".
El Señor escuchó la súplica de Elías y el **niño volvió** a la vida.

Este relato popular debe conservar la frescura de los milagros que circulan entre el pueblo fiel. Distingue sus momentos y baja la velocidad en la oración del profeta.

Pronuncia con suavidad, como con paciencia, las palabras del profeta, no con tono airado.

I LECTURA Elías ha andado perseguido por la calamidad, que a veces está representada por la persecución del rey Ajab, aunque aquí no aparece. Se trata de que huyendo del rey, Elías se aleja hasta la costa fenicia, donde encontró alojo en casa de una buena mujer, adinerada.

La señora tenía a Elías por "hombre de Dios", de modo que cuando encuentra a su hijo muerto deduce que es un castigo porque ella es pecadora. Se queja del profeta, quien va a quejarse con Dios.

Elías protesta contra la malevolencia del Señor que crea calamidad como bendición, aun cuando no hay razón moral por una cosa u otra. Luego toma al niño, lo lleva a su cuarto y con una serie de acciones, en las que se nota la mediación del profeta, consigue que Dios le devuelva la vida al niño.

La reacción de la madre es del todo natural. Reconoce haber injuriado a Elías y confiesa que la palabra de Dios está firme en su boca, es decir, que es completamente verdadera.

Ante la situación del norte de Israel que había cambiado para bien, económicamente hablando, por la influencia de los fenicios, esta acción del profeta está diciendo que no es el dios Baal, el dinero y las fuerzas naturales lo que satisface completamente, sino la vida que es un dominio exclusivo de Dios. Todo lo vital es un regalo de Dios, pertenece al dominio donde se mueve Dios y donde todos los hombres y, en concreto, los cristianos nos deberíamos mover. Es muy actual

Elías tomó al niño, lo llevó abajo y se lo entregó a **su madre**,
    diciendo:
    "Mira, **tu** hijo está **vivo**".
Entonces la mujer dijo a Elías:
    "Ahora **sé** que eres un hombre de Dios y que tus palabras
    vienen del Señor".

Para meditar

SALMO RESPONSORIAL   Salmo 30:2 y 4, 5–6, 11 y 12a y 13b

R. Te ensalzaré, Señor, porque me has librado.

Te ensalzaré, Señor, porque me has librado
    y no has dejado que mis enemigos
        se rían de mí.
Señor, sacaste mi vida del abismo,
    me hiciste revivir cuando bajaba a la fosa. R.

Tañan para el Señor, fieles suyos,
    den gracias a su nombre santo.
Su cólera dura un instante;
    su bondad, de por vida;
    al atardecer nos invita el llanto;
    por la mañana, el júbilo. R.

Escucha, Señor, y ten piedad de mí;
Señor, socórreme.
Cambiaste mi luto en danzas,
Señor, Dios mío, te daré gracias
    por siempre. R.

II LECTURA   Gálatas 1:11–19

Lectura de la carta del apóstol san Pablo a los Gálatas

Hermanos:
Les hago saber que el **Evangelio** que he predicado,
    no proviene de los hombres,
    pues no lo recibí ni lo aprendí de hombre alguno,
    sino por **revelación** de Jesucristo.

Ciertamente ustedes han oído hablar de mi conducta
    anterior en el judaísmo,
    cuando yo **perseguía** encarnizadamente a la **Iglesia** de Dios,
    tratando de **destruirla**; deben saber que me distinguía en
    el judaísmo,
    entre los jóvenes de mi pueblo y de mi edad,
    porque los superaba en el celo por las tradiciones paternas.

Llénate del espíritu evangelizador de Pablo, pues, tú has recibido también el Evangelio del Señor Jesús.

recordar esto hoy en que hay tanta amenaza contra la naturaleza y contra la vida en tantos renglones. El Dios de Elías se preocupa por los pequeños detalles, como lo de este niño. Pequeños detalles que, por ser vitales, son del cuidado del Dios auténtico.

II LECTURA Pablo está hablando todavía de los misioneros que buscan descalificarlo. Lo acusan de traicionar el mensaje de Jesús, facilitándolo a los paganos (v. 10). Ellos decían estar en lo correcto y en continuidad con el mensaje original. Era Pablo el que había introducido novedades. Pablo dirá que su evangelio está de acuerdo con los apóstoles primitivos de Jerusalén.

Pablo afirma que su evangelio no le viene de hombres, sino que tiene a Cristo por origen; lo recibió directamente de él,

en una revelación. A continuación da noticias contundentes sobre su llamado al apostolado cristiano. Sabemos que era experto en las Escrituras y en las tradiciones paternas. Era fariseo. Adoptó otra dirección y reconoce que la justificación por la ley es un error.

Como profeta, Pablo fue separado desde el principio por Dios. No fue decisión suya sino del Señor, la de anunciar al Mesías resucitado más allá de las fronteras del pueblo judío y llegar a los paganos. No necesitaba que los apóstoles lo nombraran o lo

Pronuncia estas líneas a menor velocidad para que se note la iniciativa de Dios en la vocación apostólica de Pablo.

Pero Dios me había elegido desde el seno de mi madre,
    y por su **gracia** me llamó.
Un día quiso **revelarme** a su Hijo, para que yo lo anunciara entre
    los paganos.
Inmediatamente, **sin solicitar** ningún consejo **humano**
    y sin ir siquiera a Jerusalén para ver a los apóstoles **anteriores**
        a mí,
    me trasladé a Arabia y después regresé a Damasco.
Al cabo de tres años fui a Jerusalén, para ver a Pedro
    y **estuve con él** quince días.
No vi a ningún otro de los **apóstoles**,
    excepto a Santiago, el pariente del Señor.

EVANGELIO   Lucas 7:11–17

Lectura del santo Evangelio según san Lucas

Sigue el decurso de esta lectura con su emotividad; va de la tristeza a la alegría, del duelo a la fiesta; haz que se note esto en tu misma entonación.

En aquel tiempo, se dirigía Jesús a una población llamada Naím,
    acompañado de sus **discípulos** y de **mucha** gente.
Al llegar a la entrada de la población,
    se encontró con que sacaban a enterrar a un muerto,
    hijo único de una viuda,
    a la que acompañaba una gran **muchedumbre**.

Cuando el Señor la vio, se **compadeció** de ella y le dijo:
    "No llores".

Procura distinguir el tono en las palabras de Jesús: una vez consuelan, la otra imperan con firmeza.

Acercándose al ataúd, lo **tocó** y los que lo llevaban se detuvieron.
Entonces dijo Jesús:
    "Joven, yo te lo mando: **Levántate**".
Inmediatamente el que había muerto se **levantó** y comenzó
    a hablar.
Jesús se lo entregó a su **madre**.

instruyeran, por esto se fue a Arabia y después regresó a Damasco. Después de dos años fue a Jerusalén a saludar a Pedro, a conocerlo. Tiempo después saludará a otros líderes de Jerusalén.

Pablo recalca que su evangelio no es palabra humana, o producto de su elucubraciones, sino palabra de Dios. Que no hay en él ninguna especie de supresión para hacerlo asequible a los paganos. Su dedicación a los gentiles es encomienda del Señor Jesús.

Toda su manera de pensar y obrar se revolucionó en su persona, porque la muerte redentora de Jesús y la aceptación del Padre por medio de la resurrección, convirtió al Mesías en única causa de la salvación y no la Ley.

EVANGELIO El relato de hoy es exclusivo de san Lucas; sin embargo, a nadie escapa su parecido con el de la primera lectura. Estamos ante un género literario, el de resucitar difuntos que también

hallamos en la Biblia (ver 2 Re 4:18–37; Mc 5:21–43; Jn 11), y fuera de ella. San Lucas, en esta parte de su obra, va mostrando que el reinado de Dios es la compasión por los más necesitados; en este caso una viuda de Naím, que ha perdido a su único hijo. Van a sepultarlo. Pero se cruzan con Jesús que se compadece, toca el féretro y obra el milagro.

La compasión de Jesús nace de ver la desgracia en aquella mujer desolada. Pero es

Es como un coro que aclama lo acontecido. Dale viveza a esta confesión de fe, para que la asamblea se sienta motivada a unirse a tu voz.

Al ver esto,
    todos se llenaron de temor y comenzaron a glorificar a Dios,
    diciendo:
    "Un gran **profeta** ha surgido entre nosotros.
    Dios ha visitado a **su pueblo**".

La noticia de este hecho se **divulgó** por toda Judea
    y por las regiones circunvecinas.

una compasión activa, que se mueve a remediar el mal con lo que tiene a su alcance. Y Jesús es el Señor de la vida. La devolución del muchacho resucitado a su madre, indica que se lo da como apoyo social y sostén anímico. Alguno entiende que la compasión de Jesús (ver 10:33; 15:20; 1:78) vendría de visualizar a su propia madre en aquella viuda. Nada dice el texto, pero lo sucedido lleva a la gente a reconocer la visita de Dios a su pueblo en la persona misma de Jesús (1:68, 77s).

El evangelio del Reino de Dios sólo será creíble si viene a hacer realidad la compasión de Dios por la gente más necesitada. Este es el camino que Dios ha escogido para salvarnos y esto mismo es lo que debemos actualizar en nuestras liturgias.

XI DOMINGO ORDINARIO

I LECTURA   2 Samuel 12:7–10, 13

Lectura del segundo libro de Samuel

En aquellos días, dijo el profeta **Natán** al rey **David:**
"Así dice el **Dios** de **Israel:**
'Yo te consagré **rey de Israel y te libré** de las manos de Saúl,
te confié la **casa de tu señor** y puse sus mujeres en tus brazos;
te di poder sobre **Judá e Israel,**
y si todo esto te parece **poco,** estoy dispuesto a darte
todavía **más.**

¿Por qué, pues, has despreciado **el mandato del Señor,**
haciendo lo que es **malo** a sus ojos?
Mataste a **Urías,** el hitita, y tomaste a su **esposa** por mujer.
A él lo hiciste **morir** por la **espada** de los **amonitas.**
Pues bien,
la **muerte por espada** no se apartará **nunca** de tu casa,
pues me has **despreciado,** al apoderarte de la esposa de Urías,
el hitita, y hacerla tu mujer' ".

David le dijo a **Natán:**
"¡He pecado **contra** el Señor!"
Natán le respondió:
"El Señor te **perdona** tu pecado. **No morirás**".

La denuncia del pecado debe ser dura, sin llegar a ser altisonante. Haz una pausa al finalizar el segundo párrafo, como dejando en suspenso al escucha para que llegue el perdón como bálsamo.

Al reconocimiento del pecado del rey corresponde el perdón de Dios. Esta lectura termina lanzando la mirada al futuro cierto.

I LECTURA Esta lectura, entresacada del pecado de David con Betsabé y el asesinato subsecuente, pertenece a la sección conocida como "la sucesión al trono" (2 Sam 9–20 y 1 Re 1–2).

Después de su pecado, David fue visitado por Natán, el profeta. Todo mundo cuchichearía sobre lo que el rey había hecho. Por esto el profeta le suelta las famosas palabras: "Tú eres ese hombre". Le recuerda la gravedad, pasándole revista de los bienes que el Señor le había otorgado, desde que andaba como pastorcillo tras las ovejas de su padre. La pregunta a David es básica: ¿Por qué has menospreciado al Señor, haciendo lo que le parece mal?

El pecado no es algo externo, sino que toca a la persona. Después se afirma que el pecado no toca a Dios, evidentemente (Jer 7:11). Toca a los hombres que Dios ama. En este caso, está tocando a un fiel soldado que, aunque extranjero, arriesga su vida por el pueblo de Judá. Cuando enumera los beneficios, Natán no lo hace para mostrarle que le ha pagado mal, sino que Dios le está entablando un proceso (ver Miq 6:1–5). El proceso terminaba normalmente con una sentencia, de inocencia o de castigo y hasta de muerte, según la falta. David sale culpable. No alegó David nada a su favor. Merece la muerte. Pero el Señor es misericordioso, como le dijo a Moisés en el Sinaí. Dios perdona al culpable que reconoce su pecado y que acepta el castigo merecido.

La liturgia insiste en el arrepentimiento y confesión de David. Dejó por un lado, los castigos que le impondría el Señor como penitencia.

Para meditar

SALMO RESPONSORIAL   Salmo 32:1–2, 5, 7, 11

R. Perdona, Señor, mi pecado y mi culpa.

Dichoso el que está absuelto de su culpa,
a quien le han sepultado su pecado;
dichoso el hombre a quien el Señor
no le apunta el delito,
y en cuyo corazón no se halla engaño. R.

Había pecado, lo reconocí,
no te encubrí mi delito;
propuse: "Confesaré al Señor mi culpa",
y tú perdonaste mi culpa y mi pecado. R.

Tú eres mi refugio, me libras del peligro,
me rodeas de cantos de liberación. R.
Alégrense, justos, y gocen con el Señor;
aclámenlo, los de corazón sincero. R.

II LECTURA   Gálatas 2:16, 19–21

Lectura de la carta del apóstol san Pablo a los Gálatas

Hermanos:
Sabemos que el hombre no llega a ser **justo** por cumplir la **ley**,
sino por **creer** en **Jesucristo**.
Por eso **también nosotros** hemos creído en **Cristo Jesús**,
para ser **justificados** por la **fe en Cristo** y **no por cumplir la ley.**
Porque **nadie** queda **justificado** por el cumplimiento de la ley.

Por la ley estoy **muerto** a la ley, a fin de **vivir** para Dios.
Estoy **crucificado** con Cristo.
Vivo, pero ya no soy yo el que vive, es **Cristo** quien vive en mí.
Pues mi vida en este mundo la vivo en la fe que tengo
en el **Hijo de Dios,**
que me amó y se entregó a sí mismo por mí.
Así no vuelvo inútil la **gracia de Dios,**
pues si uno pudiera ser **justificado** por cumplir la ley,
Cristo habría muerto **en vano.**

Tenemos una serie de razonamientos y juego de palabras. Esta lectura debe hacerse con toda calma para que los oyentes capten su profundo sentido.

Dale cierto énfasis a las palabras de la vida —"vivo, vive, vida"— como transmitiendo la profunda realidad que Cristo busca operar en cada creyente.

Con toda resolución pero tono humilde, anuncia esta línea: "Así no vuelvo inútil la gracia de Dios".

II LECTURA Pablo acaba de contar su disputa con Pedro, para ayudar a la comunidad a clarificar lo que es lo fundamental del Evangelio. La iglesia gálata enfrentaba muchos problemas, pero había que salvar lo básico: la salvación viene de Jesús, no de la Ley. La observancia de la Ley no es capaz de justificar a un ser humano, es decir, de darle la posibilidad de estar delante de Dios.

El hombre es pecador y, por lo mismo, indigno e imposibilitado de presentarse ante Dios. Pero Pablo muestra entonces el camino de acceso: la gracia, el favor de parte de Dios. Esta fe en Jesucristo, que hace justo, no es otra "obra"; no es el hombre el que lo hace por sus propias fuerzas. Es Jesucristo el que hace al hombre justo (v. 17).

Jesús en su vida mortal manifestó su preferencia por los pecadores. Él había venido a buscarlos, a llamarlos, a acercárseles y a curarlos.

Pablo habla en primera persona. Habla con especial claridad. No se trata de una confesión. Lo dicho por el apóstol vale para todo aquel que por la fe y el bautismo ha encontrado el camino hacia Jesucristo. En el bautismo el cristiano "ha muerto a la Ley". Pablo visualiza la Ley como un poder que domina y esclaviza al hombre, que es liberado por el bautismo.

El bautizado ha muerto con Cristo, "ha sido crucificado con Cristo". El bautizado tiene parte en la cruz de Jesús. Él participa en la esperanza de la resurrección. Pablo se siente cerca del Señor y por esto dice: Cristo vive en mí. La muerte no alcanzó a Jesús,

EVANGELIO   Lucas 7:36—8:3

Lectura del santo Evangelio según san Lucas

En aquel tiempo, un **fariseo** invitó a **Jesús** a comer con él.
Jesús fue a la **casa** del fariseo y se sentó a la **mesa.**
Una mujer **de mala vida** en aquella ciudad,
   cuando supo que Jesús iba a comer **ese día** en casa del fariseo,
   tomó consigo un frasco de alabastro con **perfume,**
   fue y se puso detrás de Jesús, y comenzó a **llorar,**
   y con sus **lágrimas** bañaba sus pies, los **enjugó** con su cabellera,
   los **besó** y los **ungió** con el perfume.

Viendo esto, el fariseo que lo había invitado comenzó a **pensar:**
   "Si este hombre fuera **profeta,** sabría qué **clase de mujer**
     es la que lo está tocando;
   sabría que es una **pecadora**".

Entonces Jesús le dijo:
   "**Simón,** tengo algo que decirte".
El fariseo contestó:
   "**Dímelo,** Maestro".
Él le dijo:
   "Dos hombres le debían dinero a un **prestamista.**
Uno le debía **quinientos** denarios y el otro, **cincuenta.**
Como no tenían con qué pagarle, **les perdonó la deuda a los dos.**
¿Cuál de ellos lo amará **más?**"
Simón le respondió:
   "Supongo que **aquél** a quien le perdonó **más**".

El episodio es extenso pero guarda mucha viveza. La mujer debe estar en el centro de atención, incluso cuando el foco va hacia Jesús. Procura que el escucha note bien esto.

Di la respuesta de Simón como con cautela y sin darle prepotencia o autoritarismo a la respuesta de Jesús; es un huésped que nunca rompe la normativa de la hospitalidad.

sino que el Señor conscientemente la aceptó y le dio una finalidad: por todos. Así cumplió la voluntad del Padre. Terminemos con una afirmación contenida en el v. 21: "Si la justicia se alcanza por la Ley, Cristo habría muerto inútilmente".

Se nos afirman dos cosas: agradecimiento a Jesús que murió por mí y la exigencia de seguir su camino, entregándonos a favor de los demás.

EVANGELIO El caminar de Jesús es anuncio y realidad del reinado de Dios; unos lo rechazan, otros no. San Lucas pinta una línea entre el Israel incrédulo (7:9, 30) y los 'extranjeros', advenedizos y pecadores (7:1–10; 7:11–17, 22, 29, 35–50) que abrazan la visita de Dios y se benefician de ella. En la casa de Simón, Jesús hoy confronta las concepciones religiosas y sociales sobre la mujer pecadora con la perspectiva del evangelio del Reino.

El banquete es la expresión mejor de comunión entre los participantes. Hay reglas que seguir pero la mujer no se atiene a ellas, porque quiere acercarse al Profeta. Irrumpe y altera el "buen orden", que el fariseo, Simón, no fue capaz de guardar como anfitrión. Sus acciones obligan a Jesús a contar una parábola que "pone las cosas en su lugar". A los ojos de Dios, uno no es mejor por pecar menos que otro. Uno es mejor porque muestra más amor por el perdón recibido de Dios.

Entonces Jesús le dijo:
    "Haz juzgado **bien**".
Luego, señalando a la mujer, dijo a Simón:
    "**¿Ves a esta mujer?**
Entré en tu casa y **tú** no me ofreciste **agua** para los pies,
    mientras que **ella** me los ha **bañado** con sus **lágrimas**
    y me los ha **enjugado** con sus **cabellos**.
Tú no me diste el **beso de saludo**;
    ella, en cambio, desde que entró, no ha dejado de besar
        mis pies.
Tú no ungiste con aceite mi cabeza;
    ella, en cambio, me ha **ungido** los pies con **perfume**.
Por lo cual, yo te digo:
    sus pecados, que son **muchos**, le han quedado **perdonados**,
        porque ha amado **mucho**.
En cambio, al que poco se le **perdona**, poco **ama**".
Luego le dijo a la **mujer**:
    "Tus pecados te han quedado **perdonados**".

Los **invitados** empezaron a preguntarse a sí mismos:
    "¿Quién es **éste**, que **hasta los pecados** perdona?"
Jesús dijo a la **mujer**:
    "Tu **fe** te ha salvado; vete en **paz**".

Después de esto, Jesús comenzó a recorrer ciudades y poblados
    predicando la **buena nueva** del Reino de Dios.
Lo acompañaban los **Doce** y algunas **mujeres** que habían sido
    libradas de **espíritus malignos**
        y curadas de varias **enfermedades**.
Entre ellas iban **María**, llamada **Magdalena**, de la que habían
        salido **siete demonios**;
    Juana, mujer de Cusa, el administrador de **Herodes**;
    Susana y otras **muchas**, que los ayudaban
        con sus **propios bienes**.

Versión corta: Lucas 7:36–50

Marca cierta pausa antes y después de las palabras de absolución.

Este segmento es relevante porque individualiza al grupo de seguidoras de Jesús. Busca que la asamblea las mire y las reciba.

Ante Dios todos somos deudores insolventes. Este es el punto fundamental de comunión. Las convenciones sociales y religiosas a veces nos cubren esta verdad que llevamos cosida a los huesos. Desde aquí, no hay lugar para preguntarnos a quién quiere más Dios, sino quién quiere más a Dios. Es el amor lo que nos une a Dios; su perdón está siempre allí, sobre la mesa.

XII DOMINGO ORDINARIO

I LECTURA   Zacarías 12:10–11; 13:1

Lectura del libro del profeta Zacarías

Esto dice el **Señor:**
   "Derramaré sobre la **descendencia** de **David**
   y sobre los **habitantes** de **Jerusalén,**
   un espíritu de **piedad** y de **compasión**
   y ellos volverán sus **ojos** hacia mí,
   a quien traspasaron con la **lanza.**
Harán **duelo,**
   como se hace duelo por el hijo **único**
   y llorarán por él **amargamente,**
   como se llora por la **muerte** del **primogénito.**

En ese día será **grande** el **llanto** en **Jerusalén,**
   como el **llanto** en la aldea de Hadad-Rimón,
   en el valle de **Meguido".**

En aquel día **brotará** una **fuente**
   para la **casa** de **David** y los **habitantes** de **Jerusalén,**
   que los **purificará** de sus **pecados** e **inmundicias.**

I LECTURA En la lectura destacan tres ideas: la muerte de un enviado por Dios; la importancia del personaje, debido al duelo y a cierta identificación entre el enviado y Dios; y el envío de un nuevo espíritu sobre Israel.

El enviado es un rey mesiánico, con el que Dios se identifica. Es un pastor herido por la espada que está "cerca" de Dios. Si antes se habló de una identificación entre Dios y su pueblo, ahora se entiende que tocar a este pastor, es tocar a Dios. Así se refleja en Zac 12:10 donde, a través del pastor asesinado, Dios mismo se considera

traspasado. Evidentemente no se piensa todavía en que ese pastor fuera Dios.

El trabajo o misión de este enviado enfrentará oposición, lo que lo llevara a ser traspasado.

También se asiste a la conversión de Israel. El pueblo se lamenta, hace duelo. Se vuelve hacia Dios, del que recibe un espíritu de gracia y de suplicación. Los pecados son quitados por una intermediación.

Pero Zac 12 expresa tambien una profunda desilusión, pues el profeta se da cuenta de que no podrá convertir a Israel, no obstante la bondad de Dios que ha sacado

del exilio a su pueblo, ni siquiera con su enviado. Fracasará. Pero tras la desaparición de ese enviado, Israel, por haber participado en los dolores de éste, será salvado, poniendo toda su confianza sólo en Dios. Entonces será derramado un nuevo espíritu en el pueblo. Ya profetas anteriores hablaban de la necesidad de que Dios enviara al pueblo un espíritu nuevo para que pudiera salir de su pecado, que parecía inveterado.

Esta parte fue leída por los cristianos a través de la muerte y resurrección de Jesús.

Para meditar

SALMO RESPONSORIAL   Salmo 63:2, 3–4, 5–6, 8–9

R. Mi alma está sedienta de ti, Señor, Dios mío.

Oh Dios, tú eres mi Dios, por ti madrugo,
   mi alma está sedienta de ti;
   mi carne tiene ansia de ti,
   como tierra reseca, agostada, sin agua. R.

¡Cómo te contemplaba en el santuario
   viendo tu fuerza y tu gloria!
Tu gracia vale más que la vida,
   te alabarán mis labios. R.

Toda mi vida te bendeciré
   y alzaré las manos invocándote.
Me saciaré como de enjundia y de manteca,
   y mis labios te alabarán jubilosos. R.

Porque fuiste mi auxilio,
   y a la sombra de tus alas canto con júbilo;
   mi alma está unida a ti,
   y tu diestra me sostiene. R.

II LECTURA   Gálatas 3:26–29

Lectura del carta del apóstol san Pablo a los Gálatas

Hermanos:
Todos ustedes son **hijos** de **Dios** por la fe en **Cristo Jesús**,
   pues, cuantos han sido **incorporados**
   a **Cristo** por medio del **bautismo,**
   se han revestido de **Cristo.**
Ya no existe **diferencia** entre **judíos** y **no** judíos,
   entre **esclavos** y **libres**, entre **varón** y **mujer**,
   porque todos ustedes son **uno** en **Cristo Jesús**.
Y si ustedes son de **Cristo**,
   son también **descendientes** de **Abraham**
   y la **herencia** que **Dios** le prometió les corresponde a **ustedes**.

Esta proclamación jubilosa debes transmitirla a la comunidad con natural gozo y seguridad.

Cierra con toda certeza el anuncio de la posesión de la herencia.

II LECTURA   Pablo resume exactamente lo que es la salvación ofrecida por Cristo. Coloca en su puesto a la ley de Moisés y asegura que la fe en Cristo es lo único que salva al hombre, pues lo pone vivo ante de Dios. La única seguridad en nuestra vida y muerte está en el acto liberador llevado a cabo por Dios en Jesús Mesías. Vivir en libertad es vivir con confianza sin otra garantía que la promesa divina. A los gálatas, como a nosotros, les fascinaba algún sistema de seguridad, ya que haciendo determinadas cosas o cumpliendo con ciertas reglas, asegurarían la amistad divina. La salvación, de esa manera, estaba en poder del hombre.

La filiación muestra nuestra auténtica relación con Dios. Allí nace que podamos también nosotros llamar a Dios "papá". Ser justificado es tener una relación justa con el Padre. Tenemos acceso a él, porque somos sus hijos en Jesús Mesías.

Pablo nos recuerda que hemos sido hechos hijos con el bautismo. La imagen del vestido habla de que cristiano se reviste de Cristo. No se indica una transformación simbólica, sino un cambio radical de condición. Quitados los otros vestidos, nuestra vida antigua, nos vestimos de Cristo y nos unimos unos a otros. Al revestirnos pasamos a formar un solo cuerpo.

El bautismo pone un hasta aquí a toda discriminación racial o sexual. La portada es revolucionaria en otro sentido. Había una oración judía que decía: "Bendito sea el que no me ha hecho ni mujer, ni ignorante, ni pagano". Estos sentimientos son comunes a muchos pueblos. Así Platón y otros grandes, decían cosas parecidas. Había, aun dentro del judaísmo, desigualdades de trato. Pablo enseña que el bautismo nos une en un cuerpo que trasciende todas las

EVANGELIO   Lucas 9:18–24

Lectura del santo Evangelio según san Lucas

Un día en que **Jesús,**
    acompañado de sus **discípulos,** había ido
    a un lugar solitario para orar, les preguntó:
    "**¿Quién** dice la **gente** que soy **yo?**"
Ellos contestaron:
    "**Unos dicen** que eres **Juan el Bautista;**
    otros que **Elías,** y otros, que alguno
    de los **antiguos profetas** que ha resucitado".

Él les dijo:
    "**Y ustedes,** ¿**quién** dicen que soy **yo?**"
Respondió **Pedro:**
    "El **Mesías** de Dios".
Él les ordenó **severamente** que no lo dijeran a **nadie.**

Después les dijo:
    "Es **necesario** que el **Hijo del hombre** sufra **mucho,**
    que sea **rechazado** por los **ancianos,**
    los **sumos sacerdotes** y los **escribas,**
    que sea **entregado** a la **muerte** y que resucite al **tercer día**".

Luego, dirigiéndose a la multitud, les dijo:
    "Si alguno quiere **acompañarme,**
    que **no** se busque a sí mismo,
    que **tome su** cruz de cada día y **me siga.**
Pues el que quiera **conservar**
    para sí mismo su **vida,** la **perderá;**
    pero el que la **pierda** por **mi** causa,
    ése la **encontrará**".

Siéntete interpelado por Jesús que cuestiona. Proclama con cariño y natural autoridad, como buen maestro.

Haz una pausa más amplia antes de iniciar este párrafo. Interpela a la asamblea con las palabras de Jesús.

Mira a la asamblea al pronunciar la primera línea. Luego desgrana las exigencias del seguimiento.

---

categorías existentes. Por eso, el punto focal es que todos nos unimos en el Mesías.

La confianza total en Jesús Mesías es decisiva. Pablo insiste con dureza a los gálatas, a no volver a la esclavitud. El dato de formar un mismo cuerpo, en Cristo, tiene infinitas implicaciones en la vida concreta de cada iglesia y cristiano.

Termina como había empezado el capítulo, con Abrahán. Afirma que los hijos de Abrahán no son tales "por descendencia", sino por la promesa. La comunidad cristiana no está desgajada del pueblo de la antigua alianza: somos el mismo pueblo que lleva a cabo la realización más allá de la etapa de la Ley.

EVANGELIO Hoy, los discípulos se ven urgidos a expresar la identidad de Jesús. Este cuadro sigue al banquete de panes y peces (9:10–17), del que se recogieron doce canastos de excedentes, leído en la fiesta del Corpus. Ahora, se toma la dimensión sufriente del Mesías para que los discípulos caminen con la cruz.

El que sigue a Jesús opta, de hecho, por asimilarse al modo de ser de su Maestro. La cruz es su distintivo diario. No por masoquismo enfermizo ni piedad subliminal, sino como medio de salvación. Renunciar al propio proyecto para abrazar el de Jesús es condición indispensable para hacer la experiencia del Reino de Dios entre nosotros. En esto consiste la vida cristiana.

Sin la experiencia de la cruz, no hay fe ni discipulado cristiano. Esta verdad es la que revivimos en la liturgia de hoy. En su sufrimiento y muerte en cruz, Cristo nos hermana a todos, para vivir con él.

XIII DOMINGO ORDINARIO

Las disposiciones del Señor se cumplen a cabalidad. Tú debes estar convencido de estar cumpliendo la voluntad de Dios.

I LECTURA   1 Reyes 19:16, 19–21

Lectura del primer libro de los Reyes

En **aquellos** tiempos, el Señor le dijo a Elías:
  "**Unge** a Eliseo, el hijo de Safat,
  originario de Abel-Mejolá,
  para que **sea profeta** en lugar tuyo".

Elías partió luego y **encontró** a Eliseo, hijo de Safat,
  que estaba **arando**.
Delante de él trabajaban **doce** yuntas de bueyes
  y él trabajaba con la **última**.
Elías pasó junto a él y le echó **encima** su manto.
Entonces Eliseo **abandonó** sus bueyes,
  corrió detrás de Elías y le dijo:
  "**Déjame** dar a mis padres el beso de despedida
  y te **seguiré**".
Elías le contestó:
  "Ve y **vuelve**,
  porque **bien** sabes lo que **ha hecho** el Señor contigo".

Se fue Eliseo,
  se llevó los dos bueyes de la yunta, los **sacrificó**,
  asó la carne en la hoguera que hizo con la madera del arado
  y la **repartió** a su gente para que se la comieran.
Luego se levantó,
  siguió a Elías y se puso **a su servicio**.

Cierra la lectura con firmeza mostrando que Eliseo cumple con la voluntad del Señor.

I LECTURA La dinastía de Omrí estaba en el trono de Israel desde hacía un cuarto de siglo. Habían conseguido con una buena política económica, sobre todo, con su alianza con los fenicios, una bonanza económica notable. Esa relación con los fenicios había obligado al rey Ajab, a aceptar casarse con Jezabel, hija del rey de Tiro. Esto trajo la introducción del dios Baal a la veneración de los israelitas. Dios decide quitar esa dinastía y para esto designa a un rey de Aram, un nuevo monarca para Israel y un nuevo profeta. Entonces ocurre la vocación de Eliseo.

El relato es breve, pero por una finalidad precisa. Se trata de acreditar al profeta Eliseo a los ojos del pueblo, como el heredero espiritual del gran Elías. Hay un paralelo entre Moisés-Josué y Elías-Eliseo. Ambas parejas tienen al Sinaí como lugar de la revelación. La revelación mosaica sucede bajo los truenos, mientras que la revelación profética, más íntima, está simbolizada por una brisa ligera. Igual que Josué, Eliseo es un servidor y recibe también el espíritu de Elías.

En la vocación de Eliseo hay una gran simplicidad. Elías simplemente pide a Eliseo que lo siga y éste, después de haber ordenado sus asuntos, se convierte en su sucesor. Eliseo pertenecía a una familia rica, cultivaba sus campos cuando pasó por allí Elías. No se sabe ni el dónde ni el cuándo del suceso. Es un relato popular. Importa sólo el encuentro entre amo y servidor. Todo ocurre en el calor de la vida cotidiana, como muestra de que Dios es imprevisible, repentino. Eliseo será el punto de partida del "resto" salvado. Así es la gracia de la elección de Eliseo.

Elías le lanza su manto. El manto profético parece un vestido distintivo, sea de los hermanos profetas, sea del propio Elías.

Para meditar

SALMO RESPONSORIAL   Salmo 16:1–2a y 5, 7–8, 9–10, 11

R. Tú, Señor, eres el lote de mi heredad.

Protégeme, Dios mío, que me refugio en ti;
yo digo al Señor: "Tú eres mi bien".
El Señor es el lote de mi heredad y mi copa;
mi suerte está en tu mano. R.

Bendeciré al Señor, que me aconseja
hasta de noche me instruye internamente.
Tengo siempre presente al Señor,
con él a mi derecha no vacilaré. R.

Por eso se me alegra el corazón,
se gozan mis entrañas,
y mi carne descansa serena,
porque no me entregarás a la muerte,
ni dejarás a tu fiel conocer la corrupción. R.

Me enseñarás el sendero de la vida,
me saciarás de gozo en tu presencia,
de alegría perpetua a tu derecha. R.

II LECTURA   Gálatas 5:1, 13–18

Lectura de la carta del apóstol san Pablo a los Gálatas

Hermanos:

Cristo nos ha liberado para que seamos **libres**.
Conserven, pues, la libertad
y **no se sometan** de nuevo al yugo de la esclavitud.
Su **vocación**, hermanos, es la libertad.
Pero **cuiden** de no tomarla como pretexto
para **satisfacer** su egoísmo;
antes bien, **háganse** servidores los unos de los otros **por amor**.
Porque **toda** la ley se resume en un **solo** precepto:
Amarás a tu prójimo como a ti mismo.
Pues si ustedes se muerden y devoran **mutuamente**,
acabarán por **destruirse**.

Los **exhorto**, pues,
a que **vivan** de acuerdo con las **exigencias** del Espíritu;
así no se dejarán **arrastrar**
por el **desorden egoísta** del hombre.
Este desorden está **en contra** del Espíritu de Dios,
y el Espíritu está en contra de **ese desorden**.

Proclama esta lectura como un canto gozoso a la libertad que da vivir en Cristo.

Deja caer muy suavemente y con cierta lentitud este precepto, como dándole mayor autoridad.

Esta capa milagrosa volverá a caer sobre los hombros de Eliseo cuando Elías sea transportado al cielo. Hay una imposición del manto, implicando la transmisión de un carisma y protección. Es un signo de participación, puesto que el manto pertenece a la persona. Esto expresará un cambio social. Se entraba en una vida común, de discípulo-maestro. Se formaban pequeños círculos de gente en torno a su maestro, el profeta. Así será la vida de Eliseo.

Sirve este relato de preludio a la vocación de los discípulos en Lc 9:57–62.

II LECTURA En la lectura bíblica de hoy se encuentran unidos los versos 1 y 13, porque cada uno de esos versos pone de relieve un aspecto de la libertad cristiana. Después, en los versos 14–18, se desarrolla el pensamiento del apóstol. Pablo resume a los gálatas de qué los liberó Cristo y cómo los liberó.

Empieza con lo fundamental: Cristo nos ha liberado para la libertad. Esto es básico para el cristiano y para todo hombre. Las leyes, de cualquier tipo, siempre están fuera del ser humano. Dentro se siente el peso de éstas, porque la ley no nos da fuerza para cumplirla, sólo indica el camino. Y esto es bueno, pero no basta. Puede ser que a veces, en lugar de animar a uno, lo desanime, haciéndole ver lo que uno está haciendo mal.

Con la Ley, Dios buscó guiar a su pueblo. La Ley mostraba el camino a la salvación; pero el pueblo se mostró incapaz de ser fiel a ella. Se puso en la condición de toda la humanidad, condición pecadora. Por eso la necesidad de recibir al que la liberara del pecado, Cristo. ¿Cómo? Creyendo en Dios y en el que realiza la liberación. Por eso hay que comenzar por liberarse de la Ley.

Haz notar el contraste con el "Pero si . . . ". Baja la velocidad, no la intensidad, de la lectura en esta línea.

Y esta oposición es **tan radical**,
   que les **impide** a ustedes hacer lo que **querrían** hacer.
Pero si los **guía** el Espíritu,
   ya **no están** ustedes bajo el **dominio** de la ley.

EVANGELIO   Lucas 9:51–62

Lectura del santo Evangelio según san Lucas

Haz tuya la determinación que marca la subida de Jesús a Jerusalén en el primer período. Los dos períodos que siguen dependen del primero. Haz que se perciba este engranaje al pronunciar los nombres propios.

Cuando ya se **acercaba** el tiempo
   en que **tenía** que salir de este mundo,
   Jesús tomó la **firme** determinación
   de emprender el viaje **a Jerusalén**.
Envió mensajeros por delante
   y ellos fueron a una aldea **de Samaria**
   para conseguirle **alojamiento**;
   pero los samaritanos **no quisieron** recibirlo,
   porque **supieron** que iba a Jerusalén.
Ante esta **negativa**,
   sus discípulos **Santiago y Juan** le dijeron:
   "**Señor**, ¿quieres que hagamos bajar **fuego** del cielo
   para que **acabe** con ellos?"
Pero Jesús se volvió hacia ellos y **los reprendió**.

Es una seguidilla sobre el discipulado. Cada respuesta de Jesús es distinta, procura matizarla por la exigencia que él pone.

Después se fueron a **otra** aldea.
Mientras iban de camino, **alguien** le dijo a Jesús:
   "Te **seguiré** a dondequiera que vayas".
Jesús le respondió:
   "Las zorras tienen **madrigueras** y los pájaros, **nidos**;
   pero el **Hijo** del hombre
   no tiene en dónde reclinar la cabeza".

Tenemos entonces la libertad cristiana en toda su amplitud. Al que cree, Cristo lo libera no sólo de sus pecados, sino de toda imposición. Algunos judíos comprendieron que creer en Cristo, exigía también obedecer la Ley y la salvación exigiría esta doble condición. De aquí su insistencia en que se cumpliera la Ley. Por esto Pablo afirma rotundamente que no. Que basta con creer en Cristo, sin necesidad de la mediación de la Ley, pues ésta ya había cumplido su oficio en el pueblo elegido. De aquí su exhorto: "Manténganse firmes y no se dejen oprimir nuevamente bajo el yugo de la esclavitud" (1b).

Si creemos que Dios nos liberó del pecado y que nos hemos convertido en hijos de Dios, debemos ser coherentes con esta filiación. Tenemos que imitar al Hijo que ha revelado el amor del Padre. ¿Cómo? Sirviendo a nuestros hermanos. Si Cristo nos libera de la Ley, es porque nos ha liberado también de la carne, es decir de toda imposición externa, de cualquier ley. Al habernos transformado en hijos, como Jesús, el amor libra de toda esclavitud y división. Hemos sido liberados para el servicio a los hermanos.

El Espíritu que nos ha traído Jesús es ese amor que habita en nosotros y nos empuja y da fuerza para dedicarnos a servir a los hermanos. El Espíritu es la fuente de la libertad de los cristianos. No recibimos el Espíritu a fuerzas sino libremente. Ese Espíritu nos hace capaces de resistir a los deseos de la carne, a sus bajas apetencias. En esta lucha contra lo que nos perjudica, buscamos la victoria. Es victoria de la libertad que sólo consigue el Amor.

EVANGELIO Arranca el gran viaje a Jerusalén. Antes, Simón develó la identidad del Ungido de Dios, y Jesús anunció su destino doloroso; luego

A otro, Jesús le dijo: "**Sígueme**".
Pero él le respondió:
"**Señor**, déjame ir primero a **enterrar** a mi padre".
Jesús le replicó:
"Deja que los muertos **entierren** a sus muertos.
Tú, ve **y anuncia** el Reino de Dios".

Otro le dijo:
"**Te seguiré**, Señor;
pero déjame primero **despedirme** de mi familia".
Jesús le contestó:
"El que **empuña** el arado y mira **hacia atrás**,
no sirve para el Reino de Dios".

pondrá las condiciones para seguirlo. Ahora, él decide ir al encuentro de ese sino ignominioso que le aguarda en Jerusalén, pero que ya toma forma con la hostilidad de los samaritanos. Enseguida, el evangelista hace varias instantáneas de discipulado, con alusiones claras a la historia de Elías y Eliseo, para así notar las exigencias de seguir a Jesús, es decir, de ser cristiano.

Uno se hace cristiano no por asegurarse cobijo cuando el sol deja de calentar. El Hijo del Hombre no tiene posesión ni seguridad que no sea la de la cruz. Jerusalén está adelante. El discípulo debe caminar con el mismo arrojo y valentía por el Reino. O mejor dicho, con la confianza total en Dios. Por otro lado, san Lucas resalta que la exigencia del Reino es mayor que la de los mismos deberes familiares, señalados en la primera tabla de la ley, es decir, la de los deberes con Dios.

La radicalidad del seguimiento de Jesús es total. Pero es un seguimiento de cruz, que en este texto tiene forma de rechazo, de desarraigo familiar, de inseguridad y de pobreza absolutas por el Reino. No hay urgencia mayor que esa. No hay componendas ni interpretaciones; el evangelio está claro. Hay que confrontarnos con la cruz y decidir por un modo de vida que haga presente a Dios en medio de nosotros.

XIV DOMINGO ORDINARIO

IIsaías anuncia un gran gozo al pueblo por el regreso de sus hijos; transmítelo así en esta lectura. Piensa en tu propia experiencia de alegría en el Señor.

I LECTURA   Isaías 66:10–14

Lectura del libro del profeta Isaías

Alégrense con Jerusalén,
    gocen con ella **todos** los que la aman,
    alégrense de su alegría
    todos los que por ella **llevaron luto**,
    para que se **alimenten** de sus pechos,
    se llenen de sus consuelos
    y **se deleiten** con la **abundancia** de su gloria.

Porque **dice** el Señor:
    "Yo haré **correr** la paz sobre ella **como un río**
    y la **gloria** de las naciones
    como un torrente **desbordado**.
Como niños serán llevados en el regazo
    y **acariciados** sobre sus rodillas;
    como **un hijo** a quien su madre **consuela**,
    así los consolaré **yo**.
En Jerusalén serán ustedes **consolados**.

Al ver esto **se alegrará** su corazón
    y sus huesos **florecerán** como un prado.
Y los **siervos** del Señor **conocerán** su poder".

I LECTURA | Este oráculo es de un profeta desconocido, cuyas palabras fueron introducidas aquí por los editores del libro de Isaías. Estaría quizá ya avanzado el siglo IV a.C. El pueblo de Dios se reducía a Jerusalén y alrededores. Las promesas del Segundo Isaías de mejorar la situación económica y social de los que habían regresado del exilio, es más frustración que realidad. Ante esa situación desesperada, las gentes esperan que Dios cambie la suerte.

Jerusalén no es un concepto geográfico de estado, sino un símbolo del pueblo de Dios, que incorpora a la comunidad de todo el mundo y de cada tiempo. También en el Nuevo Testamento Jerusalén es un símbolo de la Iglesia como pueblo de Dios. El cristiano tiene el derecho de ciudadanía; sin embargo, también está lejos, anda tras de esa ciudad celestial (Heb 13:14). Al fin de los tiempos aparecerá esta ciudad que baja del cielo, como una esposa a la que está esperando su esposo (Ap 21:2, 13).

La ciudad daba el sentido de seguridad y abrigo. Era su hogar. Sobre todo, como supone nuestro texto, un sitio de encuentro y comunidad. Lo mismo espera el niño de su madre. De aquí que el texto hable extensamente de Jerusalén como una madre que da leche de su pecho a su hijo. Por esto se hablaba en la antigüedad de la ciudad-madre. En el NT aparece también la Iglesia como la "iglesia madre" (Gal 4:26s).

Jerusalén no sólo es patria de los israelitas y el centro del pueblo de Dios, sino también el centro y punto de referencia de la humanidad. Nuestro texto nos habla de que también los pueblos vendrán a Jerusalén y no con las manos vacías, sino traerán como ofrenda, abundancia de bienes. Por lo cual será una ciudad abierta para todos.

Para meditar

SALMO RESPONSORIAL   Salmo 66:1–3, 4–5, 6–7a, 16 y 20

R. Aclamen al Señor, tierra entera.

Aclamen al Señor, tierra entera;
  toquen en honor de su nombre,
  canten himnos a su gloria;
  digan a Dios:
    "¡Qué temibles son tus obras!" R.

Que se postre ante ti la tierra entera,
  que toquen en tu honor,
  que toquen para tu nombre.
Vengan a ver las obras de Dios,
  sus temibles proezas en favor
    de los hombres. R.

Transformó el mar en tierra firme,
  a pie atravesaron el río.
Alegrémonos con Dios,
  que con su poder gobierna eternamente. R.

Fieles de Dios, vengan a escuchar,
  les contaré lo que ha hecho conmigo.
Bendito sea Dios, que no rechazó mi súplica
  ni me retiró su favor. R.

II LECTURA   Gálatas 6:14–18

Lectura de la carta del apóstol san Pablo a los Gálatas

Hermanos:
No permita Dios que yo **me gloríe** en algo
  que **no sea** la cruz de nuestro Señor Jesucristo,
  por el cual el mundo está **crucificado** para mí
  y yo para el mundo.
Porque en **Cristo Jesús**
  de nada vale el estar circuncidado o no,
  sino el ser una **nueva** creatura.

Para todos los que vivan **conforme** a esta norma
  y también para el **verdadero** Israel,
  la paz y la **misericordia** de Dios.
De ahora en adelante,
  que **nadie** me ponga más obstáculos,
  porque llevo **en mi cuerpo**
  la marca de los sufrimientos que **he pasado** por Cristo.

Hermanos,
  que la gracia de **nuestro** Señor Jesucristo
  esté con ustedes. **Amén**.

Toda la vida de san Pablo gira en torno a Jesús. Así debe girar la nuestra hoy y siempre. Bébete y empápate de este principio y compártelo a la asamblea.

Con la palabra "hermanos" dirígete a la comunidad, cerrando la lectura con gentileza y solemnidad.

Jerusalén es la ciudad fundada por Dios y lugar de su presencia. Allí está su santuario, que corresponde al santuario que está en el cielo. Jesús dirá en el templo, que él es la presencia de Dios (Jn 2:18–22). Presencia maternal, consoladora (v. 13). Igualmente, la Buena Noticia traerá el consuelo de Dios (Mt 5:5). La Iglesia existe para consolar a los pobres; para eso ha recibido el Espíritu consolador, para consolar al angustiado.

Ante la situación dolorosa de abandono y desprecio en que estaba el pueblo hebreo, era muy importante que Dios hable del consuelo y bondad, que pronto les traería. Es lo que nosotros los humanos, en el fondo, esperamos más de nuestro Dios: su amor, ternura y consuelo.

II LECTURA En esta especie de *poscriptio* (v. 1, 13), Pablo nos deja un incisivo retrato de su identidad apostólica. No encuentra ninguna razón para vanagloriarse de haber sido escogido por el Señor. Lo que sí le alegra, es haber descubierto la cruz de Cristo. Es decir, haber tenido la gracia y el tiempo de profundizar lo que significa el misterio de la cruz. Tal vez él y san Juan, sean los escritores que más profundizaron en este misterio. Aquí, Pablo halló el motivo para no gloriarse y para explicarse el porqué de la ineficacia de la circuncisión o, si se quiere, del intento de judaizar al convertido pagano.

Aceptar la fe en Jesús es rechazar toda grandeza o fuerza humana como capacidad para liberarse del pecado. El hombre solo no se salva, debe abrirse a Dios, a su gracia y benevolencia. Por esto, la Biblia desde el principio rechaza la pretensión adamítica de autorrealizarse, o autojustificarse.

La cruz significa estar muerto a una visión como la postmoderna actual, que tiene

EVANGELIO   Lucas 10:1–12, 17–20

Lectura del santo Evangelio según san Lucas

En aquel tiempo,
    Jesús **designó** a otros setenta y dos discípulos
    y los mandó por delante, de **dos en dos**,
    a **todos** los pueblos y lugares a donde pensaba ir,
    y les dijo:
"La cosecha es **mucha** y los trabajadores **pocos**.
Rueguen, por tanto, al dueño de la mies
    que **envíe** trabajadores a sus campos.
Pónganse en camino;
    yo los envío como **corderos** en medio de lobos.
No lleven ni dinero, ni morral, ni sandalias
    y **no** se detengan a saludar **a nadie** por el camino.
Cuando **entren** en una casa digan:
    'Que la paz **reine** en esta casa'.
Y si **allí** hay gente amante de la paz,
    el deseo de paz de ustedes, **se cumplirá**;
    si no, **no se cumplirá**.
Quédense en esa casa. Coman y beban **de lo que tengan**,
    porque el trabajador **tiene derecho** a su salario.
No anden de casa en casa.
En **cualquier** ciudad donde entren y los reciban,
    coman **lo que les den**.
Curen a los enfermos que haya y **díganles**:
    'Ya se **acerca** a ustedes el Reino de Dios'.

Pero si entran en una ciudad **y no los reciben**,
    salgan por las calles y digan:
'Hasta **el polvo** de esta ciudad
    que se nos ha pegado a los pies nos lo sacudimos,
    en **señal de protesta** contra ustedes.

El párrafo es extenso pero no difícil. Con toda claridad señala sus secciones: designación, orden de marcha, en casa, en la ciudad.

Es fundamental el mensaje que se da al curar a los enfermos. El reino es lo capital.

---

el placer y los distintos valores pasajeros actuales como objetivos para conseguir la felicidad. Todo esto acaba en un vacío. De aquí la necesidad del negarse y tomar la cruz, que recomendaba Jesús. Los gálatas a su manera habían caído en este error. Su autorrealización consistía en adherirse a la Ley, para tener acceso a Dios. De nuevo aparecía la creencia de que el hombre, por su propia fuerza podía ser justo ante el Señor.

Para Pablo lo fundamental es "ser creatura nueva en Cristo" (v. 15). La conducta y operación cristiana no consiste en ponerse unas reglas y adherirse a ellas, sino en adherirse a la gracia de Cristo, quien dará la fuerza para cumplir lo central: servir al prójimo.

Al final Pablo invoca para los gálatas dos virtudes fundamentales: paz y misericordia, es decir, el perdón divino. Luego da su bendición al Israel de Dios, es decir, al Israel definido por su fe en Dios. Pide a los gálatas que ya no lo molesten, discutiendo su relación con Cristo. Sus estigmas, es decir, sus sufrimientos, que son muchos, estampados en su cuerpo, son el signo de la participación en su humanidad de la pasión del Señor.

Al final llama a los gálatas, al despedirse de ellos, "hermanos", con lo que está indicando su fraternidad fundada en la gracia del Señor Jesús.

EVANGELIO   Un nutrido número de discípulos sigue a Jesús, a pesar de las duras exigencias que él puso para seguirlo. Lucas visualiza a Jesús visitando más de una treintena de pueblos en su ruta a Jerusalén, pues envía a setenta y dos discípulos a prepararle acogida. Evidentemente, estamos ante un doblete universalista del primer envío (9:1–6, 10) que

De todos modos, **sepan** que el Reino de Dios **está** cerca'.
Yo **les digo** que en el **día** del juicio,
    Sodoma será tratada con **menos** rigor que esa ciudad".

Los setenta y dos discípulos regresaron **llenos de alegría**
    y le dijeron a Jesús:
    "Señor, **hasta** los demonios se nos someten **en tu nombre**".

Él les contestó: "**Vi** a Satanás caer del cielo **como el rayo.**
A ustedes les he dado poder
    para **aplastar** serpientes y escorpiones
    y para vencer **toda** la fuerza del enemigo,
    y **nada** les podrá hacer daño.
Pero **no se alegren** de que los demonios se les someten.
Alégrense **más bien**
    de que sus nombres **están escritos** en el cielo".

Versión corta: Lucas 10:1–9

Estas palabras deben infundir seguridad y alegría en la asamblea. Sé tú el primero en manifestar su efecto.

tuvo por destino a todo Israel. Lucas subraya que el Mensajero de paz ha venido para todo el mundo, no sólo para los judíos. Nuestra lectura litúrgica omite los "ayes" por las ciudades galileas impenitentes, entre la salida y el regreso de los discípulos, que hacen ver la importancia de lo que está en juego.

Las instrucciones de este envío buscan distinguir a los misioneros cristianos de otros pregoneros de filosofías que abundaban en la época. Los misioneros no son autónomos, laboran en el amplio y necesitado campo del Señor. Ellos son pocos, pobres en extremo y dependientes de los demás; no los debe frenar su condición de judíos, pues son personas universales, auténticamente católicas, abiertas a todo mundo. Como mensajeros de paz, ellos no llevan armas ni nada que despierte codicia. Su objetivo son las casas y curar a los enfermos. Así es como arraigará el Evangelio, mientras aguardamos el regreso del Señor.

Los misioneros prolongan y multiplican en las ciudades el mismo quehacer de Jesús en su camino a Jerusalén. Ese es también el quehacer de la Iglesia de hoy, que busca hacer la experiencia del reinado de Dios en cada ciudad y en cada casa. Pero hay que recuperar la conciencia de la urgencia, la pobreza y la caridad para volvernos enviados creíbles de Jesucristo.

XV DOMINGO ORDINARIO

Esto es una exhortación, no un mandato. Imprime a tu voz un tono de firme cordialidad.

I LECTURA   Deuteronomio 30:10–14

Lectura del libro del Deuteronomio

En **aquellos** días,
    habló **Moisés** al pueblo y le dijo:
    "**Escucha** la voz del Señor, tu Dios,
    que te manda **guardar** sus mandamientos y disposiciones
    escritos en el libro de esta ley.
Y **conviértete** al Señor tu Dios,
    con **todo** tu corazón y con **toda** tu alma.

Estos mandamientos que te doy,
    no son superiores a tus fuerzas
    ni están **fuera** de tu alcance.
No están en el cielo, de modo que pudieras decir:
    '**¿Quién** subirá por nosotros al cielo
    para que **nos los traiga**,
    los escuchemos y **podamos** cumplirlos?'
Ni **tampoco** están al **otro** lado del mar,
    de modo que **pudieras** objetar:
    '**¿Quién** cruzará el mar por nosotros
    para que nos los traiga,
    los escuchemos y **podamos** cumplirlos?'
Por el contrario,
    todos mis mandamientos están **muy** a tu alcance,
    en tu boca y **en tu corazón**,
    para que **puedas** cumplirlos".

El primer período es fundamental. Apóyalo bajando la velocidad de la lectura.

Se repite la misma idea pero dale acentuación a las negrillas.

I LECTURA La lectura de hoy data del periodo del exilio, cuando los hombres de fe comprendían que el Señor había castigado fuertemente a su pueblo por faltar al compromiso de alianza con él. Desde la época de Josué, y a los ruegos de su pueblo, el Señor no lo había castigado hasta las últimas consecuencias, como lo establecía el pacto. Los castigos habían sido pequeños: entrega temporal al dominio de naciones vecinas, destrucción parcial del reino, pagos exorbitantes de impuestos extranjeros. Pero ahora sí se

había aplicado una de las cláusulas del pacto: el exilio y la destrucción del templo.

A las bendiciones de la alianza, sigue en nuestro paso una parénesis que debe convencer al pueblo de observar la Ley y apreciar su bondad. La argumentación está construida en función de lo lejano-cercano. La Ley del Señor no está lejana como el cielo o el otro lado del mar. Es decir, cumplir los mandamientos es difícil, más aún imposible, dada la enorme hilera de caídas de Israel desde sus principios. Pero si el Señor desde dentro cambia el corazón, como lo

dice el texto anterior, entonces vendrá la posibilidad humana, si hay voluntad.

La Ley está cercana al hombre, como Dios (Dt 4:7). Cuando el corazón está circuncidado, entonces el mandato, la Ley, no aparece como algo desencarnado, un aerolito que baja del cielo, sino que brota del corazón, tiene calidez al ponerse en práctica.

La Ley es razonable y clara para el hebreo. Aún así, se necesita la fuerza que viene de la mano de Dios para que el hombre la cumpla desde adentro (ver Dt 29:3).

Así ahora, en el exilio, viene este cambio. Dios ofrece la posibilidad real de observar

Para meditar

SALMO RESPONSORIAL   Salmo 69:14 y 17, 30–31, 33–34, 36ab y 37

R. Busquen al Señor, y revivirán sus corazones.

Mi oración se dirige a ti,
Dios mío, el día de tu favor;
  que me escuche tu gran bondad,
  que tu fidelidad me ayude.
Respóndeme, Señor, con la bondad de
    tu gracia;
  por tu gran compasión, vuélvete hacia mí R.

Yo soy un pobre malherido;
Dios mío, tu salvación me levante.
Alabaré el nombre de Dios con cantos,
  proclamaré su grandeza con acción de
    gracias. R.

Mírenlo, los humildes, y alégrense,
  busquen al Señor, y revivirá su corazón.
Que el Señor escucha a sus pobres,
  no desprecia a sus cautivos. R.

El Señor salvará a Sión,
  reconstruirá las ciudades de Judá.
La estirpe de sus siervos la heredará,
  los que aman su nombre vivirán en ella. R.

O bien:

Para meditar

SALMO RESPONSORIAL   Salmo 19:8, 9, 10, 11

R. Los mandatos del Señor son rectos y alegran el corazón.

La ley del Señor es perfecta
  y es descanso del alma;
  el precepto del Señor es fiel
  e instruye al ignorante. R.

Los mandatos del Señor son rectos
  y alegran el corazón;
  la norma del Señor es límpida
  y da luz a los ojos. R.

La voluntad del Señor es pura
  y eternamente estable;
  los mandamientos del Señor son
    verdaderos
  y eternamente justos. R.

Más preciosos que el oro,
  más que el oro fino;
  más dulces que la miel
  de un panal que destila. R.

II LECTURA   Colosenses 1:15–20

Lectura de la carta del apóstol san Pablo a los Colosenses

Cristo es la **imagen** de Dios invisible,
  el **primogénito** de **toda** la creación,
  porque en él tienen su **fundamento todas** las cosas creadas,
  del cielo y de la tierra, las visibles y **las invisibles**,
  sin **excluir** a los tronos y dominaciones,
  a los principados y **potestades**.
Todo fue creado **por medio de él y para** él.

Proclama este himno con mucha pulcritud. Fíjate en la puntuación y en las palabras de enlace como las conjunciones. Procura que suene lo más armonioso posible.

las manifestaciones de su voluntad. De aquí el lenguaje de la cercanía de la Ley.

Estamos invitados también nosotros a hacerle caso a esta parénesis del Deuteronomio. La fuerza divina, traída en plenitud por el Espíritu Santo en Pentecostés a la Iglesia, nos da a los humanos la capacidad de poder cumplir la ley. Los mandatos están a la mano. Pero, claro, siempre cuenta nuestra libertad para aceptar o rehusar.

II LECTURA . Estamos ante un himno litúrgico cristiano, quizá con antecedentes en el mundo pagano. Un cristiano lo adaptó para ser cantado o declamado en honor del Señor Jesús. Sus dos estrofas cantan a Cristo, Señor de la creación (vv. 15–18a) y a Cristo, Señor de la redención y de la reconciliación (18b–20).

Ya en el AT aparecía la sabiduría como un espejo de Dios, imagen de sus bondades (Sab 7:26). Siendo imagen, la Sabiduría fue la primera obra creada. Para la comunidad cristiana, Cristo es la imagen de Dios. En Cristo, Dios Padre irradia su luz. Al decir que Cristo es su primogénito, indica una dignidad. Cristo no es la primera creatura, sino el primogénito; está antes de la creación y está también sobre ella. Más aún, por medio de tres expresiones (en él, por él y en él), la comunidad pone a Cristo como el origen, intermediario y final de la creación. Además, tiene Cristo una relación cósmica. Existe antes que todo lo creado y la creación tiene en Cristo su finalidad, su sentido.

Cristo es la cabeza del cuerpo, con lo que se designa su preeminencia. Este cuerpo es para los cristianos la Iglesia, por esto Cristo es la cabeza de la Iglesia. En la Iglesia todas las partes del cosmos son llamadas a integrarse y Cristo es la causa principal de

Él existe **antes** que todas las cosas,
     y **todas** tienen su consistencia **en él**.
Él es también la **cabeza** del cuerpo, que es **la Iglesia**.
Él es el **principio**, el **primogénito** de entre los muertos,
     para que sea el primero **en todo**.

Porque Dios **quiso** que en Cristo habitara **toda plenitud**
     y **por él** quiso reconciliar consigo **todas** las cosas,
     del cielo y de la tierra,
     y darles **la paz** por medio de su sangre,
     derramada en la cruz.

Frasea con cuidado este párrafo porque es muy denso. Las dos últimas líneas deben quedarse resonando en la memoria del auditorio.

EVANGELIO   Lucas 10:27–37

Lectura del santo Evangelio según san Lucas

En aquel tiempo,
     se presentó ante Jesús un **doctor** de la ley
     para ponerlo **a prueba** y le preguntó:
     "**Maestro**, ¿qué **debo** hacer para **conseguir** la vida eterna?"
Jesús le dijo:
     "¿**Qué es** lo que **está escrito** en la ley? ¿Qué **lees** en ella?"
El doctor de la ley contestó:
     "**Amarás** al Señor tu **Dios**, con **todo** tu **corazón**,
     con **toda** tu **alma**,
     con **todas** tus **fuerzas** y con **todo** tu **ser**,
     y a tu **prójimo** como a **ti mismo**".
Jesús le dijo:
     "Has contestado **bien**; si haces eso, **vivirás**".

El episodio está lleno de colorido y hay el riesgo de dejarlo de escuchar. Busca los acentos de cada parte para que la atención no se pierda. Apóyate en las preguntas; ellas sostienen la perícopa.

Esta invitación primera a actuar hay que resaltarla. Dale cercanía e invita a la comunidad, con tu mirada.

---

esa integración, la piedra angular, con expresión sálmica.

La segunda estrofa canta a Cristo primogénito de los muertos. Al resucitar, Cristo abrió un nuevo género de vida, pues reúne en su cuerpo a la comunidad de los resucitados con él. Por otra parte, los filósofos herejes de Colosas hablaban de los elementos del mundo, como de una plenitud de elementos. En Cristo, canta la carta, habita la plenitud de la creación y de la divinidad, que tuvo su principio en la encarnación y su final en la pasión y resurrección.

Por lo anterior, es lógico hablar de la reconciliación de todo por medio de Cristo. Esta reconciliación se obtuvo en la cruz, por la sangre de Cristo. Se benefician de esta reconciliación no sólo la humanidad, sino la creación entera.

Hoy crece mucho el interés por el Cristo histórico, olvidándose de la dimensión esencial de su muerte y resurrección. Jesús, el Jesús cristiano y tradicional, es el que da sentido al mundo y a la humanidad. Ahora que se le busca un sentido al hombre y a lo creado, es imprescindible volver a ese Cristo que manifiesta su amor muriendo por nosotros y dándonos este camino para construir una humanidad que no esté fundada en el orgullo, dinero o poder, sino en el servicio. Sólo así el hombre ayudará también a los demás elementos creados a conseguir el objetivo inherente a ellos y puestos aquí por el Creador.

EVANGELIO En esta parte de su obra, san Lucas atiende al asunto que un erudito de la ley le pone enfrente a Jesús: lo que se necesita para "conseguir la vida eterna". La cuestión es una prueba", es decir, una trampa que un experto

El doctor de la ley, **para justificarse**,
    le preguntó a Jesús: "¿Y **quién es** mi prójimo?"
Jesús le dijo:
    "Un hombre que bajaba por el camino de Jerusalén a Jericó,
    cayó en manos de unos ladrones, los cuales **lo robaron**,
    lo hirieron y lo dejaron **medio muerto**.
Sucedió que por el **mismo** camino bajaba un **sacerdote**,
    el cual **lo vio** y pasó **de largo**.
De **igual** modo, un **levita** que pasó por ahí,
    lo vio y **siguió adelante**.
Pero un **samaritano** que iba de viaje, al verlo,
    se **compadeció** de él, se **le acercó**,
    ungió sus heridas con aceite y vino y se las vendó;
    luego lo puso sobre su cabalgadura,
    lo llevó a un mesón y **cuidó de él**.
Al día siguiente sacó **dos denarios**,
    se los dio al dueño del mesón y le dijo:
    '**Cuida** de él y lo que gastes de más, te **lo pagaré** a mi regreso'.

¿**Cuál** de estos tres
    te parece que **se portó** como prójimo
    del hombre que fue asaltado por los ladrones?"
El doctor de la ley le respondió:
    "El que tuvo **compasión** de él".
Entonces Jesús le dijo: "**Anda y haz tú** lo mismo".

La segunda invitación a actuar tiene que ser amable e irresistible. Siéntete también interpelado por la voz de Jesús.

le pone a alguien que, sin título, pretende enseñar el camino de Dios. La respuesta de Jesús deja en claro que no es mero asunto de conocimientos, porque todos los israelitas lo poseen, sino de hacer lo que el mandamiento dice: amar a Dios (Dt 6:4–6) y al prójimo (Lev 19:18). Es lo que dice la ley.

A la vida eterna se entra cumpliendo la ley. Esa es su función. Y el primero de los mandamientos es el que rige y subordina a todos los demás. Lo que Jesús anuncia no deroga ni pospone los mandamientos de la ley. Al contrario, los vigoriza. Amar a Dios con absoluta totalidad era lo mandado. Por

lo demás, estaba claro que prójimo era el vecino, incluso todo israelita, aunque no viviera en la misma ciudad. La ortodoxia judía los aproximaba como sujetos y objetos de la ley mosaica.

La bella parábola de Jesús, sin embargo, rompe el molde de la "proximidad" consabida. El ser prójimo o la "projimidad", como escribió el papa Francisco, no es algo dado, sino algo que se hace, un proceso. Arranca con coincidir en un punto con otra persona. El punto es la desgracia o la necesidad. Allí hay que sintonizar o identificarse; salir de la propia comodidad para "acercarse" tanto

física como afectivamente con la persona caída en desgracia. Y movernos a la compasión efectiva. Hay que "amar como a uno mismo", porque Dios así es como nos ama.

XVI DOMINGO ORDINARIO

Es un episodio cotidiano pero muy cálido. Hermánate con Abrahán para hospedar a Dios que pasa. Abriga en tu corazón la hospitalidad servicial hacia los menos favorecidos.

I LECTURA   Génesis 18:1–10

Lectura del libro del Génesis

Un día,
   el Señor se le apareció **a Abraham** en el encinar de Mambré.
Abraham estaba sentado en la entrada de su tienda,
   a la hora del calor **más fuerte**.
Levantando la vista,
   vio **de pronto** a tres hombres que estaban de pie **ante él**.
Al verlos,
   se dirigió a ellos **rápidamente** desde la puerta de la tienda,
   y **postrado** en tierra, dijo:
   "**Señor mío**, si he hallado gracia a tus ojos,
   te ruego que no pases junto a mí sin detenerte.
Haré que traigan un poco de agua
   para que se laven los pies
   y **descansen** a la sombra de estos árboles;
   traeré **pan** para que **recobren** las fuerzas
   y después **continuarán** su camino,
   pues **sin duda** para eso han pasado junto a su siervo".

Ellos le contestaron: "Está bien. **Haz** lo que dices".
Abraham entró **rápidamente** en la tienda donde estaba Sara
   y le dijo: "**Date prisa**, toma **tres** medidas de harina,
   amásalas y cuece unos panes".

Luego Abraham **fue corriendo** al establo,
   escogió un ternero y se lo dio a un criado
   para que lo matara y **lo preparara**.

Todo ocurre con presteza. Imprime velocidad a tu lectura.

I LECTURA Este relato representa el núcleo de toda virtud: la hospitalidad. Para el nómada, la hospitalidad es la quintaesencia de toda conducta humana. En el desierto todo es inhóspito; el hombre está a merced de los elementos, vulnerable, y hay que cuidar y proteger toda vida humana. De aquí que el encuentro del nómada con otra persona, represente una alegría especial. Igualmente, cuando falta esta condición de recepción y acogida, se ha roto todo.

Abrahán, como buen nómada, dormitaba la siesta, se entiende que habría comido.

Al despertar, se da cuenta de que frente a él estaban tres individuos. Inmediatamente se puso de pie, se postró e invitó a esos tres personajes a que lo honraran con su presencia.

Abrahán obra con rapidez y personalmente. Él es el que se coloca ante sus visitantes para servirles. Lo que les ofrece es abundantísimo: pan de harina de primera, y abundante, pues con esa harina se harían unos doscientos panes, carne, rarísima en el desierto, copiosa y tiernita, y productos de leche. Él, de pie, está listo para servir.

Abrahán es un hombre abierto a los demás, luego de haberse mostrado abierto a Dios, que lo había invitado a salir de sus seguridades. Esta apertura a los demás, sobre todo a Dios, será el centro de toda la revelación y, por lo mismo, se manifestará como cumplimiento en Jesús. Lo característico del Señor fue su apertura a los pobres y pecadores, a los que la sociedad humana no les permitía el derecho de admisión, eran los excluidos de la sociedad.

El patriarca muestra también su silencio, tan indispensable para escuchar a sus huéspedes. Habla Abrahán lo necesario, de-

Cuando el ternero estuvo asado,
    tomó **requesón y leche** y lo sirvió **todo** a los forasteros.
Él permaneció **de pie** junto a ellos, bajo el árbol,
    mientras comían.
Ellos le preguntaron: "¿**Dónde** está Sara, **tu mujer**?"
Él respondió: "**Allá**, en la tienda".
Uno de ellos le dijo:
    "Dentro de un año **volveré** sin falta
    a visitarte por **estas** fechas;
    para **entonces**, Sara, tu mujer, habrá tenido **un hijo**".

La promesa deberá ser clara y firme, para que llene de esperanza a la asamblea.

Para meditar

SALMO RESPONSORIAL   Salmo 15:2–3ab, 3cd–4ab, 5

R. Señor, ¿quién puede hospedarse en tu tienda?

El que procede honradamente
    y práctica la justicia,
    el que tiene intenciones leales
    y no calumnia con su lengua. R.

El que no hace mal a su prójimo
    ni difama al vecino,
    el que considera despreciable al impío
    y honra a los que temen al Señor. R.

El que no presta dinero a usura
    ni acepta soborno contra el inocente.
El que así obra nunca fallará. R.

II LECTURA   Colosenses 1:24–28

Lectura de la carta del apóstol san Pablo a los Colosenses

Hermanos:
Ahora **me alegro** de sufrir **por ustedes**,
    porque **así** completo
    lo que falta a la pasión de Cristo en mí,
    por el **bien** de su cuerpo, que es **la Iglesia**.

Por disposición **de Dios**,
    yo he sido constituido **ministro** de esta Iglesia
    para predicarles por entero **su mensaje**,
    o sea el designio **secreto**

La obra de Dios se percibe mediante la fe de la comunidad cristiana. Tu lectura es también un medio de comunicar la fe de la Iglesia. Siéntete integrado en este flujo de profunda vida espiritual.

Las dos líneas finales de este párrafo deben alentar a la asamblea en todas sus esperanzas. Pronúncialas con mucho aliento.

---

jando que los demás lleven la iniciativa. Sara se ríe ante las palabras de los huéspedes. También Abrahán las oye y las acoge en silencio: "Volveré a ti pasado el tiempo de un embarazo, y para entonces tu mujer Sara tendrá un hijo" (v. 10). Silencio que expresa la fe del que recibe la salvación: "Bueno es esperar en silencio, la salvación del Señor" (Lam 3:26).

II LECTURA Para fundamentar su derecho a predicar el Evangelio, Pablo une el himno anterior con la tarea apostólica. Habla de sus fatigas apostólicas.

La reconciliación con Dios había sido conseguida por la cruz de Cristo. La Buena Noticia provoca no sólo aceptación, sino también oposición que llega a los golpes e incluso a la muerte. Ya Jesús lo había advertido.

Las tribulaciones apostólicas edifican la Iglesia, cuerpo de Cristo. Así, estos sufrimientos son como prolongación de los sufrimientos de Cristo. No es que la acción de Cristo haya sido insuficiente, simplemente que con esto de las tribulaciones, el autor coloca a los lectores con el pensamiento apocalíptico de los últimos tiempos, cuando habrían de venir y después aparecerá el

Cristo glorioso. Por esto las tribulaciones soportadas por Pablo, de alguna manera, apresuran la llegada final de Cristo.

Ahora, Cristo sufre en sus predicadores y en todos los que dan testimonio de la Buena Noticia. Esta veta espiritual será desarrollada después por algunos padres de la Iglesia, sobre todo, por san Agustín. Los cristianos, como miembros del cuerpo místico de Cristo, han de sufrir en comunión con su Señor, para bien de toda la comunidad eclesial.

Todo hombre sufre. Saber que el sufrimiento tiene sentido y puede dar frutos,

que Dios ha mantenido **oculto** desde siglos y generaciones
    y que ahora **ha revelado** a su pueblo santo.

Dios **ha querido** dar a conocer **a los suyos** la gloria y riqueza
    que **este designio** encierra para los paganos, es decir,
    que Cristo **vive** en ustedes
    y es la **esperanza** de la gloria.
Ese mismo Cristo es el que **nosotros** predicamos
    cuando corregimos a los hombres
    y los instruimos **con todos** los recursos de la sabiduría,
    a fin de que **todos** sean **cristianos perfectos**.

Son palabras de todo evangelizador y catequista. Pablo nos invita a utilizar todos nuestros recursos para que Cristo sea más amado y seguido cada día.

EVANGELIO   Lucas 10:38–42

Lectura del santo Evangelio según san Lucas

En aquel tiempo,
    entró Jesús en un poblado,
    y una mujer, llamada **Marta**, lo recibió en su casa.
Ella tenía una hermana, llamada **María**,
    la cual **se sentó** a los pies de Jesús
    y se puso **a escuchar** su palabra.
Marta, entre tanto, se **afanaba** en diversos quehaceres,
    hasta que, acercándose a Jesús, le dijo:
    "**Señor**, ¿no te has dado cuenta de que mi hermana
    me ha **dejado sola** con todo el quehacer? Dile **que me ayude**".

El Señor le respondió:
    "Marta, Marta, **muchas** cosas te preocupan y te inquietan,
    siendo así que **una sola** es necesaria.
María escogió la **mejor** parte y **nadie** se la quitará".

Este cuadro es bello y entrañable. Dale calidez y prestancia a esta proclamación.

La respuesta de Jesús no es reprensiva ni excluyente. Dale tono amable y atento a estas palabras.

---

hace a uno libre. Pablo dio su testimonio. Los colosenses lo entendieron así, como él lo dice. Y para nuestro tiempo es muy importante tomar en cuenta esta advertencia paulina: alegrarse uno en que el esfuerzo y sufrimiento por la palabra anunciada, abre el corazón de nuestros oyentes.

EVANGELIO Este cuadro tan breve y simple ha hecho correr ríos de tinta. Viene inmediatamente después de que Jesús enseñó lo que hay que hacer para entrar en la vida eterna. Ahora, san Lucas ilustra cómo se recibe a los misioneros que llevan el mensaje de la paz por las casas. No todo es hacer, sino también instruirse y hacer oración, como ilustrará con los siguientes episodios.

Marta y María conforman una casa. En ella, Marta parece llevar el liderazgo y se afana en los deberes de la hospitalidad. María, por su parte, se comporta como discípula, sentada a los pies del Maestro. En el texto que escuchamos, la solicitud de Marta a Jesús pide que las tareas de la casa se distribuyan con mayor equidad. Pero Jesús no secunda a la señora de la casa, sino que enseña a concentrarse en lo único necesario que es tomar parte en el Reino de Dios. Todas las demás cosas, por las que Marta se afana, deben ceder a esa necesidad primaria. María la ha sabido escoger, y otro tanto debe hacer ella. No se puede hacer todo a la vez; hay que saber escoger. La participación en el Reino de Dios comienza por la escucha atenta de la palabra.

XVII DOMINGO ORDINARIO

I LECTURA   Génesis 18:20–32

Lectura del libro del Génesis

En **aquellos** días, el Señor dijo:
  "El **clamor** contra Sodoma y Gomorra es **grande**
  y su pecado es **demasiado** grave.
Bajaré, pues, a ver si sus hechos **corresponden** a ese clamor;
  y si no, **lo sabré**".

Los **hombres** que estaban con Abraham
  se despidieron **de él** y se encaminaron hacia Sodoma.
Abraham se quedó ante el Señor y le preguntó:
  "¿**Será** posible que tú **destruyas** al inocente
    junto con el culpable?
Supongamos que hay **cincuenta** justos en la ciudad,
    ¿**acabarás** con todos ellos y **no perdonarás** al lugar
      en atención a esos **cincuenta** justos?
Lejos de ti tal cosa:
    matar al inocente **junto** con el culpable,
    de manera que la suerte del justo sea como la del malvado;
    eso **no puede ser**. El juez de **todo** el mundo ¿**no hará justicia**?"
El Señor le contestó:
  "Si **encuentro** en Sodoma **cincuenta** justos,
    perdonaré a **toda** la ciudad en atención a ellos".

Abraham **insistió**:
  "Me he **atrevido** a hablar a mi Señor,
    yo que soy **polvo** y ceniza.

A la resolución divina, imprímele la voz como de un padre que quiere dar un vistazo a sus hijos que alborotan en la recámara.

Inicia el relato en dos fases. Los viajeros se van, en tanto que Abrahán dialoga con Dios. El diálogo debe ser vivaz, pero la voz del Patriarca irá disminuyendo.

I LECTURA A Abrahán Dios le había dado la gracia de ser causa de bendición para todos los pueblos. De alguna manera era responsable del bienestar de otros. Por esto se preocupa de la suerte de estas dos famosas ciudades: Sodoma y Gomorra. Piensa desde luego que el Dios con el que va intimando, es un Dios justo. Pero siente que también es misericordioso y en su plática con Dios, alude a su misericordia. Una creatura interviene ante Dios por otra creatura. Algo fundamental en toda intercesión: no buscar el interés propio, sino

el ajeno. En esto está la verdadera bondad. Abrahán tomó el lugar o destino del otro.

Habiéndole encomendado Dios su secreto, Abrahán se vuelve amigo especial de Dios, quien lo quiere asociar a lo que va a hacer. Abrahán obra en consecuencia. Se trata de la suerte de otras personas. Piensa que Dios es más misericordioso que justo. La intercesión de Abrahán es insistente, constante y llena de esperanza. Él piensa que en Dios no siempre vence la aritmética, sino la bondad. Al menos, eso es lo que él ha percibido caminando con Dios. Por eso su atrevimiento.

Abrahán pide, es consciente de quién es él y quién es Dios: se atreve en nombre de la fe. Su intercesión es un regateo de mercadeo. Los números van bajando; empieza en cincuenta, y va bajando hasta llegar a diez. Dios no le pone ninguna objeción. Se para en diez. ¿Por qué? Llegó hasta lo que para Abrahán era lo último: el número diez. No se atrevió a quitarle el cero. Esto sólo lo hará el Segundo Isaías (Is 52:13–53:12). Jesús con una sola acción, hará aceptable a Dios a los muchos, que yacían en el pecado.

227

Supongamos que faltan **cinco** para los cincuenta justos,
　　¿por **esos cinco** que faltan, destruirás **toda** la ciudad?"
Y le respondió el Señor:
　　"**No** la destruiré, si encuentro allí **cuarenta y cinco** justos".

Abraham **volvió** a insistir:
　　"**Quizá** no se encuentren allí más que **cuarenta**".
El Señor le respondió:
　　"En atención a los cuarenta, **no lo haré**".

Abraham **siguió** insistiendo:
　　"Que **no se enoje** mi Señor, si **sigo** hablando,
　　¿y si hubiera **treinta**?"
El Señor le dijo: "**No lo haré**, si hay **treinta**".

Abraham insistió **otra vez**:
　　"Ya que me he **atrevido** a hablar a mi Señor,
　　¿y si se encuentran **sólo** veinte?"
El Señor respondió:
　　"En atención a **los veinte, no** la destruiré".

Abraham **continuó**:
　　"**No se enoje** mi Señor, hablaré sólo **una vez más**,
　　¿y si se encuentran **sólo diez**?"
Contestó el Señor: "Por **esos diez, no destruiré** la ciudad".

La petición de Abrahán debe sonar ya con franco tono de pena.

Para meditar

SALMO RESPONSORIAL   Salmo 138:1–2a, 2bc–3, 6–7ab, 7c–8

R. Cuando te invoqué, Señor, me escuchaste.

Te doy gracias, Señor, de todo corazón;
　　porque has oído las palabras de mi boca.
Delante de los ángeles tañeré para ti,
　　me postraré hacia tu santuario. R.

Daré gracias a tu nombre, por tu
　　misericordia y tu lealtad.
Cuando te invoqué, me escuchaste,
　　acreciste el valor en mi alma. R.

El Señor es sublime, se fija en el humilde,
　　y de lejos conoce al soberbio.
Cuando camino entre peligros,
　　me conservas la vida;
　　extiendes tu izquierda contra la ira de
　　mi enemigo. R.

Y tu derecha me salva.
El Señor completará sus favores conmigo:
Señor, tu misericordia es eterna,
　　no abandones la obra de tus manos. R.

II LECTURA Al parecer, los colosenses han adoptado una "filosofía" donde Cristo ha sido convertido en uno de los "elementos del mundo". Es una recaída en el paganismo. La primacía de Cristo queda relativizada. Para la fe de la comunidad cristiana esto es un tiro de muerte. Por esto, el autor los coloca frente a una decisión: les recuerda que el cristiano por el bautismo ha tomado parte de la redención y salvación de Cristo.

El bautismo es el lugar en que se actualiza esa redención en "nuestro favor". Pablo ha empleado la imagen de ser sepultado con Cristo (1 Cor 15), para indicar la realidad de la participación en la muerte redentora de Cristo. Aquí emplea ese yacer en el sepulcro, para resaltar la realidad de la muerte de Cristo.

En la fórmula de fe, Pablo pone nuestro resucitar en presente, para recalcar que es actual. El bautizado ya está resucitado con Jesús. Los cristianos deben entender y experimentar que el poder de la Resurrección ya está actuando en ellos; no es algo meramente futuro.

Al haber sido ya redimidos "en Cristo", Pablo recalca también que la fe cristiana tiene su origen en un suceso histórico y se funda en una decisión personal. Es una fe concreta, que tiene la fuerza de Dios que ha entrado al cristiano y le lleva a un tipo de vida diferente, alejada de vicios y pecado.

Lo decisivo es ahora la comunión con Cristo resucitado de entre los muertos. El pasado, en que estaban en el paganismo, los anda rondando. Ha vuelto a aparecer bajo la forma de esa doctrina que les ha llegado. Pero deben acordarse de lo que sucedió en el bautismo, que les quitó el pecado y les introdujo a una vida nueva. No lo deben olvidar.

II LECTURA   Colosenses 2:12–14

Lectura de la carta del apóstol san Pablo a los Colosenses

Hermanos:
Por el bautismo fueron ustedes **sepultados** con Cristo
    y también **resucitaron** con él,
    mediante **la fe** en el poder de Dios,
    que lo **resucitó** de entre los muertos.

Ustedes estaban **muertos** por sus pecados
    y **no pertenecían** al pueblo de la alianza.
Pero él les dio una **vida nueva** con Cristo,
    perdonándoles **todos** los pecados.
Él **anuló** el documento que nos era contrario,
    cuyas cláusulas **nos condenaban**,
    y lo eliminó **clavándolo** en la cruz de Cristo.

EVANGELIO   Lucas 11:1–13

Lectura del santo Evangelio según san Lucas

Un día, Jesús estaba **orando** y cuando terminó,
    uno de sus discípulos le dijo:
    "Señor, **enséñanos** a orar, como Juan enseñó a sus discípulos".

Entonces Jesús les dijo: "Cuando oren, **digan**:
    '**Padre**, **santificado** sea tu nombre,
    venga tu Reino,
    danos hoy nuestro pan de **cada** día
    y **perdona** nuestras ofensas,
    puesto que **también** nosotros perdonamos
    a todo aquel que nos ofende,
    y no nos dejes **caer** en tentación' ".

Es una breve exposición de la participación del creyente en el misterio pascual de Cristo. Entusiásmate y entrega con ardor esta lectura.

La Iglesia es pueblo de reconciliación. Estas líneas tienen tono jurídico; procura adoptarlo.

Procura distinguir cada parte de este evangelio, para que se oiga reforzando a las otras y no como una simple repetición.

Al pronunciar el "Padre nuestro", déjate renovar por el Espíritu y dilo con frescura y candidez de saberte amado por Dios.

Termina afirmando que el Señor ya pagó la nota de la cuenta, por su muerte en cruz. Las imágenes empleadas aluden al título en el relato de la crucifixión (Jn 19:19–22), para mostrar lo definitivo de la redención.

EVANGELIO El evangelio enfoca la oración. El camino del discípulo de Jesús no se puede hacer sin orar. Por eso el Maestro enseña a orar a los que lo siguen. Primero les da el Padrenuestro, y luego un par de consejos sobre la actitud insistente al orar, porque Dios dará sus bienes a los que le pidan.

La oración es breve y nos pone en contacto directo con Dios, Padre y Rey, pero sin olvidar que es el Santo. Somos sus hijos y sus súbditos. Le hablamos de "tú" y le pedimos lo necesario para vivir. El discípulo de Jesús no es autosuficiente ni alguien satisfecho; es, por el contrario, uno necesitado, pobre, que anhela al Gran Rey. Por eso comienza pidiendo lo más grande: el Reino. Ese reinado no es algo etéreo o intangible sino concreto. Al Padre y Rey, le suplicamos por el pan cotidiano, por el perdón y porque nos sostenga fieles a los mandamientos. El perdón es la condición concomitante del pan y de la fidelidad. También el perdón fraterno es condición del Reino. Por eso la oración compromete a vivir como hijos y súbditos del Padre Santo.

Esta breve parábola es didáctica y apela a la experiencia diaria. Dale tono de familiaridad a lo que se cuenta.

También les dijo:
"**Supongan** que alguno de ustedes
tiene un amigo que viene a **medianoche** a decirle:
'**Préstame**, por favor, **tres** panes,
pues un amigo **mío** ha venido **de viaje**
y no tengo **nada** que ofrecerle'.
Pero **él** le responde desde dentro: '**No** me molestes.
No puedo levantarme a dártelos,
porque la puerta **ya está cerrada**
y mis hijos y yo estamos **acostados**'.
Si el otro **sigue** tocando,
yo les **aseguro** que, aunque no se levante
a dárselos por **ser su amigo**,
sin embargo, por su molesta **insistencia**,
sí se levantará y le dará **cuanto** necesite.

Así también les digo a ustedes:
Pidan y se les dará, **busquen** y encontrarán,
toquen y **se les abrirá**.
Porque quien pide, **recibe**;
quien busca, **encuentra**, y al que toca, **se le abre**.
¿**Habrá** entre ustedes **algún** padre que,
cuando su hijo le pida **pan**, le dé **una piedra**?
¿O cuando le pida **pescado** le dé una **víbora**?
¿O cuando le pida **huevo**, le dé un **alacrán**?
Pues, si ustedes, que son **malos**,
saben dar **cosas buenas** a sus hijos,
¿**cuánto más** el Padre celestial dará **el Espíritu** Santo
a quienes **se lo pidan**?"

Las preguntas son relevantes. Haz la debida entonación para que las consecuentes respuestas fluyan con naturalidad en las últimas líneas.

Hay que insistir pidiendo pan, para uno y para los demás. Pero sobre todo, no hay que decaer en pedir el Espíritu Santo. Es el mejor don del reinado de Dios y quien hace dinámica la experiencia del Reino entre nosotros.

XVIII DOMINGO ORDINARIO

I LECTURA   Eclesiastés 1:2; 2:21–23

Lectura del libro del Eclesiastés (Cohélet)

Todas las cosas, **absolutamente** todas, son **vana** ilusión.
Hay quien se agota **trabajando**
  y pone en ello **todo** su talento,
  su ciencia y su habilidad,
  y tiene que **dejárselo todo** a otro que **no lo trabajó**.
Esto es **vana** ilusión y **gran** desventura.
En efecto, ¿**qué** provecho saca el hombre
  de **todos** sus trabajos y afanes bajo el sol?
De día **dolores**, **penas** y **fatigas**; de noche **no descansa**.
¿No es **también eso** vana ilusión?

SALMO RESPONSORIAL   Salmo 90:3–4, 5–6, 12–13, 14 y 17

R. Señor, tú has sido nuestro refugio de generación en generación.

Tú reduces el hombre a polvo,
  diciendo: "Retornen, hijos de Adán".
Mil años en tu presencia son un ayer,
  que pasó;
una vela nocturna. R.

Los siembras año por año,
  como hierba que se renueva:
  que florece y se renueva por la mañana,
  y por la tarde la siegan y se seca. R.

Enséñanos a calcular nuestros años,
  para que adquiramos un corazón sensato.
Vuélvete, Señor, ¿hasta cuando?
Ten compasión de tus siervos. R.

Por la mañana sácianos de tu misericordia,
y toda nuestra vida será alegría y júbilo.
Baje a nosotros la bondad del Señor
y haga prósperas las obras de nuestras
  manos. R.

El autor muestra la decepción porque las cosas terrenas no dejan ver las perdurables. Únete a esta enseñanza mostrando distancia y desapego frente a los afanes humanos.

Las preguntas refuerzan la decepción, y la propia asamblea debe saberse interpelada.

Para meditar

I LECTURA El libro del Qohelet coloca al principio una especie de *motto*: "Todo es ilusión". Esto implica que bajo el sol, nada hay que valga para siempre. El autor, un comerciante venido a menos, reflexiona sobre toda la actividad humana y llega a concluir que no hay cosa humana que dé solidez o firmeza. La muerte desvalúa todas las cosas y propósitos humanos. En ese siglo III a.C., cuando se escribió este libro, no se sabía que después de esta vida, pasábamos a la eternidad con Dios.

El autor no quiere desanimar a los hombres, sino que dejen de endiosar lo que es simplemente creatura. Tras revisar los distintos valores humanos y ver su fragilidad, llega a la limitación fundamental: la muerte. Aquí caben las reflexiones de la liturgia, sobre lo paradójico y ambiguo del trabajo. El *homo faber* trabaja para enriquecerse, para acumular riqueza, y allí se esconde un absurdo. El hombre se fatiga tremendamente por ir juntando bienes que él no va a gozar, sino los dejará a otro. Nota, además, una desproporción entre el esfuerzo empleado en adquirir bienes, la preocupación que exige y los resultados. No es cierto que el trabajo haga feliz al hombre, ni lo contrario, que haya felicidad sin trabajo (Qoh 4:5; 5:6; 5:17).

El Qohelet ha hecho un gran bien al desmitificar las acciones y bienes humanos. Ha hecho ver dónde estaban las debilidades de todos los sistemas humanos. Al hacernos ver el vacío, nos hace anhelar la plenitud que sólo encontraremos en Dios.

II LECTURA Todo parte de la primacía de Cristo. La lectura tiene dos partes. La primera (vv. 1–4) dice la

El cristiano debe hinchar su corazón con la fe en la resurrección. Esto debe llenarnos de gozo, esperanza, y dar camino a la paz y felicidad eterna.

II LECTURA   Colosenses 3:1–5, 9–11

Lectura de la carta del apóstol san Pablo a los Colosenses

Hermanos:
Puesto que ustedes **han resucitado** con Cristo,
    busquen los bienes **de arriba**, donde está Cristo,
    sentado a la **derecha** de Dios.
Pongan **todo** el corazón en los bienes **del cielo**,
    no en los de la tierra, porque **han muerto**
    y su vida **está escondida** con Cristo **en Dios**.
Cuando se manifieste **Cristo**, **vida** de ustedes,
    entonces **también** ustedes
    se manifestarán gloriosos **juntamente** con él.

Den muerte, pues, a **todo** lo malo que hay en ustedes:
    la fornicación, **la impureza**, las pasiones **desordenadas**,
    los malos deseos y la avaricia, que es una forma de **idolatría**.
No sigan **engañándose** unos a otros;
    despójense del modo de actuar del **viejo** yo
    y **revístanse** del nuevo yo,
    el que se va renovando conforme va adquiriendo
    el **conocimiento** de Dios, que lo creó a su **propia imagen**.

En este orden **nuevo**
    ya **no hay** distinción entre judíos y **no judíos**,
    israelitas y **paganos**, bárbaros y **extranjeros**,
    esclavos **y libres**,
    sino que Cristo es **todo** en todos.

La lista de vicios es menos importante que el lado luminoso del orden nuevo. Importa darle énfasis a la novedad pascual. Nota sus expresiones y proclámalas con entusiasmo.

consecuencia de la muere del cristiano con Cristo: "Busquen las cosas de arriba". La búsqueda debe dirigirse sólo a Cristo, porque en él "habita corporalmente toda la plenitud de la divinidad" (2:9).

Para judíos y cristianos "buscar las cosas de arriba" orienta al mundo divino, al del Resucitado, allí donde "se encuentra Cristo sentado a la derecha de Dios" (v. 1). Pablo indica la realidad de la resurrección y lo conectado con ella. De ninguna manera se desentiende ni desprecia las cosas terrenas; sería un espiritualismo desencarnado, algo totalmente ajeno al encarnacionismo

cristiano. Insiste, sí, en preocuparse de lo que está vivificado e impregnado de resurrección. Esto es lo que hay que buscar. Y esa búsqueda se inició con el bautismo, al participar en la vida resucitada de Cristo.

La segunda parte de la lectura (vv. 5–11) ejemplifica algunas cosas de "la tierra" que el bautizado debe dejar. La existencia cristiana es un morir al yo carnal, a esa manera de vivir donde el yo, el egoísmo es el centro y motor de sus acciones. La vida de los cristianos de Colosas corresponde al hombre nuevo. Como niños, recién han sido bautizados, deben crecer y convertirse en

maduros en la fe, para que Dios conforme al hombre a su imagen, hasta que adquiera la estatura de Cristo. Esto parecería una utopía cristiana, sólo que con la transformación "en Cristo", somos capaces de irle dando concreción a esta utopía.

EVANGELIO   Es básica en el seguimiento de Jesús la actitud ante los bienes materiales. Tenemos dos cuadros. En el primero, alguien le solicita a Jesús que funja de juez en un asunto de herencia. Pudiera ser ésta una situación en la posterior comunidad cristiana, pues es poco probable

EVANGELIO   Lucas 12:13–21

Lectura del santo Evangelio según san Lucas

En aquel tiempo,
hallándose **Jesús** en medio de una multitud, un hombre le dijo:
"**Maestro**, dile a mi hermano que **comparta** conmigo
la herencia".
Pero Jesús le contestó:
"**Amigo**, ¿**quién** me ha puesto como **juez**
en la distribución de herencias?"

Y dirigiéndose a la multitud, dijo:
"**Eviten** toda clase de avaricia,
porque la vida del hombre
no depende de la abundancia de los bienes que posea".

Después les propuso esta **parábola**:
"Un hombre **rico** obtuvo una **gran** cosecha y se puso a pensar:
'¿**Qué haré**, porque no tengo ya
en **dónde** almacenar la cosecha?
Ya sé lo que voy a hacer:
derribaré mis graneros y construiré otros **más grandes**
para **guardar** ahí mi cosecha y **todo** lo que tengo.
Entonces podré decirme:
Ya tienes bienes acumulados para **muchos años**;
descansa, come, bebe y date a la **buena vida**'.
Pero Dios le dijo:
'¡**Insensato**! Esta misma noche vas a **morir**.
¿**Para quién** serán **todos** tus bienes?'
Lo **mismo** le pasa al que amontona riquezas para **sí mismo**
y no se hace **rico** de lo que **vale** ante Dios".

Estas enseñanzas buscan darle el verdadero valor a los bienes materiales. Ellos no dan la vida. Desprende tu espíritu de lo que anula la gracia de Dios y abraza la pobreza con sencillez. El camino a la vida pasa por compartir los bienes.

La avaricia envenena el corazón. Tu espíritu debe mantenerse sano y ligero en el seguimiento de Cristo, junto con la comunidad de fe.

La conclusión de la parábola tiene fuerza propia. No debilites estas palabras lapidarias. Deja la pregunta en el aire, antes de las líneas conclusivas.

---

que corresponda al contexto de Jesús. El Maestro advierte a los que lo rodean sobre la codicia que puede llevar a la perdición total y definitiva. Las posesiones o bienes no vivifican, no pueden dar la vida a su dueño. No hay que poner la esperanza de la vida en ellas. Ese es el punto que lleva al cuadro segundo, la parábola del rico insensato.

La descripción del rico trae rasgos de los impíos del AT (cf. Is 22:13; Ecl 8:15) que son reprobados por excluir de su vida a Dios y su Ley. "No carecer de nada" es el cumplimiento mayor y total de su esperanza. La vida queda tan encerrada en sus propios términos que no trasciende ni personal ni socialmente; incluso, cree que dispone del futuro. En un giro inesperado, el futuro trae a Dios a la parábola. Dios sale de la nada e increpa al futuro rico: "¡Necio! . . . ". Le marca su límite, una muerte inesperada y el destino de sus riquezas.

Enriquecerse para Dios, en el lenguaje de san Lucas, significa vender los bienes y repartirlos a los pobres (12:33); esto es seguir a Jesús. San Lucas no plantea un programa de redistribución de la riqueza; le basta que los ricos abran la mano y compartan con los pobres. Sin embargo, sabemos, por la experiencia y la historia de los sistemas socio-económicos, que esto es insuficiente como ideal del reinado de Dios, porque se requieren cambios estructurales profundos y duraderos.

XIX DOMINGO ORDINARIO

Esta relación trata de despertar en las nuevas generaciones cariño y aprecio por las tradiciones patrias nacionales. Es medular la fe en el Dios que los liberó de la esclavitud egipcia.

El elogio de los antepasados se apoya en la fidelidad a la ley de Dios. Con este espíritu exhorta a la fidelidad a la palabra de Dios.

I LECTURA   Sabiduría 18:6–9

Lectura del libro de la Sabiduría

La noche de la **liberación** pascual
    fue anunciada **con anterioridad** a nuestros padres,
    para que se **confortaran**
    al **reconocer** la firmeza de las promesas
    en que habían **creído**.

Tu pueblo **esperaba** a la vez la **salvación** de los justos
    y **el exterminio** de sus enemigos.
En efecto, con aquello mismo
    con que **castigaste** a nuestros adversarios
    nos **cubriste** de gloria a tus elegidos.

Por eso,
    los **piadosos** hijos de un pueblo **justo**
    celebraron la Pascua en sus casas,
    y de **común acuerdo** se impusieron esta ley sagrada,
    de que **todos** los santos participaran **por igual**
    de los bienes y de los peligros.
Y ya desde entonces
    cantaron los himnos de nuestros padres.

I LECTURA El hecho salvífico por antonomasia en el pueblo de Israel, es la salida de Egipto. Es natural que en las distintas épocas Israel haya reflexionado sobre este hecho para actualizarlo aplicándolo en su vida. Las interpretaciones de aquella portentosa liberación, pueden seguirse en distintos escritos bíblicos. En el siglo primero antes de Cristo, el suceso de pascua se releyó en clave midrásica, es decir, que se le presentaba como el cumplimiento de una promesa. Así se unió con el inicio de la historia salvífica, con el anuncio de salvación hecho a los patriarcas.

El autor de la Sabiduría quiere mostrar el papel que tiene la palabra de Dios dentro del suceso pascual. Aquella palabra ofrecida a los patriarcas empieza a mostrarse como la acción del Logos. Se insiste en su participación activa en este suceso de la liberación.

En la segunda parte del libro de la Sabiduría (capítulos 10–19) aparece la fuerza de la sabiduría divina y su despliegue en la historia hasta la salida de Egipto. Entonces se habla de la benévola acción divina que provee al pueblo del fuego para que la noche se ilumine y pueda convertirse en una noche de vigilia. En la parte central (vv. 6–9) participa el pueblo en la acción divina de la salvación. No se limita a recordar el hecho, sino que trata de leer esta acción desde el punto desde la propia fe y bajo el ideal de llegar a ser una comunidad a la que se pertenece por estar comprometidos completamente en el suceso pascual. Sin esa participación no hay membresía. Ese sentido comunitario se respira en todo la oración dialógica, donde aparece el "nosotros".

La alabanza genera una visión de fe y de esperanza que se lanza hacia el futuro, con el convencimiento de que los santos

SALMO RESPONSORIAL   Salmo 33:1 y 12, 18–19, 20 y 22
R. Dichoso el pueblo que el Señor se escogió como heredad.

Aclamen, justos, al Señor,
que merece la alabanza de los buenos
Dichosa la nación cuyo Dios es el Señor,
el pueblo que él se escogió como heredad. R.

Los ojos del Señor están puestos en sus fieles,
en los que esperan su misericordia,
para librar sus vidas de la muerte
y reanimarlos en tiempo de hambre. R.

Nosotros aguardamos al Señor:
El es nuestro auxilio y escudo;
que tu misericordia, Señor, venga
sobre nosotros,
como lo esperamos de ti. R.

II LECTURA   Hebreos 11:1–2, 8–19

Lectura de la carta a los Hebreos

Hermanos:
La fe es la forma de **poseer**, ya desde ahora, lo que **se espera**
y de **conocer** las realidades que **no se ven**.
Por ella fueron alabados nuestros mayores.

Por **su fe**, Abraham, **obediente** al llamado de Dios,
y **sin saber** a dónde iba,
partió hacia la tierra que habría de recibir como **herencia**.
Por **la fe**,
vivió **como extranjero** en la tierra prometida,
en tiendas de campaña,
como Isaac y Jacob, **coherederos** de la **misma** promesa
después de él. Porque ellos **esperaban** la ciudad
de sólidos cimientos,
cuyo arquitecto y constructor **es Dios**.

El tono es similar al de la primera lectura. Es una especie de extenso himno de la fe de los padres del pueblo. Enfatízala en cada expresión que hable de ella ("por la fe, por ella", etc.).

participarán en los peligros y bienes de la liberación. Al retomar las alabanzas de los padres, cada generación podrá apropiarse del sentido de la liberación de Egipto y, se entiende, aplicarla a su situación. Esto llevará pronto a que el hecho salvífico central se extienda hacia la escatología. Pero este camino, finalmente, irá a desembocar en la apocalíptica, hasta convertirse en algo central.

Ese sentido liberador será aplicado a Cristo. Por su cruz y resurrección llevará a cumplimiento el sentido profundo de la liberación de Egipto, operada por Dios.

Y nosotros, cada generación, esperamos una venida del Señor mucho más grandiosa, que nos traerá la liberación definitiva.

II LECTURA En esta parte de la carta, el autor alaba la fe de los personajes paradigmáticos del AT. Ellos son nuestros modelos. Al hablar de la fe, el escritor no la ve sólo en el pasado, sino que la orienta al futuro, tomando rasgos de esperanza. Los que tienen fe ven hacia adelante, y gracias a esta visión del porvenir obtienen la capacidad para vivir sabiamente en el tiempo presente.

Antes ya había hablado de la fe (Hb 10:37) y ahora ofrece una definición, que es todo un programa: "La fe es garantía de lo que se espera; la prueba de lo que no se ve" (v. 1). La fe es el motivo conductor de esta parte, dado que aparece siete veces esta palabra. Su encuadre es la esperanza. La fe no tiene por objeto una idea abstracta, sino una relación profunda con Dios, que se concreta en la esperanza que permea toda la vida humana. Sin esa fe, es imposible agradar a Dios.

Sara, matriarca de Israel, también es campeona de la fe. Marca las pausas de las comas al pronunciar su nombre.

Por **su fe**, Sara, aun siendo **estéril**
    y a pesar de su **avanzada** edad, pudo **concebir** un hijo,
    porque **creyó** que Dios habría de ser **fiel** a la promesa;
    y así, de un **solo** hombre, ya anciano,
    nació una descendencia **numerosa**
    como las estrellas del cielo
    e **incontable** como las arenas del mar.

Todos ellos murieron **firmes** en la fe.
No alcanzaron los bienes **prometidos**,
    pero **los vieron** y los saludaron con gozo **desde lejos**.
Ellos **reconocieron** que eran extraños
    y peregrinos en la tierra.
Quienes hablan **así**,
    dan a entender **claramente** que van **en busca** de una patria;
    pues si hubieran **añorado** la patria de donde **habían salido**,
    habrían estado a tiempo de **volver** a ella todavía.
Pero ellos **ansiaban** una patria mejor: **la del cielo**.
Por eso Dios **no se avergüenza** de ser llamado **su Dios**,
    pues les tenía preparada **una ciudad**.

Por **su fe**, Abraham, cuando Dios le puso **una prueba**,
    se dispuso a **sacrificar** a Isaac, su hijo **único**,
    garantía de la promesa,
    porque Dios le había dicho:
De Isaac nacerá la descendencia que ha de llevar tu nombre.
Abraham **pensaba**, en efecto,
    que Dios tiene **poder** hasta para **resucitar** a los muertos;
    por eso le fue devuelto Isaac,
    que se **convirtió** así en un **símbolo** profético.

Versión corta: Hebreos 11:1–2, 8–12

Deja ver que esta línea es una cita directa de las Escrituras. Ensaya cambiar la velocidad y el tono mismo al llegar a ella.

La fe viene después visualizada en la figura de mártires y héroes de la primera alianza. Al final se retoma la figura de Abrahán, "padre de la fe". Este patriarca tiene un puesto privilegiado, dado que fue ejemplar en varios episodios donde mostró una fe cabal en Dios. El elogio al gran patriarca por su fe, se concentra en tres pasos: su migración en obediencia a la elección divina, su hospitalidad con el extranjero y la *Aquedá* o ligadura de Isaac. Es un modelo para los que esperan la realidad de las promesas divinas.

Otro aspecto de la fe de Abrahán, está representado por su descendencia. La fe es presentada como capacidad de superar las desilusiones de la historia, como tensión que ayuda a superar la muerte por la vida. El paso de la esterilidad a la fertilidad vital, de la soledad a la multiplicación de la descendencia, es obra de la fe que se apoya en la palabra y fidelidad de Dios. Además, esta fe soporta la prueba, es aquí donde encuentra su razón última y se convierte en modelo visible para los demás.

Al final aplica el autor esta esperanza de Abrahán a la esperanza de todos los patriarcas. Éstos supieron esperar: "En la fe murieron todos ellos, sin haber obtenido el objeto de las promesas: viéndolas y saludándolas desde lejos" (v. 13). Es que los objetos y esperanzas humanas no podían llenar su esperanza. A la realización terrena de unos bienes precarios y pasajeros, ellos prefirieron los bienes de la patria que les había sido prometida.

EVANGELIO   Lucas 12:32–48

Lectura del santo Evangelio según san Lucas

En aquel tiempo, Jesús dijo a sus discípulos:
"**No temas**, rebañito mío,
porque **tu Padre** ha tenido a bien darte el Reino.
Vendan sus bienes y **den** limosnas.
Consíganse unas bolsas que **no se destruyan**
y **acumulen** en el cielo un tesoro que **no se acaba**,
allá donde **no llega** el ladrón,
ni carcome la polilla.
Porque donde **está** su tesoro, **ahí** estará su corazón.

Estén listos, con la túnica **puesta** y las lámparas **encendidas**.
Sean **semejantes** a los criados
que **están esperando** a que su señor **regrese** de la boda,
para **abrirle** en cuanto llegue y toque.
Dichosos aquellos
a quienes su señor, al llegar, **encuentre** en vela.
Yo **les aseguro** que se recogerá la túnica,
los **hará sentar** a la mesa y **él mismo** les servirá.
Y si **llega** a medianoche o a la madrugada
y los **encuentra** en vela, **dichosos** ellos.

Fíjense en esto:
Si un padre de familia
supiera a qué hora va a venir el ladrón,
estaría **vigilando**
y **no dejaría** que se le metiera por un boquete en su casa.
Pues también ustedes **estén** preparados,
porque a la hora en que **menos** lo piensen
vendrá el Hijo del hombre."

El texto pide prontitud y estar alerta a la llegada del Señor. Hazlo sonar así con una vigilancia alegre por la llegada inminente de nuestro Dios.

Alienta cariñosamente a la comunidad a la vigilancia. Acentúa la palabra "dichosos" y atiende a sus posteriores apariciones.

Nuestra fe tampoco puede contentarse con los objetos de este mundo, que nunca la saciarán. Dios es el único que podrá saciar la sed nuestra, es la única esperanza para nosotros los cristianos. Como decía san Agustín: nuestro corazón está inquieto hasta que descanse en Dios.

EVANGELIO La lectura de este día prolonga el tema del domingo pasado, y viene también del amplio discurso contenido en el capítulo 12. Con palabras cariñosas, Jesús exhorta a sus discípulos a confiar plenamente en Dios pero también los insta a mantenerse vigilantes esperando al Señor.

Hay que recordar que la primera generación de cristianos esperaba con ansia la segunda venida de Cristo, su parusía; con el paso de los años, esa fiebre se fue disipando, y cuando san Lucas escribe su evangelio, quizá la tercera o cuarta generación, poco quedaba de aquella efervescencia inicial. Por eso vienen bien esas amonestaciones para aguardar la llegada del Señor.

La bienaventuranza a los que viven preparados a la venida del Señor tiene un resultado sorprendente: el Señor les sirve, los vuelve señores. Esta inversión es el honor más grande que a un esclavo cabe recibir. La paciencia y perseverancia tienen su gran recompensa.

La parte dedicada a los líderes de la Iglesia, personificados en la figura de Pedro, es muy severa. Los abusos y la displicencia del administrador son duramente castigados, porque traicionan la voluntad del amo. Terminará por correr la suerte de los impíos. Se nota que en las comunidades cristianas primeras, el liderazgo o el ejercicio del poder y de autoridad, muy pronto llevó a confrontaciones que buscaron dirimirse inspirándose

Marca cierta cesura entre el párrafo previo y el inicio de este para recuperar la atención de la asamblea.

Entonces **Pedro** le preguntó a Jesús:
"¿Dices esta parábola **sólo** por nosotros o **por todos**?"
El Señor le respondió:
"**Supongan** que un administrador,
puesto por su amo **al frente** de la servidumbre,
con el encargo de repartirles a su tiempo los alimentos,
se porta con **fidelidad y prudencia**.
Dichoso este siervo,
si el amo, a su llegada,
lo encuentra **cumpliendo** con su deber.
Yo les aseguro que lo pondrá al frente **de todo** lo que tiene.
Pero si este siervo piensa:
'Mi amo **tardará** en llegar'
y empieza a **maltratar** a los criados y a las criadas,
a comer, a beber y **a embriagarse**,
el día menos pensado y a la hora **más inesperada**,
llegará su amo y lo castigará **severamente**
y le hará correr **la misma suerte** que a los hombres **desleales**.

El servidor que, **conociendo** la voluntad de su amo,
no haya preparado ni hecho **lo que debía**,
recibirá **muchos** azotes;
pero el que, **sin conocerla**,
haya hecho algo **digno de castigo**, recibirá **pocos**.

Al que **mucho** se le da, se le **exigirá** mucho,
y al que **mucho** se le confía, se le exigirá **mucho más**."

Versión corta: Lucas 12:35–40

Este dicho es el cerrojo de la enseñanza. Puedes terminar no declinando sino como elevando la voz para marcar la exigencia.

en la voluntad del Señor. Esa voluntad tiene que ver con el bienestar de todos los de la casa. Para esto, en la Iglesia tenemos que estar siempre atentos al Señor que está en medio de todos, como esclavo de todos (ver Lucas 22:27).

XX DOMINGO ORDINARIO

I LECTURA   Jeremías 38:4–6, 8–10

Lectura del libro del profeta Jeremías

La conspiración contra el profeta rezuma maldad y odio. El rey parece no tener voluntad. Pero Dios protegerá a su mensajero. Esta certeza comunícala con tu tono firme a la asamblea.

Durante el sitio de Jerusalén,
  los jefes que tenían **prisionero** a Jeremías dijeron al rey:
"Hay que **matar** a este hombre, porque las cosas que dice
  desmoralizan a los guerreros que quedan en esta ciudad
  y a **todo** el pueblo.
Es **evidente** que **no busca** el bienestar del pueblo,
  sino su **perdición**".

Respondió el rey Sedecías: "Lo tienen ya **en sus manos**
  y el rey **no puede nada** contra ustedes".
Entonces ellos tomaron a Jeremías y,
  descolgándolo con cuerdas,
  lo echaron en el **pozo** del príncipe Melquías,
  situado en el patio de la prisión.
En el pozo no había agua, sino **lodo**,
  y Jeremías quedó **hundido** en el lodo.

Ebed–Mélek, el etíope, oficial de palacio,
  fue a ver al rey y le dijo:
"**Señor**, está **mal** hecho
  lo que **estos** hombres hicieron con Jeremías,
  arrojándolo al pozo, donde va a **morir** de hambre".

Asegúrate de pronunciar correctamente el nombre del etíope que aboga por el profeta. Su intervención es una denuncia que también mueve hacia la compasión.

Entonces el rey **ordenó** a Ebed–Mélek:
  Toma **treinta** hombres contigo
    y saca del pozo a Jeremías, **antes** de que muera".

I LECTURA En Jerusalén dominaba la idea de oponerse a los babilonios, y no la de negociar con ellos, que era la que proponía Jeremías. El rey era muy débil ante los ministros y poderosos del reino. El ejército babilonio tuvo que levantar el sitio de Jerusalén, por la llegada de un ejército egipcio. Muchos pensaron que la amenaza se había esfumado. Pero el profeta volvió a hablar de parte de Dios; los babilonios volverían.

Los enemigos del profeta se encontraban en las altas esferas del reino; aunque temen sus palabras, harán lo mismo que los hermanos de José le hicieron. Echarlo al fango, a un pozo sin agua, escasa por el sitio a la ciudad, y que no estaba en uso. Nadie se ocuparía de Jeremías durante el asedio, y moriría.

Pero Ebedmélec, un esclavo etíope de la confianza del rey, lo salva, pues no sólo le dice al rey que saque al profeta, sino que echarlo al pozo fue un error y una injusticia.

Los sufrimientos del profeta son expresión de fidelidad a su misión y signo de la fidelidad del profeta. Ya se delinea la figura de Jesús que por su muerte va a redimirnos, hasta conseguirnos la resurrección, que da sentido a toda vida humana.

II LECTURA La metáfora del gimnasta servía para inculcar la necesidad del esfuerzo humano, aquí del compromiso espiritual. Más allá de la nube de testigos que acaban de ser evocados en el capítulo anterior, está la figura de Jesús, perseverante y glorioso.

Jesús es modelo de perseverancia en las dificultades que asedian a los lectores. Sabemos que es muy fácil decidirse por algo

Para meditar

SALMO RESPONSORIAL   Salmo 40:2, 3, 4, 18
R. Señor, date prisa en ayudarme.

Yo esperaba con ansia al Señor;
él se inclinó y escuchó mi grito. R.

Me levantó de la fosa fatal,
de la charca fangosa;
afianzó mis pies sobre roca,
y aseguró mis pasos. R.

Me puso en la boca un cántico nuevo,
un himno a nuestro Dios.
Muchos, al verlo, quedaron sobrecogidos
y confiaron en el Señor. R.

Yo soy pobre y desgraciado,
pero el Señor se cuida de mí;
tú eres mi auxilio y mi liberación:
Dios mío, no tardes. R.

II LECTURA   Hebreos 12:1–4

Lectura de la carta a los Hebreos

Hermanos:
Rodeados, como estamos,
por la **multitud** de antepasados nuestros,
que dieron **prueba** de su fe,
dejemos **todo** lo que nos estorba;
librémonos del pecado que nos ata,
para correr **con perseverancia**
la carrera que tenemos por delante,
fija la mirada en Jesús,
autor y consumador de nuestra fe.
Él, en vista del gozo que se le proponía,
aceptó la cruz, **sin temer** su ignominia,
y por eso **está sentado** a la derecha del trono de Dios.

Mediten, pues, en el **ejemplo** de aquel
que **quiso** sufrir tanta oposición
de parte de los pecadores,
y no se cansen **ni pierdan** el ánimo,
porque **todavía** no han llegado a **derramar** su sangre
en la lucha **contra** el pecado.

El encomio de la fe de los antepasados llega a culmen en Jesús. Ni siquiera la muerte puede arrancar la certeza en la vida. Pon entusiasmo y convicción en tus palabras.

El exhorto final guarda una entonación diferente. Muestra que las contrariedades de la fe, no son nada comparadas con la vida que aguarda a los creyentes.

con entusiasmo. Lo difícil es la perseverancia. Ya el Señor advertía a quienes querían seguirlo, que debían calcular su decisión. Los entusiasmos fáciles terminan en fracasos rápidos. Los lectores están invitados a considerar, diríamos, a contemplar la pasión de Jesús para animarse en las pruebas que están sufriendo.

Los grandes creyentes del AT permanecieron fieles a su fe, no obstante sus penas y sufrimientos. Primero, hay que limpiar el campo, abstenerse del pecado. El pecado frena al corredor que va en pos de Jesús. La existencia cristiana se compara a una competencia atlética donde hay que dar lo mejor de uno y estar atento al que le precede, si quiere uno llegar al final.

Jesús no es sólo el modelo, sino, sobre todo, el "autor y perfeccionador de la fe". Es el todo. No se da una vida auténtica de fe sin tener a Cristo como modelo, no sólo externamente sino como una realidad encarnada en la vida. Cristo es el que da fuerza a nuestra fe y se convierte en nuestro camino.

La fe conlleva una lucha dura, un combate que exige decisión y perseverancia. Como decía Jesús: seguirlo requiere de una decisión seria, antes de aceptarla. Mucho más, caminar con ella.

Nosotros tenemos en nuestro tiempo a nuestros santos, como testigos de la fe. Una fe que ha sido ya iluminada por Cristo, que nos ha mostrado en sus palabras y, sobre todo, en su vida, muerte y resurrección, lo que es la fe. Aunque somos hoy los cristianos mediocres y a menudo infieles a nuestro Maestro, sabemos que tenemos un intercesor en él y una fuerza que nos da el Espíritu para llegar al término, que será la plena identificación con el Señor Jesús.

Es un trozo breve pero lleno de fuerza. No le pongas embozo a estas líneas que desbordan pasión por el reino de Dios.

La división es consecuencia natural de la recepción del Evangelio. Su radicalidad impulsa siempre a andar caminos nuevos. No hay que entibiar esta proclama.

EVANGELIO Lucas 12:49–53

Lectura del santo Evangelio según san Lucas

En aquel tiempo, Jesús dijo a sus discípulos:
"He venido a traer **fuego** a la tierra
¡y **cuánto** desearía que ya estuviera ardiendo!
Tengo que recibir un bautismo
¡y **cómo** me angustio mientras llega!

¿**Piensan** acaso que he venido a traer **paz** a la tierra?
De **ningún** modo.
No he venido a traer la paz, sino la **división**.
De aquí en **adelante**,
de **cinco** que haya en una familia,
estarán **divididos** tres contra dos y dos contra tres.
Estará dividido el padre **contra** el hijo,
el hijo **contra** el padre,
la madre contra la hija y **la hija** contra la madre,
la suegra contra la nuera
y la nuera contra la suegra".

EVANGELIO La lectura sigue el hilo del discurso que hemos venido escuchando en los domingos previos. En ella, podemos distinguir dos momentos. El primero va sobre la vehemencia de Jesús por ver culminada su venida, y el segundo sobre la división tras esa culminación. Todo queda bajo el prisma de un cataclismo terrible.

Jesús expresa su vehemente deseo con dos figuras aparentemente antitéticas. El mismo lenguaje usó Juan Bautista para que el pueblo pudiera identificar al Mesías. La venida de Jesús significa un fuego destructor. Los sabios judíos hablaban de que la

violencia del primer mundo fue destruido por el agua, y la del segundo lo será por el fuego. Pero así como Dios salvó al justo del Diluvio, lo mismo hará con sus fieles en la segunda ocasión. Eso es lo que significa la venida del Mesías: la aniquilación de toda la violencia y pecado y la esperanza de que nazca una humanidad nueva, por el Espíritu derramado tras la muerte de Jesús, su bautismo.

También los dichos sobre la división tienen ese tono catastrófico. San Lucas está constatando las separaciones en el seno de la familia judía, debido a que unos han optado por la fe en Jesús y otros no.

A nuestras comunidades cristianas les hace falta recuperar la vehemencia escatológica, por una humanidad renovada y por la radicalidad de la fe en Jesús. No se trata de fomentar fanatismos estériles y disruptivos, sino de trabajar con ahínco para que el amor de Dios palpite en todas las personas.

ASUNCIÓN DE LA VIRGEN MARÍA, MISA VESPERTINA DE LA VIGILIA

I LECTURA   1 Crónicas 15:3–4, 15–16; 16:1–2

Lectura del primer libro de las Crónicas

En aquellos días,
 David **congregó** en Jerusalén a **todos** los israelitas,
 para **trasladar** el arca de la alianza
 al lugar que le **había preparado**.
Reunió también a los **hijos** de Aarón y a los **levitas**.
 Esto cargaron en hombros los travesaños sobre los cuales
estaba colocada el arca de la alianza, tal como lo había mandado
Moisés, por orden del Señor.

David **ordenó** a los jefes de los levitas
 que entre los de su tribu nombraran **cantores**
 para que **entonaran** cantos festivos,
 acompañados de arpas, cítaras y platillos.

Introdujeron, pues, el arca de la alianza
 y la **instalaron** en el centro de la tienda
 que David le **había preparado**.
Ofrecieron a Dios **holocaustos** y sacrificios **de comunión**,
 y cuando David **terminó** de ofrecerlos,
 bendijo al pueblo en **nombre** del Señor.

La fiesta de la Virgen hay que celebrarla con cantos, música, baile, adornos . . . No hay que aminorar este tono festivo de la liturgia. Llénate de gusto para hacer esta lectura.

El punto es culminante. La entrada del arca en la tienda debe proclamarse por todo lo alto. Es un acto oficial, sí, solemne y causa de gran alegría popular. Súmate a ella.

I LECTURA Leemos la conducción del Arca de la alianza a Jerusalén, por obra del rey David. El Arca está unida a los sucesos del monte Sinaí. Era una caja pequeña con un documento de piedra adentro, donde se estipulaba el compromiso por el que Dios se obligaba a proteger al pueblo, defenderlo, conducirlo y llevarlo a un lugar donde pudieran vivir de acuerdo al documento. También decía cómo se deberían comportar los individuos para formar una comunidad que llevara una vida humana, libre, con justicia. Precisamente una vida distinta de aquella de la que habían huido. El Arca de la alianza se conservaba en una tienda, rasgo de su origen nómada.

La liturgia lee la llegada del Arca a Jerusalén, a la luz de la Ascensión de la Virgen María. Ella es la nueva Arca de la alianza, porque en su seno albergó por un tiempo al Hijo de Dios. De aquí que la Iglesia haya identificado y alabado a la madre de Dios como Arca de la alianza. La Iglesia celebra esta Ascensión de la Virgen María al cielo, es decir, a donde está su Hijo que ya no necesita ni de Arca, ni de templo, porque su presencia y gloria irradia todo.

Para meditar

SALMO RESPONSORIAL   Salmo 131:6–7, 9–10, 13–14

R. Levántate, Señor, ven a tu mansión; ven con el arca de tu poder.

Oímos que estaba en Efratá, la encontramos en el Soto de Jaar: entremos en su morada, postrémonos ante el estrado de sus pies. R.

Que tus sacerdotes se vistan de gala, que tus fieles vitoreen. Por amor a tu siervo David, no niegues audiencia a tu Ungido. R.

Porque el Señor ha elegido a Sión, ha deseado vivir en ella: "Ésta es mi mansión por siempre; aquí viviré porque lo deseo". R.

II LECTURA   1 Corintios 15:54–57

Lectura de la primera carta del apóstol san Pablo a los Corintios

Hermanos:
Cuando nuestro ser **corruptible** y mortal
  se revista de incorruptibilidad e inmortalidad,
  entonces **se cumplirá** la palabra de la Escritura:
La muerte ha sido aniquilada por la victoria.
  ¿Dónde está muerte, tu victoria?
  ¿Dónde está, muerte, tu aguijón?
El **aguijón** de la muerte es el **pecado**
  y la **fuerza** del pecado es **la ley.**
Gracias a Dios,
  que nos **ha dado** la victoria por nuestro Señor **Jesucristo.**

Lectura breve pero compleja. Debes ir deshebrando pausadamente el argumento. Ensaya la vocalización. No corras.

Pronuncia esta eucaristía final con gran alegría interna, como invitando a la asamblea al agradecimiento.

II LECTURA   Una sombra que nos acompaña en la vida, es la realidad de la muerte. Es cierto que la mayoría no quiere y a veces se obstina en no pensar en ésta. El Qohelet, el gran sabio judío, veía en la muerte un principio de sabiduría, porque la muerte da una especie de ritmo al esfuerzo y felicidad humana. Pues ahora Pablo, con entusiasmo va a recoger una cita de Isaías (25,8) y de Oseas (13,14), para increpar a la muerte y hacerle ver su derrota definitiva por medio de Jesús Mesías. En realidad, la muerte es el "último enemigo", todo mal es inferior a este terrible enemigo. La muerte sirve de medida a cualquier mal humano.

La solemnidad de la Asunción de María al cielo es una confirmación que nos llena de alegría. Ella fue dispensada de la mortalidad, Dios le dio la inmortalidad y no dejó que su cuerpo se pudriera aquí entre los polvos de los que fue creado el hombre. La fuerza de la resurrección de su Hijo ha convertido a María en un ser incorrupto. Jesús le otorgó la posibilidad de burlarse de la muerte como lo insinuaba ya Isaías. Así María participa de la resurrección gloriosa de su Hijo.

EVANGELIO   Lucas 11:27–28

Lectura del santo Evangelio según san Lucas

En **aquel** tiempo, mientras Jesús hablaba a la multitud,
    una mujer del pueblo, **gritando**, le dijo:
    "¡**Dichosa** la mujer que te llevó **en su seno**
    y cuyos pechos te **amamantaron**!"
Pero Jesús le respondió:
    "Dichosos **todavía más** los que **escuchan** la palabra de Dios
    y la ponen **en práctica**".

Haz resonar con júbilo esa extraordinaria voz femenina. Es la voz del pueblo.

No hay mayor dicha que practicar la palabra de Dios. Abrázala, convéncete de esta gran verdad y ponla como divisa de tu vida.

EVANGELIO Escuchamos dos felicitaciones. La primera sale de labios de una mujer del pueblo que alaba a Dios por lo que Jesús hace y dice. La segunda la pronuncia Jesús mismo. Estas bienaventuranzas destacan más porque Jesús acaba de ser acusado de obrar como agente de Satanás.

La mujer alaba a Jesús con palabras de la bendición de Jacob a su hijo José en Génesis (49:25); esas palabras los rabinos las entendían dichas de Raquel, la madre de José, quien salvó al pueblo de perecer. Este patriarca servía también como figuración del Mesías, sólo que la de David terminó opacándolo. La maternidad era la gracia más preciada entre los hebreos, y el Mesías el fruto mejor del pueblo de Dios.

Jesús, a su vez, coloca la escucha y práctica de la palabra de Dios por encima de la singular maternidad mesiánica del hijo de José. Esto se debe a que lo que hace dichoso al hombre es la acogida y ejecución de la Palabra, Jesús. María acogió esa palabra hasta volverse "lugar" de cumplimiento, desde su maternidad. Por ello, la Iglesia la tiene por modelo de escucha obediente a la palabra. Allí está la dicha auténtica.

ASUNCIÓN DE LA VIRGEN MARÍA, MISA DEL DÍA

I LECTURA Apocalipsis 11:19; 12:1–6, 10

Lectura del libro del Apocalipsis del apóstol san Juan

Se **abrió** el templo de Dios en el cielo
  y **dentro** de él se vio el **arca** de la alianza.
Apareció entonces **en el cielo** una figura **prodigiosa**:
  una mujer **envuelta** por el sol,
  con la luna **bajo sus pies**
  y con una corona de **doce** estrellas en la cabeza.
Estaba **encinta** y a punto de **dar a luz**
  y **gemía** con los dolores del parto.

Pero apareció también en el cielo **otra** figura:
  un **enorme** dragón, color de fuego,
  con **siete** cabezas y **diez** cuernos,
  y una corona en **cada una** de sus siete cabezas.
Con su cola
  barrió la tercera parte de las estrellas del cielo
  y las **arrojó** sobre la tierra.
Después se detuvo **delante** de la mujer que iba a dar a luz,
  para **devorar** a su hijo, en cuanto éste **naciera**.
La mujer dio a luz un **hijo varón**,
  destinado a gobernar **todas** las naciones
  con cetro **de hierro**;
  y su hijo fue llevado **hasta Dios** y hasta su trono.
Y la mujer **huyó** al desierto, a un lugar **preparado** por Dios.

I LECTURA En los libros proféticos encontramos la figura de la mujer para simbolizar al pueblo de Dios; así se habla de la esposa del Señor, que remite a Sión, Jerusalén. El Apocalipsis usa este símbolo y otros más para referirse al pueblo de Dios.

El Apocalipsis es un libro de consuelo, escrito en un género especial, llamado apocalíptico, lleno de los más variados símbolos que hay que tener en cuenta para entender el texto. Pero más que en la imagen compleja, hay que fijarse en el significado que emerge de ella. Esos significados dan la revelación.

En el trozo de hoy, hay diversos símbolos, pero sólo dos son "signo" (*semeion*) (12:1, 3). Tienen, pues, un significado especial porque representan lo prometido desde el inicio del libro.

En el cielo tienen lugar tres apariciones: el Arca de la alianza (signo de la presencia divina), una mujer y el dragón. Se introducen como signos, pero los dos últimos tienen también valor de presagio. La mujer embarazada en los profetas simboliza Israel o Sión, la madre que genera al Mesías.

Los sufrimientos o pruebas indican el arribo de la época mesiánica. Rodean a la mujer doce estrellas, símbolo del Zodiaco, aquí representando al pueblo de Dios, compuesto de las doce tribus.

El otro signo es el dragón, que representa todo lo contrario a lo que expresa la mujer. Significa el mal en todas sus variedades. Se presenta el dragón amenazando al fruto de la mujer, el Mesías que nacerá del pueblo de Dios. Pero falla el dragón su intento, pues el Mesías es separado violentamente y entronizado en el cielo. Su Reino se inauguró en su pascua (v. 15).

La voz esclarece la visión. El tono es triunfal. Asegura que la asamblea vibre con estas palabras del Evangelio de Dios.

Entonces **oí** en el cielo una voz **poderosa**, que decía:
"**Ha sonado** la hora de la victoria de nuestro Dios,
de su dominio y de su reinado, y **del poder** de su Mesías".

Para meditar

SALMO RESPONSORIAL   Del salmo 44
R. De pie, a tu derecha, está la reina.

Hijas de reyes salen a tu encuentro.
De pie, a tu derecha, está la reina,
enjoyada con oro de Ofir. R.

Escucha, hija, mira y pon atención:
olvida a tu pueblo y la casa paterna;
el rey está prendado de tu belleza;
ríndele homenaje, porque él es tu señor. R.

Entre alegría y regocijo
van entrando en el palacio real.
A cambio de tus padres, tendrás hijos,
que nombrarás príncipes por toda
la tierra. R.

II LECTURA   1 Corintios 15:20–27

Lectura de la primera carta del apóstol san Pablo a los Corintios

La victoria de la vida está asegurada por Dios mismo. Es la certeza de la fe. Con garbo y orgullo haz esta lectura, porque el triunfo de Cristo es el nuestro.

Hermanos:
Cristo **resucitó**,
y resucitó como la **primicia** de **todos** los muertos.
Porque si por **un hombre** vino la muerte,
también por un hombre vendrá **la resurrección** de los muertos.

En efecto, así como en Adán **todos** mueren,
así **en Cristo** todos **volverán** a la vida;
pero cada uno **en su orden**:
primero **Cristo**, como primicia;
después, a la hora de su **advenimiento**,
los que **son de Cristo**.

La parte final de la lectura asegura el absoluto señorío del Mesías. Enfatiza la gradualidad de este evento atendiendo a las palabras: "primero, después, en seguida . . . por último".

Enseguida será la consumación,
cuando, después de haber **aniquilado todos** los poderes del mal,
Cristo **entregue** el Reino a su Padre.

El texto puede ofrecer otra clave de lectura, paralela a la primera y dependiendo de ésta. Ya el evangelio de Juan (19:25–27) nos lleva a una interpretación mariana de la mujer. María es la madre del Mesías. María es miembro selecto del nuevo pueblo de Dios, sobre todo, es madre de la cabeza de ese pueblo. María es madre del Mesías resucitado y en ese sentido participa de su victoria. Por esto, siendo ella la nueva Eva, da a luz al hijo que aplastará la cabeza del dragón.

El destino de la humanidad y la Asunción de María al cielo, es la garantía de la victoria de María, nueva Eva. María, subida

a los cielos, se convierte en un motivo para nosotros de que como ella, así nuestra humanidad resucitada será llevada a habitar con Dios.

II LECTURA Resucitar de los muertos ha sido un anhelo de todos los hombres, casi prescindiendo de su cultura y su tiempo. Israel, sin embargo, fue una excepción entre los pueblos del Antiguo Medio Oriente, pues no tenía esta creencia, salvo entre algunos grupos marginales que, desde el siglo segundo antes de Cristo, sostenían esta creencia.

Pablo al escribir a los corintios, les escribe sobre este misterio de la resurrección, no porque no crean en ello, sino porque, influidos por el pensamiento griego, creían en la resurrección del alma, no en la del cuerpo, al que consideraban esencialmente imperfecto. Pablo se siente obligado a repetir y pormenorizar más esta enseñanza de la resurrección de los muertos, insistiendo en la resurrección de los cuerpos, que era donde estaba el problema para muchos de los corintios.

Pablo parte del kerigma: "Cristo ha resucitado de entre los muertos". Éste era el

Porque él **tiene** que reinar
hasta que el **Padre** ponga bajo sus pies a **todos** sus enemigos.
El **último** de los enemigos en ser **aniquilado**, será **la muerte**,
porque **todo** lo ha **sometido** Dios bajo los pies de Cristo.

EVANGELIO   Lucas 1:39–56

Lectura del santo Evangelio según san Lucas

En aquellos días,
María se encaminó **presurosa**
a un pueblo de las montañas de Judea,
y entrando en la casa de Zacarías, **saludó** a Isabel.
En cuanto ésta **oyó** el saludo de María,
la creatura **saltó** en su seno.

Entonces Isabel quedó **llena** del Espíritu Santo,
y levantando la voz, **exclamó**:
"**¡Bendita** tú entre las mujeres y **bendito** el **fruto** de tu vientre!
¿Quién soy **yo** para que la **madre** de mi Señor **venga** a verme?
Apenas llegó tu saludo a mis oídos,
el niño **saltó** de gozo **en mi seno**.
Dichosa tú, que **has creído**,
porque se **cumplirá**
cuanto te fue **anunciado** de parte del Señor".

Entonces dijo **María**:
"Mi alma **glorifica** al Señor
y mi espíritu se llena de júbilo en Dios, mi salvador,
porque puso sus ojos en la humildad de su esclava.

Himno de alabanza a Dios, a dos voces. Proclámalo inmerso tanto en el corazón de María como de Isabel.

Es una pregunta retórica. No la dirijas a la asamblea; sola se responde.

El cántico es magnífico, y ensalza el poder de Dios. Dale ese aire de grandiosidad, como si el aire no cupiera en tus pulmones. Hazlo fluir, saboreando cada frase.

---

núcleo de la fe tradicional de la comunidad cristiana primitiva. Pero la resurrección de Cristo no es la de un hombre común. El Señor tiene la capacidad de influir sobre el destino de los se le unen por el bautismo. Esa comunicabilidad la expresa Pablo con el ejemplo del pecado de Adán que comunicó este mal a sus descendientes. Lo mismo pasa con la participación de la resurrección del Señor a sus hermanos.

La Iglesia sintió la exigencia de celebrar la Asunción de la Virgen María. Ella fue la primera que estuvo unida carnalmente a Jesús al engendrarlo de su propia carne.

Pero ella estará unida también a su destino de resurrección, para abrirnos el camino de la vida a los que pertenecemos a la gloria, gloria en que la madre participa ya con Jesús. Al haber aceptado ser la madre del que nos trajo el amor inmenso de Dios por la humanidad, es explicable que esté donde está su hijo. Ahora celebramos a la que, unida estrechamente a su Hijo, siguió después de su muerte la vida plena con él.

EVANGELIO La visita de nuestra Señora a santa Isabel está llena de Buenas Noticias. La más grande es que las

promesas de la salvación hechas por Dios se están cumpliendo. Este cumplimiento llena de alegría a las personas y empapa todo el ambiente. Para cumplir su salvación, Dios ha escogido a dos mujeres singulares, dispares en edad, pero que valoran la vida gracias a su fe profunda en Dios; ambas están llenas del Espíritu Santo.

El magníficat es el canto profético con el que María responde al saludo de Isabel. El canto alaba a Dios por sus proezas, concretamente en esa que tiene como punto de partida haber puesto "sus ojos en la humildad de su esclava". Esa mujer de Nazaret es

Desde ahora me llamarán **dichosa todas** las generaciones,
   porque ha hecho **en mí grandes cosas** el que **todo** lo puede.
Santo es su nombre
   y su misericordia llega de generación en generación
   a los que lo temen.

Ha hecho **sentir** el poder de **su brazo:**
   dispersó a los de corazón **altanero,**
   destronó a los potentados
   y exaltó a los humildes.
A los hambrientos los colmó de bienes
   y a los ricos los despidió **sin nada.**

Acordándose de su misericordia,
   vino en ayuda de Israel, su siervo,
   como lo **había prometido** a nuestros padres,
   a Abraham y a su descendencia
   para siempre".

María permaneció con Isabel unos **tres** meses
   y luego **regresó** a su casa.

el objeto de la mirada de Dios; ella experimenta su favor y su benevolencia. Dios la ha mirado para "hacer en ella grandes cosas", proezas, en favor de su pueblo: son obras de misericordia realizadas por el brazo potente que trae la salvación a sus fieles. El brazo del Señor es una imagen que refiere al poder y a la fuerza que Dios ejerce para liberar a su pueblo de la opresión enemiga. Lo que hace ahora Dios está en la misma línea de salvación que lo realizado en Egipto, y ha comenzado por recordar aquellas promesas hechas a Abrahán.

La proeza actual de Dios, a la que María le da cauce, consiste en hacer misericordia para cada generación de sus fieles. La misericordia de Dios pulveriza el corazón soberbio, desnuda a los ricos y destrona a los que ostentan el poder. La misericordia es su brazo que endereza a los avasallados y sacia a los hambrientos.

La Asunción de la Virgen María celebra también el brazo poderoso del Señor, porque es fe de la Iglesia que ella fue preservada de todo pecado, por los méritos de Cristo. Por eso, no sufrió corrupción alguna, sino que fue llevada en cuerpo y alma al cielo. Esto que ha sucedido con ella, nos alienta no sólo a venerarla, sino a engrandecer al Señor por la misericordia que nos ha hecho.

XXI DOMINGO ORDINARIO

I LECTURA Isaías 66:18–21

Lectura del libro del profeta Isaías

Primero configura la visión profética para ti. Siéntete formando parte de ese movimiento de glorificación de Dios. Luego transforma la lectura en un momento privilegiado para dar gloria al que rescata a su pueblo.

Esto dice el Señor:
"Yo vendré para **reunir** a las naciones de **toda** lengua.
Vendrán y **verán** mi gloria.
Pondré en medio de ellos **un signo**,
    y **enviaré** como mensajeros a algunos de los supervivientes
    hasta los países **más** lejanos y las islas **más** remotas,
    que no han oído hablar **de mí** ni han visto mi gloria,
    y ellos **darán** a conocer mi nombre **a las naciones**.

La peregrinación universal al lugar de la salvación es asombrosa, llena de colores y matices. Dale tonos a tu voz.

Así como los hijos de Israel
    traen ofrendas al templo del Señor en vasijas limpias,
    así también mis mensajeros traerán,
    de **todos** los países, como **ofrenda** al Señor,
    a los **hermanos** de ustedes
    a caballo, en carro, en literas,
    en mulos y camellos,
    hasta **mi monte santo** de Jerusalén.
De entre ellos **escogeré** sacerdotes y levitas".

I LECTURA La lectura de hoy abre el horizonte de la salvación a todos los pueblos. Su tono universalista se parece más al del libro de Jonás (siglo IV a.C.) que al propio Trito Isaías. No sólo Israel será salvado, sino que todos los pueblos extranjeros verán la gloria de Dios.

Los paganos salvados del juicio conocerán la gloria de Dios por un signo. Este signo no podrá ser otra cosa que la unicidad del Dios de Israel. Hay un solo Dios para todos los pueblos. La lista simbólica abarca la totalidad de los pueblos paganos. Incluso, los paganos salvados del juicio traerán en toda clase de vehículos, a los israelitas exiliados a su tierra, como una oblación. Sión será el centro del suceso escatológico. Con el verso 20, podemos entender que serán los paganos los enviados a evangelizar a los paganos e igualmente los extranjeros vendrán a Sión. Entonces los paganos formarán el pueblo de Dios y tendrán los mismos derechos que los israelitas, pues incluso podrán servir en el culto del templo al Señor.

El centro de la lectura es *la venida del Señor*. Esta venida no es para juzgar y condenar a los extranjeros, sino para manifestarse a ellos como su salvador. Habrá un cambio en la historia, con la oferta de la salvación a todos los pueblos.

No podemos identificar el cristianismo con una determinada cultura, nación o región. Es universal, abarca a todos. Y esta finalidad, debe ser parte constitutiva de nuestra vida diaria, de nuestra Iglesia. Ésta debe estar impregnada de esa apertura de mente y corazón a todos.

II LECTURA El autor toma Proverbios 3:11–12, y se pregunta por la utilidad o no del castigo en la educación.

Para meditar

SALMO RESPONSORIAL Salmo 117:1, 2

R. Vayan por todo el mundo y prediquen el Evangelio.

O bien: R. Aleluya.

Alaben al Señor, todas las naciones,
aclámenlo, todos los pueblos. R.

Firme es su misericordia con nosotros,
su fidelidad dura por siempre. R.

II LECTURA   Hebreos 12:5–7, 11–13

Lectura de la carta a los Hebreos

Hermanos:
Ya se han **olvidado** ustedes de la exhortación
   que Dios les **dirigió**, como a hijos, diciendo:
*Hijo mío, no **desprecies** la **corrección** del **Señor**,*
   *ni te **desanimes** cuando te **reprenda**.*
*Porque el Señor corrige a los que **ama**,*
   *y da **azotes** a sus hijos **predilectos**.*
Soporten, pues, la corrección,
   porque Dios los trata **como a hijos**;
   ¿y qué padre hay que **no corrija** a sus hijos?

Es cierto que de momento
   ninguna corrección nos causa alegría,
   sino **más bien** tristeza.
Pero **después** produce, en los que la recibieron,
   frutos **de paz** y **de santidad**.

Por eso, **robustezcan** sus manos cansadas
   y sus rodillas vacilantes;
   caminen por un camino plano,
   para que el cojo ya no se tropiece,
   sino **más bien** se alivie.

La corrección es parte penosa de la educación. Dios es nuestro pedagogo, el que nos va llevando a alcanzar metas más elevadas. Con ese ánimo haz esta lectura, dándole las pausas y ritmos adecuados.

Marca los frutos de la corrección "llenándote la boca" con ellos. Hazlos tuyos y acógelos con reverencia para que la asamblea pueda hacer otro tanto.

Como la corrección, el apoyo es también asunto comunitario. Este sentimiento de solidaridad en el caminar debe animar a la asamblea.

Si los padres aman a sus hijos, ¿por qué castigan?

El castigo pertenecía a la buena educación de los hijos. Ahora vemos necesario un cambio en esto. Se admite el castigo, pero un castigo pedagógico, se dice, que haga crecer y que nunca dañe al cuerpo ni al espíritu. Pero, nuestro autor afirma sin ambages (v. 10) que Dios, como padre amoroso, castiga para corregir al pueblo (v. 10). Deja en claro la finalidad positiva de la corrección divina; Dios se preocupa amorosamente por sus hijos. El término empleado es *paideia*,

que vale por educación, aquí más bien significa "corrección".

La comunidad cristiana no entendía las dificultades y dolores por las que estaba pasando. El texto le da la clave para interpretar los males que sufre: son correcciones de parte de Dios, que lo hace por su bien.

Se adentra en lo sicológico de la corrección. La experiencia le enseña al hombre que no es placentero el regaño, sino lo contrario. Pero superado el momento inicial, la situación cambia y le reconforta de a poco la paz. El paso de una parte a la otra, no es automático, es exclusivo de los que

están entrenados en ello. Para llegar a este estado de serenidad se requiere entrenamiento. Esta es una dura batalla de coherencia cotidiana.

La comunidad dispone de ejemplos: los patriarcas y otros venerables personajes, pero sobre todo el Señor Jesús. Debe pues estar atenta y dejarse educar por estos ejemplos dolorosos, permitidos por Dios, que tienen como objetivo educar.

EVANGELIO Jesús se encamina a Jerusalén, donde se cumplirá "su salida". Los lectores saben bien lo

EVANGELIO   Lucas 13:22–30

Lectura del santo Evangelio según san Lucas

En aquel tiempo,
 Jesús iba **enseñando** por ciudades y pueblos,
 mientras se encaminaba **a Jerusalén**.
Alguien le preguntó:
 "Señor, ¿**es verdad** que son **pocos** los que se salvan?"

Jesús le respondió:
 "**Esfuércense** por entrar por la puerta, que es **angosta**,
 pues yo les **aseguro** que muchos **tratarán** de entrar
 y **no podrán**. Cuando el **dueño** de la casa se levante de la mesa
 y **cierre** la puerta, ustedes se quedarán **afuera**
 y se pondrán a tocar la puerta, diciendo:
 '¡Señor, **ábrenos**!'
Pero **él** les responderá:
 '**No sé** quiénes son ustedes'.

Entonces le dirán con **insistencia**:
 'Hemos comido y bebido **contigo**
 y tú **has enseñado** en nuestras plazas'.
Pero él **replicará**:
 'Yo **les aseguro** que **no sé** quiénes son ustedes.
Apártense de mí, **todos** ustedes los que hacen el mal'.
Entonces llorarán ustedes y se **desesperarán**,
 cuando vean a Abraham, a Isaac, a Jacob
 y a **todos** los profetas en el Reino de Dios,
 y ustedes se vean echados **fuera**.

Vendrán **muchos** del oriente y del poniente,
 del norte y del sur,
 y participarán **en el banquete** del Reino de Dios.
Pues los que ahora son **los últimos**, serán **los primeros**;
 y los que **ahora** son los primeros, **serán** los últimos".

Esta lectura sacude la modorra y comodidad a los que se sienten seguros de su propia salvación. Busca acicatear con tu voz a la asamblea.

El universalismo requiere de corazones abiertos y generosos. Con verdadera humildad proclama ese consabido estribillo con el que cierra hoy el evangelio.

---

que allá ocurrirá. Esto le da un tono grave a lo que suceda por el camino. Jesús va enseñando, según se presente la ocasión. Ahora, alguien anónimo del camino quiere saber si son pocos los que se salvan. Jesús responde con un exhorto (13:24), una imagen parabólica del Reino (13:25–29) y unas palabras sobre la inversión escatológica (13:30).

La respuesta de Jesús hace saltar por los aires la idea que abrigaban los fieles judíos, de que por nacer, crecer siendo miembros de la alianza con Dios tenían asegurado participar en el banquete del Reino. Sin embargo, en palabras de Jesús, entrar a dicho banquete les exigirá entrar por "la puerta estrecha", por la de atrás. Esto implica primeramente, despojarse de los "privilegios" que ellos mismos se han adjudicado, pero que mantienen alejados y excluidos de la salvación, a los extranjeros incircuncisos.

El camino de Jesús a Jerusalén, promueve y realiza que todas las gentes participen en ese banquete. Más que el número, importa su carácter universal que incluye a los Padres de Israel y a los Profetas del Reino, porque ellos representan lo fundamental: obedecer la fe. Es decir caminar conforme a la revelación de Dios. No basta "comer y beber" y haber escuchado las palabras del Maestro.

Para participar en el banquete del Reino lo indispensable son las obras buenas, hacer el bien. Las personas rectas y activas en la justicia y la paz son las que entran por la puerta principal. Esto es mucho más universal que la raza o la nación. Así se verifica la inversión del Reino: el lugar de privilegio que ocupan los antes excluidos. Esa es la tarea de la Iglesia, hasta el día de hoy.

XXII DOMINGO ORDINARIO

No es fácil dar consejos, ni escucharlos. Pero esta lectura tiene algo para cada quien. Dila con voz pausada y serena; como un padre habla a su hijo, sin que aflore rastro de autoritarismo.

Nota el contraste en este párrafo y haz que la asamblea lo note. El ritmo es importante aquí; habla con suavidad.

I LECTURA   Eclesiástico 3:19–21, 30–31

Lectura del libro del Eclesiástico (Sirácide)

Hijo **mío**, en tus asuntos procede **con humildad**
   y te amarán **más** que al hombre dadivoso.
Hazte tanto **más pequeño** cuanto **más grande** seas
   y **hallarás** gracia ante el Señor,
   porque **sólo él** es poderoso
   y **sólo** los humildes le dan gloria.

No hay remedio para el hombre orgulloso,
   porque ya está **arraigado** en la maldad.
El hombre **prudente** medita **en su corazón**
   las sentencias de los otros,
   y su gran anhelo es **saber escuchar**.

Para meditar

SALMO RESPONSORIAL   Salmo 68:4–5ac, 6–7ab, 10–11

R. Preparaste, oh Dios, casa para los pobres.

Los justos se alegran,
   gozan en la presencia de Dios,
   rebosando de alegría.
Canten a Dios, toquen en su honor,
   alégrense en su presencia. R.

Padre de huérfanos, protector de viudas,
Dios vive en su santa morada.
Dios prepara casa a los desvalidos,
   libera a los cautivos y los enriquece. R.

Derramaste en tu heredad,
   oh Dios una lluvia copiosa,
   aliviaste la tierra extenuada;
   y tu rebaño habitó en la tierra
   que tu bondad, oh Dios,
   preparó para los pobres. R.

I LECTURA El tema de la lectura es la humildad. Una humildad que no está fundada ni en la pobreza ni en la ausencia de medios, sino en una actitud ante la vida, que puede existir en gente de poder y de dinero. La humildad es valorar las cosas como son, sin añadirles ni disminuirles nada. La humildad es la verdad, decía santa Teresa. Lo que es uno y lo que son las cosas. Ver todo esto como es, sin ninguna añadidura, es lo que constituye la virtud de la humildad. La humildad es un servicio, es reconocer la relación que hay entre los hombres y entre estos y Dios.

Por eso la lectura da una orientación teológica. Lo primero es que sólo Dios es grande y poderoso. El hombre se debe acoger a su misericordia y amor. Humildad es reconocer esta grandeza y la necesidad del hombre de su dependencia. De aquí deriva la justa manera de relacionarse entre los hombres, sin poner por delante ninguna subordinación entre ellos, sino el servicio mutuo. "Dios es glorificado por los humildes", lo que indica que los hombres se porten como Dios quiere.

La segunda estrofa de la lectura se construye con un paralelismo antitético: el orgulloso y el prudente. El primero está abocado a la ruina, porque se ha ido arraigando en la práctica de la maldad. Se le ha hecho costumbre y ya no discierne. Se ha aislado tanto que se ha vuelto soberbio. Su antítesis es el hombre prudente.

El sabio cierra esta reflexión orientando a la escucha y reflexión. Es necesario acallar las voces del yo, de los intereses propios, para percibir los mensajes que provienen de fuera: tanto de las cosas como de las personas. Se necesita introspección y reflexión para extraer las consecuencias. Este

II LECTURA   Hebreos 12:18–19, 22–24

Lectura de la carta a los Hebreos

Hermanos:
Cuando ustedes se **acercaron** a Dios,
    no encontraron **nada material**, como en el Sinaí:
    ni fuego **ardiente**, ni oscuridad, ni tinieblas,
    ni huracán, **ni estruendo de trompetas**,
    ni palabras pronunciadas por aquella voz
    que los israelitas **no querían** volver a oír nunca.

Ustedes, en cambio,
    se han acercado a Sión,
    el monte y la ciudad del **Dios viviente**,
    a la Jerusalén **celestial**,
    a la reunión festiva de **miles y miles** de ángeles,
    a la asamblea de **los primogénitos**,
    cuyos nombres están escritos **en el cielo**.
Se han acercado a Dios,
    que es el juez de **todos** los hombres,
    y a los espíritus de los justos
    que **alcanzaron** la perfección.
Se han acercado **a Jesús**,
    el **mediador** de la nueva alianza.

El texto tiene dos partes contrastantes. La primera contiene imágenes sonoras y poderosas. Márcalas con tu tono firme, pero sin estruendos ni estridencias.

Este párrafo es contemplativo, casi de arrobo. Hay un crescendo que lleva hasta Jesús. No aminores el ritmo conforme te acercas al final.

---

es el modo de ir adquiriendo sabiduría, humildad y de dar gloria al Señor.

II LECTURA Juega esta lectura con dos alianzas, la antigua y la nueva. Nos da una palabra clave "acercarse", en sus sentidos positivo y negativo. "Acercarse" tiene un marcado tinte litúrgico, de donde se extiende a toda la existencia humana. Uno puede "acercarse" con una serie de ritos y signos, pero que no dejan oír una palabra. "Acercarse" es la forma fundamental de definir la existencia creyente; significa estar en continuo movimiento, con un

fin muy claro hacia donde voy. No se trata de encontrarme conmigo mismo, sino con los otros. El motivo para moverme bien viene de fuera, es como de guía que me lleva a vivir siempre con una orientación. El fiel sabe dónde dirigirse: a Sión, al encuentro de Dios.

De "la escucha de la palabra" viene la dirección y la meta hacia donde me muevo, pero en comunidad. Escuchamos la palabra para construir una relación de uno con otro en la familia humana, bajo el único mediador, Jesús sacerdote. Él ha humanizado la relación de la comunidad con Dios, tanto

que a la distancia ha contrapuesto la cercanía y la comunión. El cielo y la tierra se han acercado, para convertir al pueblo de la alianza en una comunión de santos.

EVANGELIO Los banquetes eran la mejor expresión del orden social y cultural de la época; manifestaban la comunión y amistad entre los ciudadanos (y con los dioses), y las virtudes de la sociedad común. En el caso de los banquetes fariseos, se trataba de comidas con sentido de santidad, es decir, de transparentar la piedad y la guarda de los mandamientos de

La actitud humilde nace del corazón. Colócate como servidor de la comunidad, más que como líder. Adéntrate en el espíritu de generoso desprendimiento que exige este evangelio.

EVANGELIO   Lucas 14:1, 7–14

Lectura del santo Evangelio según san Lucas

Un sábado, Jesús fue a comer
en casa de uno de **los jefes** de los fariseos,
y éstos estaban **espiándolo**.
Mirando cómo los convidados **escogían** los **primeros** lugares,
les dijo esta parábola:

"Cuando te **inviten** a un banquete de bodas,
no te sientes en el lugar **principal**,
no sea que haya **algún otro** invitado **más importante** que tú,
y el que los invitó **a los dos** venga a decirte:
'**Déjale** el lugar a éste',
y **tengas** que ir a ocupar, **lleno** de vergüenza,
el **último** asiento. Por **el contrario**, cuando te inviten,
ocupa el **último** lugar, para que,
cuando **venga** el que te invitó, te diga:
'Amigo, **acércate** a la cabecera'.
Entonces te verás **honrado**
en presencia **de todos** los convidados.
Porque el que se engrandece a sí mismo, **será humillado**;
y el que se humilla, **será engrandecido**".

Luego dijo al que lo había invitado:
"Cuando des una comida o una cena,
no invites a tus amigos, ni a tus hermanos,
ni a tus parientes, ni a **los vecinos ricos**;
porque **puede ser** que ellos te inviten **a su vez**,
y con eso quedarías **recompensado**.
Al contrario,
cuando des un banquete, invita **a los pobres**,
a los lisiados, a los cojos **y a los ciegos**;
y así serás **dichoso**, porque ellos **no tienen** con qué pagarte;
pero ya se **te pagará**, cuando **resuciten** los justos".

Esta parte guarda el sello de la esperanza cristiana. Levanta la vista del texto hasta que hayas concluido su lectura. Luego di la fórmula conclusiva.

la Ley de Dios. Pero el banquete al que invitan a Jesús más parece una trampa. Jesús, por su parte, aprovecha la ocasión tanto para denunciar el hambre de honores mutuos que anima los banquetes, como para recomendar que esos banquetes se transformen en lugares del Reino de Dios.

El honor es un regalo que los demás conceden, no un bien que uno se haya de apropiar. Jesús reprueba que uno ande tras los honores. Su consejo no es una táctica para conseguir enaltecimientos sino para no andarlos buscando, y en tal condición, ser capaz de mirarse a sí mismo en relación con

los demás y sus méritos. A final de cuentas, es Dios el que engrandece.

La recomendación de Jesús para hacer la lista de invitados al banquete va contra las expectativas sociales y piadosas. Él quiere que el anfitrión muestre su benevolencia y su generosidad ante Dios, invitando a los que están excluidos de los "banquetes" de santidad. Pobres, cojos, lisiados y ciegos estaban excluidos del templo y eran considerados pecadores. Ellos deben ser los destinatarios de tu generosidad y bondad, para que tu justicia sea compensada por el Dios que resucita a los muertos.

También en nuestras comunidades debemos estar atentos a procurar que nuestras reuniones de santidad sean espacios del Reino, no lugares de vanagloria y honores recíprocos. Si no hacemos espacios para los excluidos, no honramos al Dios de la vida.

XXIII DOMINGO ORDINARIO

I LECTURA Sabiduría 9:13–19

Lectura del libro de la Sabiduría

¿**Quién** es el hombre que puede **conocer**
  los designios de Dios?
¿**Quién** es el que puede saber lo que el Señor **tiene dispuesto**?
Los pensamientos de los mortales son **inseguros**
  y sus razonamientos **pueden** equivocarse,
  porque un cuerpo **corruptible** hace **pesada** el alma
  y el **barro** de que estamos hechos **entorpece** el entendimiento.

Con dificultad conocemos lo que hay sobre la tierra
  y a **duras penas** encontramos lo que **está** a nuestro alcance.
¿**Quién** podrá **descubrir** lo que hay en el cielo?
¿**Quién conocerá** tus designios, si **tú** no le das la sabiduría,
  enviando tu santo espíritu desde lo alto?

Sólo con esa sabiduría
  lograron los hombres **enderezar** sus caminos
  y **conocer** lo que te agrada.
Sólo con esa sabiduría se salvaron, Señor,
  los que te agradaron **desde** el principio.

Las preguntas pueden servir para guiar toda la lectura. Aunque en la disposición actual no está señalada, sepáralas un tanto del resto como si hubiera un punto y aparte.

Esta parte se fija en lo inaccesible. Pronúnciala como un maestro sabio que le habla a sus discípulos.

I LECTURA Escuchamos la conclusión de la gran súplica de Salomón por conseguir la sabiduría. La oración ocupa todo el capítulo 9: elogia a la sabiduría como un don divino, que la considera bajo tres ángulos: el hombre no es nada sin la sabiduría (vv. 1–6), petición de la sabiduría al cielo (vv. 7–12) y la sabiduría y los designios divinos (vv. 13–18). La lectura de hoy está tomada del último segmento.

El hombre es pequeño, y su grandeza consiste en hacerse del don de la sabiduría, que lo convierte en familiar de Dios (vv. 17–18). Ningún hombre es capaz de conocer la voluntad divina, que se refleja en los proyectos divinos. El hombre es de vista corta, lo que le impide ver y comprender en profundidad aun las cosas que tiene más cerca. Menos podrá comprender las cosas del cielo.

En cierto modo, el autor es pesimista frente a las capacidades del hombre. En el ambiente helenista se reconocían las capacidades humanas para conocer el arcano de las cosas. Aquí el hombre de fe del AT no cree en esa capacidad omnímoda del intelecto humano. Siente la necesidad de Dios, de su espíritu. Esa mención del Espíritu Santo que aparece aquí en la sección por vez primera, lo identifica con la sabiduría. Como ya se alumbraba en los profetas (ver Jer 31:31–33), el espíritu da la capacidad al intelecto y a la voluntad para indagar el camino de Dios, es decir, para conocer cuál es la voluntad de Dios y cómo llegar a lo que Dios quiere. De esta manera llegará el ser humano a la salvación (v. 18).

Para meditar

SALMO RESPONSORIAL   Salmo 90:3–4, 5–6, 12–13, 14 y 17

R. Señor, tú has sido nuestro refugio de generación en generación.

Tú reduces el hombre a polvo, diciendo:
"Retornen, hijos de Adán".
Mil años en tu presencia son un ayer,
    que pasó;
    una vela nocturna. R.

Los siembras año por año,
    como hierba que se renueva:
    que florece y se renueva por la mañana,
    y por la tarde la siegan y se seca. R.

Enséñanos a calcular nuestros años,
    para que adquiramos un corazón sensato.
Vuélvete, Señor, ¿hasta cuándo?
Ten compasión de tus siervos. R.

Por la mañana sácianos de tu misericordia,
    y toda nuestra vida será alegría y júbilo.
Baje a nosotros la bondad del Señor
    y haga prósperas las obras de
    nuestras manos. R.

II LECTURA   Filemón 9–10, 12–17

Lectura de la carta del apóstol san Pablo a Filemón

Querido hermano:
Yo, **Pablo**, ya anciano y ahora, **además**,
    prisionero por la causa de Cristo Jesús,
    quiero **pedirte** algo en favor de **Onésimo**, mi hijo,
    a quien he **engendrado** para Cristo **aquí**, en la cárcel.

Te lo envío. **Recíbelo** como a mí mismo.
Yo hubiera querido **retenerlo** conmigo,
    para que **en tu lugar** me atendiera,
    mientras estoy **preso** por la causa del Evangelio.
Pero no he querido hacer **nada** sin tu consentimiento,
    para que el favor que me haces no sea como **por obligación**,
    sino por tu **propia** voluntad.

Tal vez él fue apartado de ti por un breve tiempo,
    a fin de que lo recuperaras para **siempre**,
    pero ya no como **esclavo**,
    sino como **algo mejor** que un esclavo,
    como hermano **amadísimo**.

La carta tiene el tono bajo del ruego humilde y urgente. Marca las condiciones desfavorables de Pablo buscando el favor de Filemón.

Estas líneas tienen un tono de reproche que no hay que diluir.

Son líneas que crecen en emotividad. Ve dándole ímpetu a esta rogativa. La última oración es la principal.

II LECTURA Esta carta de recomendación está dirigida al dueño de un esclavo convertido a Cristo por Pablo, estando en la cárcel. Onésimo, un esclavo, había huido de Filemón, su amo. Pablo lo devuelve a su amo, a quien Pablo también había bautizado y lo recomienda con argumentos de la caridad cristiana.

Pablo llama a Onésimo su hijo, por haberlo engendrado en Cristo, con el bautismo. Al devolverlo, Pablo ruega que sea recibido, no como una cosa o posesión, sino como un hermano querido; Pablo apela a la amistad y caridad cristiana. Dueño y esclavo son cristianos; a los tres les une el amor de Cristo.

Pablo aboga por un cambio que proviene de la fe: un trato hermanable entre los seres humanos. Seguirá siendo el único cambio real. Mientras se quiera reducir todo a reglas externas o estructuras sociales, nos pasa lo que experimentamos hoy. La esclavitud ha tomado otro nombre, pero sigue en la sociedad moderna.

Él ya lo es **para mí**. ¡**Cuánto** más **habrá** de serlo para ti,
no **sólo** por su calidad de hombre,
sino de **hermano** en Cristo!
Por tanto, si me **consideras** como compañero tuyo,
recíbelo como a **mí mismo**.

EVANGELIO   Lucas 14:25–33

Lectura del santo Evangelio según san Lucas

En aquel tiempo,
caminaba con Jesús una **gran** muchedumbre
y él, volviéndose a sus discípulos, les dijo:
"Si alguno **quiere** seguirme
y no me **prefiere** a su padre y a su madre,
a su esposa y a sus hijos,
a sus hermanos y a sus hermanas,
más aún, a **sí mismo**, no puede ser mi discípulo.
Y el que no carga su cruz **y me sigue**,
no puede ser mi discípulo.

Porque, ¿**quién** de ustedes, si quiere **construir** una torre,
no se pone **primero** a calcular el costo,
para ver si tiene **con qué** terminarla?
No sea que, después de haber **echado** los cimientos,
no pueda acabarla y todos los que se enteren
comiencen a burlarse de él, diciendo:
'Este hombre **comenzó** a construir y **no pudo** terminar'.

¿O qué rey que va a **combatir** a otro rey,
no se pone **primero** a considerar si será capaz
de salir con **diez mil** soldados
al encuentro del que viene **contra** él con **veinte mil**?

Las exigencias de Jesús son radicales. Busca que suenen consecuentes en tus labios, pues la asamblea sabe que no son retóricas.

Guíate con la puntuación y al preguntar mira a la comunidad.

EVANGELIO La ruta a Jerusalén se va llenando de peregrinos; Jesús va allí también. Esto sirve para sembrar el Evangelio y así el Reino de Dios se podrá hacer realidad por todas partes. Pero no todos los que caminan junto a Jesús lo siguen; no todo caminante es discípulo. Los discípulos son un grupo que escucha y que se ajusta a las enseñanzas exigentes del Maestro. En la lectura de hoy hay como tres secciones breves, todas marcadas por el seguimiento, pero en medio tenemos un par de ejemplos que invitan a discernir con toda frialdad esto del discipulado. Sabemos bien que no basta sólo la buena voluntad o el entusiasmo para seguir a Jesús.

El desarraigo familiar y social por la causa de Jesús es un ingrediente del discipulado. El valor máximo en la vida es el seguimiento de Jesús. El desarraigo que Jesús pide es un vaciarse de los modos de pensar del mundo, de la familia y de los propios, para aprender a vivir como él, relacionarnos como él, amar como él, entregarnos como él al proyecto del Reino de Dios. La vida entera se pone al servicio del Reino. No caben medias tintas ni frivolidades. El "yo" del discípulo desaparece con su proyecto de realización personal legítima para adoptar los del Maestro. Sabemos bien que el Reino tiene un camino de cruz propia, es decir, donde la deshonra y el abajamiento son personales.

Son palabras dirigidas a todo discípulo. Mírate interpelado antes de interpelar a la asamblea.

Porque si no, cuando el otro esté **aún lejos**,
le enviará una embajada
para **proponerle** las condiciones de paz.

Así pues,
cualquiera de ustedes que no renuncie **a todos** sus bienes,
no puede ser mi discípulo".

Con cierta simpleza, pudiéramos pensar que las exigencias del discipulado son para quienes buscan abrazar el estado de vida clerical o religioso, pero eso es falso. De hecho, son para todo el que quiera colaborar en el Reino que Jesús promueve y realiza. Son condición para todos los bautizados, para la Iglesia entera.

XXIV DOMINGO ORDINARIO

I LECTURA   Éxodo 32:7–11, 13–14

Lectura del libro del Éxodo

La lectura cuenta una discusión; Moisés intercede por el pueblo que ha pecado. Dale los tonos propios a las intervenciones de Dios, y a la defensa del caudillo.

En aquellos días, dijo el Señor a **Moisés**:
  "Anda, **baja** del monte, porque **tu pueblo**,
  el que **sacaste** de Egipto, se ha **pervertido**.
No tardaron en desviarse
  del camino que yo les había **señalado**.
Se han **hecho** un becerro de metal,
  se han **postrado** ante él
  y le han ofrecido **sacrificios** y le han dicho:
  '**Éste** es tu dios, Israel; es el que te **sacó** de Egipto'".

El Señor le dijo **también** a Moisés:
  "**Veo** que éste es un pueblo de cabeza **dura**.
Deja que mi ira se encienda contra ellos **hasta consumirlos**.
De ti, en cambio, haré **un gran pueblo**".

El tono es para apaciguar la ira de Dios. No exageres al endulzarlo; la asamblea notará si lo hagas. Recuerda que es la lectura lo central, no el lector.

Moisés **trató** de aplacar al Señor, su Dios, diciéndole:
  "**¿Por qué** ha de encenderse tu ira, Señor,
  contra este pueblo **que tú** sacaste de Egipto
  con **gran** poder y **vigorosa** mano?
Acuérdate de Abraham, de Isaac y de Jacob, siervos tuyos,
  a quienes juraste **por ti mismo**, diciendo:
  '**Multiplicaré** su descendencia
  como las estrellas del cielo
  y les daré en posesión **perpetua**
  toda la tierra que les **he prometido**'".

I LECTURA Los capítulos 32–34 del Éxodo ofrecen en una especie de viñetas una respuesta de Dios ante el pecado de Israel. Son acercamientos contrastantes y complementarios. La relación entre Dios y su pueblo es única. No se puede encerrar en leyes, menos en fórmulas.

El relato que escuchamos quiere dar un significado teológico, por medio de un diálogo dramático entre Dios y Moisés.

Dios informa a Moisés sobre el pecado del pueblo, lo que el lector ya sabía. Si aquí se repiten los hechos en boca de Dios, es para calificar el hecho teológicamente.

Luego en el v. 8 se tiene una segunda expresión sobre la conducta de Israel. La descripción del pecado de Israel consiste en "apartarse del camino", se trata de las prescripciones rituales. Sigue la descripción concreta del pecado. Se habla de cuatro acciones:

1) "Se han hecho un becerro fundido". El becerro era símbolo de fuerza y fecundidad divinas. Esto que se encontraba en los otros dioses cananeos, lo adscriben ahora a su Dios, el Señor. Esto con el tiempo se prohibió. El hombre no debe hacerse ninguna imagen de Dios.

2) "Se han postrado ante él". Un rito que pertenecía a la ceremonia de corte, no sólo al campo religioso. Lo malo aquí está en que se hizo un rito que no iba de acuerdo a lo que se reverenciaba en esa imagen.

3) "Le han ofrecido sacrificios". Esto primitivamente se hacía en cada altar consagrado al Señor. Con el tiempo se hizo exclusivo al templo de Jerusalén. Lo hecho por ellos era algo contra la posterior costumbre de exclusividad.

4) La recitación del credo fundamental de fe: "Estos son tus dioses, Israel, que te han sacado del país de Egipto". Este plural

Da unos segundos de silencio antes de leer
las dos líneas conclusivas.

Y el Señor **renunció** al castigo
con que había a**menazado** a su pueblo.

Para meditar

SALMO RESPONSORIAL   Salmo 51:3–4, 12–13, 17 y 19
R. Me levantaré y volveré donde mi padre.

Misericordia, Dios mío, por tu bondad,
   por tu inmensa compasión borra mi culpa;
   lava del todo mi delito,
   limpia mi pecado. R.

Oh Dios, crea en mí un corazón puro,
   renuévame por dentro con espíritu firme;
   no me arrojes lejos de tu rostro,
   no me quites tu santo espíritu. R.

Señor, me abrirás los labios,
   y mi boca proclamará tu alabanza.
Mi sacrificio es un espíritu quebrantado;
   un corazón quebrantado y humillado
   tú no lo desprecias. R.

II LECTURA   1 Timoteo 1:12–17

Lectura de la primera carta del apóstol san Pablo a Timoteo

Querido hermano:
Doy gracias a aquel que me **ha fortalecido**,
   a nuestro Señor Jesucristo,
   por haberme considerado **digno** de confianza
   al ponerme a su servicio,
   a mí, que antes fui **blasfemo**
   y **perseguí** a la Iglesia con violencia;
   pero Dios tuvo misericordia **de mí**,
   porque en mi incredulidad obré **por ignorancia**,
   y **la gracia** de nuestro Señor
   se **desbordó** sobre mí, al darme la fe y el amor
   que **provienen** de Cristo Jesús.

Puedes **fiarte** de lo que voy a decirte
   y aceptarlo **sin reservas**:
   que Cristo Jesús vino **a este mundo**
   a **salvar** a los pecadores,
   de los cuales yo soy **el primero**.

Pablo confiesa su pasado para que Timoteo
no dude de su ministerio en favor de la fe.
Nota las expresiones de gracia y perdón para
pronunciarlas con la paz y seguridad que
deben adueñarse de la asamblea.

Guíate de las negrillas e identifica el mensaje
central de este párrafo.

era un plural mayestático, que al principio no indicaba la pluralidad de dioses. Pero después, ese plural se interpretó como plural y era una clara transgresión de la fe monoteísta.

Este pecado con sus cuatro manifestaciones, lleva a Israel a un castigo. Dios castigará al pueblo: lo aniquilará y hará de Moisés el padre de un pueblo que substituya al de Israel. No sólo por este pecado, sino porque en esto ha mostrado el pueblo lo que ya aparecía desde antes: un pueblo que nunca obedecerá.

La expresión de Dios como si le pidiera a Moisés permiso, es una forma literaria que espera la negativa de parte del interpelado. En esa segunda parte del diálogo muestra Dios su verdadera postura. La petición de Moisés, mediador, que es una figura del verdadero mediador Jesucristo, sirve para hace público los verdaderos sentimientos de Dios. Moisés no quiere minimizar el pecado de Israel, sino superarlo recurriendo a la promesa de Dios a los patriarcas. En otras palabras, la misericordia de Dios es la que triunfará. Moisés como intercesor pone en la verdadera luz la característica fundamen-

tal de Dios: su misericordia y su disposición al perdón. Es un anticipo de lo que dirá Moisés después (ver Ex 34:6).

II LECTURA La segunda lectura nos entrega un pensamiento muy cercano a Pablo. Aparece un recuerdo de Pablo en primera persona, con un sentido edificante.

Da el Apóstol gracias a Jesús Mesías, el Señor, porque le ha conservado fiel. La autoridad que manifiesta Pablo, proviene de la llamada del Señor que le llevó a una rotura radical en su vida. Antes fue un pecador,

Esta alabanza conclusiva recítala con más ánimo, pero sin exagerar.

Pero Cristo Jesús **me perdonó**,
   para que **fuera yo** el primero
   en quien él manifestara **toda** su generosidad
   y sirviera yo de **ejemplo**
   a los que habrían de creer **en él**,
   para obtener **la vida eterna**.

Al Rey eterno, **inmortal**, invisible, **único** Dios,
   honor y gloria por los siglos de los siglos. **Amén**.

EVANGELIO   Lucas 15:1–32

Lectura del santo Evangelio según san Lucas

En aquel tiempo, se acercaban a Jesús
   los **publicanos** y los **pecadores** a escucharlo;
   por lo cual los fariseos y los escribas
   murmuraban entre sí:
   "Este **recibe** a los pecadores y **come** con ellos."

Jesús les dijo entonces esta parábola:
"¿**Quién** de ustedes, si tiene **cien** ovejas y se le pierde **una**,
   no deja las noventa y nueve **en el campo**
   y va en busca de la que se le perdió **hasta encontrarla**?
Y una vez que la encuentra,
   la carga sobre sus hombros, lleno de alegría,
   y al llegar a su casa,
   reúne a los amigos y vecinos y les dice:
   'Alégrense conmigo,
   porque ya encontré la oveja que se me había perdido'.
Yo les aseguro
   que **también** en el cielo habrá **más alegría**
   por un pecador que **se arrepiente**,
   que por noventa y nueve justos, que **no necesitan** arrepentirse.

La amplitud de esta lectura exige una preparación más cuidadosa. Nota las partes y organiza las secciones; dales su ritmo y tono propios, buscando que la asamblea las perciba bien y no se desconecte.

Este es el punto a subrayar. Haz tuya la expresión, "Yo les aseguro . . . ". La alegría debes hacerla notable ante la asamblea. Repite lo mismo más abajo, donde aparece.

perseguidor. Anota el gran cambio. Pablo no cambió, sino que le alcanzó la misericordia de Dios. En la vida del apóstol están muy claras las dos épocas. Acto seguido, Pablo dice que su manera de vivir anterior era por desconocimiento; no se culpa. Le tocó una gracia enorme. Esa gracia divina se manifestó en fe y amor.

Pablo habla de la misericordia divina. Empieza con una fórmula introductoria: "Este mensaje es de fiar" (v. 15). Viene la afirmación: Jesús vino al mundo a salvar a los pecadores. Pablo se confiesa el primero. No primero en tiempo, sino como un ejemplo.

Pablo se refiere indirectamente a un pasado negativo y directamente, a la gracia de Dios. En su Apóstol, Cristo ha manifestado su misericordia. Se presenta como un representante de esta gracia divina. Todo termina con una doxología, que tendría sitio originariamente en la liturgia.

La comunidad que lee la carta, ya no cuenta con la presencia física de Pablo. Tiene, con todo, su doctrina que se conserva en fórmulas, doctrinas y máximas. Los errores y herejías que rodean a la comunidad, son combatidas recurriendo a la doc-

trina y ejemplo de Pablo. Lo mismo cabe hacer a la Iglesia de nuestros días.

EVANGELIO Las tres parábolas agrupadas en el capítulo quince del evangelio están dirigidas a los fariseos y a los escribas, que eran gente reputada por su piedad y saber; eran los guías en las comunidades judías. Ellos reprueban que Jesús coma con gente que no se atiene a las prescripciones de pureza. Dicen que Jesús se hace uno con ellos, pues comer con alguien eso implicaba. "Dime con quién andas y . . . ", decimos hoy. Pero esa gente

¡Y qué mujer hay,
    que si tiene **diez** monedas de plata y pierde una,
    no enciende luego una lámpara y **barre** la casa
    y la **busca** con cuidado hasta **encontrarla**?
Y cuando la encuentra,
    reúne a sus amigas y vecinas y les dice:
    '**Alégrense** conmigo,
    porque **ya encontré** la moneda que se me **había perdido**'.
Yo les **aseguro**
    que así **también** se alegran los ángeles de Dios
    por un **solo** pecador que se arrepiente".

También les dijo esta parábola:
    "Un hombre tenía **dos** hijos,
    y el **menor** de ellos le dijo a su padre:
    'Padre **dame** la parte que me toca de la herencia'.
Y él **les repartió** los bienes.

No muchos días después,
    el hijo **menor**, juntando **todo** lo suyo,
    se fue a un país **lejano** y allá **derrochó** su fortuna,
    viviendo de una manera **disoluta**.
Después de malgastarlo **todo**,
    sobrevino en aquella región una **gran hambre**
    y él empezó a pasar **necesidad**.
Entonces fue a pedirle trabajo a un habitante de aquel país,
    el cual lo mandó a sus campos a **cuidar cerdos**.
Tenía ganas de **hartarse** con las bellotas que comían **los cerdos**,
    pero **no lo dejaban** que se las comiera.

Se puso entonces a reflexionar y se dijo:
    '**¡Cuántos** trabajadores en casa de mi padre tienen pan **de sobra**,
    y yo, aquí, me estoy muriendo **de hambre**!
Me levantaré, **volveré** a mi padre y le diré:
    Padre, he pecado contra el cielo y **contra ti**;
    ya **no merezco** llamarme **hijo tuyo**.
Recíbeme como a uno de tus trabajadores'.

Marca la tercera parábola desde el encabezado. Páusate y modifica el tono para alertar a la asamblea.

Distingue los momentos de la reflexión. Dale un tono resuelto a lo que se propone hacer el muchacho.

reprobable es la que escucha a Jesús y así se le une. En esa situación, Jesús responde. Lucas agrupa tres parábolas muy parecidas entre sí, pero también diferentes.

La primera se dirige a los presentes, fariseos y escribas, que conocen lo que se siente perder una oveja y recuperarla. Pero la enseñanza no es sólo la alegría de la recuperación, sino que Dios, o el Cielo, se alegra más por un pecador arrepentido que por los que no requieren arrepentirse. Si los escuchas se tienen por justos, no le causan mayor alegría a Dios.

La segunda parábola sigue la misma línea que la anterior, pero en la conclusión no hay ya la comparación entre la moneda encontrada y las nueve seguras. Esa moneda, dracma, era el jornal de un día. En esta parábola, Jesús escoge como protagonista a una mujer, y esto puede verse como un declarado contraste de género respecto a sus oyentes, que tenían a las mujeres por inferiores. Jesús hace una analogía con las vecinas y amigas que las asemeja a los ángeles de Dios. La alegría de la reunión no

se hace por el valor de la moneda, como tampoco en el caso de la oveja, sino en el hallazgo, en el reencuentro, en la recuperación. Esto es lo que vale en el arrepentirse del pecador y amerita la reunión alegre del cielo.

La parábola del padre y sus dos hijos es un relato complejo con ingredientes muy similares a las anteriores, pero con dos hilos que se entretejen hacia la conclusión; el primer hilo cuenta la historia del hijo perdido y recuperado, y la fiesta que el padre hace por haberlo recuperado vivo.

Enseguida se puso en camino hacia la casa de su padre.
Estaba todavía **lejos**,
 cuando su padre **lo vio** y se enterneció **profundamente**.
Corrió hacia él,
 y **echándole** los brazos al cuello, lo **cubrió** de besos.
El muchacho le dijo:
 '**Padre**, he pecado contra el cielo y **contra ti**;
 ya **no merezco** llamarme **hijo tuyo**'.

Pero el padre les dijo a sus criados:
 '**¡Pronto!**, traigan la túnica más rica y **vístansela**;
 pónganle un anillo en el dedo y **sandalias** en los pies;
 traigan el becerro gordo y **mátenlo**.
Comamos y **hagamos una fiesta**,
 porque este hijo mío estaba **muerto** y ha **vuelto a la vida**,
 estaba **perdido** y lo hemos **encontrado**'.
Y empezó el banquete.

El hijo **mayor** estaba en el campo, y al volver,
 cuando se acercó a la casa, **oyó** la música y los cantos.
Entonces llamó a uno de los criados y le preguntó qué pasaba.
Éste le contestó:
 'Tu hermano **ha regresado**,
 y tu padre mandó matar el **becerro gordo**,
 por haberlo recobrado **sano y salvo**'.
El hermano mayor **se enojó** y no quería entrar.

Salió entonces el padre **y le rogó** que entrara;
 pero él replicó:
 '¡Hace **tanto** tiempo que te sirvo,
 sin desobedecer **jamás** una orden tuya,
 y tú no me has dado **nunca** ni un cabrito
 para comérmelo con mis amigos!
Pero **eso sí**, viene ese **hijo tuyo**,
 que **despilfarró** tus bienes con **malas** mujeres,
 y tú **mandas matar** el becerro gordo'.

Coloca entusiasmo en las palabras del padre. Entre este y el siguiente párrafo debe haber una pausa.

El hijo menor se comportó con arrogancia y "ejerciendo su derecho a una vida independiente", más aún, alejado de su padre. Hizo un rompimiento total. Esto más que una ingratitud es una ofensa imperdonable a la casa paterna y las leyes de Dios. Pero tras la deshonra de su casa por haberse comportado disolutamente, vino la ruina y la necesidad lo obliga a volver para sobrevivir. El padre lo restituye como hijo y hace una gran fiesta "porque ha vuelto a la vida".

El hijo mayor, por su parte, asume una actitud que parece la correcta; ha obedecido cada disposición paterna. Por los términos de la parábola, se ha ido asemejando más a un siervo del padre que a su hijo; no hay alegría familiar ni con los amigos. Su única razón de vivir ha sido obedecer. Pero la llegada del hermano perdido y el corazón de su padre, le abren las puertas para navegar a una dimensión de la vida desconocida para él: la alegría. Aquí concluye la historia que hace la consabida comparación de la alegría del Padre entre lo encontrado y lo perdido, pero hay una "necesidad de hacer fiesta", que Dios siente cuando uno de sus hijos vuelve a casa arrepentido. San Lucas no nos cuenta que hizo el hermano mayor, porque quiere que el lector se identifique con alguno de los hijos, y actúe en consecuencia.

Esta parábola ilustra también la relación entre los cristianos que venían del judaísmo y los procedentes del paganismo en las comunidades primeras. ¿Tenían el mismo estatus de salvación en la Iglesia? Jesús se alegra de recibir a los pecadores.

Estas palabras no son una disculpa, sino una confesión del amor paterno. Dales calidez y profundidad.

El padre repuso:
'Hijo, tú **siempre** estás conmigo y **todo** lo mío es **tuyo.**
Pero era **necesario** hacer fiesta y **regocijarnos,**
porque este **hermano tuyo** estaba **muerto**
y ha **vuelto** a la vida, estaba **perdido** y lo hemos **encontrado**'".

Versión corta: Lucas 15:1–10

XXV DOMINGO ORDINARIO

I LECTURA   Amós 8:4–7

Lectura del libro del profeta Amós

Escuchen esto los que buscan al pobre
    sólo para arruinarlo
    y andan diciendo:
"**¿Cuándo** pasará el descanso del primer día del mes
    para **vender** nuestro trigo,
    y el descanso **del sábado**
    para **reabrir** nuestros graneros?"
Disminuyen las medidas,
    aumentan los precios,
    alteran las balanzas,
    obligan a los pobres a venderse;
    por un **par de sandalias** los compran
    y hasta venden **el salvado** como trigo.

El Señor, gloria de Israel, **lo ha jurado:**
"No olvidaré **jamás ninguna** de estas acciones".

Es una denuncia social muy fuerte. Las imágenes son vívidas y no debes restarle fuerza a la voz del profeta. Son reclamos actuales que duelen.

Dale tono sentencioso a las frases conclusivas.

I LECTURA Amós es uno de los típicos profetas que hablaron contra la injusticia social. No propusieron un sistema económico concreto, no era su objetivo. Los profetas son como sonidos de campana o despertadores que llaman la atención sobre una circunstancia que está dañando gravemente a los hombres, en concreto, para ellos, al pueblo de Dios. Su mensaje es concreto y ceñido al tiempo en que hablan. Amós nota que la injusticia se ha metido en la vida social como algo normal, como si no fuera el objetivo del pueblo de Dios la construcción de una vida donde no hubiera pobres (Dt 15:4).

La sociedad de Israel era muy desigual. Había pocos que poseían mucho y un buen número de gente que vivía en extrema pobreza. Amós provenía de un pueblo, Técoa, que se encontraba en la línea entre el desierto y la tierra cultivable. Llevaba una vida sencilla, por lo cual sintió mucho la clase de lujos extravagantes que veía en la sociedad israelita.

En la primera parte del texto se describe la pretensión de la rápida ganancia (vv. 4–6); en la segunda parte se anuncia el castigo, contenido implícitamente en que Dios no deja sin castigo el mal hecho (v. 7).

El inicial "escuchen" abre el mensaje e invita a la reflexión. Sigue una denuncia implacable que desenmascara los comportamientos asesinos, concretamente: el humilde cae en las garras de los comerciantes y prestamistas, los que, por una bicoca, hasta lo someten a esclavitud.

Estos personajes injustos van contra las mismas fiestas religiosas (novilunio y sábado), porque obligando al descanso, interrumpían sus ganancias. Pasa luego a describir la injusticia en los mismos negocios,

Para meditar

SALMO RESPONSORIAL   Salmo 113:1–2, 4–6, 7–8

R. Alaben al Señor que ensalza al pobre.

O bien: R. Aleluya.

Alaben, siervos del Señor,
 alaben el nombre del Señor.

Bendito sea el nombre del Señor,
 ahora y por siempre. R.

El Señor se eleva sobre todos los pueblos,
 su gloria sobre los cielos.
¿Quién como el Señor, Dios nuestro,
 que se eleva en su trono
 y se abaja para mirar
 al cielo y a la tierra? R.

Levanta del polvo al desvalido,
 alza de la basura al pobre,
 para sentarlo con los príncipes,
 los príncipes de su pueblo. R.

II LECTURA   1 Timoteo 2:1–8

Lectura de la primera carta del apóstol san Pablo a Timoteo

Pablo alecciona a Timoteo sobre asuntos muy particulares. Pon atención a los signos de puntuación para darle ritmo a la lectura.

Te ruego, hermano, que **ante todo**
 se hagan **oraciones**, plegarias, **súplicas**
 y acciones de gracias por **todos** los hombres,
 y en particular, por los **jefes** de Estado
 y las demás autoridades,
 para que **podamos** llevar una vida tranquila y **en paz**,
 entregada a Dios y respetable **en todo sentido**.

Esto es bueno y **agradable a Dios**, nuestro salvador,
 pues él quiere que **todos** los hombres se salven
 y **todos** lleguen al conocimiento **de la verdad**,
 porque no hay sino **un solo Dios**
 y un **solo mediador** entre Dios y los hombres,
 Cristo Jesús, hombre él también,
 que se **entregó** como rescate **por todos**.

con el abuso en las pesas y balanzas. Finalmente, su injusticia perversa: esclavizan a los que han convertido en sus deudores. Todo esto no puede detener el castigo divino. Cierra un juramento divino, preludio del castigo. Dios jura por sí mismo no olvidar esa injusticia. Con esto se muestra el Dios de Israel como un Dios de justicia, que no abandona nunca al pobre. Dios siempre estará en el futuro con el pobre, que pone toda su confianza en el Señor.

II LECTURA Las lecturas de hoy nos recuerdan la existencia del mal, que infecta todo y a todos. En este ambiente, viene esta lectura a hablarnos de la oración. Los dos primeros versos (1–2) y el último (8) hablan de la oración. En el centro se presenta un itinerario de la historia de la salvación.

Timoteo debe regular y normar la oración litúrgica, no dejarla toda a la espontaneidad y la improvisación. El autor distingue cuatro modalidades de oración: petición, súplica, plegaria y acción de gracias. Otra característica es que la oración debe hacerse en favor de todos. Tiene, pues, la oración un tinte universalista. Hay que tomar en cuenta dirigirla por los que tienen autoridad, dado que esta autoridad está para servir, por lo mismo, habrá que rogar para que su acción repercuta mejor en favor de todos. Se muestra sensible Pablo con la autoridad civil.

En el centro de la oración está la profesión de fe en el único Dios y en el único mediador Jesús el Mesías. De Cristo se califica su dimensión humana. Tal vez ya se sentían los vientos de ciertas tendencias gnósticas, que negaban la carnalidad del Señor. Se amarra la redención en un terreno histórico: "que se entregó a sí mismo por el rescate de todos. Tal es el testimonio dado

Este es un punto capital, el testimonio de Cristo. Imprímele fuerza a estas frases.

Él **dio testimonio** de esto a su debido tiempo
    y de esto yo he sido constituido,
    digo la verdad y no miento,
    pregonero y apóstol para **enseñar** la fe y la verdad.

Enfatiza las líneas sobre la oración. Es una oración pública. Dale su solemnidad.

Quiero, pues, que los hombres,
    libres de odios y divisiones,
    hagan oración **dondequiera** que se encuentren,
    levantando al cielo sus manos puras.

EVANGELIO   Lucas 16:1–13

Lectura del santo Evangelio según san Lucas

En aquel tiempo, Jesús dijo a sus discípulos:
    "Había una vez un hombre **rico** que tenía un administrador,
el cual fue acusado ante él de haberle **malgastado** sus bienes.
Lo llamó y le dijo:
    '¿Es cierto lo que me han dicho de ti?
Dame cuenta de tu trabajo,
    porque en adelante ya **no serás** administrador'.

La parábola es una enseñanza. Es el Maestro el que habla y guía en el relato. Identifica los momentos diferentes de la introspección y de la acción de los personajes. Dales cabal sentido con tu tono de voz.

Entonces el administrador se puso a pensar:
    '¿Qué voy a hacer **ahora** que me **quitan** el trabajo?
No tengo fuerzas para **trabajar** la tierra
    y me da vergüenza **pedir** limosna.
Ya sé lo que voy a hacer, para tener a alguien
    que me **reciba** en su casa, cuando me despidan'.

Esta descripción debe tener premura y sigilo. Ensaya la velocidad de esta parte.

Entonces fue llamando **uno por uno**
    a los **deudores** de su amo.
Al primero le preguntó: '¿**Cuánto** le debes a mi amo?'
El hombre respondió: '**Cien** barriles de aceite'.
El administrador le dijo:
    'Toma tu recibo, **date prisa** y haz otro por **cincuenta**'.

---

en el tiempo oportuno" (v. 6). La dimensión universal merece la pena ser subrayada. Eso va en consonancia con la voluntad salvífica de Dios para la humanidad.

La obra del Padre, realizada en Cristo, llega a los hombres por la predicación, que tiene en Pablo a uno de sus mejores paladines. Se pone la especificidad de Pablo en boca de él: "maestro de los gentiles en la fe y en la verdad" (v. 7).

El texto termina con una llamada a todos los hombres para que oren.

EVANGELIO Escuchamos que Jesús sigue insistiendo en la recta actitud que hay que tener ante los bienes materiales o las riquezas, si es que se quiere tener parte en el reinado de Dios. A esto viene la parábola del administrador astuto y los otros dichos, bastante heterogéneos, por cierto, pero más o menos acomodados bajo ese renglón.

En la parábola, el administrador de un rico comerciante es presa de un rumor de fraude que orilla a su patrón a llamarlo a cuentas para que entregue la administración pues lo destituirá de su cargo. Se verá en la calle, literalmente, sin recursos para sobrevivir. La crisis del juicio repentino e inevitable es devastadora, pero lejos de dejarse apabullar, el ecónomo se resuelve a salvarse dando sus últimos golpes administrativos, tan fraudulentos como rápidos, decididos y audaces en vistas al futuro. Por un lado, obsequia a cada deudor quinientos denarios para granjeárselo; por otro, su amo aumentará su honor por benévolo.

Luego preguntó al siguiente: 'Y tú, ¿**cuánto** debes?'
Este respondió: '**Cien** sacos de trigo'.
El administrador le dijo:
'Toma tu recibo y haz **otro** por **ochenta**'.

Es la moraleja cristiana.

El amo tuvo que **reconocer**
que su mal administrador había procedido **con habilidad**.
Pues los que pertenecen a **este mundo**
son **más hábiles** en sus negocios
que los que pertenecen a la luz.

Y yo les digo:
Con el dinero, tan lleno de **injusticias**,
gánense amigos que, cuando ustedes mueran,
los reciban **en el cielo**.

El que es **fiel** en las cosas pequeñas,
también es fiel en **las grandes**;
y el que es **infiel** en las cosas pequeñas,
también es infiel **en las grandes**.

A las siguientes dos preguntas dales tiempo como buscando respuesta de los presentes.

Si ustedes no son **fieles** administradores del dinero,
tan lleno de injusticias,
¿**quién** les confiará los bienes **verdaderos**?
Y si no han sido fieles en lo que **no es** de ustedes,
¿**quién** les confiará lo que **sí es** de ustedes?

No hay criado que pueda servir **a dos amos**,
pues **odiará** a uno y **amará** al otro,
o se **apegará** al primero y **despreciará** al segundo.
En resumen,

Esta frase debe quedar en la memoria y en el corazón de todos.

no pueden ustedes servir a Dios **y al dinero**".

Versión corta: Lucas 16:10–13

El ecónomo actuó inteligentemente, lo que le vale la admiración de su señor. Con sus palabras, Jesús no insta a los discípulos al fraude sino a actuar con decisión y sagacidad para conseguirse la buena voluntad de las personas menos favorecidas, los pobres, los huérfanos y las viudas, ante el juicio inminente que supone el Reino de Dios. Esa es la función de los bienes, y para eso hay que usarlos astuta y fielmente: para salvarse en el futuro inminente.

Los dichos finales del evangelio parecen dirigidos a los líderes de la comunidad cristiana que no han sido fieles en su administración. El dinero es algo de rango muchísimo menor a los bienes duraderos, los del reinado de Dios. Ellos, los líderes cristianos, parecen servir a Dios, cuando en realidad son siervos del dinero. Si administran bienes, los líderes deben ser escrupulosamente fieles, pues el dinero acumulado acumula injusticias también. El dinero, lo sabemos todos, da cierta seguridad para mañana, y por eso entraña riesgos para el caminar del discípulo. Jesús no anda con medias tintas, o Dios o el dinero.

La seguridad auténtica del futuro la alcanza el discípulo sólo si sirve con toda fidelidad los bienes de Dios para beneficiar a los más desprotegidos. El evangelio nos dice que incluso los asuntos más terrenales y hasta inicuos (el "dinero injusto") se entrecruzan con el futuro trascendente. Si queremos vivir para Dios, hay que servirlo con una entrega total de la persona en función de los demás. En ese servicio, los creyentes nos jugamos el presente y el futuro.

XXVI DOMINGO ORDINARIO

El "Ay" es un lamento y una denuncia de la religión sostenida con la iniquidad. Dale fuerza a esta línea inicial.

I LECTURA   Amós 6:1, 4–7

Lectura del libro del profeta Amós

Esto dice el Señor todopoderoso:
   "¡Ay de ustedes, los que se sienten **seguros** en Sión
   y los que **ponen** su confianza
   en el **monte sagrado** de Samaria!
Se reclinan sobre divanes **adornados** con marfil,
   se **recuestan** sobre almohadones
   para **comer** los corderos del rebaño
   y las terneras en **engorda**.
Canturrean al son del arpa, **creyendo** cantar como David.
Se **atiborran** de vino,
   se ponen los perfumes **más costosos**,
   pero **no se preocupan** por las desgracias de sus hermanos.

Por eso irán al destierro **a la cabeza** de los cautivos
   y **se acabará** la orgía de los disolutos".

Es el castigo inminente. Anúncialo con toda contundencia; la cabeza erguida y viendo a la comunidad.

I LECTURA Amós delata una falsa seguridad por la confianza en sí mismo. El pueblo de Israel bajo Jeroboán II se había aprovechado del momento en que los asirios habían atacado a los arameos, vecinos de Israel. El comercio y la agricultura habían mejorado mucho y el bienestar había llegado, con los inconvenientes de siempre. Unos pocos aprovecharon la bonanza y la pasaban bien. Pero había muchos, los más, que sólo cargaban deudas y miseria.

El profeta acusa a los seguros de sí mismos. Israel había nacido como comunidad y luego como pueblo, dependiendo de Dios. Dependencia que significa experimentar la gracia, la misericordia de Dios. El pueblo elegido estaba obligado a manifestar esa gracia, procurando que los más pobres participaran de los beneficios.

Israel, sin embargo, había entendido la elección como algo otorgado por sus méritos o valores; no como un don, sino como un privilegio. Algo que se le debía. Los individuos también así entendían su riqueza y bienestar, como algo merecido o adquirido por su esfuerzo y mérito. No lo pensaban como un regalo de Dios. Por lo mismo, no volcaban sus bienes en provecho de los demás.

Hay una rotura en el pueblo. La denuncia del profeta es clara y cortante. Ante la descripción de una vida esplendorosa, llena de melodías y de olores del aceite perfumado, está la visión de la despreocupación por los más necesitados e indigentes.

El profeta entona un "Ay" doloroso, fúnebre. Sí, se duele por la muerte, por la aniquilación de esa comunidad donde no reina la bondad y la participación comunitaria. No ven los ricos la "ruina de José", la situación desesperada y trágica del país.

Para meditar

SALMO RESPONSORIAL   Salmo 146:7, 8–9a, 9bc–10

R. Alaba, alma mía, al Señor.

O bien: R. Aleluya.

El mantiene su fidelidad perpetuamente,
   hace justicia a los oprimidos,
   da pan a los hambrientos.
El Señor liberta a los cautivos. R.

El Señor abre los ojos al ciego,
   el Señor endereza a los que ya se doblan,
   el Señor ama a los justos,
   el Señor guarda a los peregrinos. R.

Sustenta al huérfano y a la viuda
   y trastorna el camino de los malvados.
El Señor reina eternamente,
   tu Dios, Sión, de edad en edad. R.

II LECTURA   1 Timoteo 6:11–16

Lectura de la primera carta del apóstol san Pablo a Timoteo

Hermano:
Tú, como hombre de Dios,
   lleva una vida de rectitud, **piedad**, fe,
   amor, **paciencia** y mansedumbre.
Lucha en el noble combate **de la fe**,
   conquista la vida eterna a la que has sido **llamado**
   y de la que hiciste **tan admirable** profesión
   ante **numerosos** testigos.

Ahora, **en presencia** de Dios, que da vida a **todas** las cosas,
   y de **Cristo** Jesús,
   que dio tan admirable **testimonio** ante Poncio Pilato,
   te **ordeno** que **cumplas** fiel e irreprochablemente,
      todo lo mandado,
   hasta la venida de nuestro Señor Jesucristo,
   la cual **dará** a conocer a su **debido tiempo** Dios,
   el bienaventurado y **único** soberano,
   Rey de los reyes y **Señor** de los señores,
   el **único** que posee la inmortalidad,
   el que habita en una luz **inaccesible**
   y a quien **ningún** hombre ha visto **ni puede** ver.
   A él **todo** honor y poder **para siempre**.

Son consejos para hacer del pastor un hombre ejemplar. Comunícalos con tono amable y cordial, porque ajustan para todos. No son un regaño, sino invitación a crecer.

Identifica las condiciones del Cristo y de su venida. No dudes en darle peso a esta sección.

La ruina tiene el rumbo trágico del "exilio". De la vida alegre se pasa a la vida trágica. A todo lector cristiano estas palabras del profeta le serán siempre actuales. La elección significa responsabilidad. Recibir la gracia de Dios, es abrir el espíritu generoso a los demás, como el Señor nos abrió su bondad. Jesús pretende construir una comunidad de hermanos, no de esclavos y dependientes. La pirámide, el escalón, no tiene lugar dentro de la sociedad cristiana, ni antes ni ahora.

II LECTURA   Antes de despedirse Pablo de su joven y capaz cooperador, Timoteo, siente la necesidad de animarlo. Una doxología cierra todo el escrito.

Pablo le da el bello nombre de "hombre de Dios", es decir, alguien dedicado al servicio de Dios, un instrumento en sus manos, como tantos del AT. Emplea dos verbos. El primero, "huye", referido a "de estas cosas", de las que ya habló (vv. 2b–10). El segundo verbo "corre, sigue", es decir, trata de conseguir la "justicia, la piedad, la fe, la caridad, la paciencia, la dulzura". Un catálogo de virtudes que necesita todo cristiano y, más,

uno que está al frente de una comunidad. Virtudes propias de la ética cristiana.

Pablo le insiste a Timoteo a combatir decididamente. La fe cristiana se vive en el contraste y la vida eterna se consigue con lucha. El cristiano es un elegido, pero hay un momento de profesar su compromiso "ante muchos testigos". Este testimonio de Timoteo es colocado por Pablo en relación con el testimonio que Jesucristo rindió ante Poncio Pilatos. Jesús se proclamó ante el gobernador romano "testigo de la verdad" (Jn 18:36–37). Confirmó su testimonio verdadero en su

EVANGELIO   Lucas 16:19–31

Lectura del santo Evangelio según san Lucas

En aquel tiempo, Jesús dijo a los fariseos:
   "Había un hombre **rico**,
     que se vestía **de púrpura** y telas **finas**
     y banqueteaba **espléndidamente** cada día.
Y un **mendigo**, llamado Lázaro,
     yacía a la entrada de su casa **cubierto** de llagas
     y **ansiando** llenarse con las **sobras**
     que caían de la mesa del rico.
Y **hasta** los perros se acercaban a **lamerle** las llagas.

Sucedió, pues, que **murió** el mendigo
     y los ángeles lo llevaron al **seno de Abraham**.
Murió **también** el rico y lo enterraron.
Estaba éste en el lugar **de castigo**,
     en medio de **tormentos**,
     cuando levantó los ojos y vio a lo lejos a **Abraham**
     y a **Lázaro** junto a él.

Entonces **gritó**: 'Padre Abraham, ten piedad **de mí**.
Manda a Lázaro que moje en agua la **punta** de su dedo
     y me **refresque** la lengua,
     porque me torturan **estas llamas**'.
Pero Abraham le contestó:
     'Hijo, **recuerda** que en tu vida recibiste **bienes**
     y Lázaro, en cambio, **males**.
Por eso él goza **ahora** de consuelo,
     mientras que tú sufres **tormentos**.
Además, entre ustedes y nosotros
     se abre un abismo **inmenso**,
     que **nadie** puede cruzar, ni hacia **allá** ni hacia **acá**'.

Esta parábola es un drama. Identifica sus partes y sepáralas. No hagas una lectura como si fuera una novela. Los detalles son determinantes.

Estas tres líneas son lapidarias. Cabe una pausa mayor antes de continuar.

---

pasión y muerte. Ahora le toca a Timoteo imitar a Jesús con una vida irreprochable.

La fe y el ministerio que Jesús encomienda al cristiano, no son pasajeros, sino por toda la existencia hasta la venida definitiva del Señor.

EVANGELIO La médula del capítulo dieciséis es la actitud del discípulo de Jesús ante los bienes materiales. Con la parábola de hoy, la liturgia prosigue con ese tema, ya considerado el domingo pasado, sólo que ahora enfoca a los fariseos como destinatarios de la enseñanza (v. 14).

La lectura litúrgica deja fuera toda la sección de 14b–18 que contiene dichos heterogéneos. Uno particularmente significativo es el 16:16s, que hace un parte aguas histórico entre "la Ley y los Profetas", es decir, la revelación de Dios asentada en las Escrituras hebreas, y Juan Bautista, con el que arranca la era de la salvación cumplida, la de la predicación del Evangelio. Al núcleo de la proclamación pertenece esta doctrina sobre los bienes, pero no es algo totalmente nuevo, porque engarza en la fe tradicional de Israel, no que la suplante o derogue.

La parábola de hoy se desarrolla en dos partes diferenciadas por la muerte. Antes de la muerte, tenemos un cuadro habitual quizá a los contemporáneos de san Lucas. Un rico lleva vida principesca, mientras que un pobre, tirado a la puerta de su casa, pasa hambre día con día. El destino de uno y otro parecen sellados. Pero desde el instante mismo de la muerte todo queda cambiado . . . Y las situaciones invertidas.

La segunda parte de la parábola coloca al pordiosero en el seno de Abrahán, es decir en la posición de privilegio en un banquete con el padre del pueblo, Abrahán, en

El rico **insistió**:
   'Te **ruego**, entonces, padre Abraham,
   que mandes a Lázaro **a mi casa**,
   pues me quedan allá **cinco hermanos**,
   para que les **advierta**
   y no acaben **también** ellos en este lugar de tormentos'.
Abraham le dijo:
   'Tienen a Moisés y a los profetas; **que los escuchen**'.
Pero el rico **replicó**:
   'No, padre Abraham. Si **un muerto** va a decírselo,
   entonces sí se arrepentirán'.
Abraham **repuso**: 'Si **no escuchan** a Moisés y a los profetas,
   no harán caso, ni aunque **resucite** un muerto' ".

Haz sonar naturales, sin autoritarismos, las respuestas de Abrahán. La réplica del rico refleja angustia y premura.

tanto que el rico va a dar al lugar de tormentos. Y entonces el rico sí mira a Lázaro. Es la desgracia propia la que puede sembrar la semilla de la compasión. Por eso en esta parte de la parábola escuchamos los arrepentimientos y las justificaciones, inútiles porque ya no hay remedio.

La riqueza ciega a los hombres. Por eso el Evangelio no es otra cosa que un abrir los ojos al hermano desgraciado, un movernos a ser solidarios y compadecidos. El Evangelio no remueve la Ley, al contrario, la hace más exigente en la obligación de socorrer a los necesitados. No hay que esperar a que venga un hermano del más allá, resucitado, a decirnos lo que sucede tras la muerte. No hay necesidad, allí están la revelación de Dios, los deberes sociales y los derechos humanos que nos hermanan a todos. Los bienes materiales deben servirnos de puente para acercarnos unos a otros, no para separarnos. Compartir los bienes es un modo precario ciertamente, pero urgente para cerrar la brecha clamorosa entre ricos y pobres. Para eso también ha resucitado "un" Muerto, que el cristiano sabe quién es. El egoísmo es un modo práctico de negar la resurrección de los muertos. Si creemos que Jesús resucitó, estamos obligados a compartir los bienes con los más necesitados. ¿Cuándo? La parábola dice que cuanto antes; mañana puede ser demasiado tarde.

XXVII DOMINGO ORDINARIO

I LECTURA   Habacuc 1:2–3; 2:2–4

Lectura del libro del profeta Habacuc

La lectura tiene dos partes; distínguelas. La inquisitoria tiene la urgencia de quien mira rebasado todo orden.

¿**Hasta cuándo**, Señor, pediré auxilio,
 sin que me escuches,
 y denunciaré **a gritos** la violencia que reina,
 sin que vengas **a salvarme**?
¿**Por qué** me dejas ver la injusticia
 y **te quedas mirando** la opresión?
Ante mí no hay más que **asaltos y violencias**,
 y **surgen** rebeliones y desórdenes.

El Señor me respondió y me dijo:
 "**Escribe** la visión que te he manifestado,
 ponla clara en tablillas
 para que se pueda **leer** de corrido.
Es **todavía** una visión de algo **lejano**,
 pero que viene corriendo y **no fallará**;
 si se tarda, **espéralo**, pues llegará **sin falta**.
El malvado **sucumbirá** sin remedio;
 el justo, en cambio, **vivirá** por su fe".

Hay un crescendo deliberado para llegar a estas dos líneas finales. Pronúncialas con firmeza y claridad.

I LECTURA Habacuc se lamenta por la opresión de su pueblo bajo un poder enemigo. Pero no se resigna, sino que se confía a Dios. Dios intervendrá. El problema, sin embargo, es la tardanza de la intervención divina.

Allí vienen las preguntas inquietantes del profeta (1:2–3) al que Dios responde (2:2–4). Habacuc interroga al Señor de forma dura. Con un estilo que recuerda a los salmos, se lamenta del silencio de Dios, de su tardanza cuando se necesita poner orden, parar la violencia, procurar la justicia. El panorama es negro.

Dios responde con un oráculo (2:1–4). Le manda al profeta poner por escrito lo que vio; será algo público y duradero. Lo que dice el Señor se cumplirá. Dice al profeta que no lo apresure, que no le designe tiempos. Dios tiene sus tiempos y los cumple. "Sucumbirá quien no tiene el alma recta", los malvados no tienen futuro. En cambio, "el justo vivirá por su fe". Este justo tiene un sentido colectivo. Se refiere al pueblo de Judá. A pesar de las amenazas, Judá vivirá.

Para meditar

SALMO RESPONSORIAL   Salmo 95:1–2, 6–7, 8–9

R. Ojalá escuchen hoy la voz del Señor: "No endurezcan el corazón".

Vengan, aclamemos al Señor,
demos vítores a la Roca que nos salva;
entremos a su presencia dándole gracias,
aclamándolo con cantos. R.

Entren, postrémonos por tierra,
bendiciendo al Señor, creador nuestro.
Porque él es nuestro Dios,
y nosotros su pueblo,
el rebaño que Él guía. R.

Ojalá escuchen hoy su voz:
"No endurezcan el corazón como en Meribá,
como el día de Masá en el desierto;
cuando vuestros padres me pusieron a prueba
y me tentaron, aunque habían visto mis
    obras". R.

II LECTURA   2 Timoteo 1:6–8, 13–14

Lectura de la segunda carta del apóstol san Pablo a Timoteo

Se anima al líder de la comunidad a asumir su papel. El tono tiene que ser de aliento más que de mandato.

Querido hermano:
Te recomiendo que **reavives** el don de Dios
    que recibiste cuando te **impuse** las manos.
Porque el Señor **no** nos ha dado un espíritu **de temor**,
    sino de **fortaleza**, de amor y de moderación.

No te avergüences, pues,
    de **dar testimonio** de nuestro Señor,
    ni te avergüences **de mí**, que estoy preso **por su causa**.
Al contrario, **comparte** conmigo los sufrimientos
    por la **predicación** del Evangelio,
    sostenido por la fuerza de Dios.
Conforma tu predicación
    a la **sólida** doctrina que recibiste de mí acerca de la fe y el amor
    que tienen su **fundamento** en Cristo Jesús.
Guarda este tesoro con la ayuda del **Espíritu Santo**,
    que habita **en nosotros**.

La palabra "tesoro" pronúnciala con verdadero cariño: es el depósito de la fe.

II LECTURA Timoteo es un colaborador muy estimado de Pablo, con un celo especial por evangelizar. Esto no le quita la fragilidad y las tentaciones propias de un joven. Siente Pablo la necesidad de darle una palabra de aliento y algunos consejos. Le recuerda algunas obligaciones. Lo primero, le recomienda "reavivar" el don recibido. Se trata como de un fuego al que hay que soplarle para que no se apague. Timoteo tiene un carisma o don del Espíritu para el servicio de la comunidad (1 Cor 12:7). Alude el apóstol a la "imposición de las manos", que era un rito

judío con que se expresaba la trasmisión de una encomienda con autoridad, la de guiar a la comunidad.

A la encomienda corresponde el Señor dando gracia y fuerza especiales para llevarla a cabo. Son los dones de Dios que le ayudarán al joven Timoteo a dejar de lado la timidez. El temor se apodera cuando empieza uno a confiar más en sus dones que en Dios, cuando entra el cálculo humano en lugar del atrevimiento confiado que viene de Dios. Timoteo tiene fuerza, amor y sabiduría. La fuerza es indispensable en la lucha que conlleva gobernar. El amor da el sentido

cristiano a lo que Timoteo emprende y la sabiduría es la capacidad de mantener el equilibrio, de andar en el justo medio sin ceder al desánimo o al sentimentalismo.

Pablo exhorta a Timoteo a que no se avergüence, sino que se gloríe de eso que a algunos le puede causar temor o desprecio. Este tipo de vergüenza equivale al desengaño porque habría puesto la esperanza en algo que resultó falaz. Hay que poner la esperanza en Dios. La evangelización causa sufrimientos, pero estos son el signo de fidelidad, como la de Jesús.

EVANGELIO   Lucas 17:5–10

Lectura del santo Evangelio según san Lucas

En aquel tiempo, los apóstoles dijeron al Señor:
> "**Auméntanos** la fe".

El Señor les contestó: "Si tuvieran fe,
> aunque fuera **tan pequeña** como una semilla de mostaza,
> **podrían** decir a ese árbol frondoso:
> '**Arráncate** de raíz y **plántate** en el mar', y los **obedecería**.

¿**Quién** de ustedes, si tiene un siervo que **labra** la tierra
> o **pastorea** los rebaños, le dice cuando éste regresa del campo:
> '**Entra** enseguida y **ponte** a comer'?

¿No le dirá **más bien**:
> '**Prepárame** de comer y disponte **a servirme**,
> para que **yo** coma y beba; **después** comerás y beberás tú'?

¿Tendrá acaso que **mostrarse agradecido** con el siervo,
> porque éste cumplió **con su obligación**?

Así **también** ustedes,
> cuando hayan **cumplido** todo lo que se les mandó, digan:
> 'No somos más que **siervos**,
> **sólo** hemos hecho lo que **teníamos** que hacer' ".

Esta lectura debe infundir confianza, no temeridad. La fe es lo que nos hace vivir

La actitud cristiana nos amolda a Cristo. Haz un breve silencio antes de la fórmula conclusiva al evangelio.

EVANGELIO La lectura de hoy agrupa varios dichos o sentencias el Señor sobre el poder de la fe con un breve discurso de corte parabólico, que sirve para instruir a los discípulos sobre el cumplimiento del propio deber. Esta agrupación tiene a los apóstoles como destinatarios; ellos son un grupo más cercano a Jesús, que en la mentalidad de san Lucas corresponde a los que acompañaron al Señor desde el bautismo de Juan hasta su ascensión al cielo (ver Hechos 1:21). La fidelidad es el ingrediente fundamental para cumplir con el deber; cumplir con el deber sin fe, es una esclavitud.

La petición de los apóstoles por un aumento de fe surge de una situación insegura por la que atraviesa la comunidad creyente. De los versos previos puede adivinarse que es algo escandaloso, algo que provoca zozobras e inestabilidad. No sabemos qué sea, pero como las instrucciones de Jesús han sido sobre la recta administración de los bienes materiales, es probable que aquellos cristianos estuvieran pasando por algo de ese tipo. Por minúscula que sea, la fe, en palabras de Jesús, consigue lo inimaginable: obedecer. La fe no consiste tanto en protagonizar prodigios inauditos, sino en obedecer la palabra de Dios.

Las situaciones de apuro, causadas por los malos administradores, se sosiegan con fe. Pero los administradores fieles no deben esperar ser compensados por su fidelidad. Jesús acalla las ansias de verse honrado por ser honestos. ¡Era su deber! Esto es lo que la comunidad espera de sus líderes, y lo que Jesús les exhorta a llevar a cabo. Cumplir el deber nace de la adhesión al Señor, que es capaz de transformar lo inimaginable en una realidad. Basta un poco de fe.

XXVIII DOMINGO ORDINARIO

I LECTURA   2 Reyes 5:14–17

Lectura del segundo libro de los Reyes

Se trata de un reencuentro. El primer párrafo resume el milagro. El interés se pone en la confesión del único Dios. Busca las frases que la resaltan para hacerlas enfáticas.

En aquellos días,
   Naamán, el general del ejército de Siria,
   que estaba **leproso**,
   se bañó **siete** veces en el Jordán,
   como le había dicho **Eliseo**, el hombre de Dios,
   y su carne quedó **limpia** como la de un niño.

Volvió con su comitiva a donde estaba el hombre de Dios
   y se le presentó diciendo:
   "**Ahora sé** que no hay más Dios que el **de Israel**.
Te pido que **aceptes** estos regalos de parte de tu siervo".
Pero Eliseo contestó:
   "**Juro** por el Señor, en cuya presencia estoy,
   que no aceptaré **nada**".
Y por más que Naamán **insistía**, Eliseo **no aceptó** nada.

Las palabras del cierre son también confesionales; únete a ellas de todo corazón.

Entonces Naamán le dijo:
   "Ya que te niegas, **concédeme** al menos
   que me den unos sacos con tierra de **este** lugar,
   los que puedan llevar un par de mulas.
La usaré para **construir** un altar al Señor, **tu Dios**,
   pues a **ningún** otro dios
   volveré a ofrecer más sacrificios".

I LECTURA El general arameo, Naamán, había ido a donde el profeta Eliseo y había recibido la curación bañándose en el río Jordán, una curación perfecta (5:1–14). Naamán quiso expresar con un regalo su reconocimiento al profeta. Eliseo lo rechazó categóricamente. Él obró en nombre de Dios, era un simple mediador. El reconocimiento en todo caso, debería ser a Dios y no a su persona.

   La lectura también recalca el descubrimiento de una nueva dimensión religiosa: "Ahora conozco que no hay en toda la tierra otro Dios que el de Israel" (v. 15). Pero,

¿Cómo adorar a este único Dios en tierra extranjera? Hay que hacer cierta separación de los cultos paganos y esto tiene que hacerse visiblemente. Naamán se lleva un poco de tierra de Israel, tierra santa, que servirá para construir un altar sobre el que hará sacrificios al único Dios. La tierra extranjera está contaminada por la presencia de ídolos. Por eso, esa carga de tierra que se lleva el general más que una reliquia es un "sacramento", un signo sensible que le permite el contacto con el Dios que salva de la lepra y de la idolatría.

También el general arameo Naamán nos deja indicado el camino para nuestro andar por la senda cristiana el día de hoy, en que nuestro mundo se ha vuelto idólatra. Es necesario decir nuestra palabra clara sobe el Dios auténtico y mostrarlo en signos, que indiquen claramente esta verdad.

Para meditar

SALMO RESPONSORIAL   Salmo 98:1, 2–3ab, 3cd–4

R. El Señor revela a las naciones su justicia.

Canten al Señor un cántico nuevo,
    porque ha hecho maravillas.
Su diestra le ha dado la victoria,
    su santo brazo. R.

El ha Señor da a conocer su victoria,
    revela a las naciones su justicia:
    se acordó de su misericordia y su fidelidad
    en favor de la casa de Israel. R.

Los confines de la tierra han contemplado
    la victoria de nuestro Dios.
Aclama al Señor, tierra entera;
    griten, vitoreen, toquen. R.

II LECTURA   2 Timoteo 2:8–13

Lectura de la segunda carta del apóstol san Pablo a Timoteo

Pablo da testimonio personal a su dirigido. Dale a sus palabras serenidad y gozo.

Querido hermano:
Recuerda **siempre** que Jesucristo, descendiente de David,
    resucitó de entre los muertos,
    conforme al Evangelio que **yo predico**.
Por **este** Evangelio sufro hasta **llevar cadenas**,
    como un malhechor;
    pero la **palabra** de Dios **no está** encadenada.
Por eso lo sobrellevo **todo** por amor a los elegidos,
    para que **ellos** también alcancen en Cristo Jesús **la salvación**,
    y **con ella**, la gloria **eterna**.

Estas frases van pareadas, pero la última rompe lo lógico. Haz que en esa frase se note la cualidad del propio Jesús.

Es **verdad** lo que decimos:
    "Si morimos con él, **viviremos** con él;
    si nos mantenemos firmes, **reinaremos** con él;
    si **lo negamos**, él también **nos negará**;
    si le somos infieles, él **permanece fiel**,
    porque **no puede** contradecirse **a sí mismo**".

II LECTURA Pablo no se ha cansado de mostrar en Jesús el cumplimiento de las Escrituras, el Mesías esperado por Israel. Por esta predicación, ahora Pablo sufre las cadenas. Está en prisión. Allí se le ponían al preso cadenas. Esta palabra lleva al apóstol a hablar de que la palabra de Dios no puede ser encadenada. Su experiencia le ha mostrado esta verdad. A él lo encadenarán hasta el final, pero la palabra de Dios es libre. Para los hombres es imposible hacerla callar. Intentos no han faltado. Matarán a Pablo, pero no la palabra, que continuará llegando a todos los hombres ofreciéndoles la victoria de Cristo.

En los vv. 11–13 se cita un trozo de un himno antiguo. Es introducido por una fórmula que aparece cinco veces en esas cartas pastorales: "Es cierta esta afirmación". La pasión oculta la promesa de la salvación. Tal vez aludiera el himno originalmente al bautismo. Aquí alude al sufrimiento de los que anuncian el Evangelio. El que sufre y muere, tendrá vida en el futuro con Cristo. Más aún, reinará con él.

La última parte del himno habla de la situación presente, no de la futura. No obstante nuestras infidelidades, Dios permanece fiel. Estas palabras deben animar al cristiano de todos los tiempos.

Esas son las verdades consoladoras que Timoteo debe recordar, llevarlas al corazón, para que de aquí pasen a la vida de todos los días.

Llénate de gratitud por cuantos acuden a dar culto a Dios, especialmente si son extranjeros. Es día de apertura para experimentar la salvación en Cristo Jesús.

EVANGELIO   Lucas 17:11–19

Lectura del santo Evangelio según san Lucas

En aquel tiempo, cuando **Jesús** iba de camino a **Jerusalén**,
    pasó entre Samaria y Galilea.
Estaba **cerca** de un pueblo,
    cuando le salieron al encuentro **diez** leprosos,
    los cuales se detuvieron **a lo lejos**
    y **a gritos** le decían:
    "Jesús, maestro, **ten compasión** de nosotros".

Al verlos, Jesús les dijo:
"Vayan a presentarse **a los sacerdotes**".
Mientras iban de camino, quedaron **limpios** de la lepra.

Uno de ellos, al ver que **estaba curado**,
    regresó, alabando a Dios **en voz alta**,
    se **postró** a los pies de Jesús y le dio **las gracias**.
Ése era **un samaritano**.
Entonces dijo Jesús: "¿No eran **diez** los que quedaron **limpios**?
¿Dónde están los otros nueve?
¿No ha habido **nadie**, fuera de este **extranjero**,
    que **volviera** para dar gloria a Dios?"
Después le dijo al samaritano:
    "**Levántate** y vete. Tu fe **te ha salvado**".

Las preguntas son acumulativas. Formúlalas para que la comunidad se sienta movida a la gratitud.

EVANGELIO Arranca el último tramo de la ascensión de Jesús desde Galilea a Jerusalén. San Lucas cuenta cómo Jesús curó un grupo de diez leprosos con la pura palabra, cuando que ellos la obedecieron ciegamente. No hay fórmula de curación alguna, sino la reacción de uno de los curados lo que viene al corazón de la lectura. El único que se regresa a dar gracias a Dios es un samaritano. Algo chocante a la sensibilidad judía.

Los diez leprosos que invocan a Jesús, cuyo nombre significa "Dios salva", lo reconocen como señor o superior (la lectura anotó "maestro"), y están dispuestos a obedecerlo. Tan es así que hacen lo que él les ordena, sin reparar demasiado en que es realmente inadmisible presentarse a los sacerdotes sin estar limpios. Pero en eso se nota también la confianza total y hasta desesperada, en Jesús. En el camino quedan limpios todos, pero sólo uno se vuelve.

Ése samaritano reconoce que Dios ha tenido compasión con él y agradece, postrándose ante Jesús. Jesús no rechaza ese don, la fe del curado que da gloria a Dios en Jesús. Se hizo cristiano. No importa la raza ni la nación para creer; en Jesús de Nazaret todas las personas alcanzan la salvación de Dios.

XXIX DOMINGO ORDINARIO

I LECTURA   Éxodo 17:8–13

Lectura del libro del Éxodo

El texto invita a la oración sostenida. Aunque se trata de un relato, tu postura interior debe ser también orante.

Cuando el pueblo de Israel
    caminaba a través del desierto,
    llegaron los **amalecitas** y lo atacaron en Refidim.
Moisés dijo entonces a **Josué**:
    "**Elige** algunos hombres y sal **a combatir** a los amalecitas.
Mañana, yo me colocaré en lo **alto** del monte
    con la vara de Dios **en mi mano**".

Josué **cumplió** las órdenes de Moisés
    y **salió** a pelear **contra** los amalecitas.
Moisés, Aarón y Jur subieron a **la cumbre** del monte,
    y sucedió que,
    cuando Moisés tenía las manos **en alto**, dominaba **Israel**,
    pero cuando **las bajaba**, Amalec **dominaba**.

Marca las frases temporales para resaltar la constancia en la oración.

Como Moisés **se cansó**,
    Aarón y Jur lo hicieron **sentar** sobre una piedra,
    y colocándose **a su lado**, le **sostenían** los brazos.
Así, Moisés pudo mantener **en alto** las manos
    hasta la puesta del sol.
Josué **derrotó** a los amalecitas y **acabó** con ellos.

I LECTURA Moisés no peleó contra los amalecitas, sino Josué. Moisés se fue a una colina a rezar, llevando consigo el cayado de Dios. Este objeto no juega ningún papel durante la batalla. Aarón y Jur acompañaron a Moisés y le ayudaron en su súplica a Dios. No aparece Dios peleando por su pueblo. La perseverancia orante de Moisés es la que gana la victoria.

El gesto de las manos alzadas que garantizan el éxito en la batalla o las manos bajadas, que permiten que el enemigo venza, puede aparecer algo mágico o fetichista. Pero en Israel no se permite esto. Las manos son un símbolo de la fuerza (pensemos en la transmisión del poder por la imposición de las manos), con esas se maneja el arco y la espada. Esas manos están tendidas hacia el cielo, donde está la habitación divina. En la base está el convencimiento de que Dios es y no las armas, el que lleva a la victoria. A él sólo va atribuida la victoria.

Moisés es mediador e intercesor. Ya había desempeñado este papel ante Dios con ocasión del perdón divino al pueblo por lo del becerro de oro. En esta batalla de Refidín tiene constancia y firmeza en su oración, de manera que los efectos de su oración se manifiestan en la victoria o derrota de los israelitas ante los amalecitas.

Concebir o formular un deseo en la plegaria, o sea, al hablar con Dios, nos da ocasión para reconocer nuestra incapacidad radical, lo precario que es toda nuestra humanidad ante el Todopoderoso.

SALMO RESPONSORIAL   Salmo 121:1–2, 3–4, 5–6, 7–8

R. El auxilio me viene del Señor que hizo el cielo y la tierra.

Levanto mis ojos a los montes:
   ¿de dónde me vendrá el auxilio?
El auxilio me viene del Señor,
   que hizo el cielo y la tierra. R.

No permitirá que resbale tu pie,
   tu guardián no duerme;
   no duerme ni reposa
   el guardián de Israel. R.

El Señor te aguarda a su sombra,
   está a tu derecha;
   de día el sol no te hará daño,
   ni la luna de noche. R.

El Señor te guarda de todo mal,
   él guarda tu alma;
   el Señor guarda tus entradas y salidas,
   ahora y por siempre. R.

II LECTURA   2 Timoteo 3:14—4:2

Lectura de la segunda carta del apóstol san Pablo a Timoteo

Querido hermano:
Permanece **firme** en lo que **has aprendido**
   y se te ha confiado,
   pues **bien sabes** de quiénes lo aprendiste
   y desde tu infancia
   estás familiarizado con la **Sagrada Escritura**,
   la cual **puede darte** la sabiduría que,
   por la fe **en Cristo Jesús**, conduce a la **salvación**.

Toda la Sagrada Escritura está **inspirada** por Dios
   y es **útil** para enseñar, para **reprender**,
   para **corregir** y para educar en la virtud,
   a fin de que el hombre de Dios **sea perfecto**
   y esté **enteramente** preparado para **toda** obra buena.

En **presencia** de Dios y de Cristo Jesús,
   que ha de venir **a juzgar** a los vivos y a los muertos,
   te pido **encarecidamente**,
   por su advenimiento y por su Reino,
   que **anuncies** la palabra;
   insiste a tiempo y a **destiempo**;
   convence, reprende y exhorta
   con **toda** paciencia y sabiduría.

II LECTURA Esta lectura trata de la conducta correcta ante los herejes cristianos. Empieza el autor hablando de la tradición de la fe de la Iglesia como fundamento para toda discusión con los herejes cristianos.

Como segundo fundamento de la fe nombra a la Sagrada Escritura. La Iglesia heredó de Jesús el amor y cariño por la palabra de Dios. La Escritura lleva a Jesús. La Escritura transmite al cristiano la experiencia de que Dios es un "Dios con nosotros", que ha hablado y se ha comunicado definitivamente en Jesús de Nazaret. No se trata de introducir a los cristianos en la Escritura, más bien de conducir por el testimonio de la Escritura a Jesucristo. El camino de fe de Israel debería lleva al suceso Cristo. Sólo Cristo dará el sentido pleno de la Escritura. Él es la llave.

Ya la costumbre judía de formar a los niños en la palabra de Dios empezaba desde los cinco años (Pirqé Abot 5,20). Para esta educación en la fe, el apóstol recomienda este contacto diario a las generaciones cristianas. Esta Escritura es inspirada por Dios; aquí es Dios el que habla, por eso es útil para la formación del cristiano. Es y debe ser la palabra de Dios el punto de partida de toda educación en la fe y también será el punto de llegada. Esta utilidad de la Escritura para todos, lo es especialmente para los que están al frente de una comunidad. Es también útil para todas las edades y, sobre manera, para los adultos en la fe.

EVANGELIO   Lucas 18:1–8

Lectura del santo Evangelio según san Lucas

En aquel tiempo,
para **enseñar** a sus discípulos la **necesidad** de orar siempre
y **sin desfallecer**, Jesús les propuso **esta** parábola:

"En cierta ciudad había **un juez**
que **no temía** a Dios **ni respetaba** a los hombres.
Vivía en aquella misma ciudad **una viuda**
que acudía a él **con frecuencia** para decirle:
'**Hazme** justicia contra mi adversario'.

Por **mucho** tiempo, el juez **no le hizo caso**,
pero después se dijo:
'Aunque **no** temo a Dios **ni** respeto a los hombres,
sin embargo, por la **insistencia** de esta viuda,
voy a hacerle **justicia**
para que **no me siga** molestando' ".

Dicho esto, Jesús comentó:
"Si **así** pensaba el juez **injusto**,
¿creen ustedes acaso que Dios no hará justicia **a sus elegidos**,
que **claman** a él **día y noche**, y que los hará **esperar**?
Yo les digo que les hará justicia **sin tardar**.
Pero, cuando **venga** el Hijo del hombre,
¿**creen** ustedes que **encontrará fe** sobre la tierra?"

Es un evangelio sobre la perseverancia. Tu expresión corporal y tu tono decidido deben ayudar a comunicar la orientación básica de este texto.

Las preguntas son punzantes y buscan despertar a la comunidad de su letargo. Ponle urgencia a este llamado.

El autor se dirige a Timoteo y a través de él, a todos los pastores cristianos, para que prediquen la palabra de Dios y empleen todos los medios aptos para llevar a la mente y corazón de los miembros de la comunidad a esa palabra divina.

EVANGELIO En la lectura de hoy tenemos la parábola del juez inicuo que tiene como tema el problema del retraso de la parusía, es decir, ese desánimo que se genera entre la gente pobre y oprimida de la comunidad porque el Reinado de Dios no llega, ni se ve para cuándo. Lucas reajusta la parábola a la necesidad de orar siempre y sin desfallecer y le da un encuadre escatológico (18:7s y 17:22–37).

Las parábolas son comparaciones que ayudan a entender alguna verdad profunda de la experiencia de Dios. El punto de la comparación en la parábola es que si aquel juez arrogante se movió a hacer justicia por la impertinente insistencia de la viuda, con cuánta mayor razón Dios la hará a sus elegidos. San Lucas no dice cuál era el punto del litigio de aquella viuda porque no interesa a su objetivo. Ella no se resigna ante la injusticia, sino que la persigue con la verdad. Igual los cristianos, los elegidos de Dios, han de clamar continuamente a él por justicia. La justicia es sustancial para la vida; sin ella la vida se devalúa. No orar por la justicia llevará a la desaparición de la fe en la venida del Hijo del Hombre.

XXX DOMINGO ORDINARIO

I LECTURA   Eclesiástico 35:15–17, 20–22

Lectura del libro del Eclesiástico (Sirácide)

El Señor es un **juez**
　　que **no se deja** impresionar por **apariencias**.
No menosprecia **a nadie** por ser pobre
　　y **escucha** las súplicas del oprimido.
No desoye los gritos angustiosos del huérfano
　　ni las quejas **insistentes** de la viuda.

Quien **sirve** a Dios con **todo** su corazón **es oído**
　　y su plegaria **llega** hasta el cielo.
La oración del humilde **atraviesa** las nubes,
　　y mientras él no obtiene **lo que pide**,
　　permanece **sin descanso** y no desiste,
　　hasta que el Altísimo **lo atiende**
　　y el justo juez **le hace justicia**.

SALMO RESPONSORIAL   Salmo 34:2–3, 17–18, 19 y 23
R. Si el afligido invoca al Señor, él lo escucha.

Bendigo al Señor en todo momento,
　　su alabanza está siempre en mi boca;
　　mi alma se gloría en el Señor:
　　que los humildes lo escuchen
　　　　y se alegren. R.

El Señor se enfrenta con los malhechores,
　　para borrar de la tierra su memoria.
Cuando uno grita, el Señor lo escucha
　　y lo libra de sus angustias. R.

El Señor está cerca de los atribulados,
　　salva a los abatidos.
El Señor redime a sus siervos,
　　no será castigado quien se acoge a El. R.

I LECTURA El autor empieza diciendo que Dios es un Dios imparcial (vv. 12–14), a diferencia de los jueces humanos, que se van de un lado al otro, guiados por la conveniencia.

A Dios le pertenece el gobierno del mundo y el de los hombres. Su palabra fija el derecho y sus reglas. Como él es el único que conoce lo que hay en lo más íntimo de nuestra conciencia (Jer 11:20), a él se recurre como supremo juez, cuando se trata de reparar los daños causados por los poderosos.

La historia conoce las graves injusticias que han corrido y corren por todos los lugares de la tierra. Parece que la justicia nunca ha brillado. No obstante, en todos los pueblos hay una sed de justicia, de que haya jueces incorruptibles. La imparcialidad divina se muestra en acoger los requerimientos de los pobres, esas personas que no tienen ningún peso en la sociedad, las viudas, los huérfanos y los extranjeros. A ellas especialmente quiere Dios que se les cuide, que en las injusticias y pleitos jurídicos se ponga uno casi automáticamente de su parte.

Tiene el Señor una especial predilección por estos pobres. ¿Por qué?

Viene la respuesta. La oración del humilde "atraviesa las nubes", es decir, Dios la escucha, porque el humilde confía en el Señor y no en sus medios de persuasión sobre los jueces. Al invocar a Dios, Dios interviene doblemente: por un lado "da satisfacción al justo"; por otro lado, "restablece la equidad", que los jueces inicuos rompían.

Dios quiere también hoy "hacer justicia como justo juez". Lo único que se requiere de parte nuestra, es seguir su voluntad y dirigir nuestras acciones, ante todo, en

II LECTURA   2 Timoteo 4:6–8, 16–18

Lectura de la segunda carta del apóstol san Pablo a Timoteo

Querido hermano:
Para mí **ha llegado** la hora del sacrificio
   y **se acerca** el momento de mi partida.
He luchado **bien** en el combate,
   he corrido hasta la meta,
   he perseverado en la fe.
Ahora **sólo espero** la corona merecida,
   con la que el Señor, justo juez, me premiará **en aquel día**,
   y no solamente **a mí**, sino a **todos aquellos** que esperan
     con amor su **glorioso** advenimiento.

La **primera** vez que me defendí ante el tribunal,
   nadie me ayudó. **Todos** me abandonaron.
Que **no** se les tome en cuenta.
Pero el Señor estuvo **a mi lado**
   y **me dio fuerzas** para que, por mi medio,
   se proclamara **claramente** el mensaje de salvación
   y lo oyeran **todos** los paganos.
Y fui **librado** de las fauces del león.
El Señor me **seguirá** librando de **todos** los peligros
   y me llevará **salvo** a su Reino celestial.
A él la gloria por los siglos de los siglos. **Amén.**

El tono es bajo y como de humildad. Busca que la asamblea incline el oído con tu tono suave y sencillo.

Con total certeza y gran convencimiento anuncia: "... el Señor estuvo a mi lado".

Baja la velocidad al llegar a la línea final. Haz la alabanza con el espíritu de Pablo.

---

favor de los pobres y sojuzgados. Debemos recobrar este espíritu nosotros los cristianos, hoy en que se le da tanto valor a las cosas y se desprecia a las personas.

II LECTURA En esta lectura se habla del auténtico juicio, que es el que se dará al fin de la vida.

Pablo emplea la imagen de la libación. Él se ha derramado sobre la comunidad, completando su sacrificio. No teme a su muerte próxima. Siente que la muerte también tiene un sentido pastoral. Como persona viva ha trabajado mucho por la

evangelización, ahora lo hará también en el momento de morir. Se presenta Pablo como ejemplo de futuros encargados de comunidades, como un hombre que ejemplarmente ha cumplido con las exigencias cristianas. Para evitar el triunfalismo o presunción, Pablo dice que tanto él como los demás, recibirán este premio como un don divino y, sólo después, como una recompensa por su empeño personal.

Luego Pablo habla de su soledad, del abandono en que quedó. Sólo a Dios tuvo de su lado. Es una descripción del mártir, que condenado por los hombres, es levantado

por Dios al estado de testigo, de modelo. El juicio le ha servido como una plataforma para la predicación del Evangelio entre los gentiles. Sería ante el César o ante otras personas, el peligro fue algo grave del cual lo libró el Señor.

Termina con una doxología. El Señor lo libró de toda mala acción, lo librará en el futuro, donde está el Reino definitivo en el que espera. Pero la última palabra la tiene Dios.

EVANGELIO Continúa la catequesis lucana sobre la oración. Hoy enfoca la actitud de la persona que ora.

Somos pecadores ante Dios. Busca despertar esta conciencia con la lectura de esta parábola.

EVANGELIO   Lucas 18:9–14

Lectura del santo Evangelio según san Lucas

En aquel tiempo, Jesús dijo esta parábola
sobre algunos que se tenían **por justos**
y **despreciaban** a los demás:

"**Dos hombres** subieron al templo **para orar**:
uno era **fariseo** y el otro, **publicano**.
El fariseo, **erguido**, oraba así en su interior:
'**Dios mío**, te doy gracias porque **no soy** como los **demás
hombres**: ladrones, injustos y adúlteros;
tampoco soy como **ese** publicano.
Ayuno **dos** veces por semana y pago el **diezmo**
de **todas** mis ganancias'.

El publicano, en cambio, se quedó **lejos**
y **no se atrevía** a levantar los ojos al cielo.
Lo único que hacía era **golpearse** el pecho, diciendo:
'Dios mío, **apiádate** de mí, que **soy un pecador**'.

Pues bien, yo les **aseguro**
que **éste** bajó a su casa **justificado** y **aquél no**;
porque **todo** el que se enaltece **será humillado**
y el que **se humilla** será **enaltecido**".

Dale a la oración del publicano el tono humilde y bajo que la misma asamblea ha de asumir.
El cierre es la moraleja consabida, pero no menos importante. Anuncia la última línea sin levantar los ojos del evangeliario.

No basta rezar. Hay que hacerlo con la actitud adecuada. Por eso la parábola retrata dos actitudes muy diferentes al orar.

A la hora de la oración subía la gente piadosa al templo; era la hora del sacrificio por los pecados de Israel. Al ritual del sacrificio sacerdotal se unían las plegarias de los fieles. Así se renovaba la alianza del pueblo con Dios. Pero en términos cristianos orar es abrirse a la compasión de Dios. Y a esto Lucas le llama "justificarse".

El fariseo encarna los mejores valores del modo de vivir estipulado en la Ley y sus normativas; es impecable, y hasta parece

que Dios está en deuda con él. Su eucaristía o acción de gracias a Dios es porque él es muy diferente a los demás; se separa con sus escrúpulos. Su eucaristía es una auto-justificación. Por el contrario, el aduanero se sabe pecador y así reza en el templo: alejado, cabizbajo y en duelo por su propia condición pecadora. Sus palabras sintonizan con el sentido expiatorio del sacrificio que obtenía la reconciliación del pueblo con su Dios. El veredicto de Jesús es contundente y retrata lo que él predica y hace con los pecadores; les muestra la misericordia de Dios que los justifica.

La oración tiene ese poder expiatorio o de reconciliación con Dios que Jesús pone al alcance de todos. Oramos en su nombre para el perdón de los pecados, para renovarnos como pueblo redimido por Dios, necesitados de su compasión. Esta es la actitud nuestra en cada acto litúrgico, especialmente en la Eucaristía, nuestra acción de gracias, pero también en cada momento que destinamos a la oración personal.

XXXI DOMINGO ORDINARIO

I LECTURA   Sabiduría 11:22—12:2

Lectura del libro de la Sabiduría

Señor, **delante** de ti,
    el mundo **entero**
    es como un **grano** de arena en la balanza,
    como **gota** de rocío mañanero,
    que cae sobre la tierra.

Te compadeces **de todos**,
    y aunque puedes destruirlo **todo**,
    aparentas **no ver** los pecados de los hombres,
    para darles ocasión **de arrepentirse**.
Porque tú amas **todo** cuanto existe
    y no aborreces **nada** de lo que has hecho;
    pues si hubieras aborrecido **alguna** cosa,
    no la **habrías creado**.

¿**Y cómo** podrían seguir existiendo las cosas,
    si **tú** no lo quisieras?
¿**Cómo** habría podido conservarse algo **hasta ahora**,
    si **tú** no lo hubieras llamado **a la existencia**?

Tú perdonas **a todos**, porque todos **son tuyos**,
    Señor, que **amas** la vida,
    porque tu espíritu **inmortal**, está en **todos** los seres.

Haz esta bella oración con profundidad e intensidad. Elige frases clave en cada parágrafo y dales la calidez y confianza de que Dios atiende tus palabras.

Abarca la totalidad; pronuncia con firmeza "todos, todo, nada".

La frase inicial es capital. Hazla rotunda para que nadie se sienta excluido.

I LECTURA Todos los pueblos se han ocupado de la sabiduría. La sabiduría es la investigación sobre lo que rodea al ser humano, pero, sobre todo, es el cúmulo de respuestas que se han recibido del cuestionamiento sobre la vida humana. ¿Cómo vivir? ¿Cómo conseguir la felicidad? ¿Hay alguien o algo trascendente?

Israel se ocupó desde el principio de la sabiduría y compuso libros sobre sus investigaciones. Se nota que el que escribió este libro, intentó y logró en gran parte trasvasar la sabiduría de Israel en envases griegos. El trozo que leímos hoy nos ofrece una visión muy positiva del mundo, de Dios y del hombre.

La ciencia moderna nos ha mostrado que nuestra tierra en el conjunto del universo es una partícula, que se mueve bajo el influjo de los demás astros. Para el hombre de fe, el mundo es el "estrado de mis pies" (Is 66:1). El hombre mismo es hálito, un soplo apenas. Este mundo y sus cosas se terminarán.

Los humanos, y las cosas creadas, tenemos consistencia porque lo quiere el Señor: "¿Cómo subsistiría algo, si tú no lo quisieras?" (11:25). Porque Dios le da esa capacidad a las realidades creadas, "tu aliento incorruptible está en todas ellas" (12:1). Así todos los humanos participaremos de la estabilidad de Dios y de su permanente soberanía.

Por eso a los que caen,
    los vas corrigiendo **poco a poco**,
    los **reprendes** y les traes a la memoria **sus pecados**,
    para que **se arrepientan** de sus maldades
    y crean **en ti**, Señor.

Para meditar

SALMO RESPONSORIAL   Salmo 145:1–2, 8–9, 10–11, 13cd–14

R. Bendeciré tu nombre por siempre jamás, Dios mío, mi rey.

Te ensalzaré, Dios mío, mi rey;
    bendeciré tu nombre por siempre jamás.
Día tras día, te bendeciré
    y alabaré tu nombre por siempre jamás. R.

El Señor es clemente y misericordioso,
    lento a la cólera y rico en piedad;
    el Señor es bueno con todos,
    es cariñoso con todas sus criaturas. R.

Que todas tus criaturas te den gracias,
    Señor,
    que te bendigan tus fieles;
    que proclamen la gloria de tu reinado,
    que hablen de tus hazañas. R.

El Señor es fiel a sus palabras,
    bondadoso en todas sus acciones.
El Señor sostiene a los que van a caer,
    endereza a los que ya se doblan. R.

II LECTURA   2 Tesalonicenses 1:11—2:2

**Lectura de la segunda carta del apóstol san Pablo
a los Tesalonicenses**

Hermanos:
Oramos **siempre** por ustedes, para que Dios
    los haga **dignos** de la vocación a la que los **ha llamado**,
    y con **su poder**, lleve a efecto **tanto** los **buenos** propósitos
    que **ustedes** han formado,
    como lo que **ya han emprendido** por la fe.
Así **glorificarán** a nuestro Señor Jesús
    y él los glorificará **a ustedes**,
    en la medida en que **actúe** en ustedes
    la gracia de nuestro Dios y de Jesucristo, el Señor.

Las dos partes de la lectura deben ser claras. Sé dócil ante la puntuación para que la lectura no sea atropellada ni la comunidad se pierda.

II LECTURA Pablo enseña que Dios llama a los hombres a una comunión con él, en la alianza y en la disposición a permanecer en esa comunión. La disposición se manifiesta en el esfuerzo por hacer el bien. Este deseo no basta para el creyente, sino que debe precisarse en una fe que produce obras. Es el modo de glorificar el nombre de Jesús. La glorificación de Dios redunda en glorificación para la comunidad.

Enseguida, Pablo habla como hermano. Advierte a los tesalonicenses sobre una falsa concepción del "Día del Señor". Les pide tranquilidad y sobriedad. Les asegura que los cristianos ya han participado en la salvación y por lo tanto no deben estar preocupados ni hacer caso de esas expresiones apocalípticas que les quitan la serenidad.

Nuestra fe quita todo el miedo o intranquilidad a la vida cristiana. La oración es indispensable para nuestra vida de fe y para obrar el bien. Así es como glorificamos el nombre de Cristo, aguardando con fidelidad su venida.

El tópico es nuevo. Dale frescura a las advertencias del apóstol porque tienen más actualidad de la que uno deseara.

Por lo que toca a **la venida** de nuestro Señor Jesucristo
y a nuestro encuentro **con él**,
les rogamos que **no se dejen perturbar** tan fácilmente.
No se alarmen ni por **supuestas** revelaciones,
ni por palabras o cartas **atribuidas** a nosotros,
que los induzcan a pensar
que el día del Señor **es inminente**.

EVANGELIO   Lucas 19:1–10

Lectura del santo Evangelio según san Lucas

Se trata de un episodio de la vida de Jesús, no de una parábola. Consigue darle vida a Zaqueo haciendo de sus rasgos algo prominente.

En aquel tiempo,
Jesús entró en **Jericó**, y al ir atravesando la ciudad,
sucedió que un hombre llamado **Zaqueo**,
jefe de publicanos y **rico**, trataba de conocer a Jesús;
pero la gente **se lo impedía**,
porque Zaqueo era de **baja** estatura.
Entonces **corrió** y se subió a un árbol
para **verlo** cuando pasara por ahí.
Al llegar a ese lugar, Jesús **levantó** los ojos y le dijo:
"Zaqueo, **bájate** pronto,
porque **hoy** tengo que hospedarme **en tu casa**".

Como si le regalaras esta frase a cada uno de los miembros de tu grey, envuélvelos con la mirada al pronunciarla.

Él bajó **enseguida** y lo recibió **muy contento**.
Al ver esto, comenzaron **todos** a murmurar diciendo:
"Ha entrado a hospedarse en casa **de un pecador**".

Zaqueo, poniéndose de pie, dijo a Jesús:
"**Mira**, Señor, voy a dar a los pobres **la mitad** de mis bienes,
y si he defraudado a alguien, le restituiré **cuatro** veces más".
Jesús le dijo:

Cambia el ritmo en estas tres líneas finales. La primera debe ser más impetuosa, y la tercera aminorada en la velocidad.

"**Hoy** ha llegado la salvación **a esta casa**,
porque **también él** es hijo de Abraham, y el Hijo del hombre
ha venido **a buscar** y **a salvar** lo que se había **perdido**".

EVANGELIO Jericó era una ciudad próspera, aduana y crucero de rutas comerciales, pero también la última estación de la subida de Jesús a Jerusalén, lugar de su "éxodo". Desde que salió de Galilea, Jesús ha avanzado anunciando el reinado de Dios con curaciones y enseñanzas. De modos diversos, él ha provocado que la misericordia de Dios sea experimentada por las gentes más necesitadas. Recientemente, él ha catequizado sobre la oración, y sobre la recta actitud ante los bienes materiales. El episodio de hoy es una muestra clara de que el Evangelio transforma la vida y trae salvación a los que lo reciben.

Zaqueo, cuyo nombre significa inocente o puro, quería ver a Jesús, el profeta de Dios, y sus esfuerzos se ven recompensados cuando se vuelve su anfitrión y lo hospeda espléndidamente. Entonces lo alcanza el tiempo de la salvación: hoy. Es la presencia de Jesús en su casa. Al recibir la salvación, los bienes de Zaqueo quedan convertidos en sostén de los pobres. Da con alegría, generosamente, no forzado. Jesús nada le pide ni le exige, porque la salvación se ofrece y se da. La reacción de Zaqueo ante el Peregrino de Dios, le hace recuperar su identidad de "hijo de Abrahán"; se vuelve miembro de la familia abrahámica, heredero de la bendición patriarcal, la que se salva por creer en Cristo, el hijo de la promesa de salvación.

Este ejemplo deben seguir los ricos en la comunidad cristiana, la de entonces y la de ahora. Acoger la salvación en casa debe llevarnos a hacer partícipes a los pobres y defraudados de la bendición patriarcal.

TODOS LOS SANTOS

Aunque la lectura es un tanto desconcertante, no pierdas el sentido festivo de la misma. Que tu voz tenga este tono de alegría.

I LECTURA Apocalipsis 7:2–4, 9–14

Lectura del libro del Apocalipsis

Yo, Juan, vi a un **ángel** que **venía** del oriente.
Traía consigo el **sello** del **Dios vivo** y gritaba con voz **poderosa**
    a los **cuatro ángeles** encargados de hacer daño
    a la tierra y al mar. Les dijo: "¡**No hagan daño** a la tierra,
      ni al **mar**, ni a los **árboles**,
    hasta que terminemos de **marcar** con el **sello**
    la frente de los **servidores** de nuestro **Dios**!"
Y pude oír el **número** de los que habían sido **marcados**:
    eran ciento **cuarenta** y **cuatro mil**,
    procedentes de **todas** las **tribus** de Israel.

Vi luego una **muchedumbre** tan grande,
    que **nadie** podía contarla.
Eran individuos de **todas** las **naciones y razas**,
    de **todos los pueblos y lenguas**.
Todos estaban **de pie**, delante del **trono** y del **Cordero**;
    iban **vestidos** con una túnica **blanca**;
    llevaban **palmas** en las **manos** y **exclamaban**
      con voz poderosa:
      "La **salvación** viene de nuestro **Dios**,
    que está **sentado** en el **trono**, y del **Cordero**".

I LECTURA Estamos en el sexto sello (6:12), donde tras los cataclismos viene una gran escena (7:2–4, 9–14) donde hay dos grupos de salvados: uno separado del resto de la humanidad (7:4–8) y otro que abarca una multitud inmensa (7:9–17).

Los protagonistas de la primera escena son los que han sido fieles a Dios, no obstante las pruebas sufridas, sean judeocristianos o los elegidos del pueblo, los salvados de la economía anticotestamentaria.

Luego viene la multitud variada e incalculable en la que se cumple la promesa hecha a Abrahán (Gen 15:5; 22:17). Están de pie ante el trono, con las palmas, signo de la victoria y el vestido blanco que indica la pureza ante el sacrificio. Forman un grandioso coro que alaba al Dios que salva y al Cordero, vencedor escatológico. Son identificados como los que han salido de la gran tribulación y han lavado sus vestidos.

El encuentro del combate escatológico definitivo es entre la Bestia y el Cordero; ya empezó y fue vencida la Bestia. Los vencedores son "los que han lavado sus vestidos con la sangre del Cordero", los mártires, que triunfan por haber participado en la muerte sacrificial del Cordero. Derrotaron al mal no con las armas sino con la muerte sacrificial. A estos y a los que a través de los siglos se han juntado al grupo, está dedicada la fiesta de Todos los santos.

Y todos los **ángeles** que estaban alrededor del **trono**,
   de los **ancianos** y de los **cuatro** seres **vivientes**,
   cayeron rostro en tierra delante del trono
   y **adoraron** a **Dios**, diciendo:
   "**Amén**. La alabanza, la gloria, la sabiduría,
   la acción de gracias, el **honor**, el poder y la **fuerza**,
   se le **deben** para **siempre** a nuestro **Dios**".

Entonces uno de los ancianos me preguntó:
   "**¿Quiénes** son y de **dónde** han venido
   los que llevan la **túnica blanca**?"
Yo le respondí:
   "Señor mío, **tú** eres quien lo **sabe**".
Entonces él me **dijo**:
   "Son los que han **pasado** por la gran **persecución**
   y han **lavado y blanqueado** su **túnica**
   con la sangre del **Cordero**".

Manifiesta, con tu voz y con tu expresión, el gozo al proclamar la presencia de los santos.

Para meditar

SALMO RESPONSORIAL   Salmo 24:1–2, 3–4ab, 5–6
R. Este es el grupo que busca tu rostro, Señor.

Del Señor es la tierra y cuanto lo llena,
   el orbe y todos sus habitantes:
   él la fundó sobre los mares,
   él la afianzó sobre los ríos. R.

¿Quién puede subir al monte del Señor?
¿Quién puede estar en el recinto sacro?
El hombre de manos inocentes y puro
   corazón,
   ni jura contra el prójimo en falso. R.

Ese recibirá la bendición del Señor,
   le hará justicia el Dios de salvación.
Este es el grupo que busca al Señor,
   que viene a tu presencia, Dios de Jacob. R.

II LECTURA Ver a Dios es el anhelo de todo mortal. Es el sueño más legítimo que podemos tener, porque significa la felicidad plena, inconmensurable, eterna. Por eso mismo, todas las religiones han pretendido ofrecer una llave que garantice acceso a la visión divina. Pero en la tradición cristiana, es Dios mismo el que ha anhelado estar con nosotros, al punto de hacerse hombre y entregarse a la muerte voluntaria para convencernos de que nos ama entrañable y misericordiosamente. Él nos engendra hijos suyos con su palabra, cuando la recibimos y nos cambia los modos de actuar. Esa identidad profunda es la base de la breve lectura de hoy.

Pero esta filiación no es reconocida por el mundo. El mundo es la realidad incrédula, ciega a la misericordia de Dios por la humanidad. Por lo mismo, el mundo tampoco puede percibir el amor recíproco entre los creyentes como signo o sacramento del amor de Dios. Esa ceguera es el pecado del mundo, que el Cordero de Dios quita. Entretanto, aguardamos la segunda manifestación del Mesías que nos transformará, gracias al principio de participación por la semejanza: será una manifestación en gloria, y seremos transformados en gloria. De momento, su manifestación ha sido en cruz y lo que se mira es su humillación; por lo mismo, el mundo tampoco nos reconoce como hijos de Dios.

II LECTURA   1 Juan 3:1–3

Lectura de la primera carta del apóstol san Juan

Queridos hijos:
Miren cuánto **amor** nos ha tenido el **Padre**,
    pues no sólo nos **llamamos** hijos de **Dios**, sino que lo **somos**.
Si el **mundo** no nos reconoce,
    es porque **tampoco** lo ha **reconocido** a él.

Hermanos míos,
    ahora **somos hijos** de Dios,
    pero aún **no** se ha **manifestado** cómo seremos al fin.
Y ya sabemos que, cuando él se **manifieste**,
    vamos a ser **semejantes** a él,
    porque lo **veremos** tal cual es.

Todo el que tenga **puesta** en Dios esta **esperanza**,
    se **purifica** a sí **mismo** para ser tan puro como **él**.

EVANGELIO   Mateo 5:1–12a

Lectura del santo Evangelio según san Mateo

En aquel tiempo,
    cuando Jesús vio a la **muchedumbre,**
    subió al monte y se sentó.
Entonces se le acercaron sus **discípulos.**
Enseguida comenzó a **enseñarles**, y los dijo:

"**Dichosos** los pobres de **espíritu**,
    porque de ellos es el **Reino** de los **cielos.**
Dichosos los que **lloran**,
    porque serán **consolados.**

Esta es una gozosa esperanza que puedes proclamar lleno de confianza en su cumplimiento hoy mismo.

Voltea ver a la comunidad al dirigirte a tus hermanos.

Sé muy claro con este cierre y cárgalo de fuerza concluyente.

Tu vivencia personal del texto debe llevarte a pronunciarlo con el corazón.

El autor de la carta avanza un paso más hacia la manifestación gloriosa. Los creyentes necesitamos purificarnos para participar así en la futura manifestación del Dios puro en su Mesías. La pureza es un estado de santidad, de abatir el pecado, de testificar la esperanza que tenemos. El cristiano es el hombre de la esperanza puesta en Dios.

Los caminos de la santidad son muchos y variados, porque en todos los estados de vida puede reflejarse la luz de Cristo, su caridad. El camino regio es el recorrido por Cristo que se ha abajado para llevarnos con él a la gloria (Flp 2:6–11).

EVANGELIO El hombre, desde que nace hasta que muere, anda tras la felicidad. Pero la desgracia toca a la mayoría de los humanos, impidiéndoles alcanzar repetidamente lo que buscan. La frustración y el fracaso sellan a muchos. La infelicidad tiene cara de pobreza, llanto, dolor, hambre, sed, persecución, maldición, etc. Por eso, lo que Jesús proclama es paradójico y hasta cínico si no nos adentramos en su sentido.

Procura hacer sonar tu voz para que sea una invitación a abrazar el final de esta lectura.

Dichosos los **sufridos**,
   porque **heredarán** la **tierra**.
Dichosos los que tienen **hambre** y **sed** de **justicia**,
   porque serán **saciados**.
Dichosos los **misericordiosos**,
   porque **obtendrán misericordia**.
Dichosos los **limpios** de **corazón**,
   porque **verán** a Dios.
Dichosos los que **trabajan** por la **paz**,
   porque se les **llamará** hijos de **Dios**.
Dichosos los **perseguidos** por causa de la **justicia**,
   porque de ellos es el **Reino** de los **cielos**.

Dichosos serán ustedes cuando los **injurien**,
   los **persigan** y **digan** cosas falsas de ustedes **por** causa **mía**.
Alégrense y salten de contento,
   porque su **premio** será **grande** en los **cielos**".

La dicha o buenaventura que Jesús proclama no nace de la condición desgraciada de las personas, sino de experimentar el cumplimiento de lo que Dios realiza por ellas. Este actuar de Dios es lo que encontramos en los evangelios como Reino de Dios. No se trata de una condición de ultratumba, sino de que el proyecto promovido y realizado por el Mesías transforma la realidad desde ya, ahora. Es un reinado real, no utópico, donde los anhelos de vida van siendo profundamente satisfechos, gracias al actuar de Dios.

Dios, sin embargo, realiza y transforma la realidad infeliz mediante su gracia, el hambre y sed de justicia, la misericordia, la limpieza de corazón y la paz que mueven a los hombres. Ellos hacen posible la experiencia de Dios, no sin ser perseguidos y vituperados por la causa de Jesús Mesías. Este cumplimiento del Reino involucra a todo cristiano o discípulo de Jesús. A quienes han andado esa ruta del Reino, les llamamos santos. Hoy los celebramos.

TODOS LOS FIELES DIFUNTOS

Este texto habla de los eventos últimos. Sitúate espiritualmente en ese entorno como dispuesto a mirar la salvación de Dios.

I LECTURA   Sabiduría 3:1–9

Lectura del libro de la Sabiduría

Las almas de los justos están en las **manos** de Dios
    y no los alcanzará **ningún tormento.**
Los insensatos **pensaban** que los justos habían muerto,
que su salida de este mundo era una **desgracia**
y su salida de entre nosotros, una completa **destrucción.**
Pero los justos están en **paz.**

La gente **pensaba** que sus sufrimientos eran un **castigo,**
pero ellos esperaban **confiadamente** la inmortalidad.
Después de **breves** sufrimientos
Recibirán una **abundante** recompensa,
pues Dios los puso a **prueba**
y los halló **dignos** de sí.
Los probó como **oro** en el crisol
y los aceptó como un holocausto **agradable.**

En el día del juicio **brillarán** los justos
como **chispas** que se propagan en un cañaveral.
Juzgarán a las naciones y **dominarán** a los pueblos,
y el Señor **reinará** eternamente sobre ellos.
Los que confían en el Señor comprenderán la verdad
y los que son **fieles** a su amor permanecerán a su lado,
porque **Dios ama** a sus elegidos y cuida de ellos.

El destino de los justos es brillante. Procura que tu voz suene victoriosa en esta sección.

I LECTURA Estos versículos contienen la respuesta de la fe al discurso de los impíos. Los impíos proponen llevar un tipo de vida gobernada por el egoísmo, donde todo lo que aumente el goce individual incluso con desprecio o desatención a los demás, es lo válido para vivir. El egoísmo ha estado aquí desde que el hombre es hombre. Pero allí está la muerte. La postura que se tenga ante ella determinará el tipo de vida que uno lleve mientras está sobre la tierra.

En un mundo impregnado de materialismo, el hombre de la Biblia adopta una posición decidida, anclada en su fe. Más allá de la muerte hay vida personal. El modo de sobrevivir a la muerte se basa en comprender que el humano se compone de alma y cuerpo. Esto lo venían enseñando los filósofos griegos desde un par de siglos antes. Ahora, esa luz encuentra cabida entre la gente pensante de Israel, en este libro. Por eso habla de que las almas de los justos están en las manos de Dios. Lo que significa que no les puede alcanzar ninguna desgracia.

Pero con la vida de ultratumba viene la idea de la retribución. Dios recompensa a cada uno según sus obras. El sabio judío sólo habla de los justos que son recompensados por su fidelidad a la ley (ver 3:4–5). Si a los impíos les aguarda la destrucción, los justos quedan instituidos en jueces de los pueblos, como delegados de Dios. Su fidelidad en la adversidad les califica para juzgar.

El cristiano que tiene su esperanza en la resurrección no puede pensar en la muerte como en su último enemigo, ni luchar contra ella. No se sufre la muerte, sino que, como Jesús, se enfrenta. La muerte es el límite del hombre, pero Dios es el límite de la muerte.

Para meditar

SALMO RESPONSORIAL   Salmo 23:1–3, 4, 5, 6

R. El Señor es mi pastor, nada me falta.

O bien: R. Aunque camine por cañadas oscuras, nada temo, porque tu vas conmigo.

El Señor es mi Pastor, nada me falta:
    en verdes praderas me hace recostar;
    me conduce hacia fuentes tranquilas
    y repara mis fuerzas. R.

Me guía por el sendero justo,
    por el honor de su nombre.
Aunque camine por cañadas oscuras,
    nada temo, porque tu vas conmigo.
    tu vara y tu cayado me sosiegan. R.

Preparas una mesa ante mí,
    enfrente de mis enemigos;
    me unges la cabeza con perfume,
    y mi copa rebosa. R.

Tu bondad y tu misericordia
    me acompañan todos los días de mi vida,
    y habitaré en la casa del Señor por años
    sin término. R.

II LECTURA   Romanos 5:5–11

Lectura de la carta del apóstol san Pablo a los romanos

El bautismo en Cristo nos hace partícipes ya en su victoria. Comparte esta jubilosa esperanza con toda certeza.

Hermanos: La esperanza **no defrauda**
    porque Dios ha **infundido** su amor en nuestros corazones
    por medio del **Espíritu Santo**, que él mismo nos ha dado.

En efecto, cuando todavía no teníamos **fuerzas**
    para salir del pecado,
Cristo murió por los **pecadores** en el tiempo señalado.
Difícilmente habrá alguien que **quiera** morir por un justo,
    aunque puede haber alguno
    que esté **dispuesto** a morir por una persona
    sumamente buena.

Estas líneas deben tener peso propio. Volvámonos incapaces de pecar. Pero la entrega de Cristo es lo fundamental.

Y la **prueba** de que Dios nos ama está en que Cristo **murió**
    por nosotros,
    cuando aún éramos **pecadores**.

Con mayor razón, ahora que ya hemos sido **justificados**
    por su sangre,
    seremos **salvados** por él del castigo final.

II LECTURA El capítulo cinco de la carta a los Romanos funciona como transición entre una parte que habla del pecado y otra de la santidad.

Pablo mira la vida cristiana como una reconciliación y una esperanza. Arguye con sentido común: si es muy difícil que alguien muera por un hombre de bien, es imposible que una persona muera por un injusto. Pues bien, Pablo recuerda que el Señor vino en nuestra ayuda de pecadores, precisamente cuando éramos esto: pecadores, enemigos de Dios. Y entonces nos abrazó con su misericordia. Mostró lo que es el

amor de Dios. Algo inexplicable por medio de nuestros cánones humanos, pero que podemos entenderlo con la medida del amor. Así nos queda claro la dependencia enorme que tenemos de él y el camino claro que abre a nuestros pasos, pues participaremos de su glorificación.

EVANGELIO El trozo gira en torno a la voluntad salvífica de Dios. Dios busca que el hombre viva en plenitud y para esto envió a su Hijo. Ese es el principio primero y último de la vida de cada creyente y de la entera historia de salvación, que tiene

un punto culminante en el envío del Hijo único. El mismo Jesús declara que su bajada del cielo no tiene propósito de excluir de la salvación a nadie, sino lo contrario. El espacio de salvación creado con su venida abraza a todo creyente. Esta amplitud la ha ganado la fidelidad de Jesús, manifiesta en su muerte de cruz. Jesús quiere lo que el Padre quiere; su voluntad es una: la salvación del creyente. Que el creyente vaya a Jesús.

A lo dicho, el segundo parágrafo añade un ingrediente: la resurrección en el último día. Jesús habla de sí como el que resucita al creyente en el día final. Algo que sólo Dios

La oración final es lapidaria. Pronúnciala con absoluta certeza.

Porque, si cuando **éramos** enemigos de Dios,
    fuimos **reconciliados** con él por la muerte de su Hijo,
    con mucho más razón, estando **ya** reconciliados,
    recibiremos la **salvación** participando de la vida de su Hijo.
Y no sólo esto, sino que también nos **gloriamos** en Dios,
    por medio de nuestro **Señor** Jesucristo,
    por quien hemos **obtenido** ahora la reconciliación.

O bien: Romanos 6:3–9

EVANGELIO   Juan 6:37–40

Lectura del santo Evangelio según san Juan

Aunque es una enseñanza pública, el contenido es muy íntimo; transparenta la profunda calidez de Jesús con el Padre y con los suyos.

En **aquel** tiempo,
    Jesús dijo a la **multidud**:
"**Todo aquel** que me da el **Padre** viene hacia **mí**;
    y al que **viene** a mí **yo** no lo echaré **fuera**,
    porque he **bajado** del **cielo**,
    no para hacer **mi voluntad**,
    sino la **voluntad** del que **me envió**.

Despierta la certeza de vida eterna en el auditorio enfatizando palabras como vivir, resurrección, vida, etc.

Y la **voluntad** del que **me envió**
    es que **yo no pierda nada** de lo que **él** me ha **dado**,
    sino que lo **resucite** en el **último día**.
La **voluntad** de mi Padre **consiste** en que **todo** el que vea al **Hijo**
        y **crea en él**,
    tenga **vida eterna** y yo lo **resucitaré** en el **último día**".

le compete. El trasfondo es el de la contemplación del signo de salvación levantado sobre un mástil para que los israelitas fueran sanados al verla (ver Sab 16:6–7), y que los rabinos explicaban diciendo que al verlo, Israel levantaba su corazón a su Padre del cielo que los salvaba. Igual aquí. Mirando al Crucificado el corazón reconoce al Hijo Unigénito que levanta de entre los muertos, la resurrección última. Es un mirar con el corazón de la fe.

Al discípulo de Jesús estas palabras escatológicas del discurso eucarístico en Cafarnaúm le sirven de ancla. La Eucaristía es el espacio salvífico donde tiene cabida todo don del Padre al Hijo. Allí los creyentes unen su deseo de salvación a la voluntad del Padre. Allí también la voluntad del Cristo no permite que se pierda nada, pues la Eucaristía es el sacramento de la reunión por excelencia, reunión última y de vida definitiva. Por eso, la fiesta de los fieles difuntos nos mueve a una profunda comunión de vida con la Iglesia total, aunados por la voluntad del Dios que nos salva.

XXXII DOMINGO ORDINARIO

Busca transmitir plena confianza en el Señor y en sus leyes. La fe es el fundamento de toda la vida.

I LECTURA   2 Macabeos 7:1–2, 9–14

Lectura del segundo libro de los Macabeos

En aquellos días,
   arrestaron a **siete** hermanos junto con su madre.
El rey Antíoco Epifanes los hizo azotar
   para **obligarlos** a comer carne de puerco,
   prohibida por la ley. Uno de ellos, hablando **en nombre**
      de todos, dijo:
   "¿Qué quieres saber de nosotros?
Estamos **dispuestos** a morir
   antes que quebrantar la ley de nuestros padres".

El rey se **enfureció** y lo mandó **matar**.
Cuando el **segundo** de ellos estaba para morir,
   le dijo al rey:
   "**Asesino**, tú nos **arrancas** la vida presente,
   pero el rey del universo nos **resucitará** a una vida eterna,
   puesto que morimos por **fidelidad** a sus leyes".

Después comenzaron a burlarse del **tercero**.
Presentó la lengua como se lo exigieron,
   extendió las manos **con firmeza** y declaró **confiadamente**:
   "De Dios **recibí** estos miembros
   y por **amor** a su ley los desprecio,
   y de él espero **recobrarlos**".

I LECTURA Avanzando el siglo II antes de Cristo se hizo sentir más el influjo de la cultura griega sobre el pueblo judío. El pequeño enclave de Judea estaba bajo la égida de los reyes de Siria. Reinaba Antíoco IV Epifanes. Él quiso unificar su reino, que se componía de gentes de distintos orígenes, culturas y religiones. Su política, que no respetaba las costumbres de los pueblos subyugados, causó demasiada tensión en Judea. Hubo grupos que protestaron contra esta medida. La lectura litúrgica de hoy pone el ejemplo de esta

oposición, de parte de una madre y sus siete hijos.

El relato es muy amplio, pero la liturgia escogió sólo ocho versos, los correspondientes a las ejecuciones de los hijos segundo, tercero y cuarto. Ellos son ejemplos a imitar.

Presenta primero a los que actúan: un rey tirano que obliga a renegar de la fe de los antepasados y siete hermanos con su madre que se oponen por fidelidad a su fe (vv. 1–2). La segunda parte entra al corazón del tema, uno a uno, los hermanos van proponiendo sus convicciones religiosas y su

disponibilidad al martirio, antes que abandonar su fe (vv. 9–14).

Los hermanos dan testimonio de fe en el Dios de la vida. El segundo hermano, estando para dar su último respiro, dice con lucidez al rey: "Tú, criminal, nos privas e la vida presente, pero el rey del mundo, a nosotros que morimos por sus leyes, nos resucitará a una vida eterna" (v. 9). Rey es Dios, no Antíoco. La misma fe muestra el tercer hermano. El texto dice simplemente que fue torturado. Podemos presumir que como a su hermano anterior, ya le habrían arrancado el cuero cabelludo y cortado las extremidades

El rey y sus acompañantes
    quedaron **impresionados** por el valor
    con que aquel muchacho **despreciaba** los tormentos.

Una vez muerto éste,
    sometieron al **cuarto** a torturas semejantes.
Estando ya para expirar, dijo:
    "**Vale** la pena morir a manos de los hombres,
    cuando se tiene la **firme esperanza**
    de que Dios nos resucitará.
Tú, en cambio, **no resucitarás** para la vida".

Que la confianza que tú tienes en el Señor se transmita en esta parte. Sé muy contundente con la última frase, dirigida al impío.

Para meditar

SALMO RESPONSORIAL   Salmo 17:1, 5–6, 8b y 15

R. Al despertar me saciaré de tu semblante Señor.

Señor, escucha mi apelación
    atiende a mis clamores,
    presta oído a mi súplica,
    que en mis labios no hay engaño. R.

Mis pies estuvieron firmes en tus caminos,
    y no vacilaron mis pasos.
Yo te invoco porque tú me respondes,
    Dios mío;
    inclina el oído y escucha mis palabras. R.

Guárdame como a las niñas de tus ojos,
    a la sombra de tus alas escóndeme.
Yo con mi apelación vengo a tu presencia,
    y al despertar me saciaré de
    tu semblante. R.

II LECTURA   2 Tesalonicenses 2:16—3:5

Lectura de la segunda carta del apóstol san Pablo a los Tesalonicenses

Hermanos:
Que el **mismo** Señor nuestro, **Jesucristo**,
    y nuestro **Padre** Dios,
    que nos **ha amado** y nos ha dado **gratuitamente**
    un consuelo **eterno** y una **feliz** esperanza,
    conforten los corazones de ustedes
    y los dispongan a **toda clase** de obras buenas
    y de **buenas** palabras.

Dale voz suplicante al apóstol. Sus palabras deben sonar contundentes en la comunidad, pero sobre todo, muy claras.

---

de los miembros. De hecho, dice: " . . . presentó la lengua, tendió decidido las manos" (v. 10). Enseguida da un testimonio de su fe en el Dios creador y en la resurrección.

Con el cuarto hermano, continúa el juicio y la catequesis a los lectores. Él espera de Dios la resurrección que es un don divino (ver Ez 37:1–14), y que va unido a la acción de la persona. Aquí agrega la resurrección de los malos: "Para ti no habrá resurrección a la vida". Así expresa la condena de parte de Dios.

La creencia en la resurrección se va precisando cada vez mejor. Resucitar es un

don. Con esto se nos afirma que los buenos resucitarán. Pero se insinúa en la afirmación del cuarto hermano, que la resurrección de los malos no será para vida.

Para nosotros la resurrección es el perno de la fe cristiana. Sin ésta, la fe se evaporaría. Pablo nos decía que sin ella nuestra fe sería vana, vacía. Sabemos que somos humanos naturalmente y, como todo lo creado, condenados a la destrucción o, si se quiere, a convertirnos en polvo y energía. Pero el Señor nos otorgó por medio del bautismo, la participación en su vida divina, al resucitarnos después de nuestra muerte.

Esta creencia es la mejor esperanza que puede dársele a un hombre para vivir con alegría.

II LECTURA | Nos toca el cierre de la parte dogmática de la carta. Tiene cierto estilo parenético. Pablo ha hablado de la parusía, del punto de vista dogmático. Ahora al final, entra a la exhortación, a la parénesis. De una parte a la otra hay una secuencia lógica.

Por lo demás, hermanos, **oren** por nosotros
     para que la **palabra** del Señor se propague **con rapidez**
     y sea recibida con honor,
     como aconteció **entre ustedes**.
Oren **también**
     para que Dios **nos libre** de los hombres **perversos y malvados**
     que nos acosan, porque **no todos** aceptan la fe.

Pero el Señor, que **es fiel**,
     les dará **fuerza** a ustedes y los **librará** del maligno.
Tengo **confianza** en el Señor de que **ya hacen** ustedes
     y **continuarán** haciendo cuanto **les he mandado**.
Que el Señor **dirija** su corazón para que **amen** a Dios
     y esperen **pacientemente** la venida de Cristo.

Con este cierre debes manifestar la plena confianza en la venida de Jesús.

EVANGELIO   Lucas 20:27–38

Lectura del santo Evangelio según san Lucas

Acepta la oportunidad de hacer vida este evangelio hoy; dilo como Jesús lo pronunciaría.

En aquel tiempo, se acercaron a Jesús algunos **saduceos**.
Como los saduceos **niegan** la resurrección de los muertos,
     le preguntaron:
     "**Maestro**, Moisés nos dejó escrito
     que si alguno tiene un **hermano casado**
     que muere **sin** haber tenido hijos,
     se case con la viuda para **dar descendencia** a su hermano.
Hubo una vez **siete** hermanos,
     el **mayor** de los cuales se casó y murió **sin dejar hijos**.
El segundo, el tercero y los demás, **hasta el séptimo**,
     tomaron **por esposa** a la viuda
     y **todos** murieron **sin** dejar sucesión.
Por fin murió también la viuda.
Ahora bien, cuando lleque la resurrección,
     ¿**de cuál** de ellos **será esposa** la mujer,
     pues los siete **estuvieron** casados **con ella**?"

La exhortación se hace oración. El apóstol pide primero al Padre celestial y a Jesús Mesías que consuelen el corazón de los tesalonicenses y les dé firmeza en toda acción y palabra. Para este tiempo intermedio entre la resurrección y la parusía de Cristo, pide la activación del consuelo. Esto se debe manifestar en cada obra y palabra de la comunidad.

Luego Pablo vuelve se mira a sí mismo. Necesita que sus "hermanos" pidan por él, por su ministerio de predicador del Evangelio. Siendo hermano, la auténtica y verdadera autoridad es la "palabra del Señor", el Evangelio. Es palabra que se propaga con su propia fuerza por el mundo hasta ser glorificada. El oficio del apóstol es trabajar en favor del Evangelio; su éxito es que el Evangelio sea escuchado y recibido. Pero esa tarea no está libre de adversarios (v. 2a); ya unos le impidieron predicar en Tesalónica y lo obligaron a dejar la ciudad.

Por experiencia, Pablo sabe que algunos acogen el evangelio y otros no (v. 2b). Donde hay recepción, se debe a la fidelidad de Dios que da estabilidad a la buena voluntad y protege del enemigo (v. 3). Como no todo debe ser del Señor, sino también de nuestra participación, exhorta Pablo a los tesalonicenses a colaborar, que se traducirá en que sigan las indicaciones del apóstol para el presente y para el futuro. Está seguro Pablo de que el Señor intervendrá en esto.

En la oración del cierra Pablo pide al Señor que ayude a la comunidad a crecer en "el amor de Dios y la tenacidad de Cristo" (v. 5). Ambos son dones de Dios, no algo que los tesalonicenses podrán obtener por industria propia. El amor de Dios significa la misma vida de Dios. La segunda es la serena aceptación de la contrariedad en el momento presente.

Jesús les dijo:
"En **esta** vida, hombres y mujeres **se casan**,
pero en la vida **futura**,
los que sean juzgados **dignos** de ella
y de la resurrección **de los muertos**,
no se casarán **ni podrán** ya morir,
porque serán como **los ángeles** e hijos de Dios,
pues **él** los habrá resucitado.

Y que los muertos **resucitan**,
el **mismo** Moisés lo indica en el episodio de la zarza,
cuando llama al Señor, *Dios de Abraham, Dios de Isaac,*
Dios de Jacob.
Porque Dios **no es** Dios de muertos, **sino de vivos**,
pues para él **todos** viven".

Lectura alternativa: Lucas 20:27, 34–38

Frase triunfal tanto para proclamar a un Dios vivo, como para los creyentes que seguirán vivos.

EVANGELIO Jesús llega a Jerusalén como Profeta de la paz, bien recibido por el pueblo piadoso pero no por los sacerdotes que administran el templo, que lo ven como una amenaza. Atacan sus enseñanzas y vienen las controversias, en un conflicto que escalará hasta ejecutarlo en cruz. A las controversias pertenece la de hoy, sobre la resurrección de los muertos. Era algo que los sabios discutían, pues algunos grupos como el saduceo, negaban toda posibilidad de resucitar. El asunto es toral para la fe cristiana, pues el núcleo que la nutre y vigoriza, sostiene que Dios resucitó a Jesús de entre los muertos.

La respuesta de Jesús deja muy en claro que en los tiempos de la resurrección ya no rigen las normas que tienen por función perpetuar un nombre sobre la tierra; serán como los ángeles e hijos de Dios. El caso propuesto del levirato es absurdo, pero hay que hacerse digno de la resurrección, mediante el cumplimiento de los mandamientos. Ese es el punto ético. Por otro lado, Jesús argumenta que los padres del pueblo viven para Dios, y no sólo en sus descendientes; el Dios de Israel es Dios de todos, tanto de los que ya cruzaron la puerta de la muerte como de los que la cruzarán. No es válido limitar la presencia de Dios, su omnipotencia, volviéndola inoperante ante la muerte. La fe en la resurrección nos orienta a vivir siempre para Dios, en su presencia, gracias al bautismo en Cristo Jesús que nos ha regenerado.

XXXIII DOMINGO ORDINARIO

Las dos caras del Día del Señor deben brillar ante la asamblea y moverla a cobijarse con la justicia. Pronuncia esa palabra casi silabeándola; es la clave de la salvación.

I LECTURA   Malaquías 3:19–20

Lectura del libro del profeta Malaquías

"Ya viene **el día** del Señor, **ardiente** como un horno,
  y **todos** los soberbios y malvados serán **como la paja**.
El día que viene los **consumirá**,
  dice el Señor de los ejércitos,
  hasta no dejarles **ni raíz ni rama**.
Pero para ustedes, los que **temen** al Señor,
  brillará el sol de justicia,
  que les **traerá** la salvación en sus rayos".

Para meditar

SALMO RESPONSORIAL   Salmo 98:5–6, 7–9a, 9bc
R. El Señor llega para regir la tierra con justicia.

Toquen la cítara para el Señor,
  suenen los instrumentos:
  con clarines y al son de trompetas,
aclamen al Rey y Señor. R.

Retumbe el mar y cuanto contiene,
  la tierra y cuantos la habitan;
  aplaudan los ríos, aclamen los montes
al Señor, que llega para regir la tierra. R.

Regirá el orbe con justicia
  y los pueblos con rectitud. R.

I LECTURA El librito de Malaquías refleja un ambiente muy difícil. Los regresados del destierro no están nada contentos con la situación de la pequeña provincia de *Jehud* (Judea). Nada cambia. El imperio persa es sólido. En el pueblo hay desconfianza y desesperación. Critican las promesas del Señor, porque no se habían realizado. Además, salía a relucir el tema eterno del porqué los buenos la pasaban mal y a los malos les iba bien.

Malaquías quiere injertar una esperanza y ánimo en cada uno, sacerdotes y laicos, para que tome cada uno su papel. Anuncia "el Día del Señor" inminente y sus efectos. Para los soberbios y malvados ese día será un horno de destrucción total y definitiva. No quedará de ellos "ni raíz ni rama". No les queda ni esperanza de vida.

Para los que observan la ley divina, también habrá calor, pero benéfico, "el sol de justicia" les dará vitalidad y salud, justo como a esos becerros saltarines.

Ese Día del Señor será para los cristianos el día final de la historia, cuando el Señor venga definitivamente por los que hayan sido fieles hasta el final.

II LECTURA Cuando Pablo estuvo en Tesalónica no estuvo de holgazán. Esa es la palabra clave de esta parénesis: el problema de la flojera y de la laboriosidad.

Era necesario pagar al misionero porque este pasaba todo su tiempo ocupado estudiando las Escrituras y en predicar (Lc 10:7). Pablo declina ese derecho. No quiere ser una carga para nadie. Trabajó para mantenerse en Tesalónica. Dice él que día y noche, una expresión con la que indica que le costó mucho atender cumplir con este objetivo de su actividad misionera. Dice que

La llegada inminente del Señor no significa desidia o ligereza entre los creyentes. Esta exhortación es una fuerte reprimenda a los holgazanes; no rebajes su seriedad.

II LECTURA   2 Tesalonicenses 3:7–12

Lectura de la segunda carta del apóstol san Pablo a los Tesalonicenses

Hermanos:
Ya **saben** cómo **deben** vivir para **imitar** mi ejemplo,
    puesto que, cuando estuve **entre** ustedes,
    supe ganarme la vida y no dependí **de nadie** para comer;
    antes bien, de día y de noche trabajé **hasta agotarme**,
    para no serles **gravoso**.
Y no porque **no tuviera yo** derecho a pedirles el sustento,
    sino para darles **un ejemplo** que imitar.
Así, cuando estaba entre ustedes, les decía una **y otra vez**:
    "El que **no quiera** trabajar, que **no coma**".

Y ahora vengo a saber
    que **algunos** de ustedes viven como **holgazanes**, sin hacer
        nada,
    y además, entrometiéndose **en todo**.
Les **suplicamos** a esos tales y les **ordenamos**,
    de parte del **Señor Jesús**,
    que se pongan **a trabajar** en paz
    para ganarse **con sus propias manos** la comida.

EVANGELIO   Lucas 21:5–19

Lectura del santo Evangelio según san Lucas

En aquel tiempo, como **algunos** ponderaban
    la **solidez** de la construcción del templo
    y **la belleza** de las ofrendas votivas que lo adornaban,
Jesús dijo:
    "**Días vendrán** en que **no quedará** piedra sobre piedra
    de **todo** esto que están admirando; todo **será destruido**".

Es un evangelio complejo, con varios momentos significativos. El más importante es el de la comunidad: tiempo de dar testimonio. Apodérate de ese espíritu y compártelo.

trabajó con sus manos para derribar la idea de los filósofos griegos, de que para el hombre libre trabajar con las manos era vergonzoso. Por otro lado, Pablo quiere que la gratuidad del Evangelio quede asegurada. Además, su ejemplo quedó estampado como una regla de vida: "El que no trabaje que no coma" (v. 10). Tan claro como eso. Pablo recuerda la obligación del trabajo. Todo ser humano tiene este deber, sea pagano o judío. Está fundada esta ley en el principio de la creación (Gen 1).

Dejando puesto el principio general del trabajo obligatorio para todos, pasa a las consecuencias. Habla entonces con toda autoridad contra esos vaquetones que se dedicaban a vivir de los demás, sin hacer nada. Molestaban a los que trabajaban. Pablo después del palo dado, pone algo de suavidad. Dice que a esos flojos habrá que "exhortarlos en el Señor Jesucristo" (v. 12a). Los quiere bien. Por esto les recomienda "que trabajen con sosiego para comer su propio pan" (v. 12b). Además, para los ociosos

habitantes de Tesalónica, el trabajo honesto y regular vale como un servicio al Evangelio. Serán un modelo para los paganos. De lo contrario, se convertirán en un antitestimonio.

La ley del trabajo es parte del ser hombre y mujer. La flojera, aparte de ser la madre de todos los vicios, es un pecado contra la ley natural y un impedimento para ser cristiano.

EVANGELIO El templo de Jerusalén despertaba la admiración de

Entonces le preguntaron:
"Maestro, ¿**cuándo** va a ocurrir esto
y **cuál** será la señal de que ya está **a punto** de suceder?"

Él les respondió:
"**Cuídense** de que **nadie** los engañe,
porque **muchos** vendrán usurpando mi nombre y dirán:
'**Yo soy** el Mesías. El tiempo **ha llegado**'.
Pero **no** les hagan caso.
Cuando oigan hablar de **guerras y revoluciones**,
que no los domine **el pánico**,
porque eso **tiene** que acontecer, pero **todavía** no es el fin".

Luego les dijo:
"Se **levantará** una nación contra otra y un reino **contra** otro.
En **diferentes** lugares habrá **grandes** terremotos,
epidemias y **hambre**,
y **aparecerán** en el cielo señales **prodigiosas** y terribles.

Pero **antes** de todo esto
los **perseguirán** a ustedes y los **apresarán**;
los llevarán a los tribunales y **a la cárcel**,
y los harán **comparecer** ante reyes y gobernadores,
por causa mía. Con **esto** darán testimonio **de mí**.

Grábense bien que **no** tienen que preparar de **antemano**
su defensa,
porque **yo** les daré palabras **sabias**,
a las que **no podrá** resistir ni contradecir
ningún adversario de ustedes.

Los traicionarán **hasta** sus propios padres,
hermanos, parientes y amigos.
Matarán a algunos de ustedes y **todos** los odiarán por **causa mía**.
Sin embargo, no caerá **ningún** cabello de la cabeza de ustedes.
Si se mantienen **firmes**, **conseguirán** la vida".

Las guerras y catástrofes causan zozobra. No imprimas a tu voz un tono sensacionalista. Al contrario, di estas líneas con plena conciencia de que no significan el final.

La seguridad y protección que Dios proporciona a sus fieles deben ser perceptibles en todo momento. Las líneas finales son clave para dar seguridad a todos los fieles.

propios y extraños; era un icono de modernidad y belleza arquitectónica, y a la vez el corazón de la piedad judía. Por eso, cuando Jesús anuncia su demolición no puede sino alarmar a sus oyentes. Pero no hay que ofuscarse. La ruina del lugar sagrado no marca el fin de los tiempos; es apenas el comienzo de una crisis, marcada por señales portentosas, que arrastrará también a los creyentes. En esos momentos de turbulencias, se necesita un ancla segura.

Es la era del tribulación. El discípulo de Jesús vive en ese arco del tiempo entre la demolición del templo y el final. Es un tiempo de tribulación y prueba, porque hay que dar testimonio personal de Jesús. Al encarar adversidades y traiciones hasta de los de casa, hay que mantener la fidelidad al Evangelio, viviendo con sabiduría y prudencia, en el nombre del Señor Jesús; ni engañados ni apabullados por lo que perturba alrededor. Se da testimonio de vida, de la verdad y de la fidelidad de Dios en Jesús, al que resucitó

para darnos la esperanza de vivir en comunión de salvación. La fidelidad de Jesús es nuestra áncora de vida. Con esta confianza vive el discípulo hasta el final del tiempo, esperando y rogando, "Ven, Señor Jesús".

NUESTRO SEÑOR JESUCRISTO, REY DEL UNIVERSO

Este relato es muy importante porque anuncia lo que debe ser un rey para su pueblo. A él se debe David y lo mismo hará Jesús. Dale convencimiento a tus palabras.

I LECTURA   2 Samuel 5:1–3

Lectura del segundo libro de Samuel

En aquellos días, **todas** las tribus de Israel fueron a Hebrón
    a ver **a David**, de la tribu de Judá, y le dijeron:
    "**Somos** de tu **misma** sangre.
Ya desde **antes**, aunque Saúl **reinaba** sobre nosotros,
    tú **eras** el que **conducía** a Israel,
    pues **ya** el Señor te **había dicho**:
    'Tú serás **el pastor** de Israel, mi pueblo; **tú serás** su guía'".

Así pues, los ancianos de Israel
    fueron a Hebrón a ver a David, **rey** de Judá.
David hizo con ellos un pacto **en presencia** del Señor
    y ellos **lo ungieron** como rey de **todas** las tribus de Israel.

Para meditar

SALMO RESPONSORIAL   Salmo 122:1–2, 4–5

R. Vayamos con alegría al encuentro del Señor.

¡Qué alegría cuando me dijeron:
"Vamos a la casa del Señor"!
Ya están pisando nuestros pies
    tus umbrales, Jerusalén. R.

Allá suben las tribus,
    las tribus del Señor.
Según la costumbre de Israel,
    a celebrar el nombre del Señor.

En ella están los tribunales de justicia,
    en el palacio de David. R.

I LECTURA El relato de la ascensión de David al trono se encuentra en 1 Sam 16–2 Sam 5. Es uno de los relatos más bellos de la narrativa hebrea. En escenas breves y bien llevadas, va apareciendo ese camino que llevará a David, de ser un pastor insignificante a ser el rey de Israel. No necesita aparecer el Señor en la narración, se ve a través de los acontecimientos. Tenemos una verdadera teología de la historia.

Los tres versículos leídos hoy, hablan del reconocimiento de David como rey de todo Israel. El rey se convierte en una "persona corporativa". La frase "hueso tuyo y

carne tuya somos nosotros" (v. 2), se asemeja a la alegría con la que Adán identifica a su mujer como su igual y su apoyo (Gen 2:23). David será el pastor de su pueblo, así se le llamaba en el oriente al rey. La unción consagra la unión del rey con el pueblo.

Jesús se adjudicará esa espera del Mesías. Él mostrará con su muerte y resurrección ser este Mesías, esperado por Israel. Jesús había explicado en qué consistía su reino: no venía a solucionar los problemas políticos y económicos directos. Viene a instituir un tipo de sociedad que no se funda en el éxito o productividad material, sino en

una relación hermanable entre los pueblos e individuos.

II LECTURA Estamos ante un himno con dos estrofas. La primera celebra a Cristo como el primogénito de la creación, y la segunda lo alaba como el primogénito de los muertos. Con su muerte y resurrección, Cristo ha configurado una nueva creación, más completa que la primera, gracias a que adquiere su plenitud en la reconciliación obrada por él.

Al cantar a Cristo como la "imagen del Dios invisible", los colosenses captan la fun-

II LECTURA   Colosenses 1:12–20

Lectura de la carta del apóstol san Pablo a los Colosenses

Hermanos:
Demos gracias a Dios Padre,
    el cual nos ha hecho **capaces** de participar
    en la **herencia** de su pueblo santo,
    en el **reino** de la luz.

Él nos ha **liberado** del poder de las tinieblas
    y nos **ha trasladado** al Reino de su Hijo amado,
    por cuya sangre **recibimos** la redención,
    esto es, **el perdón** de los pecados.

Cristo es **la imagen** de Dios invisible,
    el **primogénito** de toda la creación,
    porque **en él** tienen su fundamento **todas** las cosas creadas,
    del cielo y de la tierra, las visibles y **las invisibles**,
    sin excluir a los tronos y dominaciones,
    a los principados y potestades.
Todo fue creado **por medio** de él y **para él**.

Él existe **antes** que todas las cosas,
    y **todas** tienen su consistencia **en él**.
Él es también la **cabeza** del cuerpo, que es **la Iglesia**.
Él es el **principio**, el **primogénito** de entre los muertos,
    para que **sea** el primero **en todo**.

Porque Dios **quiso** que en Cristo habitara **toda plenitud**
    y **por él** quiso reconciliar consigo **todas** las cosas,
    del cielo y de la tierra,
    y darles **la paz** por medio de su sangre,
derramada en la cruz.

Cada estrofa tiene un acento propio. Búscalo y procura darle un tono festivo al himno. Comienza con un corazón agradecido, a tono con la letra.

Al dibujar a Cristo, hazlo como viéndolo como centro cósmico del universo.

La reconciliación es la obra mayor de Cristo rey. Anúnciala con certeza y gozo.

ción de mediador del Hijo amado de Dios. Cristo es la revelación visible del Invisible. Visible pero perteneciente al campo divino, superior a todo lo creado. Este "todo" incluye todo poder cósmico y demoníaco: tronos, dominaciones, principados y potestades. Cristo es también medio y fin del todo, lo que le da consistencia. Percibimos como en filigrana lo que el AT atribuye a la Sabiduría de Dios (Prov 8:22–31; Sir 24:1–21; Sab 7; 9; 10; 11). Cristo es todo esto, por ser él "la cabeza del cuerpo". Agrega Pablo "que es la Iglesia".

El Cristo es redentor por dar la vida a lo que carecía de ella. Cristo da vida. Su prima-do consiste en que es "fuente de vida". Él ha experimentado primero en su persona la muerte y la resurrección, por esto es el primogénito de los muertos. Cristo lleva a la Iglesia, a la comunidad, a ser "su" Iglesia. Esta entra en un nivel más alto. Es el primogénito no por ser primero en el tiempo, sino porque los demás sin él no existirían: en su resurrección está garantizada la de los otros. Otro aspecto de ese primado es la habitación en él de la plenitud divina, es decir, lo que es Dios. Gracias a ella efectúa la reconciliación cósmica, total, pero con su trágica historicidad: "pacificando mediante la sangre de Cristo". Alude a un recuerdo histórico con total realismo.

Cristo es, pues, el rey universal porque creó todo y todo lo ha recreado en su sangre; es el primogénito porque nos ha dado de su vida y su plenitud.

EVANGELIO Para celebrar la fiesta de Cristo Rey y cerrar el año litúrgico, escuchamos lo que Jesús hace y dice encarando su muerte. Aunque conviene tener presente el relato completo, hoy sólo atendemos a las burlas de sacerdotes y militares, pero también a las actitudes que

proclamación tiene que hacer que la
amblea contemple a Dios en Cristo
cificado y se mueva a compasión ante los
sultos y atropellos.

Únete a la voz del buen ladrón, e invita con tu
mirada, a que la asamblea haga otro tanto.

EVANGELIO   Lucas 23:35–43

Lectura del santo Evangelio según san Lucas

Cuando Jesús estaba ya **crucificado**,
   las autoridades le hacían muecas, diciendo:
   "A **otros** ha salvado; que se salve **a sí mismo**,
   si **él es** el Mesías de Dios, el **elegido**".

También los soldados se **burlaban** de Jesús,
   y acercándose a él, le ofrecían **vinagre** y le decían:
   "Si **tú eres** el rey de los judíos, **sálvate** a ti mismo".
Había, en efecto, sobre la cruz,
   un letrero en griego, latín y hebreo, que decía:
   "**Este es** el **rey** de los judíos".

Uno de los malhechores crucificados
   insultaba a Jesús, diciéndole:
   "Si **tú eres** el Mesías, **sálvate** a ti mismo **y a nosotros**".
Pero el otro le reclamaba, **indignado**:
   "¿Ni siquiera **temes** tú a Dios estando en el **mismo** suplicio?
Nosotros **justamente** recibimos el pago de lo que hicimos.
Pero éste **ningún** mal ha hecho".
Y le decía a Jesús:
   "**Señor**, cuando llegues a tu Reino, **acuérdate** de mí".
Jesús le respondió:
   "Yo te **aseguro** que **hoy** estarás conmigo **en el paraíso**".

los compañeros de suplicio adoptan frente al
"Rey de los judíos". Crucificado, el "Rey de los
judíos" es incapaz de salvarse a sí mismo.
        Las burlas traen a la memoria que
Jesús salvó a mucha gente necesitada, comenzando por aquél de la mano seca (6:9),
la mujer pecadora (7:50), el endemoniado de
Gerasa, etc. (8:36, 48, 50; *passim*). Pero
Jesús nunca se ocupó de salvarse a sí
mismo (ver 4:9). En la boca de los soldados,

las burlas exhiben la indefensión del rey
abandonado por todos. Los lenguajes del
letrero de la cruz lo dicen a todo el mundo.
Y allí se esconde la gran verdad. Una verdad
que divide a los hombres; unos a favor del
reinado de Dios, otros en contra. Pero no
hay que olvidar que esa decisión nos toca
encararla con toda seriedad, ante nuestro
destino definitivo.

Manual para lectores

Virginia Meagher y Paul Turner

Este libro presenta una breve historia de este bello ministerio, sus fundamentos teológicos y una puntual catequesis litúrgica sobre el papel del ministro durante la Misa; todo apoyado en los documentos de la Iglesia católica. Aquí encuentra usted instrucciones detalladas y prácticas, sugerencias para continuar su formación ministerial y consejos útiles para solventar situaciones difíciles o inusuales, así como preguntas para reflexionar y hasta oraciones apropiadas.

Este manual ayudará mucho a todos sus lectores y querrá que todos lo lean. Fomentará el espíritu de servicio y de participación, le ayudará a preparar mejor a los nuevos ministros y a revitalizar el ministerio de los veteranos. Aprovéchelo para estudiar en grupo. Este recurso le ofrece pautas sólidas para resolver los retos prácticos de las liturgias parroquiales y nutrir el crecimiento espiritual de los lectores en este precioso ministerio de la Iglesia.

¡Accesible y fácil de usar!

En rústica, 6 x 9, 80 páginas | 978-1-56854-440-3
Código de pedido: SLLEC
1–9 ejemplares: **$5.95** cada uno | 5 o más: **$4.95** cada uno

A16LEC1L

www.LTP.org · 800-933-1800

RECURSOS CATÓLICOS EN ESPAÑOL

¡Taller Virtual para lectores, proclamadores del Evangelio y predicadores de la Palabra!*

Participe en este taller virtual de entusiastas presentaciones y videos, comparta en grupos pequeños y ore, opine ¡y mucho más!

Técnicas para una proclamación vigorosa

Cultive su vocación ministerial: eduque y desarrolle las habilidades técnicas para comunicar eficazmente la palabra de Dios a la asamblea.

Fechas disponibles incluyen:
8 de marzo de 2016: 7:30 PM (ET)
4 de mayo de 2016: 7:30 PM (ET)
13 de septiembre de 2016: 7:30 PM (ET)

Proclamar los tiempos litúrgicos

Introducción a las Escrituras de Cuaresma
2 de febrero de 2016: 7:30 PM (ET)

Introducción a las Escrituras de Pascua
30 de marzo de 2016: 7:30 PM (ET)

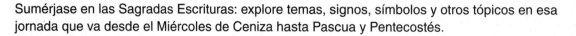

Photo© John Zich

Sumérjase en las Sagradas Escrituras: explore temas, signos, símbolos y otros tópicos en esa jornada que va desde el Miércoles de Ceniza hasta Pascua y Pentecostés.

Cupo limitado:
$10 cada taller o **$25** por los tres.

Para mayores informes visite www.ltp.org/virtualworkshops/lectors o llame 1-800-933-1800.

Los *Talleres Virtuales*™ de LTP incluyen:

- Compartir en grupos pequeños
- Reflexión personal
- Orar
- Opinar
- Elementos multimedia
- Tiempo para preguntas y respuestas

*Todos los *Talleres Virtuales*™ son en inglés.

¡Ordene ya!

A16MPA

LTP

RECURSOS
CATÓLICOS
EN ESPAÑOL

www.LTP.org · 800-933-1800